RUSSIAN
and
ENGLISH
Dictionary

L. P. Popova
Managing Editor

Printed on recyclable paper

NTC Publishing Group
Lincolnwood, Illinois

CONTENTS

TO THE USER

NTC's Super-Mini Russian and English Dictionary contains about 30,000 senses of 20,000 entry words—10,000 in each language—used in normal, conversational speech. Words that are highly specialized, archaic, dialectal, or slang are not included. The dictionary is intended for a wide range of users including students, tourists, and businesspeople who travel abroad.

Each English entry is transcribed in the phonetic symbols of the International Phonetic Association. The approximate Russian sound values of these symbols are shown on pages vii and viii. Stress marks are given to indicate the proper accentuation of the entry words in both parts of the dictionary (with the exception of one-syllable words). Parentheses are used to indicate words, parts of words, and expressions that are optional rather than integral parts of the words or expressions contained in the entries. Parentheses are also used to indicate translations of expressions as well as any alternate expressions that might be given. Geographical names are listed separately at the end of each section of the dictionary. Names requiring the definite article appear with the place name first and the article second. Example: *Alps, the.* Read this as *the Alps.*

In each Russian entry, the stem of the entry word is separated from its endings by a vertical bar (|). Within each entry, the entry word is replaced by a swung dash ( ) in examples requiring a repetition of the entry word.

In order to highlight endings, a swung dash ( ) is used for the stem, separated from the endings by a vertical bar (|). Words that are homonyms are entered separately and preceded by Roman numerals (I, II, etc.). Subsenses are indicated by Arabic numerals in partial parentheses, e.g., "1)." Subsenses that are different parts of speech are indicated by boldface Arabic numerals followed by periods. Special explanations appear in italics, in parentheses. In translated text, synonyms of translated words are preceded by commas; semicolons are used to set off nonsynonymous definitions. A diamond (♦) is used to signal an idiomatic phrase or any other phrase not directly related to the main definitions. Idioms and special expressions are included here to only a limited degree. A special section at the end of the dictionary provides conversion tables for U.S./British and Metric weights and measures, along with a scale showing equivalent Fahrenheit and Celsius temperatures.

PHONETIC SYMBOLS **ФОНЕТИЧЕСКИЕ ЗНАКИ**

Vowels- *Гласные*

i: — долгое и

ı — краткое и очень открытое и

e — е в словах «шесть», «эти»

æ — э, но более открытое; этот звук в английских словах встречается в начале слова или следует за твердыми согласными

ɑ: — долгое, заднее а, похожее на а в слове «палка»

ɔ — краткое, очень открытое о

ɔ: — долгое о

u — краткое у со слабым округлением губ

u: — долгое у без сильного выдвижения губ

ʌ — русское неударное о и а в словах «мосты́», «сады́»; но английский звук «ʌ» почти всегда стоит под ударением

ə — неясный безударный звук, близкий к «ʌ»

ə: — произносится как долгое ё, но встречается и под ударением

Diphthongs - *Двугласные*

eı ... эй	ɔı ... ой
əu ... оу	ıə ... иа
aı ... ай	ɛə ... эа
au ... ау	uə... уа

Ударение в двугласных падает на первый элемент.

Consonants– *Согласные*

p — п
b — б
m — м
w — звук, близкий к у, но не образующий слога
f — ф
v — в
θ — (без голоса), ð (с голосом). Для того, чтобы получить эти два щелевых звука — один без голоса, а другой с голосом, — следует образовать щель между передним краем языка и верхними зубами
s — с
z — з
t — т, произнесенное не у зубов, а у десен (альвеол)
d — д   „   „   „
n — н   „   „   „
l — л   „   „   „
r — нераскатистое, невибрирующее, очень краткое слабое р (кончик языка, немного завернутый назад, находится против той части твердого неба, где производится звук ж)
ʃ — мягкое ш
ʒ — мягкое ж
tʃ — ч
dʒ — очень слитное мягкое дж (иными словами — ч, произнесенное звонко, с голосом)
k — к
g — г
ŋ — задненебное н (т.е. н, произнесенное не кончиком языка, а задней частью его спинки)
h — простой выдох
i — слабое й

УСЛОВНЫЕ СОКРАЩЕНИЯ
ABBREVIATIONS

Русские
Russian

ав. — авиация aviation

амер. — американизм American

анат. — анатомия anatomy

архит. — архитектура architecture

безл. — безличная форма impersonal

биол. — биология biology

бот. — ботаника botany

бухг. — бухгалтерия book-keeping

вводн. сл. — вводное слово parenthesis

вин. п. — винительный падеж accusative

воен. — военное дело military

вчт. — вычислительная техника и программирование computer and programming

где-л. — где-либо somewhere

геогр. — география geography

геол. — геология geology

гл. — глагол verb

грам. — грамматика grammar

дат. п. — дательный падеж dative

дип. — дипломатия diplomacy

ед. ч. — единственное число singular

ж.-д. — железнодорожное дело railway

зоол. — зоология zoology

им. п. — именительный падеж nominative

карт. — термин карточной игры cards

кино — кинематография cinema

кто-л. — кто-либо somebody

куда-л. — куда-либо somewhere

кул. — кулинария cookery

мат. — математика mathematics

мед. — медицина medicine

мест. — местоимение pronoun

мн. ч. — множественное число plural

мор. — морское дело nautical

муз. — музыка music

нареч. — наречие adverb

п. — падеж case

перен. — переносное значение figurative

полигр. — полиграфия printing

полит. — политика politics

поэт. — поэтическое выражение poetical

превосх. ст. — превосходная степень superlative

предл. п. — предложный падеж prepositional

прил. — имя прилагательное adjective

радио — радиотехника radio

разг. — разговорное слово, выражение colloquial

род. п. — родительный падеж genitive

см. — смотри see

собир. — собирательно collective

спорт. — физкультура и спорт sports

сравнит. ст. — сравнительная степень comparative

сущ. — имя существительное noun

с.-х. — сельское хозяйство agriculture

тв. п. — творительный падеж instrumental

театр. — театральный термин theatre

текст. — текстильное дело textile

тех. — техника engineering

тж. — также also

физ. — физика physics

физиол. — физиология physiology

филос. — философия philosophy

фото — фотография photo

хим. — химия chemistry

числит. — числительное numeral

что-л. — что-либо something

шахм. — термин шахматной игры chess

эк. — экономика economics

эл. — электротехника electricity

юр. — юридический термин law

Английские
English

a — adjective имя прилагательное

adv — adverb наречие

conj — conjunction союз

inf — infinitive инфинитив

int — interjection междометие

n — noun имя существительное

num — numeral числительное

pl — plural множественное число

poss — possessive притяжательное (местоимение)

p.p. — past participle причастие прошедшего времени

prep — preposition предлог

pres — present настоящее время

pron — pronoun местоимение

sing — singular единственное число

sl. — slang сленг, жаргон

smb. — somebody кто-либо, кого-либо, кому-либо

smth. — something что-либо, чего-либо, чему-либо

v — verb глагол

АНГЛИЙСКИЙ АЛФАВИТ
ENGLISH ALPHABET

Aa	Gg	Nn	Uu
Bb	Hh	Oo	Vv
Cc	Ii	Pp	Ww
Dd	Jj	Qq	Xx
Ee	Kk	Rr	Yy
Ff	Ll	Ss	Zz
	Mm	Tt	

ENGLISH-RUSSIAN
Dictionary

A

a [eɪ] *грам. неопределён-ный артикль*

abandon [əˈbændən] покида́ть

abbreviation [əbriːvɪˈeɪʃn] сокраще́ние

ABC [ˈeɪbiːˈsiː] 1) алфави́т; а́збука; буква́рь 2) азы́

abhorrent [əbˈhɔrənt] отврати́тельный

ability [əˈbɪlɪtɪ] спосо́бность, уме́ние

able [eɪbl] спосо́бный; be ~ to мочь, быть в состоя́нии

abnormal [æbˈnɔːməl] ненорма́льный

aboard [əˈbɔːd] на борту́; на корабле́

abolish [əˈbɔlɪʃ] отменя́ть; упраздня́ть

abolition [æbəˈlɪʃn] отме́на, упраздне́ние

abominable [əˈbɔmɪnəbl] отврати́тельный, проти́вный

abound [əˈbaund] (in) изоби́ловать

about [əˈbaut] **1.** *adv* 1) круго́м 2) о́коло, приблизи́тельно **2.** *prep* 1) о, относи́тельно 2) вокру́г 3) :be ~ to + *inf* собира́ться (*что-л. сде-лать*)

above [əˈbʌv] 1) над 2) вы́ше; свы́ше

abridge [əˈbrɪdʒ] сокраща́ть

abroad [əˈbrɔːd] за грани́цей; за грани́цу

abrupt [əˈbrʌpt] 1) ре́зкий, внеза́пный 2) круто́й, обры́вистый

abscess [ˈæbsɪs] нары́в

absence [ˈæbsəns] отсу́тствие

absent [ˈæbsənt] отсу́тствующий; be ~ отсу́тствовать

absent-minded [ˈæbsənt ˈmaɪndɪd] рассе́янный; отсу́тствующий

absolute [ˈæbsəluːt] 1) абсолю́тный; безусло́вный 2) неограни́ченный

absolutely [ˈæbsəluːtlɪ] совсе́м; соверше́нно

absorb [əbˈsɔːb] поглоща́ть; вса́сывать; впи́тывать

abstain [əbˈsteɪn] возде́рживаться

abstract [ˈæbstrækt] отвлечённый, абстра́ктный

absurd [əbˈsəːd] неле́пый; ~ity [-ɪtɪ] неле́пость

abundant [əˈbʌndənt] оби́льный

abuse 1. *v* [ə'bju:z] 1) злоупотреблять 2) ругать **2.** *n* [ə'bju:s] 1) злоупотребление 2) брань

abusive [ə'bju:sɪv] бранный

Academy [ə'kædəmɪ] академия

accelerate [æk'seləreɪt] ускорять

accent ['æksənt] 1) ударение 2) произношение, акцент

accept [ək'sept] принимать

access ['ækses] доступ; ~ible [æk'sesəbl] доступный

accident ['æksɪdənt] (несчастный) случай; by ~ нечаянно; ~al [æksɪ'dentl] случайный; нечаянный

accommodation [əkɒmə'deɪʃn] 1) помещение, жильё 2) приспособление

accompany [ə'kʌmpənɪ] 1) сопровождать 2) *муз.* аккомпанировать

accomplice [ə'kʌmplɪs] сообщник

accomplish [ə'kʌmplɪʃ] исполнять, завершать

accord [ə'kɔ:d] **1.** *n* согласие; соответствие **2.** *v* согласовать(ся); соответствовать; ~ance [-əns]: in ~ance with согласно, в соответствии с; ~ing [-ɪŋ]: ~ing to согласно; ~ingly [-ɪŋlɪ] соответственно

account [ə'kaunt] **1.** *n* 1) счёт 2) отчёт ◇ on ~ of из-за; on по ~ ни в коем слу-

чае **2.** *v:* ~ for давать отчёт; объяснять

accountant [ə'kauntənt] бухгалтер

accumulate [ə'kju:mjuleɪt] накапливать(ся)

accuracy ['ækjurəsɪ] точность

accurate ['ækjurɪt] точный

accusation [ækju:'zeɪʃn] обвинение

accusative [ə'kju:zətɪv] *грам.* винительный падёж

accuse [ə'kju:z] обвинять

accustom [ə'kʌstəm] приучать; be ~ed to привыкать

ache [eɪk] **1.** *n* боль **2.** *v* болеть

achieve [ə'tʃi:v] достигать; ~ment [-mənt] достижение

acid ['æsɪd] **1.** *a* кислый **2.** *n* кислота

acknowledge [ək'nɒlɪdʒ] 1) признавать 2) подтверждать (*получение*); ~ment [-mənt] 1) признание 2) подтверждение (*получения*)

acorn ['eɪkɔ:n] жёлудь

acquaintance [ə'kweɪntəns] знакомый

acquire [ə'kwaɪə] приобретать

acquit [ə'kwɪt] оправдывать

acre ['eɪkə] акр

acrid ['ækrɪd] 1) едкий 2) колкий

across [ə'krɒs] **1.** *prep.* через; сквозь **2.** *adv* поперёк

act [ækt] **1.** *n* 1) действие, поступок 2) *театр.* акт 3) закон (*принятый парламентом*) 2. *v* 1) действовать; вести себя; 2) играть (*роль*)

acting ['æktɪŋ] 1. *a* 1) исполняющий обязанности 2) действующий 2. *n* игра (актёра)

action ['ækʃn] 1) действие, поступок 2) *юр.* иск 3) военные действия

active ['æktɪv] деятельный, активный; ~ voice *грам.* действительный залог; on ~ service на действительной военной службе

activity [æk'tɪvɪtɪ] деятельность, активность

actor ['æktə] актёр

actress ['æktrɪs] актриса

actual ['æktjuəl] действительный; ~ly [-lɪ] фактически, на самом деле

acute [ə'kju:t] острый ◇ ~ satisfaction огромное удовлетворение

adaptation [ædæp'teɪʃn] 1) приспособление 2) переделка; обработка (*литературного произведения*)

add [æd] 1) прибавлять 2) *мат.* складывать

addict ['ædɪkt] наркоман

addition [ə'dɪʃn] 1) добавление 2) *мат.* сложение; ~al [-əl] добавочный

address [ə'dres] 1. *v* 1) адресовать, направлять 2) обращаться 2. *n* 1) адрес 2) обращение, речь

adequate ['ædɪkwɪt] 1) соответствующий 2) достаточный

adherent [əd'hɪərənt] приверженец, сторонник

adjacent [ə'dʒeɪsənt] смежный

adjective ['ædʒɪktɪv] *грам.* имя прилагательное

adjourn [ə'dʒə:n] 1) отсрочивать; откладывать 2) делать перерыв (*в заседаниях*)

adjust [ə'dʒʌst] 1) оправлять (*платье и т. п.*) 2) улаживать 3) приспособлять, прилаживать

administration [ədmɪnɪ'treɪʃn] 1) администрация 2) правительство

admiral ['ædmərəl] адмирал

admiralty ['ædmərəltɪ] морское министерство

admiration [ædmə'reɪʃn] восхищение

admire [əd'maɪə] восхищаться

admission [əd'mɪʃn] 1) вход 2) признание

admit [əd'mɪt] впускать; *перен.* допускать, признаваться; ~ting that this is the case допустим, что это так; ~tance [-əns] вход; no ~tance нет входа, вход воспрещён

adolescent [ædəu'lesnt] 1. *a* юношеский 2. *n* юноша, подросток

adopt [ə'dɔpt] 1) усыновлять 2) принимать; ~ion

[ə'dɔpʃn] 1) усыновле́ние 2) приня́тие

adore [ə'dɔ:] обожа́ть; поклоня́ться; люби́ть

adult ['ædʌlt] взро́слый

advance [əd'vɑ:ns] **1.** *v* продвига́ть(ся) 2) повыша́ть(ся) 3) выдвига́ть **2.** *n* 1) продвиже́ние 2) ава́нс

advantage [əd'vɑ:ntɪdʒ] преиму́щество

adventure [əd'ventʃə] приключе́ние

adventurer [əd'ventʃərə] иска́тель приключе́ний; авантюри́ст

adventurous [əd'ventʃərəs] отва́жный, предприи́мчивый; ~ journey путеше́ствие, по́лное приключе́ний

adverb ['ædvə:b] *грам.* наре́чие

adversary ['ædvəsərɪ] проти́вник

adversity [əd'və:sɪtɪ] бе́дствие, несча́стье

advertisement [əd'və:tɪsmənt] объявле́ние; рекла́ма

advice [əd'vaɪs] сове́т (*наставле́ние*)

advise [əd'vaɪz] 1) сове́товать 2) извеща́ть, уведомля́ть

advocate 1. *v* ['ædvəkeɪt] выступа́ть за; защища́ть **2.** *n* ['ædvəkɪt] сторо́нник, защи́тник

aerial ['ɛərɪəl] **1.** *a* возду́шный **2.** *n* анте́нна

aeroplane ['ɛərəpleɪn] самолёт

affair [ə'fɛə] де́ло

affect [ə'fekt] 1) (воз)де́йствовать 2) затра́гивать 3) поража́ть (*здоро́вье*)

affectation [æfek'teɪʃn] притво́рство

affection [ə'fekʃn] привя́занность; ~ate [-ɪt] лю́бящий; не́жный

affirm [ə'fə:m] утвержда́ть

affirmative [ə'fə:mətɪv] утверди́тельный

afford [ə'fɔ:d] 1) доставля́ть 2) позволя́ть себе́; I can't ~ a car я не в состоя́нии купи́ть маши́ну

affront [ə'frʌnt] оскорбле́ние

Afghan ['æfgæn] **1.** *a* афга́нский **2.** *n* афга́нец

afraid [ə'freɪd]: be ~ (of) боя́ться

afresh [ə'freʃ] за́ново

African ['æfrɪkən] **1.** *a* африка́нский **2.** *n* африка́нец

after ['ɑ:ftə] **1.** *conj* по́сле того́ как **2.** *prep* по́сле; за; day ~ day день за днём; ~ all в конце́ концо́в

afternoon [ɑ:ftə'nu:n] послеполу́денное вре́мя; good ~! до́брый день!, здра́вствуйте!

afters ['ɑ:ftəz] *pl разг.* десе́рт

afterwards ['ɑ:ftəwədz] пото́м, впосле́дствии

again [ə'gen] опя́ть; сно́ва

against [ə'genst] про́тив

agate ['ægət] ага́т

age [eɪdʒ] **1.** *n* 1) во́зраст

2) век ◇ for ~s давно́ 2. *v* 1) старе́ть 2) ста́рить

aged ['eɪdʒɪd] престаре́лый

agency ['eɪdʒənsɪ] 1) аге́нтство 2) сре́дство 3) :by (through) the ~ of посре́дством, с по́мощью

agenda [ə'dʒendə] пове́стка дня

agent ['eɪdʒənt] аге́нт; представи́тель

aggravate ['ægrəveɪt] 1) усугубля́ть, отягоща́ть 2) *разг.* раздража́ть, надоеда́ть

aggression [ə'greʃn] агре́ссия

agile ['ædʒaɪl] подви́жный, прово́рный

agitate ['ædʒɪteɪt] 1) волнова́ть, возбужда́ть 2) агити́ровать

agitator ['ædʒɪteɪtə] агита́тор

ago [ə'gəu] тому́ наза́д; long ~ давно́

agony ['ægənɪ] 1) страда́ние 2) аго́ния

agree [ə'gri:] 1) соглаша́ться; догова́риваться 2) ужива́ться 3) соотве́тствовать; ~able [ə'grɪəbl] прия́тный; ~ment [ə'gri:mənt] 1) согла́сие 2) соглаше́ние; догово́р 3) *грам.* согласова́ние

agriculture ['ægrɪkʌltʃə] се́льское хозя́йство

ahead [ə'hed] вперёд; впереди́ ◇ go ~! начина́йте!, дава́йте!

aid [eɪd] 1. *n* по́мощь 2. *v* помога́ть

AIDS, Aids [eɪdz] СПИД

aim [eɪm] 1. *n* цель 2. *v* 1) це́литься 2) стреми́ться

air I [ɛə] 1. *n* во́здух 2. *a* 1) возду́шный 2) авиацио́нный 3. *v* прове́тривать

air II [ɛə] вид; an ~ of importance ва́жный вид

air-conditioner ['ɛəkən-dɪʃ(ə)nə] кондиционе́р (во́здуха)

aircraft ['ɛəkrɑ:ft] 1) самолёт 2) авиа́ция

airmail ['ɛəmeɪl] авиапо́чта

airport ['ɛəpɔ:t] аэропо́рт

airterminal ['ɛətə:mɪn(ə)l] аэровокза́л

air time ['ɛətaɪm] эфи́рное вре́мя

alarm [ə'lɑ:m] 1. *n* трево́га 2. *v* (вс)трево́жить; ~-clock [-klɔk] буди́льник

alas! [ə'lɑ:s] увы́!

Albanian [æl'beɪnjən] 1. *a* алба́нский 2. *n* алба́нец

alcohol ['ælkəhɔl] алкого́ль

alert [ə'lə:t] 1. *a* 1) бди́тельный 2) прово́рный 2. *n*: on the ~ насторо́же

algebra ['ældʒɪbrə] а́лгебра

alien ['eɪljən] 1. *a* 1) иностра́нный 2) чу́ждый 2. *n* иностра́нец

alight [ə'laɪt] 1) вы́йти (*из трамва́я и т. п.*) 2) спуска́ться (*о самолёте*); сесть (*о пти́це*)

alike [ə'laɪk] **1.** *a* 1): they are very much ~ они́ о́чень похо́жи друг на дру́га 2): all children are ~ все де́ти одина́ковы **2.** *adv* одина́ково

alive [ə'laɪv] 1) живо́й 2): ~ with киша́щий ◇ be ~ to понима́ть

all [ɔːl] **1.** *a* весь, вся, всё, все ◇ once for ~ раз навсегда́ **2.** *n* всё, все ◇ at ~ совсе́м, вообще́; not at ~ ! во́все нет; пожа́луйста! (*в отве́т на благода́рность*); ~ right! ла́дно!, хорошо́!

allege [ə'ledʒ] 1) утвержда́ть 2) ссыла́ться; приводи́ть (*в подтвержде́ние*)

allegiance [ə'liːdʒəns] пре́данность, ве́рность

alley ['ælɪ] 1) алле́я 2) переу́лок

alliance [ə'laɪəns] 1) сою́з 2) родство́

allied [ə'laɪd] 1) сою́зный 2) ро́дственный

allot [ə'lɔt] назнача́ть; ~ment [-mənt] уча́сток

allow [ə'lau] 1) позволя́ть 2) допуска́ть, признава́ть; ~ for принима́ть во внима́ние

allowance [ə'lauəns] 1) посо́бие, регуля́рная де́нежная по́мощь 2) *воен.* паёк ◇ make ~s for учи́тывать

alloy ['ælɔɪ] 1) при́месь 2) сплав

all-purpose ['ɔːlpəːpəs] универса́льный

allude [ə'luːd] (to) 1) упомина́ть 2) ссыла́ться

allusion [ə'luːʒn] 1) намёк 2) ссы́лка

ally 1. *n* ['ælaɪ] сою́зник **2.** *v* [ə'laɪ] соединя́ть

almond ['ɑːmənd] минда́ль; минда́лина

almost ['ɔːlməust] почти́

aloft [ə'lɔft] наверху́

alone [ə'ləun] оди́н; I'm (all) ~ я (совсе́м) оди́н; let *smb.* ~ оставля́ть в поко́е

along [ə'lɔŋ] вдоль, по

alongside [ə'lɔŋ'said] вдоль

aloof [ə'luːf] : hold (keep) ~ from *перен.* сторони́ться

aloud [ə'laud] гро́мко, вслух

alphabet ['ælfəbit] алфави́т, а́збука

alpine ['ælpaɪn] альпи́йский

already [ɔːl'redɪ] уже́

also ['ɔːlsəu] та́кже, то́же

alter ['ɔːltə] (видо)изменя́ть(ся); ~ation [ɔːltə'reɪʃn] измене́ние; переме́на

alternate 1. *a* [ɔːl'təːnɪt] переме́нный **2.** *v* ['ɔːltəːneɪt] чередова́ть(ся)

alternative [ɔːl'təːnətɪv] вы́бор; альтернати́ва; there was no ~ не́ было друго́го вы́хода

although [ɔːl'ðəu] хотя́

altitude ['æltɪtjuːd] высота́

altogether [ɔːltə'geðə] совсе́м

aluminium [ælju'mɪnjəm] алюми́ний

always ['ɔːlwəz] всегда́

am [æm] *1 л. ед. ч. наст. вр. гл.* be

a.m. ['eɪ'em] (ante meridiem) до полу́дня; 5 a. m. 5 часо́в утра́

amalgamated [ə'mælgəmeɪtɪd] объединённый, соединённый

amateur ['æmətə:] 1. *n* люби́тель, непрофессиона́л 2. *a* люби́тельский

amaze [ə'meɪz] удивля́ть, изумля́ть; ~ment [-mənt] удивле́ние, изумле́ние

ambassador [æm'bæsədə] посо́л

amber ['æmbə] 1. *n* янта́рь 2. *a* янта́рный

ambiguous [æm'bɪgjuəs] двусмы́сленный

ambition [æm'bɪʃn] 1) честолю́бие 2) стремле́ние

ambitious [æm'bɪʃəs] честолюби́вый

ambulance ['æmbjuləns] маши́на ско́рой по́мощи

ambush ['æmbuʃ] заса́да

amends [ə'mendz] *pl* возмеще́ние; make ~ (for) искупа́ть вину́

amenities [ə'menɪti:z] *pl* удо́бства

American [ə'merɪkən] 1. *a* америка́нский 2. *n* америка́нец

amiable ['eɪmjəbl] любе́зный, ми́лый

amicable ['æmɪkəbl] дру́жеский; дру́жественный

amid(st) [ə'mɪd(st)] среди́

amiss [ə'mɪs] 1) оши́бочно 2) неуда́чно

ammonia [ə'məunjə] амми́ак; liquid ~ нашаты́рный спирт

ammunition [æmju'nɪʃn] боеприпа́сы

amnesty ['æmnɪstɪ] амни́стия

among(st) [ə'mʌŋ(st)] ме́жду, среди́

amount [ə'maunt] 1. *n* 1) су́мма; ито́г 2) коли́чество 2. *v* доходи́ть до; равня́ться

amputate ['æmpjuteɪt] ампути́ровать

amuse [ə'mju:z] забавля́ть, развлека́ть; ~ment [-mənt] заба́ва; развлече́ние

amusing [ə'mju:zɪŋ] заба́вный, интере́сный

an [æn] *грам. неопределённый артикль перед гласными*

anaesthetic [ænɪs'θetɪk] нарко́з; обезбо́ливающее сре́дство

analyse ['ænəlaɪz] анализи́ровать, разбира́ть

analysis [ə'næləsɪs] ана́лиз

anarchy ['ænəkɪ] ана́рхия

anatomy [ə'nætəmɪ] анато́мия

ancestor ['ænsɪstə] пре́док

anchor ['æŋkə] я́корь

ancient ['eɪnʃənt] дре́вний

and [ænd] 1) и 2) а, но

angel ['eɪndʒəl] а́нгел

anger ['æŋgə] гнев

angle ['æŋgl] *мат.* у́гол

angry ['æŋgrɪ] серди́тый; be ~ серди́ться

anguish ['æŋgwɪʃ] страда́ние

animal ['ænɪməl] 1. *n* живо́тное 2. *a* живо́тный

animated ['ænɪmeɪtɪd] оживлённый; ~ cartoon мультипликацио́нный фильм

animosity [ænɪ'mɔsɪtɪ] вражде́бность

ankle ['æŋkl] щи́колотка

annex 1. *v* [ə'neks] присоединя́ть; аннекси́ровать 2. *n* ['æneks] 1) приложе́ние 2) пристро́йка; ~ation [ænek'seɪʃn] присоедине́ние; анне́ксия

annihilate [ə'naɪəleɪt] уничтожа́ть

annihilation [ənaɪə'leɪʃn] уничтоже́ние

anniversary [ænɪ'və:sərɪ] годовщи́на; юбиле́й

announce [ə'nauns] объявля́ть; ~ment [-mənt] объявле́ние; сообще́ние; ~r [-ə] ди́ктор

annoy [ə'nɔɪ] досажда́ть, надоеда́ть

annual ['ænjuəl] 1. *a* годово́й, ежего́дный 2. *n* ежего́дник

annul [ə'nʌl] аннули́ровать, отменя́ть, уничтожа́ть

another [ə'nʌðə] друго́й

answer ['ɑ:nsə] 1. *n* отве́т 2. *v* отвеча́ть; ~ back огрыза́ться

answerphone ['ɑ:nsəfəun] автоотве́тчик

ant [ænt] мураве́й

antarctic [ænt'ɑ:ktɪk] антаркти́ческий

antenna [æn'tenə] 1) *зоол.* щу́пальце, у́сик 2) *радио* анте́нна

anthem ['ænθəm] гимн; national ~ госуда́рственный гимн

anticipate [æn'tɪsɪpeɪt] ожида́ть, предви́деть; ~ smb.'s wishes предупрежда́ть чьи-л. жела́ния

anticipation [æntɪsɪ'peɪʃn] ожида́ние, предвкуше́ние

antidote ['æntɪdəut] противоя́дие

anti-fascist [æntɪ'fæʃɪst] 1. *a* антифаши́стский 2. *n* антифаши́ст

antipathy [æn'tɪpəθɪ] антипа́тия

antique [æn'ti:k] дре́вний, анти́чный

antiquity [æn'tɪkwɪtɪ] дре́вность

anxiety [æŋ'zaɪətɪ] беспоко́йство, забо́та; трево́га

anxious ['æŋkʃəs] 1) озабо́ченный; встрево́женный; I am ~ about children я беспоко́юсь о де́тях 2) стра́стно жела́ющий; he is ~ to see you он о́чень хоте́л бы повида́ть вас

any ['enɪ] како́й-нибудь; любо́й; ~body [-bədɪ] кто́-нибудь; ~how [-hau] во вся́ком слу́чае; ~one [-wʌn] любой, всякий; кто-нибудь; ~thing [-θɪŋ] что-нибудь; что угодно; ~way [-weɪ] во всяком случае; ~where [-wɛə] где-нибудь, куда-нибудь; где угодно, куда угодно

apart [əˈpɑːt] в стороне, отдельно; врозь; take ~ разобрать (*на части*); ~ from не считая, кроме; joking ~ шутки в сторону

apartment [əˈpɑːtmənt] комната; квартира

ape [eɪp] обезьяна (*человекообразная*)

apiece [əˈpiːs] за штуку

apologize [əˈpɒlədʒaɪz] извиняться

apology [əˈpɒlədʒɪ] извинение

appal [əˈpɔːl] ужасать, пугать

apparatus [æpəˈreɪtəs] аппарат, прибор

apparently [əˈpærəntlɪ] очевидно; по-видимому

appeal [əˈpiːl] 1. *n* 1) призыв; обращение; воззвание 2) *юр.* апелляция 2. *v* 1) обращаться, взывать 2) (to) нравиться, привлекать 3) *юр.* апеллировать

appear [əˈpɪə] 1) появляться 2) казаться 3) явствовать

appearance [əˈpɪərəns] 1) появление 2) наружность, вид

appease [əˈpiːz] умиротворять; успокаивать

appendix [əˈpendɪks] 1)

приложение 2) *анат.* аппендикс

appetite [ˈæpɪtaɪt] 1) аппетит 2) охота, желание

applaud [əˈplɔːd] 1) аплодировать 2) хвалить

applause [əˈplɔːz] 1) аплодисменты 2) похвала

apple [ˈæpl] яблоко; ~ tree яблоня

appliance [əˈplaɪəns] прибор, приспособление

applicant [ˈæplɪkənt] 1) проситель 2) претендент (*на место, должность*)

application [æplɪˈkeɪʃn] 1) просьба, заявление 2) применение; ~ package *вчт.* пакет прикладных данных 3) прилежание 4) употребление (*лекарства*)

applied [əˈplaɪd] прикладной

apply [əˈplaɪ] 1) (to, for) обращаться к, за 2) прилагать; применять; употреблять (в дело)

appoint [əˈpɔɪnt] назначать; ~ment [-mənt] 1) назначение 2) должность 3) свидание

appraise [əˈpreɪz] оценивать

appreciable [əˈpriːʃəbl] заметный, ощутимый

appreciate [əˈpriːʃɪeɪt] ценить; отдавать должное 2) оценивать

apprehend [æprɪˈhend] 1) понимать 2) задерживать, арестовывать

apprentice [ə'prentɪs] учени́к, подмасте́рье; ~ship [-ʃɪp] учени́чество

approach [ə'prəʊtʃ] 1. *v* приближа́ться, подходи́ть 2. *n* приближе́ние; подхо́д

approbation [ˌæprə'beɪʃn] одобре́ние

appropriate 1. *a* [ə'prəʊprɪɪt] подходя́щий, соотве́тствующий 2. *v* [ə'prəʊprɪeɪt] присва́ивать

approval [ə'pru:vəl] одобре́ние

approve [ə'pru:v] одобря́ть

approximate [ə'prɔksɪmɪt] приблизи́тельный

apricot ['eɪprɪkɔt] абрико́с

April ['eɪprəl] апре́ль

apron ['eɪprən] фа́ртук

apt [æpt] 1) подходя́щий; уме́стный 2) скло́нный

aquatics [ə'kwætɪks] *pl* во́дный спорт

Arab ['ærəb] 1. *a* ара́бский 2. *n* ара́б

arable ['ærəbl] па́хотный

arbitrary ['ɑ:bɪtrərɪ] произво́льный

arbour ['ɑ:bə] бесе́дка

arc [ɑ:k] *мат.* дуга́

arch [ɑ:tʃ] 1) а́рка 2) свод

archaic [ɑ:'keɪɪk] устаре́лый, архаи́ческий

archbishop [ɑ:tʃ'bɪʃəp] архиепи́скоп

architect ['ɑ:kɪtekt] архите́ктор; ~ure ['ɑ:kɪtektʃə] архитекту́ра

arctic ['ɑ:ktɪk] поля́рный, аркти́ческий

ardent ['ɑ:dənt] пы́лкий

ardour ['ɑ:də] жар; пыл, рве́ние

arduous ['ɑ:djuəs] тяжё́лый, напряжё́нный

are [ɑ:] *мн. ч. наст. вр. гл.* be

area ['ɛərɪə] 1) простра́нство, пло́щадь 2) райо́н, о́бласть; зо́на

arena [ə'ri:nə] аре́на

aren't [ɑ:nt] *разг.* = are not

argue ['ɑ:gju:] 1) спо́рить 2) дока́зывать

argument ['ɑ:gjumənt] 1) до́вод 2) спор

arid ['ærɪd] сухо́й, засу́шливый

arise [ə'raɪz] (arose; arisen) возника́ть, появля́ться

arisen [ə'rɪzn] *p. p. от* arise

arithmetic [ə'rɪθmətɪk] арифме́тика

arm I [ɑ:m] рука́ (*от кисти до плеча*)

arm II [ɑ:m] 1. *n* (*обыкн. pl*) ору́жие; ~s race го́нка вооруже́ний 2. *v* вооружа́ть(ся)

armament ['ɑ:məmənt] вооруже́ние

armchair ['ɑ:mtʃɛə] кре́сло

armistice ['ɑ:mɪstɪs] переми́рие

armour ['ɑ:mə] броня́; ~-clad [-klæd] *a* брониро́ванный

armoury [ˈɑːmərɪ] 1) арсенáл 2) *амер.* оружéйный завóд

armpit [ˈɑːmpɪt] подмы́шка

army [ˈɑːmɪ] áрмия

arose [əˈrəuz] *past om* arise

around [əˈraund] вокрýг, кругóм

arouse [əˈrauz] будúть, пробуждáть

arrange [əˈreɪndʒ] расставлять, располагáть по вкýсу (*мéбель, цветы и т. п.*); устрáивать; ~ the children according to height постáвить детéй по рóсту; ~ment [-mənt] 1) устрóйство, расположéние 2) *pl* приготовлéния

arrest [əˈrest] 1. *v* 1) арестóвывать 2) прикóвывать (*внимáние*) 2. *n* арéст

arrival [əˈraɪvəl] прибы́тие

arrive [əˈraɪv] прибывáть

arrogance [ˈærəgəns] высокомéрие, надмéнность

arrow [ˈærəu] стрелá

arsenic [ˈɑːsnɪk] мышья́к

art [ɑːt] 1) искýсство 2) ремеслó 3) *pl* гуманитáрные наýки

artful [ˈɑːtful] хи́трый, лóвкий

article [ˈɑːtɪkl] 1) статья́ 2) предмéт 3) *грам.* арти́кль, член

artificial [ɑːtɪˈfɪʃəl] искýсственный; притвóрный; ~

teeth вставны́е зýбы; ~ limb протéз

artillery [ɑːˈtɪlərɪ] артиллéрия

artist [ˈɑːtɪst] худóжник; ~ic [ɑːˈtɪstɪk] худóжественный

arts and crafts [ɑːtsənd ˈkrɑːfts] прикладнóе искýсство

as [æz] 1. *conj* 1) так как 2) в то врéмя как, когдá ◇ as if как бýдто; as to что касáется 2. *adv* как; так ◇ as far as наскóлько; as well тáкже; as well as так же, как

ascent [əˈsent] восхождéние, подъём

ascertain [æsəˈteɪn] установúть, удостовéриться

ascribe [əˈskraɪb] (to) припи́сывать

ash I [æʃ] 1) золá; пéпел 2) *pl* прах

ash II [æʃ] я́сень

ashamed [əˈʃeɪmd]: be ~ стыди́ться

ashore [əˈʃɔː] к бéрегу, на берег(ý)

Asiatic [eɪʃɪˈætɪk] азиáтский

aside [əˈsaɪd] в стóрону; в сторонé, отдéльно

ask [ɑːsk] 1) спрáшивать 2) просúть; ~ after справля́ться о

askew [əˈskjuː] криво, кóсо

asleep [əˈsliːp]: be ~ спать; fall ~ заснýть

asp [æsp] оси́на

aspect [ˈæspekt] 1) вид 2) аспе́кт, сторона́

aspiration [æspəˈreɪʃn] стремле́ние

aspire [əsˈpaɪə] стреми́ться

ass [æs] осёл

assassin [əˈsæsɪn] уби́йца; ~ation [əsæsɪˈneɪʃn] уби́йство

assault [əˈsɔːlt] 1. *n* нападе́ние; штурм 2. *v* напада́ть; штурмова́ть

assemble [əˈsembl] 1) собира́ть(ся) 2) *тех.* монти́ровать

assembly [əˈsemblɪ] собра́ние; ассамбле́я

assent [əˈsent] 1. *n* согла́сие 2. *v* соглаша́ться

assert [əˈsəːt] утвержда́ть; ~ oneself отста́ивать свои́ права́

assign [əˈsaɪn] 1) назнача́ть 2) ассигнова́ть; ~ment [-mənt] 1) назначе́ние 2) зада́ние, поруче́ние

assimilate [əˈsɪmɪleɪt] 1) усва́ивать(ся) 2) ассимили́ровать(ся)

assist [əˈsɪst] помога́ть, соде́йствовать; ~ance [-əns] по́мощь; соде́йствие; ~ant [-ənt] помо́щник, ассисте́нт

associate 1. *v* [əˈsəuʃɪeɪt] 1) соединя́ть(ся) 2) обща́ться 2. *n* [əˈsəuʃɪɪt] колле́га; уча́стник

association [əsəusɪˈeɪʃn] о́бщество; ассоциа́ция

assortment [əˈsɔːtmənt] вы́бор, ассортиме́нт

assume [əˈsjuːm] 1) брать,

принима́ть на себя́ 2) предполага́ть, допуска́ть

assurance [əˈʃuərəns] уве́ренность

assure [əˈʃuə] уверя́ть; заверя́ть (*кого-л.*)

astonish [əsˈtɔnɪʃ] удивля́ть, изумля́ть; ~ment [-mənt] удивле́ние, изумле́ние

astronaut [ˈæstrənɔːt] космона́вт

astronomy [əsˈtrɔnəmɪ] астроно́мия

asylum [əˈsaɪləm] 1) прию́т; убе́жище 2) психиатри́ческая лече́бница

at [æt] в, на; при, у, о́коло; по ◇ at all вообще́

ate [et] *past om* eat

atheist [ˈeɪθɪɪst] атеи́ст

athlete [ˈæθliːt] спортсме́н; атле́т

athletics [æθˈletɪks] атле́тика

atlas [ˈætləs] а́тлас

atmosphere [ˈætməsfɪə] атмосфе́ра

atom [ˈætəm] а́том; ~ bomb а́томная бо́мба

atomic [əˈtɔmɪk] а́томный

atrocious [əˈtrəuʃəs] 1) зве́рский, жесто́кий 2) *разг.* отврати́тельный

atrocity [əˈtrɔsɪtɪ] зве́рство

attach [əˈtætʃ] 1) прикрепля́ть, присоединя́ть; *перен.* привя́зывать 2) придава́ть (*значение*); ~ment [-mənt] 1) привя́занность 2) прикрепле́ние

12

attack [ə'tæk] 1. *v* атако-
ва́ть; напада́ть 2. *n* 1) ата́ка;
нападе́ние 2) припа́док,
при́ступ (*болезни*)

attain [ə'teın] дости́гнуть;
доби́ться

attempt [ə'tempt] 1. *n* 1)
попы́тка 2) покуше́ние 2. *v*
1) пыта́ться 2) покуша́ться

attend [ə'tend] 1) уделя́ть
внима́ние; слу́шать (*внима-
тельно*); sorry, I wasn't ~ing
прости́те, я отвлёкся 2) за-
бо́титься; I'll ~ to luggage я
позабо́чусь о багаже́ 3) при-
су́тствовать, посеща́ть; ~ance
[-əns] посеща́емость; ~ant
[-ənt] служи́тель, слуга́

attention [ə'tenʃn] внима́-
ние

attentive [ə'tentıv] внима́-
тельный

attest [ə'test] свиде́тельст-
вовать

attic ['ætık] черда́к

attitude ['ætıtju:d] 1) от-
ноше́ние 2) по́за

attorney [ə'tə:nı] пове́рен-
ный; адвока́т; power of ~
полномо́чие

attract [ə'trækt] притя́ги-
вать; привлека́ть; ~ion
[ə'trækʃn] 1) притяже́ние,
тяготе́ние 2) привлека́тель-
ность; ~ive [ə'træktıv] при-
влека́тельный; зама́нчивый

attribute 1. *n* ['ætrıbju:t]
1) сво́йство, при́знак 2)
грам. определе́ние 2. *v*
[ə'trıbju:t] припи́сывать; от-
носи́ть (к)

auction ['ɔ:kʃn] аукцио́н

audacious [ɔ:'deıʃəs] от-
ва́жный; де́рзкий

audacity [ɔ:'dæsıtı] 1) от-
ва́га 2) наха́льство

audible ['ɔ:dəbl] слы́ш-
ный; слы́шимый

audience ['ɔ:djəns] 1)
аудие́нция 2) пу́блика, слу́шатели

August ['ɔ:gəst] а́вгуст

aunt [ɑ:nt] тётка, тётя

austere [ɔs'tıə] суро́вый,
стро́гий

Australian [ɔs'treıljən] 1. *a*
австрали́йский 2. *n* австра-
ли́ец

authentic [ɔ:'θentık] по́д-
линный

author ['ɔ:θə] а́втор

authoritative [ɔ:'θɔrıtətıv]
авторите́тный

authority [ɔ:'θɔrıtı] 1)
власть, полномо́чие 2) *pl*
вла́сти 3) авторите́т

authorize ['ɔ:θəraız] упол-
номо́чивать

autobiography [ɔ:təbaı-
'ɔgrəfı] автобиогра́фия

automatic [ɔ:tə'mætık] ав-
томати́ческий

automobile ['ɔ:təməbi:l]
автомоби́ль

autonomous [ɔ:'tɔnəməs]
автоно́мный

autumn ['ɔ:təm] о́сень

auxiliary [ɔ:g'zıljərı] вспо-
мога́тельный; дополни́тель-
ный

available [ə'veıləbl] нали́ч-
ный, име́ющийся в распоря-

жёнии; are any tickets ~? нет ли билетов в прода́же?

avalanche [ˈævəlɑ:nʃ] снéжный обвáл, лавúна

avarice [ˈævərɪs] áлчность, скýпость

avenge [əˈvendʒ] (ото)мстúть

avenue [ˈævɪnju:] проспéкт; аллéя

average [ˈævərɪdʒ] 1. *n*: on an ~ в срéднем 2. *a* срéдний

averse [əˈvə:s]: be ~ to быть прóтив

aversion [əˈvə:ʃn] отвращéние

avert [əˈvə:t] 1) отвернýться 2) отвращáть; отводúть 3) предотвращáть

aviation [eɪvɪˈeɪʃn] авиáция

avoid [əˈvɔɪd] избегáть; уклоня́ться

awake [əˈweɪk] **1.** *v* (awoke; awaked) проснýться **2.** *a*: be ~ бóдрствовать; не спать

award [əˈwɔ:d] присуждáть; награждáть

aware [əˈwɛə]: be ~ of знать; I am ~ мне извéстно, я знáю

away [əˈweɪ] 1) прочь 2): he is ~ егó нет (*в гóроде и т. п.*)

awe [ɔ:] (благоговéйный) страх

awful [ˈɔ:ful] ужáсный; ~ly 1) [ˈɔ:fulɪ] ужáсно 2) [ˈɔ:flɪ] *разг.* óчень; крáйне

awkward [ˈɔ:kwəd] 1) не-

уклю́жий, нелóвкий 2) неудóбный, затруднúтельный

awoke [əˈwəuk] *past и p. p. от* awake

axe [æks] топóр

axis [ˈæksɪs] ось

azure [ˈæʒə] 1. *n* небéсная лазýрь 2. *a* голубóй, лазýрный; *перен.* безóблачный

B

baby [ˈbeɪbɪ] ребёнок, младéнец; ~ish [-ɪʃ] ребя́ческий

baby-sitter [ˈbeɪbɪsɪtə] ня́ня (*приходя́щая*)

bachelor I [ˈbætʃələ] холостя́к

bachelor II [ˈbætʃələ] бакалáвр

back [bæk] 1. *n* 1) спинá 2) спúнка (*стýла*) 3) тыльная сторонá 2. *a* зáдний 3. *adv* назáд 4. *v* 1) поддéрживать 2) пя́титься назáд; осáживать

backbone [ˈbækbəun] позвонóчник; *перен.* оснóва, суть

backdoor [ˈbækˈdɔ:] чёрный ход

background [ˈbækgraund] фон; зáдний план; keep in the ~ *перен.* оставáться в тенú, на зáднем плáне

backward [ˈbækwəd] **1.** *adv* назáд 2. *a* 1) обрáтный 2) отстáлый bacon ['beɪkən] бекон

bad [bæd] 1) плохой, нехороший; too ~! обидно! 2) испорченный (*о пище*); go ~ испортиться (*о пище*)

badge [bædʒ] знак, значок

badger ['bædʒə] барсук

bag [bæg] мешок; сумка

baggage ['bægɪdʒ] багаж

bait [beɪt] приманка

bake [beɪk] печь (*что-л.*)

bakery ['beɪkərɪ] булочная; пекарня

balance ['bæləns] 1. *n* 1) весы 2) равновесие 3) остаток; баланс 2. *v* балансировать

bald [bɔːld] лысый

bale [beɪl] кипа, тюк

ball I [bɔːl] шар; мяч

ball II [bɔːl] бал

ballet ['bæleɪ] балет

balloon [bə'luːn] воздушный шар; barrage ~ аэростат заграждения

ballot ['bælət] баллотировка

ball-point ['bɔːlpɔɪnt]: ~ pen шариковая ручка

balls [bɔːlz] *разг.* чушь!

bamboo [bæm'buː] бамбук

ban [bæn] 1. *n* запрет, запрещение 2. *v* запрещать, налагать запрет

banana [bə'nɑːnə] банан

band I [bænd] 1) лента, завязка; тесьма 2) обод, ободок

band II [bænd] шайка, банда

band III [bænd] духовой оркестр

band IV [bæŋ] ударять; хлопать (*дверью и т. п.*)

bandage ['bændɪdʒ] 1. *n* бинт; повязка 2. *v* перевязывать, бинтовать

banisters ['bænɪstəz] *pl* перила (*лестницы*)

bank I [bæŋk] 1) вал, насыпь 2) берег (*реки*)

bank II [bæŋk] банк

banknote ['bæŋknəut] банкнота

bankrupt ['bæŋkrəpt] 1. *n* банкрот 2. *a* несостоятельный, обанкротившийся; go ~ обанкротиться

bankruptcy ['bæŋkrəpsɪ] банкротство

banner ['bænə] знамя, флаг

baptize [bæp'taɪz] крестить

bar I [bɑː] 1. *n* 1) брусок; ~ of chocolate плитка шоколада 2) засов 3) препятствие 2. *v* 1) запирать на засов 2) преграждать

bar II [bɑː] бар, буфет

bar III [bɑː]: the Bar адвокатура; prisoner at the ~ подсудимый

barbed [bɑːbd] колючий; ~ wire колючая проволока

barber ['bɑːbə] парикмахер (*мужской*)

bar code ['bɑːkəud] кодированная информация (*на товарах*) для компьютера bare [bɛə] го́лый, обнажённый

barefooted ['bɛə'futɪd] босо́й

bare-headed ['bɛə'hedɪd] с обнажённой голово́й

bargain ['ba:gɪn] 1. *n* 1) сде́лка 2) уда́чная поку́пка 2. *v* торгова́ться

barge [ba:dʒ] ба́ржа

bark I [ba:k] кора́

bark II [ba:k] 1. *n* лай 2. *v* ла́ять

barley ['ba:lɪ] ячме́нь

barn [ba:n] амба́р

barrack ['bærək] 1) бара́к 2) *pl* каза́рмы

barrage ['bæra:ʒ] загражде́ние

barrel ['bærəl] бо́чка

barren ['bærən] беспло́дный; неплодоро́дный

barrier ['bærɪə] 1) барье́р 2) прегра́да

barrister ['bærɪstə] адвока́т

barter ['ba:tə] 1. *n* 1) товарообме́н 2) *эк.* ба́ртер 2. *v* меня́ть

base I [beɪs] 1. *n* 1) основа́ние 2) ба́за 2. *v* осно́вывать

base II [beɪs] по́длый, ни́зкий

baseball ['beɪsbɔ:l] бейсбо́л

basement ['beɪsmənt] подва́л

basic ['beɪsɪk] основно́й

basin ['beɪsn] 1) таз, ча́шка, ми́ска 2) *геогр.* бассе́йн

basis ['beɪsɪs] 1) основа́ние; ба́зис 2) ба́за

basket ['ba:skɪt] корзи́н(к)а

basketball ['ba:skɪtbɔ:l] баскетбо́л

bass [beɪs] 1. *n* бас 2. *a* басо́вый

bastard ['ba:stəd] внебра́чный ребёнок

bat I [bæt] *спорт.* бита́

bat II [bæt] лету́чая мышь

bath [ba:θ] ва́нна; have a ~ приня́ть ва́нну; swimming ~ бассе́йн для пла́вания

bathe [beɪð] 1) купа́ться 2) сма́чивать

bathrobe ['ba:θrəub] купа́льный хала́т

bathroom ['ba:θru:m] ва́нная (ко́мната)

battalion [bə'tæljən] батальо́н

battery ['bætərɪ] батаре́я

battle ['bætl] би́тва, бой; ~ship ['bætlʃɪp] лине́йный кора́бль

bay [beɪ] бу́хта; зали́в

be [bi:] (was; been) быть, существова́ть

beach [bi:tʃ] пляж; взмо́рье

beacon ['bi:kən] сигна́льный ого́нь; мая́к

bead [bi:d] 1) бу́сина 2) *pl* бу́сы; чётки

beak [bi:k] клюв

beam [bi:m] 1. *n* 1) ба́лка, стропи́ло 2) луч 2. *v* (про)сия́ть

bean [bi:n] боб

bear I [bɛə] (bore; borne) 1) носи́ть, нести́ 2) рожда́ть;

~ fruit приноси́ть плоды́ 3) выноси́ть, терпе́ть

bear II [bɛə] медве́дь

beard [bɪəd] борода́

bearer [ˈbɛərə] 1) носи́тель 2) пода́тель, предъяви́тель

beast [biːst] зверь; don't be such a ~ *шутл.* не будь таки́м проти́вным; ~ly [ˈbiːstlɪ] *разг.* проти́вный

beat [biːt] (beat; beaten) 1) бить; ~ time отбива́ть такт 2) победи́ть (*в игре, в спо́ре*) 3) би́ться (*о се́рдце*); ~en [-n] *p. p. от* beat

beautiful [ˈbjuːtəful] краси́вый, прекра́сный

beauty [ˈbjuːtɪ] 1) красота́ 2) краса́вица

became [bɪˈkeɪm] *past от* become

because [bɪˈkɔz] потому́ что; так как; ~ of из-за, вследствие

beckon [ˈbekən] мани́ть, кива́ть

become [bɪˈkʌm] (became; become) 1) станови́ться, де́латься; what has ~ of him? что с ним случи́лось? 2) идти́, быть к лицу́

becoming [bɪˈkʌmɪŋ] (иду́щий) к лицу́; it's a very ~ hat вам э́та шля́па о́чень идёт

bed [bed] 1) посте́ль, крова́ть; go to ~ ложи́ться спать 2) клу́мба; гря́дка 3) дно (*мо́ря, реки́*)

bedbug [ˈbedbʌg] клоп

bedclothes [ˈbedkləuðz] *pl* посте́льное бельё

bedroom [ˈbedruːm] спа́льня

bee [biː] пчела́

beech [biːtʃ] бук

beef [biːf] говя́дина; horse ~ кони́на

beehive [ˈbiːhaɪv] у́лей

been [biːn] *p. p. от* be

beer [bɪə] пи́во

beet [biːt] (са́харная) свёкла

beetle [ˈbiːtl] жук

beetroot [ˈbiːtruːt] кра́сная свёкла

before [bɪˈfɔː] 1. *prep* пе́ред; до 2. *adv* 1) впереди́ 2) ра́ньше; ~ long вско́ре; long ~ задо́лго до 3. *conj* пре́жде чем, скоре́е чем

beforehand [bɪˈfɔːhænd] зара́нее

beg [beg] проси́ть

began [bɪˈgæn] *past от* begin

beggar [ˈbegə] ни́щий

begin [bɪˈgɪn] (began; begun) начина́ть(ся); to ~ with во-пе́рвых; ~ner [-ə] новичо́к, начина́ющий; ~ning [-ɪŋ] нача́ло

begun [bɪˈgʌn] *p. p. от* begin

behalf [bɪˈhɑːf]: on ~ of от и́мени; in (on) ~ of для, ра́ди, в по́льзу

behave [bɪˈheɪv] вести́ себя́, поступа́ть

behaviour [bɪˈheɪvjə] поведе́ние

17

behind [bɪ'haɪnd] позади́, сза́ди, за

being ['biːɪŋ] 1) существо́ 2) бытие́, существова́ние

Belgian ['beldʒən] 1. *a* бельги́йский 2. *n* бельги́ец

belief [bɪ'liːf] ве́ра

believe [bɪ'liːv] 1) ве́рить 2) ду́мать, полага́ть

bell [bel] 1) ко́локол 2) звоно́к

belligerent [bɪ'lɪdʒərənt] вою́ющий

bellow ['beləu] мыча́ть

belong [bɪ'lɔŋ] принадлежа́ть; ~ings [-ɪŋz] *pl* ве́щи, пожи́тки

below [bɪ'ləu] 1. *adv* внизу́ 2. *prep* ни́же, под; ~ zero ни́же нуля́

belt [belt] 1) по́яс; реме́нь; safety ~ реме́нь безопа́сности 2) зо́на

bench [bentʃ] 1) скаме́йка 2) верста́к, стано́к

bend [bend] 1. *v* (bent; bent) сгиба́ть(ся), гнуть(ся); изгиба́ть(ся) 2. *n* сгиб; изги́б; излучи́на

beneath [bɪ'niːθ] 1. *prep* под, ни́же; ~ criticism ни́же вся́кой кри́тики 2. *adv* внизу́

beneficial [benɪ'fɪʃəl] благотво́рный, поле́зный

benefit ['benɪfɪt] 1) ми́лость 2) вы́года

benevolence [bɪ'nevələns] 1) благоскло́нность 2) благотвори́тельность

bent [bent] *past и p. p. от* bend 1

berry ['berɪ] я́года

berth [bəːθ] 1) по́лка (*в поезде*); ко́йка (*на парохо́де*) 2) прича́л

beside [bɪ'saɪd] ря́дом, о́коло ◇ ~ oneself вне себя́

besides [bɪ'saɪdz] кро́ме (того́)

besiege [bɪ'siːdʒ] осажда́ть

best [best] 1. *a* (наи)лу́чший 2. *adv* лу́чше всего́

bestial ['bestjəl] 1) ско́тский 2) жесто́кий

best-seller [best'selə] бестсе́ллер

bet [bet] 1. *v* (bet, betted; bet, betted) держа́ть пари́ 2. *n* 1) пари́ 2) ста́вка

betray [bɪ'treɪ] предава́ть; ~al [-əl] преда́тельство

better ['betə] 1. *a* лу́чший; be ~, get ~ поправля́ться (*о больно́м*) 2. *adv* лу́чше

between [bɪ'twiːn] ме́жду

beware [bɪ'wɛə] (of) остерега́ться

bewildered [bɪ'wɪldəd] поражённый, изумлённый

bewitch [bɪ'wɪtʃ] зачаро́вывать

beyond [bɪ'jɔnd] 1) по ту сто́рону, за 2) вне, сверх

bias(s)ed ['baɪəst] предубеждённый, тенденцио́зный

Bible ['baɪbl] Би́блия

bicker ['bɪkə] ссо́риться

bicycle ['baɪsɪkl] велосипе́д

bicyclist ['baɪsɪklɪst] велосипеди́ст

bid [bɪd] (bid, bidden) 1)

предлага́ть (*це́ну*) 2) прика́зывать

bidden ['bɪdn] *p. p. om* bid

big [bɪg] большо́й

bigot ['bɪgət] фана́тик

bill I [bɪl] 1) законопрое́кт, билль 2) счёт 3) *юр. иск* 4) афи́ша, плака́т 5): ~ of fare меню́

bill II [bɪl] клюв

billboard ['bɪlbɔ:d] *амер.* рекла́мный щит, доска́ для объявле́ний

billiards ['bɪljədz] билья́рд

billion ['bɪljən] биллио́н; *амер.* миллиа́рд

bind [baɪnd] (bound; bound) 1) свя́зывать; завя́зывать; привя́зывать 2) переплета́ть (*кни́гу*); ~ing ['baɪndɪŋ] переплёт

biology [baɪ'ɔlədʒɪ] биоло́гия

birch [bə:tʃ] 1) берёза 2) ро́зга

bird [bə:d] пти́ца

birth [bə:θ] 1) рожде́ние; ~ control плани́рование семьи́ 2) ро́ды 3) происхожде́ние; ~rate ['bə:θreɪt] рожда́емость; проце́нт рожда́емости

biscuit ['bɪskɪt] пече́нье

bishop ['bɪʃəp] 1) епи́скоп 2) *шахм.* слон

bit I [bɪt] *past и p. p. om* bite I

bit II [bɪt] кусо́чек ◇ a ~ (of) *разг.* немно́го; not a ~ *разг.* совсе́м не

bitch [bɪtʃ] су́ка

bite [baɪt] **1.** *v* (bit; bit, bitten) куса́ть **2.** *n* 1) уку́с 2) кусо́к

bitten ['bɪtn] *p. p. om* bite I

bitter ['bɪtə] го́рький; ~ly [-lɪ] it's ~ly cold ужа́сно хо́лодно; he said ~ly он сказа́л с го́речью

bizarre [bə'za:] стра́нный, эксцентри́чный

black [blæk] **1.** *a* чёрный **2.** *n* чернота́

blackberry ['blækbərɪ] ежеви́ка

blackboard ['blækbɔ:d] кла́ссная доска́

blackcurrant ['blækkʌrənt] чёрная сморо́дина

blacken ['blækən] 1) черни́ть 2) черне́ть

black marketeer [blæk 'ma:kətɪə] спекуля́нт, фарцо́вщик

blackout ['blækaut] затемне́ние

blacksmith ['blæksmɪθ] кузне́ц

bladder ['blædə] мочево́й пузы́рь

blade [bleɪd] 1) ле́звие 2) ло́пасть 3) лист

blame [bleɪm] **1.** *v* осужда́ть, вини́ть **2.** *n* порица́ние, упрёк

blameless ['bleɪmlɪs] безупре́чный

blanch [bla:ntʃ] 1) бели́ть 2) бледне́ть

blank [blæŋk] **1.** *a* пусто́й, незапо́лненный **2.** *n* пробе́л

blanket ['blæŋkɪt] (шерстяное) одеяло

blast [blɑ:st] 1. *n* 1) порыв ветра 2) взрыв 2) *v* взрывать

blaze [bleɪz] 1. *n* пламя 2. *v* пылать, гореть

bleach [bli:tʃ] белить (ткань)

bleak [bli:k] холодный; пустынный; голый

bled [bled] *past и p. p. от* bleed

bleed [bli:d] (bled; bled) истекать кровью; кровоточить

blend [blend] 1. *v* смешивать 2. *n* смесь

blender ['blendə] миксер

bless [bles] благословлять; ~ing ['blesɪŋ] благословение

blew [blu:] *past от* blow II

blind [blaɪnd] 1. *a* слепой 2. *n* штора; *перен.* ширма 3. *v* ослеплять

blind alley [blaɪnd'ælɪ] тупик

blink [blɪŋk] мигать

blister ['blɪstə] волдырь, водяной пузырь

blizzard ['blɪzəd] метель, пурга

bloc [blɔk] *полит.* блок

block I [blɔk] 1. *n* 1) чурбан 2) пробка, затор (*движения*) 2. *v* преграждать

block II [blɔk] квартал

blockade [blɔ'keɪd] блокада

blockhead ['blɔkhed] болван

blocks [blɔks] *pl* кубики (*детские*)

blond [blɔnd] белокурый

blood [blʌd] кровь ◇ in cold ~ преднамеренно; ~shed ['blʌdʃed] кровопролитие

bloom [blu:m] расцвет

blossom ['blɔsəm] 1. *n* цветок (*на деревьях, кустах*) 2. *v* расцветать

blot [blɔt] 1. *n* 1) клякса 2) пятно (*тж. перен.*) 2. *v* промокать

blouse [blauz] кофточка (*блузка*)

blow I [bləu] удар

blow II [bləu] (blew; blown) дуть; раздувать; ~ one's nose сморкаться; ~ out задувать; тушить; ~ over миновать; ~ up взрывать

blown [bləun] *p. p. от* blow II

blowout ['bləuaut] разрыв (*шины*)

blue [blu:] голубой, синий

blues [blu:z] блюз

bluff [blʌf] обман, блеф

blunder ['blʌndə] (грубая) ошибка

blunt [blʌnt] 1) тупой 2) резкий; прямой

blurt [blə:t] ~ out сболтнуть

blush [blʌʃ] 1. *v* (по)краснеть 2. *n* краска стыда, смущения

board [bɔ:d] 1. *n* 1) доска 2) стол, питание; ~ and lodging квартира и стол 3) правле́ние; министе́рство 4) борт *(судна)* **2.** *v* столова́ться

boarding-house ['bɔ:dɪŋhaus] пансио́н

boarding-school ['bɔ:dɪŋsku:l] интерна́т *(школа)*

boast [bəust] хва́стать(ся)

boat [bəut] ло́дка; су́дно

body ['bɔdɪ] те́ло ◇ in a ~ в по́лном соста́ве

body-building ['bɔdɪbɪldɪŋ] культури́зм

bog [bɔg] тряси́на

boil [bɔɪl] кипе́ть; кипяти́ть(ся); вари́ть(ся); ~er ['bɔɪlə] котёл

boisterous ['bɔɪstərəs] неи́стовый; шу́мный

bold [bəuld] 1) сме́лый; де́рзкий 2) разма́шистый *(почерк)*

bolt [bəult] **1.** *n* 1) болт; засо́в 2): like a ~ from the blue ≈ как снег на́ голову **2.** *v* 1) запира́ть на засо́в; 2) понести́ *(о лошади)*

bomb [bɔm] **1.** *n* бо́мба **2.** *v* бомби́ть

bomber ['bɔmə] *(самолёт-)* бомбардиро́вщик

bond [bɔnd] 1) у́зы; связь 2) *pl* облига́ции

bondage ['bɔndɪdʒ] ра́бство; зави́симость

bone [bəun] кость

bonfire ['bɔnfaɪə] костёр

bonnet ['bɔnɪt] *тех.* капо́т

bonny ['bɔnɪ] краси́вый, здоро́вый

bonus ['bəunəs] пре́мия

book [buk] **1.** *n* кни́га **2.** *v* зака́зывать биле́т

bookcase ['bukkeɪs] кни́жный шкаф

booking office ['bukɪŋɔfɪs] биле́тная ка́сса

bookmaker ['bukmeɪkə] букме́кер

boom [bu:m] **1.** *v* 1) гуде́ть; греме́ть 2) производи́ть сенса́цию **2.** *n* 1) гул 2) бум, большо́й спрос

boot [bu:t] 1) боти́нок; сапо́г 2) бага́жник

booth [bu:ð] бу́дка; пала́тка

booty ['bu:tɪ] награ́бленное добро́, добы́ча

border ['bɔ:də] **1.** *n* 1) грани́ца; край 2) кайма́ **2.** *v* 1) грани́чить 2) окаймля́ть

bore I [bɔ:] **1.** *v* бура́вить **2.** *n* вы́сверленное отве́рстие

bore II [bɔ:] **1.** *v* надоеда́ть **2.** *n* ну́дный челове́к

bore III [bɔ:] *past om* bear I

born [bɔ:n] (при)рождённый

borne [bɔ:n] *p. p. om* bear I

borrow ['bɔrəu] 1) занима́ть 2) заи́мствовать

bosom ['buzəm] грудь; ~ friend закады́чный друг

boss [bɔs] хозя́ин; босс

botany ['bɔtənɪ] бота́ника

botcher ['bɔtʃə] «сапо́жник», плохо́й рабо́тник

both [bəuθ] о́ба

bother ['bɔðə] **1.** *v* беспоко́ить(ся); надоеда́ть; don't ~ ! не беспоко́йтесь! 2. *n* беспоко́йство; хло́поты; what a ~ ! как доса́дно!

bottle ['bɔtl] буты́лка

bottom ['bɔtəm] дно

bough [bau] ветвь, сук

bought [bɔ:t] *past и p. p. om* buy

bound I [baund] *past и p. p. om* bind

bound II [baund]: be ~ for направля́ться

bound III [baund] преде́л

boundary ['baundərɪ] грани́ца

boundless ['baundlɪs] безграни́чный

bourgeoisie [buəʒwɑ:'zi:] буржуази́я

bow I [bau] 1. *n* покло́н 2. *v* кла́няться

bow II [bau] 1) лук (*ору́жие*) 2) смычо́к 3) бант 4) изги́б

bow III [bau] нос (*корабля́*)

bowels ['bauəlz] *pl* кише́чник

bowl [boul] ча́ша; ми́ска; ку́бок

box I [bɔks] 1) я́щик; коро́бка 2) ло́жа (*театра́льная*)

box II [bɔks] 1. *v* бокси́ровать 2. *n* 1) уда́р; ~ on the ear пощёчина 2) бокс; ~er ['bɔksə] боксёр

box office ['bɔks'ɔfɪs] театра́льная ка́сса

boy [bɔɪ] ма́льчик

boy friend ['bɔɪfrend] «молодо́й челове́к», возлю́бленный

boyhood ['bɔɪhud] о́трочество

bra [brɑ:] ли́фчик, бюстга́льтер

braces ['breɪsɪz] *pl* подтя́жки

bracket ['brækɪt] 1. *n* 1) ско́бка 2) подпо́рка 3): higher ~s вы́сшие слои́ о́бщества 2. *v* заключа́ть в ско́бки

brag [bræg] 1. *v* хва́статься 2. *n* хвастовство́

braid [breɪd] 1. *n* 1) коса́ (*воло́с*) 2) тесьма́ 2. *v* плести́, заплета́ть

brain [breɪn] мозг; *перен.* ум

brainwash ['breɪnwɔʃ] *разг.* «промыва́ть мозги́»

brake [breɪk] 1. *n* то́рмоз 2. *v* тормози́ть

branch [brɑ:ntʃ] 1) ветвь, ве́тка 2) о́трасль 3) филиа́л 4) рука́в (*реки́*)

brand [brænd] 1. *n* 1) головня́ 2) клеймо́ 3) фабри́чная ма́рка 4) сорт 2. *v* клейми́ть

brandy ['brændɪ] конья́к, бре́нди

brass [brɑ:s] жёлтая медь, лату́нь

brave [breɪv] 1. *a* хра́брый 2. *v* презира́ть (*опасность и т. п.*)

brawl [brɔ:l] шу́мная ссо́ра

brazen ['breɪzn] бессты́жий, на́глый

breach [bri:tʃ] 1) брешь, отве́рстие 2) наруше́ние (зако́на) 3) разры́в (отноше́ний)

bread [bred] хлеб

breadth [bredθ] ширина́

break [breik] 1. v (broke; broken) 1) лома́ть(ся); разруша́ть(ся) 2) наруша́ть (зако́н); ~ away убега́ть; ~ down 1) разруша́ться 2) прова́ливаться; ~ off обрыва́ть; ~ out разрази́ться; вспы́хнуть; ~ up расходи́ться (о собра́нии) 2. n 1) проры́в 2) переры́в; lunch ~ обе́денный переры́в

breakdown ['breikdaun] 1) упа́док сил 2) поло́мка; ава́рия

breakfast ['brekfəst] 1. n (у́тренний) за́втрак 2. v за́втракать

breakthrough ['breikθru:] 1) проры́в 2) достиже́ние, побе́да (нау́чная и т. п.)

breast [brest] грудь ◇ make a clean ~ of it чистосерде́чно призна́ться в чём-л.

breath [breθ] дыха́ние; вздох; be out of ~ запыха́ться

breathe [bri:ð] 1) дыша́ть 2) ти́хо говори́ть

breathing ['bri:ðiŋ] дыха́ние

breathless ['breθlis] запыха́вшийся ◇ ~ silence нема́я тишина́

bred [bred] past и p. p. от breed 1

breeches ['britʃiz] pl брю́ки, бри́джи

breed [bri:d] 1. v (bred; bred) 1) разводи́ть, выводи́ть; вска́рмливать 2) размножа́ться 2. n поро́да; ~ing ['bri:diŋ] (бла́го)воспи́танность

breeze [bri:z] ветеро́к, бриз

brevity ['breviti] кра́ткость

brew [bru:] 1) вари́ть (пи́во) 2) зава́ривать (чай)

bribe [braib] 1. v подкупа́ть 2. n взя́тка; ~ry ['braibəri] взя́точничество

brick [brik] 1. n 1) кирпи́ч 2) разг. молоде́ц, сла́вный па́рень 2. a кирпи́чный; ~layer ['brikleiə] ка́менщик

bricks [briks] pl ку́бики (де́тские)

bride [braid] неве́ста, новобра́чная; ~groom ['braidgrum] жени́х

bridge [bridʒ] мост; ~ of one's nose перено́сица

bridle ['braidl] 1. n узда́, по́вод 2. v взну́здывать

brief [bri:f] кра́ткий

briefcase ['bri:fkeis] портфе́ль

briefing ['bri:fiŋ] бри́финг, инструкта́ж

brigade [bri'geid] брига́да; отря́д

bright [brait] 1) я́ркий; све́тлый 2) смышлёный

brilliant ['briljənt] 1. a блестя́щий 2. n бриллиа́нт

brim [brɪm] 1) край 2) поля (шляпы)

bring [brɪŋ] (brought; brought) 1) приносить 2) приводить; ~ about осуществлять; ~ up воспитывать

brink [brɪŋk] край (обрыва, пропасти)

brisk [brɪsk] живой; проворный

bristle ['brɪsl] 1. n щетина 2. v (о)щетиниться; ~ up вспылить

British ['brɪtɪʃ] 1. a британский 2. n: the ~ британцы

brittle ['brɪtl] хрупкий, ломкий

broad [brɔːd] широкий

broadcast ['brɔːdkɑːst] 1. v (broadcast; broadcast) передавать по радио 2. n радиопередача

broke [brəuk] past от break 1

broken ['brəukən] 1. p. p. от break 1 2. a 1) разбитый; сломанный 2) нарушенный 3) ломаный (о языке)

broker ['brəukə] маклер, брокер

brooch [brəutʃ] брошь

brood [bruːd] 1. v 1) высиживать (цыплят) 2) (on, over) размышлять 2. n выводок

brook [bruk] ручей

broom [brum] метла; половая щётка

broth [brɔθ] бульон

brother ['brʌðə] брат;

~**hood** [-hud] братство; ~-in--law ['brʌðərɪnlɔː] зять

brought [brɔːt] past и p. p. от bring

brow [brau] бровь

brown [braun] коричневый; бурый; ~ paper обёрточная бумага ◊ in a ~ study в глубоком раздумье

bruise [bruːz] 1. v ушибать 2. n синяк; ушиб

brunch [brʌntʃ] амер. разг. поздний завтрак

brush [brʌʃ] 1. n 1) щётка 2) кисть 2. v 1) чистить щёткой 2) причёсывать (волосы)

brutal ['bruːtl] жестокий, грубый

brute [bruːt] зверь, скотина

bubble ['bʌbl] 1. v кипеть; пузыриться 2. n пузырь

bubble gum ['bʌblgʌm] надувная жевательная резинка

buck [bʌk] амер. разг. доллар США

bucket ['bʌkɪt] ведро

buckle ['bʌkl] пряжка

buckwheat ['bʌkwiːt] гречиха

bud [bʌd] 1. n почка; бутон 2. v давать почки; пускать ростки

buddy ['bʌdɪ] амер. разг. приятель

budget ['bʌdʒɪt] бюджет

buffalo ['bʌfələu] буйвол

bug [bʌg] 1) клоп; насекомое; жук (амер.) 2) микрофо́н для та́йного подслу́шивания

bugle ['bju:gl] горн, рог

build [bɪld] (built; built) стро́ить; ~**er** ['bɪldə] строи́тель; ~**ing** ['bɪldɪŋ] строе́ние, зда́ние

built [bɪlt] *past и p. p. от* build

bulb [bʌlb] 1) лу́ковица 2) электри́ческая ла́мпочка

Bulgarian [bʌl'gɛərɪən] 1. *a* болга́рский 2. *n* болга́рин

bulge [bʌldʒ] вы́пуклость

bulk [bʌlk] (основна́я) ма́сса

bulky ['bʌlkɪ] громо́здкий

bull [bul] бык

bullet ['bulɪt] пу́ля

bulletin ['bulɪtɪn] бюллете́нь

bull's-eye ['bulzaɪ] мише́нь, «я́блочко»

bully I ['bulɪ] 1. *n* задира; забия́ка 2. *v* запу́гивать; дразни́ть

bully II ['bulɪ] *разг.* мясны́е консе́рвы

bumble ['bʌmbl] мя́млить

bump [bʌmp] 1. *n* 1) уда́р, толчо́к 2) ши́шка 2. *v* ударя́ть(-ся); сту́каться

bun [bʌn] сдо́бная бу́лочка

bunch [bʌntʃ] свя́зка, пучо́к; буке́т

bundle ['bʌndl] у́зел, паке́т

bungalow ['bʌŋgələu] (одноэта́жная) да́ча, бу́нгало

buoy [bɔɪ] буй, ба́кен

burden ['bə:dn] 1. *n* но́ша; бре́мя 2. *v* нагружа́ть; обременя́ть; ~**some** ['bə:dnsəm] обремени́тельный

bureau [bjuə'rəu] 1) бюро́; секрета́р 2) конто́ра, отде́л

burglar ['bə:glə] вор-взло́мщик; ~**y** [-гɪ] кра́жа со взло́мом

burial ['berɪəl] погребе́ние

burn [bə:n] 1. *v* (burnt; burnt) 1) сжига́ть 2) горе́ть 2. *n* ожо́г

burnt [bə:nt] *past и p. p. от* burn 1

burst [bə:st] 1. *v* (burst; burst) 1) ло́паться 2) взрыва́ть(ся) 3) (into) разража́ться (*смехом, слезами*) 2. *n* взрыв; вспы́шка

bury ['berɪ] 1) хорони́ть 2) зарыва́ть

bus [bʌs] авто́бус; ~ stop авто́бусная остано́вка

bush [buʃ] куст, куста́рник

business ['bɪznɪs] де́ло, заня́тие; ~**like** [-laɪk] делово́й; ~**man** [-mən] деле́ц

bust I [bʌst] бюст

bust II [bʌst] 1) разби́ть 2) арестова́ть

bustle ['bʌsl] 1. *v* суети́ться 2. *n* сумато́ха, суета́

busy ['bɪzɪ] за́нятый; be ~ быть за́нятым

but [bʌt] 1. *conj* а, но, одна́ко; ~ for е́сли бы не 2. *prep* кро́ме, за исключе́нием; the last page ~ one предпосле́дняя страни́ца

butcher ['butʃə] 1) мясни́к 2) уби́йца, пала́ч

butter ['bʌtə] ма́сло (*сли́вочное*)

butterfly ['bʌtəflaɪ] ба́бочка

buttocks ['bʌtəks] *pl* я́годицы

button ['bʌtn] 1. *n* 1) пу́говица 2) кно́пка 2. *v* застёгивать(ся); ~hole [-həul] пе́тля

buy [baɪ] (bought; bought) покупа́ть

buzz [bʌz] 1. *v* жужжа́ть; гудѣ́ть 2. *n* жужжа́ние; гул; ~er ['bʌzə] (фабри́чный) гудо́к

by [baɪ] 1. *prep* 1) у, при, о́коло; к (*о сро́ке*); by two к двум (*часа́м*); by July к ию́лю 2) посре́дством; by air (train, sea) самолётом (по́ездом, парохо́дом); by kindness доброто́й; it runs by electricity рабо́тает на электри́честве; by hand от руки́ ◇ by heart наизу́сть 2. *adv* 1) ря́дом, побли́зости 2) ми́мо ◇ by and by вско́ре; by the by, by the way кста́ти, ме́жду про́чим

bye [baɪ] (*тж.* bye-bye) *разг.* пока́!

by-election ['baɪɪlekʃn] дополни́тельные вы́боры

bypass ['baɪpɑːs] объездна́я доро́га

byword ['baɪwəːd] погово́рка

C

cab [kæb] наёмный экипа́ж; изво́зчик; такси́

cabbage ['kæbɪdʒ] (коча́нная) капу́ста

cabin ['kæbɪn] 1) каби́на 2) каю́та

cabinet ['kæbɪnɪt] кабине́т (мини́стров)

cable ['keɪbl] 1. *n* 1) кана́т 2) ка́бель; ~ television ка́бельное телеви́дение 3) *разг.* телегра́мма 2. *v* телеграфи́ровать

cad [kæd] хам

cage [keɪdʒ] 1. *n* кле́тка 2. *v* сажа́ть в кле́тку

cake [keɪk] 1) торт, пиро́жное 2) кусо́к, брусо́к; пли́тка; ~ of soap кусо́к мы́ла

calamity [kə'læmɪtɪ] (стихи́йное) бе́дствие

calculate ['kælkjuleɪt] 1) вычисля́ть 2) рассчи́тывать

calculator ['kælkjuleɪtə] калькуля́тор

calendar ['kælɪndə] календа́рь

calf I [kɑːf] телёнок

calf II [kɑːf] икра́ (*ноги́*)

call [kɔːl] 1. *n* 1) зов, о́клик 2) (телефо́нный) вы́зов 3) визи́т 2. *v* 1) звать, оклика́ть 2) называ́ть 3) буди́ть; ~ for а) тре́бовать; б) заходи́ть за кем-л., чем-л.; ~ on посеща́ть; навеща́ть; ~ up а) звони́ть (*по телефону*); б) *воен.* призыва́ть

calling ['kɔ:lɪŋ] 1) призва́ние 2) профе́ссия

callous ['kæləs] безду́шный, чёрствый

calm [kɑ:m] **1.** *a* споко́йный **2.** *n* 1) тишина́ 2) безве́трие, штиль **3.** *v* успока́ивать

came [keɪm] *past om* come

camel ['kæməl] верблю́д

camera ['kæmərə] фотоаппара́т; кинока́мера; **~man** [-mæn] фоторепортёр; кинооператор

camp [kæmp] **1.** *n* ла́герь, привал **2.** *v* располага́ться ла́герем

campaign [kæm'peɪn] кампа́ния; поход

campus ['kæmpəs] университе́тский городо́к

can I [kæn] (could) мочь

can II [kæn] **1.** *n* 1) бидо́н 2) жестяна́я коро́бка, ба́нка **2.** *v* консерви́ровать

canal [kə'næl] кана́л

cancel ['kænsəl] аннули́ровать

cancer ['kænsə] *мед.* рак

candid ['kændɪd] че́стный, и́скренний; открове́нный

candle ['kændl] свеча́; **~stick** ['kændlstɪk] подсве́чник

candy ['kændɪ] 1) ледене́ц 2) *амер.* конфе́та

cane [keɪn] 1) тростни́к 2) трость

canned [kænd] консерви́рованный

cannibal ['kænɪbəl] людое́д, каннибал

cannon ['kænən] пу́шка, ору́дие

cannot ['kænɔt]: I ~ я не могу́

canoe [kə'nu:] кано́э; байда́рка

can opener ['kænəupnə] консе́рвный нож

can't [kɑ:nt] *разг.* = cannot

canvas ['kænvəs] 1) паруси́на; холст; полотно́ (*карти́на*) 2) *собир.* паруса́

canvass ['kænvəs] агити́ровать (*перед выборами*)

cap [kæp] ша́пка; фура́жка

capable ['keɪpəbl] спосо́бный

capacious [kə'peɪʃəs] просто́рный, вмести́тельный, объёмистый

capacity [kə'pæsɪtɪ] 1) ёмкость 2) спосо́бность ◇ in my ~ as a doctor я как врач

cape I [keɪp] капюшо́н; наки́дка

cape II [keɪp] мыс

capital I ['kæpɪtl] **1.** *n* столи́ца **2.** *a* 1) превосхо́дный 2): ~ letter загла́вная бу́ква ◇ ~ punishment сме́ртная казнь

capital II ['kæpɪtl] капита́л; **~ism** ['kæpɪtəlɪzm] капитали́зм; **~ist** ['kæpɪtəlɪst] **1.** *n* капитали́ст **2.** *a* капиталисти́ческий

capitulate [kə'pɪtjuleɪt] капитули́ровать

captain ['kæptɪn] капита́н

caption ['kæpʃn] на́дпись; по́дпись; *кино* титр

captivate ['kæptɪveɪt] увлека́ть

captive ['kæptɪv] пле́нный

capture ['kæptʃə] 1. *v* захва́тывать 2. *n* захва́т

car [ka:] 1) ваго́н 2) автомоби́ль

carbon ['ka:bən] углеро́д; ~ paper копирова́льная бума́га

card [ka:d] 1) ка́рта (*игра́льная*) 2) ка́рточка 3) биле́т (*чле́нский, пригласи́тельный*)

cardboard ['ka:dbɔ:d] карто́н

cardinal ['ka:dɪnl] 1. *a* основно́й, гла́вный; ~ numbers коли́чественные числи́тельные; ~ points стра́ны све́та 2. *n* кардина́л

care [kɛə] 1. *n* забо́та; ~ of (c/o) для переда́чи... (*на письмах*); take ~ (of) забо́титься; take ~ ! береги́тесь! 2. *v* (for) люби́ть (*кого́-л, что́-л.*); интересова́ться (*чем-л.*) ◇ I don't ~ мне всё равно́

career [kə'rɪə] карье́ра

careful ['kɛəful] 1) осторо́жный; be ~ ! осторо́жно! 2) забо́тливый 3) аккура́тный; тща́тельный

careless ['kɛəlɪs] небре́жный

caress [kə'res] 1. *n* ла́ска 2. *v* ласка́ть

caretaker ['kɛəteɪkə] сто́рож

carfare ['ka:fɛə] пла́та за прое́зд в авто́бусе

cargo ['ka:gəu] (корабе́льный) груз

caricature [kærɪkə'tjuə] карикату́ра

carnation [ka:'neɪʃn] (кру́пная) гвозди́ка

carpenter ['ka:pɪntə] столя́р

carpet ['ka:pɪt] ковёр

carriage ['kærɪdʒ] 1) экипа́ж 2) ваго́н (*ж.-д.*) 3) перево́зка 4) сто́имость доста́вки 5) оса́нка

carriage free ['kærɪdʒ'fri:] доста́вка беспла́тно

carrier ['kærɪə] носи́льщик; (пере)во́зчик

carrier rocket ['kærɪə 'rɔkɪt] раке́та-носи́тель

carrot ['kærət] морко́вь

carry ['kærɪ] носи́ть; ~ on продолжа́ть; ~ out выполня́ть, осуществля́ть

cart [ka:t] теле́га; пово́зка

cartoon [ka:'tu:n] 1) карикату́ра 2) мультипликацио́нный фильм (*тж.* animated ~)

cartridge ['ka:trɪdʒ] патро́н

carve [ka:v] 1) выреза́ть (*по де́реву и т. п.*); высека́ть (*из ка́мня*) 2) ре́зать мя́со (*за столо́м*)

case I [keis] 1) ящик 2) футляр

case II [keis] 1) случай; in any ~ во всяком случае 2) дело (*судебное*) 3) *грам.* падеж

cash [kæʃ] 1. *n* наличные деньги; ~ register касса 2. *v*: ~ a cheque получать деньги по чеку

cashier [kæ'ʃɪə] кассир

cask [ka:sk] бочонок

cassette [kə'set] кассета

cast [ka:st] 1. *v* (cast; cast) 1) бросать; сбрасывать 2) лить (*металл*) 2. *n* слепок

cast iron ['ka:st'aɪən] чугун

castle ['ka:sl] 1) замок 2) *шахм.* ладья

cast-off ['ka:st'ɔf] 1. *a* поношенный; негодный 2. *n pl* обноски

casual ['kæʒjuəl] 1) случайный 2) небрежный, непринуждённый; ~ty [-tɪ] 1) несчастный случай 2) *pl* потери (*на войне*)

cat [kæt] кот; кошка

catalogue ['kætəlɔg] каталог

catch [kætʃ] 1. *v* (caught; caught) ловить, поймать; схватывать; ~ cold простудиться; ~ fire загореться 2. *n* 1) поимка, захват 2) улов, добыча

catchpenny ['kætʃpenɪ] показной, рассчитанный на дешёвый успех

caterpillar ['kætəpɪlə] гусеница (*тж. тех.*)

cathedral [kə'θi:drəl] собор

catnap ['kætnæp] вздремнуть

cattle ['kætl] (рогатый) скот

caught [kɔ:t] *past и p. p. от* catch 1

cauliflower ['kɔlɪflauə] цветная капуста

cause [kɔ:z] 1. *n* 1) причина 2) повод 3) дело 2. *v* 1) причинять 2) заставлять

cautious ['kɔ:ʃəs] осторожный

cavalry ['kævəlrɪ] кавалерия, конница

cave [keɪv] пещера

caviare ['kævɪa:] икра

cavity ['kævɪtɪ] впадина; полость

cease [si:s] прекращать(ся); ~less ['si:slɪs] беспрестанный, непрерывный

cedar ['si:də] кедр

ceiling ['si:lɪŋ] потолок

celebrate ['selɪbreɪt] 1) праздновать 2) прославлять

celebrated ['selɪbreɪtɪd] знаменитый

celebrity [sɪ'lebrɪtɪ] известность; знаменитость

cell [sel] 1) тюремная камера 2) ячейка 3) *биол.* клет(оч)ка

cellar ['selə] 1) подвал 2) винный погреб

cemetery ['semɪtrɪ] кладбище

censorship [ˈsensəʃip] цензу́ра

censure [ˈsenʃə] **1.** v порица́ть, осужда́ть **2.** n порица́ние, осужде́ние

census [ˈsensəs] пе́репись

cent [sent] цент

central [ˈsentrəl] центра́льный

centre [ˈsentə] **1.** n центр **2.** v сосредото́чивать(ся)

century [ˈsentʃuri] век, столе́тие

cereals [ˈsiəriəlz] pl зерновы́е

ceremony [ˈseriməni] обря́д; церемо́ния

certain [ˈsə:tn] определённый, изве́стный; be ~ быть уве́ренным; for ~ наверняка́; а ~ не́который, не́кий; ~ly [-li] коне́чно, непреме́нно; ~ty [-ti] уве́ренность

certificate [səˈtifikit] свиде́тельство, удостовере́ние

certitude [ˈsə:titju:d] уве́ренность; несомне́нность

cessation [seˈseiʃn] прекраще́ние

chain [tʃein] **1.** n цепь; це́почка **2.** v ско́вывать

chair [tʃeə] 1) стул 2) ка́федра 3) председа́тельское ме́сто; ~man [ˈtʃeəmən] председа́тель

chalk [tʃɔ:k] мел

challenge [ˈtʃælindʒ] **1.** n вы́зов **2.** v вызыва́ть

chamber [ˈtʃeimbə] пала́та

champion [ˈtʃæmpjən] 1) боре́ц; побо́рник 2) чемпи-

о́н; ~ship [-ʃip] 1) чемпиона́т 2) зва́ние чемпио́на

chance [tʃa:ns] **1.** n возмо́жность; слу́чай 2. a случа́йный

chancellor [ˈtʃa:nsələ] ка́нцлер

change [tʃeindʒ] **1.** v 1) меня́ть(ся); ~ one's mind переду́мать 2) переса́живаться, де́лать переса́дку **2.** n 1) измене́ние; переме́на 2) сда́ча, ме́лочь 3) переса́дка

channel [ˈtʃænl] 1) ру́сло 2) кана́л; проли́в

chaos [ˈkeiɔs] ха́ос

chap [tʃæp] разг. па́рень, ма́лый; old ~ старина́, прия́тель

chapter [ˈtʃæptə] глава́ (книги)

character [ˈkæriktə] хара́ктер; ~istic [kæriktəˈristik] характе́рный

charge [tʃa:dʒ] **1.** n 1) попече́ние; be in ~ of заве́довать; отвеча́ть за (кого-л., что-л.) 2) юр. обвине́ние 3) цена́; free of ~ беспла́тно **2.** v 1) поруча́ть; возлага́ть на (кого-л.) 2) юр. обвиня́ть 3) заряжа́ть 4) назнача́ть це́ну

charitable [ˈtʃæritəbl] 1) благотвори́тельный 2) милосе́рдный 3) терпи́мый

charity [ˈtʃæriti] 1) благотвори́тельность 2) милосе́рдие

charm [tʃa:m] **1.** n обая́ние, очарова́ние **2.** v очаро́-

вывать; ~ing ['tʃɑːmɪŋ] очаровательный, прелестный

chart [tʃɑːt] 1) (морская) карта 2) диаграмма

charter ['tʃɑːtə] *полит.* пакт

charwoman ['tʃɑːwumən] уборщица

chase [tʃeɪs] 1. *n* погоня 2. *v* 1) охотиться 2) гнаться, преследовать 3) прогонять

chat [tʃæt] дружеская беседа; let's have a ~ поболтаем; ~ show телеинтервью

chatter ['tʃætə] 1. *v* болтать 2. *n* болтовня

chauffeur ['ʃəufə] шофёр

cheap [tʃiːp] 1. *a* дешёвый 2. *adv* дёшево

cheat [tʃiːt] 1. *v* обманывать, надувать 2. *n* обманщик, плут

check [tʃek] 1. *n* 1) задержка 2) *амер.* чек 3) багажная квитанция 4) *шахм.* шах 5) клетка (*на материи*) 2. *v* 1) сдерживать 2) проверять, контролировать

check-in ['tʃekɪn] регистрация (*в аэропорту*)

checkout ['tʃekaut] контроль (*в магазине, в библиотеке*)

cheek [tʃiːk] 1) щека 2) *разг.* нахальство; ~y ['tʃiːkɪ] развязный

cheer [tʃɪə] 1. *n* приветственное восклицание, ура; give a ~ кричать ура; three ~s for...! да здравствует...! 2. *v* 1) приветствовать 2) ободрять; ~ up приободрять(ся); ~ful ['tʃɪəful] бодрый, весёлый, жизнерадостный

cheese [tʃiːz] сыр

chemical ['kemɪkəl] химический

chemise [ʃɪ'miːz] сорочка (*женская*)

chemist ['kemɪst] 1) химик 2) аптекарь; ~ry ['kemɪstrɪ] химия

cheque [tʃek] чек

cherry ['tʃerɪ] вишня; черешня

chess [tʃes] шахматы; ~men ['tʃesmen] шахматные фигуры

chest [tʃest] 1) сундук, ящик; ~ of drawers комод 2) грудь

chestnut ['tʃesnʌt] 1. *n* каштан 2. *a* каштановый (*о цвете*)

chew [tʃuː] жевать

chewing gum ['tʃuːɪŋgʌm] жевательная резинка, жвачка

chicken ['tʃɪkɪn] 1) цыплёнок 2) курица (*как кушанье*)

chief [tʃiːf] 1. *n* глава, руководитель, начальник 2. *a* главный; ~ly ['tʃiːflɪ] главным образом

child [tʃaɪld] дитя, ребёнок; ~birth ['tʃaɪldbəːθ] роды; ~hood ['tʃaɪldhud] детство; ~ish ['tʃaɪldɪʃ] детский, ребяческий

children ['tʃɪldrən] *pl от* child

chill [tʃɪl] просту́да; you'll get a ~ вы просту́дитесь

chilly ['tʃɪlɪ] 1) холо́дный 2) сухо́й, чо́порный

chimney ['tʃɪmnɪ] труба́ (дымова́я)

chin [tʃɪn] подборо́док

china ['tʃaɪnə] 1. n фарфо́р 2. a фарфо́ровый

Chinese [tʃaɪ'niːz] 1. a кита́йский 2. n кита́ец

chip [tʃɪp] 1. n ще́пка; стру́жка 2. v отка́лывать; отбива́ть

chirp [tʃəːp] 1. n чири́канье 2. v чири́кать

chit I [tʃɪt] ребёнок

chit II [tʃɪt] 1) запи́ска 2) распи́ска

chivalrous ['ʃɪvəlrəs] ры́царский

chocolate ['tʃɔklət] шокола́д

choice [tʃɔɪs] вы́бор

choir ['kwaɪə] хор

choke [tʃəuk] 1) души́ть 2) задыха́ться

choose [tʃuːz] (chose; chosen) выбира́ть

chop [tʃɔp] 1. v руби́ть 2. n (отбивна́я) котле́та

chord I [kɔːd] 1) струна́ 2) анат. свя́зка; spinal ~ спинно́й мозг; vocal ~s голосовы́е свя́зки

chord II [kɔːd] акко́рд

chorus ['kɔːrəs] хор

chose [tʃəuz] past om choose; ~n [-n] p. p. om choose

christen ['krɪsn] крести́ть; дава́ть и́мя

Christian ['krɪstjən] 1. a христиа́нский; ~ name и́мя (в отличие от фамилии) 2. n христиани́н

Christmas ['krɪsməs] рождество́; ~ Eve соче́льник; ~ tree нового́дняя ёлка

chronic ['krɔnɪk] хрони́ческий

chronicle ['krɔnɪkl] 1. n ле́топись, хро́ника 2. v отмеча́ть

church [tʃəːtʃ] це́рковь; ~yard ['tʃəːtʃjɑːd] кла́дбище

cigarette [sɪgə'ret] сигаре́та

cinder ['sɪndə] 1) шлак 2) pl зола́

Cinderella [sɪndə'relə] Зо́лушка

cinema ['sɪnɪmə] кино́

cipher ['saɪfə] 1. n 1) шифр 2) ци́фра 3) нуль; перен. ничто́жество 2. v зашифро́вывать

circle ['səːkl] круг; окру́жность

circuit ['səːkɪt] 1) объе́зд 2) о́круг 3) эл. цепь; short ~ коро́ткое замыка́ние

circular ['səːkjulə] 1. a 1) кру́глый 2) кругово́й 2. n циркуля́р

circulate ['səːkjuleɪt] 1) циркули́ровать 2) обраща́ться (о деньгах) 3) распространя́ться

circulation [səːkju'leɪʃn] 1) кровообраще́ние 2) тира́ж

circumference [sə'kʌm-fərəns] окружность

circumstance ['sə:kəm-stəns] обстоятельство

circus ['sə:kəs] цирк

cistern ['sistən] 1) цистерна, бак 2) водоём

cite [sait] цитировать

citizen ['sitizn] 1) гражданин 2) горожанин

city ['siti] (большой) город

civil ['sivl] 1) гражданский, штатский 2) вежливый

civilian [si'viljən] штатский

civility [si'viliti] любезность, вежливость

civilization [sivilai'zeiʃn] цивилизация

claim [kleim] 1. v 1) требовать 2) претендовать 3) утверждать 2. n 1) требование 2) претензия

clamour ['klæmə] шум, крики

clap [klæp] 1. v хлопать; аплодировать 2. n удар; хлопок

clarity ['klærəti] прозрачность, ясность

clash [klæʃ] 1. n 1) столкновение 2) лязг 2. v сталкиваться

clasp [klɑ:sp] 1. v прижимать (к груди); обнимать; сжимать (в руке) 2. n 1) рукопожатие; объятия 2) застёжка, пряжка

class I [klɑ:s] 1. n (обще-

ственный) класс 2. a классовый

class II [klɑ:s] 1) класс (в школе) 2) разряд

classify ['klæsifai] классифицировать

classmate ['klɑ:smeit] одноклассник

classroom ['klɑ:sru:m] класс

clatter ['klætə] 1. n стук; звон 2. v стучать, греметь

clause [klɔ:z] 1) статья, пункт 2) грам. предложение

claw [klɔ:] 1) коготь 2) клешня

clay [klei] глина

clean [kli:n] 1. a 1) чистый 2) чистоплотный 2. v чистить; ~ up убирать; ~liness ['klenlinis] чистоплотность

clear [kliə] 1. a 1) ясный 2) светлый; чистый; ~ conscience чистая совесть; ~ sky чистое небо 2. v очищать; ~ up a) проясниться; б) выяснять; в) убирать

clench [klentʃ] сжимать (кулаки, зубы)

clergy ['klə:dʒi] духовенство; ~man [-mən] священник

clerk [klɑ:k] чиновник; служащий

clever ['klevə] 1) умный; способный 2) искусный

client ['klaiənt] клиент; покупатель

cliff [klif] утёс, скала

climate ['klaimit] климат

climax ['klaımæks] кульминацио́нный пункт

climb [klaım] поднима́ться; кара́бкаться; ла́зить

cling [klıŋ] (clung; clung) 1) цепля́ться 2) (при)льну́ть

clip I [klıp] стричь; отреза́ть; отсека́ть

clip II [klıp] зажи́м; скре́пка

cloak [kləuk] плащ; ~room ['kləukru:m] 1) раздева́лка 2) ка́мера хране́ния (*багажа́*)

clock [klɔk] часы́ (*стенные, настольные, башенные*)

close I [kləuz] **1.** *v* закрыва́ть(ся) **2.** *n* коне́ц

close II [kləus] 1) бли́зкий 2) ду́шный

closet ['klɔzıt] чула́н

cloth [klɔθ] 1) ткань 2) сукно́ 3) ска́терть

clothe [kləuð] (clothed; clothed) одева́ть

clothes [kləuðz] *pl* оде́жда, пла́тье; бельё

cloud [klaud] **1.** *n* о́блако, ту́ча **2.** *v* омрача́ть(ся); затемня́ть

clover ['kləuvə] кле́вер ◇ be (live) in ~ жить припева́ючи

club I [klʌb] клуб

club II [klʌb] дуби́нка; клю́шка

clue [klu:] ключ (*к разга́дке*); улика

clumsy ['klʌmzı] неуклю́жий

clung [klʌŋ] *past и p. p. om* cling

cluster ['klʌstə] **1.** *n* гроздь **2.** *v* скопля́ться; тесни́ться

coach I [kəutʃ] 1) экипа́ж 2) ж.-д. ваго́н

coach II [kəutʃ] **1.** *n* тре́нер; инстру́ктор; репети́тор **2.** *v* тренирова́ть, подготовля́ть

coal [kəul] (ка́менный) у́голь

coarse [kɔ:s] гру́бый, вульга́рный

coast [kəust] морско́й бе́рег, побере́жье

coat [kəut] **1.** *n* 1) пальто́ 2) пиджа́к; жаке́т 3) шерсть (*животных*) 4) слой (*краски и т. п.*) **2.** *v* покрыва́ть (*краской и т. п.*)

cobbler ['kɔblə] сапо́жник

cobblestone ['kɔblstəun] булы́жник

cobweb ['kɔbweb] паути́на

cock I [kɔk] пету́х

cock II [kɔk] 1) кран 2) куро́к

cockroach ['kɔkrəutʃ] тарака́н

cocktail ['kɔkteıl] кокте́йль

cocoa ['kəukəu] кака́о

coco-nut ['kəukənʌt] коко́с

cocoon [kə'ku:n] ко́кон

c.o.d. ['si:'əu'di:] (cash on delivery) нало́женным платежо́м

cod [kɔd] треска́

code [kəud] **1.** *n* 1) ко́декс 2) шифр; код 3) систе́ма сигна́лов 2. *v* шифрова́ть по ко́ду

coexistence [kəuig'zistəns] сосуществова́ние

coffee ['kɔfi] ко́фе; ~ **beans** *pl* ко́фе в зёрнах; ~**pot** [-pɔt] кофе́йник

coffin ['kɔfin] гроб

coil [kɔil] 1. *v* свёртывать(ся) кольцо́м, спира́лью 2. *n* кольцо́; спира́ль; бу́хта (*троса*)

coin [kɔin] 1. *n* моне́та 2. *v* чека́нить (*моне́ту*)

coincidence [kəu'insidəns] совпаде́ние

coke [kəuk] 1) кокс 2) ко́ка-ко́ла

cold [kəuld] 1. *a* холо́дный; it's ~ хо́лодно 2. *n* 1) хо́лод 2) просту́да, на́сморк

collaboration [kəlæbə'reiʃn] сотру́дничество

collapse [kə'læps] 1. *n* 1) обва́л 2) прова́л 3) упа́док сил 2. *v* 1) ру́шиться, обвали́ться 2) спуска́ть (*о мяче, камере*)

collapsible [kə'læpsəbl] складно́й (*о сту́ле, столе́ и т. п.*)

collar ['kɔlə] 1) воротни́к; воротничо́к 2) оше́йник 3) хому́т

colleague ['kɔli:g] колле́га

collect [kə'lekt] собира́ть(ся); ~**ion** [kə'lekʃn] 1) собира́ние 2) колле́кция 3) сбор

collective [kə'lektiv] коллекти́вный

college ['kɔlidʒ] ко́лледж

collier ['kɔliə] углеко́п, шахтёр

collision [kə'liʒn] столкнове́ние

colloquial [kə'ləukwiəl] разгово́рный

collusion [kə'lu:ʒn] та́йный сго́вор

colon ['kəulən] двоето́чие

colonel ['kə:nl] полко́вник

colonial [kə'ləunjəl] колониа́льный

colonize ['kɔlənaiz] заселя́ть, колонизи́ровать

colony ['kɔləni] коло́ния

column ['kɔləm] 1) коло́нна 2) столб(ик) 3) столбе́ц

comb [kəum] 1. *n* гре́бень, гребёнка 2. *v* чеса́ть, расчёсывать

combat ['kɔmbət] сраже́ние

combination [kɔmbi'neiʃn] сочета́ние

combine 1. *v* [kəm'bain] объединя́ть(ся) 2) сочета́ть 2. *n* ['kɔmbain] 1) с.-х. комба́йн 2) комбина́т

combustion [kəm'bʌstʃn] горе́ние, сгора́ние

come [kʌm] (came; come) приходи́ть; приезжа́ть; ~ **back** возвраща́ться; ~ **in** входи́ть ◇ it didn't ~ off! не вы́шло!

comedy ['kɔmidi] коме́дия

comfort ['kʌmfət] 1. *n* 1) утеше́ние 2) *pl* удо́бства 2. *v* утеша́ть; ~able ['kʌmfətəbl] удо́бный; ую́тный

comic ['kɔmɪk] смешно́й, коми́ческий; ~ strip ко́микс

coming ['kʌmɪŋ] бу́дущий, наступа́ющий

comma ['kɔmə] запята́я; inverted ~s кавы́чки

command [kə'mɑ:nd] 1. v 1) прика́зывать 2) кома́ндовать 3) госпо́дствовать 2. n 1) прика́з 2) кома́ндование; ~er [kə'mɑ:ndə] команди́р, военача́льник; кома́ндующий

commend [kə'mend] хвали́ть

comment ['kɔment] 1. n примеча́ние, толкова́ние; any ~s? есть замеча́ния? 2. v комменти́ровать; ~ator [-eɪtə] коммента́тор

commerce ['kɔm ə:s] торго́вля

commercial [kə'mə:ʃəl] торго́вый

commission [kə'mɪʃn] 1) коми́ссия 2) поруче́ние

commit [kə'mɪt] соверша́ть (*преступление*)

committee [kə'mɪtɪ] комите́т; коми́ссия

commodity [kə'mɔdɪtɪ] това́р, предме́т потребле́ния

common ['kɔmən] 1) о́бщий 2) обще́ственный 3) обыкнове́нный

commonplace ['kɔmənpleɪs] 1. n бана́льность, общее ме́сто 2. a бана́льный

common sense ['kɔmən 'sens] здра́вый смысл

commotion [kə'məuʃn] 1) смяте́ние 2) волне́ние

commune ['kɔmju:n] комму́на

communicate [kə'mju:nɪkeɪt] 1) сообща́ть, передава́ть 2) сообща́ться

communication [kəmju:nɪ'keɪʃn] сообще́ние; связь; коммуника́ция

communism ['kɔmjunɪzm] коммуни́зм

communist ['kɔmjunɪst] 1. n коммуни́ст 2. a коммунисти́ческий

community [kə'mju:nɪtɪ] 1) общи́на 2) о́бщность

compact 1. a [kəm'pækt] компа́ктный; пло́тный, сжа́тый 2. n ['kɔmpækt] пу́дреница

companion [kəm'pænjən] това́рищ; спу́тник, попу́тчик

company ['kʌmpənɪ] о́бщество; компа́ния; това́рищество

comparative [kəm'pærətɪv] 1. a сравни́тельный; относи́тельный 2. n грам. сравни́тельная сте́пень

compare [kəm'pɛə] сра́внивать

comparison [kəm'pærɪsn] сравне́ние; in ~ with по сравне́нию с

compartment [kəm'pɑ:tmənt] отделе́ние; купе́

compass ['kʌmpəs] 1) объём; диапазо́н 2) ко́мпас 3) *pl* ци́ркуль

compassion [kəm'pæʃn] жа́лость, сострада́ние

compatriot [kəm'pætrɪət] соотéчéственник

compel [kəm'pel] заставля́ть, вынужда́ть

compensate ['kɔmpenseɪt] возмеща́ть; вознагражда́ть; компенси́ровать

compete [kəm'pi:t] состяза́ться; конкури́ровать

competence ['kɔmpɪtəns] 1) умéние, квалифика́ция 2) компетéнтность 3) доста́ток

competent ['kɔmpɪtənt] 1) умéлый 2) полнопра́вный

competition [kɔmpɪ'tɪʃn] 1) соревнова́ние; ко́нкурс 2) конкурéнция

competitor [kəm'petɪtə] конкурéнт; уча́стник ко́нкурса

compile [kəm'paɪl] составля́ть

complacent [kəm'pleɪsnt] самодово́льный

complain [kəm'pleɪn] жа́ловаться

complaint [kəm'pleɪnt] 1) жа́лоба; недово́льство 2) болéзнь

complement ['kɔmplɪmənt] дополнéние (*тж. грам.*)

complete [kəm'pli:t] 1. *a* по́лный 2. *v* 1) зака́нчивать, заверша́ть 2) пополня́ть; ~ly [-lɪ] совершéнно

complex ['kɔmpleks] сло́жный

complexion [kəm'plekʃn] цвет лица́

compliance [kəm'plaɪəns]: in ~ with в соотвéтствии с, согла́сно

complicate ['kɔmplɪkeɪt] усложня́ть

complicated ['kɔmplɪkeɪtɪd] сло́жный, запу́танный

compliment 1. *n* ['kɔmplɪmənt] 1) комплимéнт 2) *pl* привéт **2.** *v* ['kɔmplɪment] дéлать комплимéнт(ы)

complimentary [kɔmplɪ'mentərɪ] 1) лéстный 2) даровóй; ~ ticket беспла́тный билéт; ~ copy беспла́тный экземпля́р

comply [kəm'plaɪ] 1) соглаша́ться 2) исполня́ть (*про́сьбу, жела́ние*)

compose [kəm'pəuz] 1) составля́ть 2) сочиня́ть 3) набира́ть 4): ~ oneself успока́иваться; ~d [-d] споко́йный

composer [kəm'pəuzə] композитор

composition [kɔmpə'zɪʃn] 1) композиция 2) соста́в, смесь 3) музыка́льное произведéние 4) шко́льное сочинéние

compositor [kəm'pɔzɪtə] набо́рщик

composure [kəm'pəuʒə] споко́йствие, самооблада́ние

compound ['kɔmpaund] **1.** *n* смесь **2.** *a* 1) составно́й 2) сло́жный 3) *грам.* сло́жносочинённый

37

comprehensive [ˌkɔmprɪ
'hensɪv] всесторо́нний; ис
че́рпывающий

compress ['kɔmpres] компре́сс

comprise [kəm'praɪz] охва́
тывать; заключа́ть (в себе́)

compromise ['kɔmprəmaɪz]
1. n компроми́сс 2. v 1) пой
ти́ на компроми́сс 2) компро
мети́ровать

compulsory [kəm'pʌlsərɪ]
принуди́тельный; обяза́тель
ный

computer [kəm'pju:tə]
компью́тер, ЭВМ

comrade ['kɔmrɪd] това́
рищ

concave [kɔn'keɪv] во́гну
тый

conceal [kən'si:l] скрыва́ть

concede [kən'si:d] 1) усту
па́ть 2) допуска́ть (возмож
ность и т. п.)

conceit [kən'si:t] самомне́
ние; ~ed [kən'si:tɪd] самодо
во́льный, тщесла́вный

concentrate ['kɔnsentreɪt]
сосредото́чить(ся)

concentration [ˌkɔnsen
'treɪʃn] сосредото́чение; кон
центра́ция; ~ camp концент
рацио́нный ла́герь

conception [kən'sepʃn] 1)
поня́тие; представле́ние;
конце́пция 2) зача́тие

concern [kən'sɜ:n] 1. n 1)
де́ло, отноше́ние; it's no ~ of
mine э́то меня́ не каса́ется 2)
предприя́тие 3) огорче́ние 2.
v каса́ться; интересова́ться;

as far as I am ~ed что каса́
ется меня́; ~ed [-d] 1) заин
тересо́ванный 2) озабо́чен
ный; огорчённый; ~ing [-ɪŋ]
относи́тельно

concert ['kɔnsət] конце́рт
◇ in ~ with вме́сте с

concession [kən'seʃn] 1)
усту́пка 2) эк. конце́ссия

conciliate [kən'sɪlɪeɪt] 1)
примиря́ть 2) задо́брить;
утихоми́рить

concise [kən'saɪs] сжа́тый,
кра́ткий

conclude [kən'klu:d] 1) за
ка́нчивать; заключа́ть 2) де́
лать вы́вод

conclusion [kən'klu:ʒn] 1)
оконча́ние; заключе́ние 2)
вы́вод

conclusive [kən'klu:sɪv]
оконча́тельный, реша́ющий;
убеди́тельный

concrete ['kɔnkri:t] 1. a 1)
конкре́тный 2) бето́нный 2.
n бето́н

concur [kən'kə:] 1) совпа
да́ть; сходи́ться 2) согла
ша́ться

concussion [kən'kʌʃn] со
трясе́ние (мо́зга)

condemn [kən'dem] осуж
да́ть; пригова́ривать

condensed [kən'denst] сгу
щённый

condescend [ˌkɔndɪ'send]
снисходи́ть; ~ing [ˌkɔndɪ
'sendɪŋ] снисходи́тельный

condition [kən'dɪʃn] 1) ус
ло́вие 2) состоя́ние 3) pl об
стоя́тельства

conduct 1. *v* [kən'dʌkt] 1) вести 2) дирижи́ровать **2.** *n* ['kɔndəkt] поведе́ние

conductor [kən'dʌktə] 1) конду́ктор 2) дирижёр 3) проводни́к (*тж. физ.*)

cone [kəun] 1) ко́нус 2) ши́шка (*еловая и т. п.*)

conference ['kɔnfərəns] совеща́ние, конфере́нция

confess [kən'fes] 1) признава́ться 2) испове́доваться; ~**ion** [kən'feʃn] 1) призна́ние 2) и́споведь

confide [kən'faɪd] 1) доверя́ть; полага́ться 2) признава́ться

confidence ['kɔnfɪdəns] 1) дове́рие 2) уве́ренность; самоуве́ренность

confident ['kɔnfɪdənt] уве́ренный; ~**ial** [kɔnfɪ'denʃəl] конфиденциа́льный, секре́тный

confine [kən'faɪn] 1) ограни́чивать 2) заключа́ть в тюрьму́; ~**ment** [-mənt] тюре́мное заключе́ние

confirm [kən'fə:m] подтвержда́ть; ~**ation** [kɔnfə:'meɪʃn] подтвержде́ние

conflict 1. *n* ['kɔnflɪkt] конфли́кт **2.** *v* [kən'flɪkt] (with) противоре́чить

conform [kən'fɔ:m] 1) соотве́тствовать; подчиня́ться; ~**ist** [-ɪst] конформи́ст; ~**ity** [-ɪtɪ]: in ~ity with в соотве́тствии с

confront [kən'frʌnt] 1)

стоя́ть лицо́м к лицу́ 2) дать кому́-л. о́чную ста́вку

confuse [kən'fju:z] 1) сме́шивать; спу́тывать 2) смуща́ться

confusion [kən'fju:ʒn] 1) пу́таница, беспоря́док 2) смуще́ние

congenial [kən'dʒi:njəl] 1) подходя́щий, благоприя́тный 2) бли́зкий по ду́ху

congratulate [kən'grætjuleɪt] поздравля́ть

congress ['kɔŋgres] съезд; конгре́сс

conjecture [kən'dʒektʃə] **1.** *n* дога́дка, предположе́ние **2.** *v* предполага́ть

conjugation [kɔndʒu'geɪʃn] *грам.* спряже́ние

conjunction [kən'dʒʌŋkʃn] 1) соедине́ние 2) *грам.* сою́з

connect [kə'nekt] соединя́ть(ся); свя́зывать(ся)

connection [kə'nekʃn] связь

conquer ['kɔŋkə] завоёвывать; побежда́ть; ~**or** ['kɔŋkərə] завоева́тель; победи́тель

conquest ['kɔŋkwest] завоева́ние

conscience ['kɔnʃəns] со́весть

conscientious [kɔnʃɪ'enʃəs] добросо́вестный

conscious ['kɔnʃəs] 1) сознаю́щий; ощуща́ющий; be ~ of знать, сознава́ть 2) созна́тельный; ~**ness** [-nɪs] 1) созна́ние 2) созна́тельность consecutive [kən'sekjutɪv] последовательный

consent [kən'sent] 1. n согласие 2. v соглашаться

consequence ['kɔnsɪkwəns] 1) последствие 2) значение; it's of no ~ это не имеет значения, неважно

consequently ['kɔnsɪkwəntlɪ] следовательно, поэтому

conservation [kɔnsə:'veɪʃn] сохранение

conservative [kən'sə:vətɪv] 1. a консервативный ◇ at a ~ estimate без преувеличения 2. n консерватор

consider [kən'sɪdə] 1) считать, полагать 2) рассматривать, обсуждать

considerable [kən'sɪdərəbl] значительный

considerate [kən'sɪdərɪt] внимательный (к другим), чуткий

consideration [kənsɪdə'reɪʃn] 1) размышление; рассмотрение 2) соображение; take into ~ принять во внимание; have ~ for others считаться с другими

consignment [kən'saɪnmənt] 1) отправка товаров 2) накладная

consist [kən'sɪst] (of) состоять (из)

consistent [kən'sɪstənt] последовательный

consolation [kɔnsə'leɪʃn] утешение

console [kən'səul] утешать

consolidate [kən'sɔlɪdeɪt] укреплять(ся)

consonant ['kɔnsənənt] согласный (звук)

conspicuous [kən'spɪkjuəs] заметный; выдающийся

conspiracy [kən'spɪrəsɪ] заговор

conspire [kən'spaɪə] тайно договариваться

constable ['kʌnstəbəl] констебль, полицейский

constancy ['kɔnstənsɪ] постоянство

constant ['kɔnstənt] постоянный

constellation [kɔnstə'leɪʃn] созвездие; перен. плеяда

constituency [kən'stɪtjuənsɪ] избирательный округ

constituent [kən'stɪtjuənt] 1. a составной 2. n 1) составная часть 2) избиратель

constitute ['kɔnstɪtjuːt] составлять, образовывать

constitution [kɔnstɪ'tjuːʃn] конституция; ~al [kɔnstɪ'tjuːʃənəl] конституционный

construct [kən'strʌkt] строить; ~ion [kən'strʌkʃn] 1) строительство 2) здание

consult [kən'sʌlt] 1) советоваться 2) справляться (по книгам)

consume [kən'sjuːm] потреблять; ~r [-ə] потребитель; ~ goods товары народного потребления

consumption I [kən'sʌmpʃn] потребление

consumption II [kən'sʌmpʃn] туберкулёз лёгких, чахотка

contact ['kɔntækt] (со)прикосновение; контакт

contagious [kən'teɪdʒəs] заразный

contain [kən'teɪn] содержать; вмещать

container [kən'teɪnə] контейнер

contaminate [kən'tæmɪneɪt] 1) загрязнять 2) заражать

contemplate ['kɔntempleɪt] 1) созерцать 2) предполагать, намереваться

contemporary [kən'tempərərɪ] 1. *a* современный 2. *n* современник

contempt [kən'tempt] презрение; ~ible [kən'temptəbl] презренный, ничтожный

contend [kən'tend] 1) бороться 2) (that) утверждать 3) спорить

content [kən'tent] 1. *a* довольный 2. *v* удовлетворять

contents ['kɔntents] *pl* 1) содержание 2) содержимое 3) оглавление

contest 1. *n* ['kɔntest] спор; состязание 2. *v* [kən'test] оспаривать

continent ['kɔntɪnənt] материк

contingency [kən'tɪndʒənsɪ] случай; случайность

continual [kən'tɪnjuəl] беспрестанный; ~ly [kən'tɪnjuəlɪ] постоянно

continuation [kəntɪnju'eɪʃn] продолжение

continue [kən'tɪnju:] продолжать(ся)

continuous [kən'tɪnjuəs] непрерывный

contraceptive [kɔntrə'septɪv] противозачаточное средство

contract ['kɔntrækt] договор

contraction [kən'trækʃn] сжатие, сокращение

contradict [kɔntrə'dɪkt] 1) опровергать 2) противоречить; ~ion [kɔntrə'dɪkʃn] 1) опровержение 2) противоречие

contrary ['kɔntrərɪ] 1. *a* 1) противоположный 2) противный (*о ветре*) 2. *n:* on the ~ наоборот

contrast 1. *n* ['kɔntræst] контраст 2. *v* [kən'træst] 1) противопоставлять 2) составлять контраст

contribute [kən'trɪbju:t] 1) делать вклад 2) жертвовать (*деньги*) 3) (to) способствовать; that will not ~ much to my happiness это не очень способствует моему счастью 4) сотрудничать (*в газете, журнале*)

contribution [kɔntrɪ'bju:ʃn] 1) вклад; ~ to science вклад в науку 2) содействие 3) сотрудничество

contrivance [kən'traɪvəns]

изобретение; приспособление

control [kən'trəul] **1.** *n* 1) управление; have ~ over one's feelings владеть собой 2) контроль **2.** *v* 1) управлять; ~ oneself! держи себя в руках! 2) контролировать

controversy ['kɔntrəvə:sɪ] спор; полемика

convalescence [kɔnvə'lesns] выздоровление

convene [kən'vi:n] созывать

convenience [kən'vi:njəns] удобство

convenient [kən'vi:njənt] удобный; подходящий

conventional [kən'venʃənl] 1) принятый 2) чопорный, благовоспитанный

conversation [kɔnvə'seɪʃn] разговор, беседа

conversion [kən'və:ʃn] 1) превращение 2) конверсия

convert [kən'və:t] 1) превращать 2) обращать (*в другую веру*); ~ible [-əbl] конвертируемый

convex ['kɔnveks] выпуклый

convey [kən'veɪ] 1) перевозить 2) передавать (*мысль, звук*)

convict 1. *v* [kən'vɪkt] признавать виновным, осуждать **2.** *n* ['kɔnvɪkt] осуждённый, заключённый; каторжник

conviction [kən'vɪkʃn] 1) убеждение 2) *юр.* осуждение

convince [kən'vɪns] убеждать

convincing [kən'vɪnsɪŋ] убедительный

cook [kuk] **1.** *v* готовить пищу; варить **2.** *n* кухарка; повар

cooker ['kukə] плита

cool [ku:l] **1.** *a* 1) прохладный, свежий 2) хладнокровный **2.** *v* 1) охлаждать 2) остывать

cooperate [kəu'ɔpəreɪt] сотрудничать

coordinate 1. *v* [kəu'ɔ:dɪneɪt] координировать **2.** *n* [kəu'ɔ:dənɪt] координата

coordinated [kəu'ɔ:dɪneɪtɪd] согласованный

cop [kɔp] *разг.* полицейский

cope [kəup] справляться (*с делом, задачей*)

copper ['kɔpə] медь

copy ['kɔpɪ] **1.** *n* 1) копия 2) экземпляр 3) репродукция **2.** *v* 1) снимать копию 2) копировать 3) подражать кому-л.; ~book [-buk] тетрадь

copyright ['kɔpɪraɪt] авторское право

cord [kɔ:d] 1) верёвка; шнур 2) *анат.* связка

cordial ['kɔ:djəl] сердечный

core [kɔ:] 1) сердцевина 2) сущность, суть

cork [kɔ:k] **1.** *n* пробка **2.**

v затыка́ть про́бкой; ~-screw ['kɔːkskruː] што́пор

corn I [kɔːn] **1.** *n* 1) зерно́ 2) хле́ба 3) *амер.* кукуру́за, маи́с

corn II [kɔːn] мозо́ль

corner ['kɔːnə] у́гол

cornflower ['kɔːnflauə] василёк

corps [kɔː] *воен.* ко́рпус

corpse [kɔːps] труп

correct [kə'rekt] **1.** *a* пра́вильный **2.** *v* корректи́ровать; исправля́ть; ~ion [kə'rekʃn] исправле́ние

correspond [kɔrɪs'pɔnd] 1) соотве́тствовать 2) перепи́сываться

corroborate [kə'rɔbəreɪt] подтвержда́ть

corrupt [kə'rʌpt] **1.** *v* 1) по́ртить; развраща́ть 2) подкупа́ть **2.** *a* 1) испо́рченный; развращённый 2) прода́жный; ~ion [kə'rʌpʃn] 1) извраще́ние 2) прода́жность 3) коверка́нье (*слова, фамилии и т. п.*)

cosmodrome ['kɔzmədrəum] космодро́м

cosmonaut ['kɔzmənɔːt] космона́вт

cosmos ['kɔzməs] ко́смос, вселённая

cost [kɔst] **1.** *n* 1) цена́; сто́имость 2) *pl* суде́бные изде́ржки **2.** *v* (cost; cost) сто́ить, обходи́ться; how much does it ~? ско́лько э́то сто́ит?

cosy ['kəuzɪ] ую́тный

cottage ['kɔtɪdʒ] 1) дере-

ве́нский дом; хи́жина 2) котте́дж

cotton ['kɔtn] **1.** *n* 1) хло́пок 2) (хло́пчато)бума́жная ткань **2.** *a* (хло́пчато)бума́жный; ~ wool ва́та

couch [kautʃ] куше́тка

cough [kɔf] **1.** *n* ка́шель **2.** *v* ка́шлять

could [kud] *past от* can I

council ['kaunsl] 1) сове́т (*организа́ция*) 2) совеща́ние

counsel ['kaunsəl] **1.** *n* 1) сове́т (*указа́ние*) 2) адвока́т **2.** *v* сове́товать; ~lor [-ə] сове́тник

count [kaunt] **1.** *v* счита́ть; ~ on рассчи́тывать (*на кого-л., что-л.*) **2.** *n* счёт

counter ['kauntə] прила́вок; сто́йка

counteract [kauntə'rækt] противоде́йствовать

countermand [kauntə'mɑːnd] отменя́ть (*приказа́ние, заказ*)

country ['kʌntrɪ] 1) страна́ 2) дере́вня; ~man [-mən] соотéчественник

county ['kauntɪ] гра́фство

couple ['kʌpl] па́ра; чета́

courage ['kʌrɪdʒ] му́жество; хра́брость; ~ous [kə'reɪdʒəs] хра́брый

course [kɔːs] 1) курс 2) ход, тече́ние; let things take their ~ ! пусть всё идёт свои́м чередо́м! 3) блю́до (*за обе́дом и т. п.*) ◇ of ~ коне́чно court [kɔːt] **1.** n 1) двор 2) суд **2.** v уха́живать

courteous ['kəːtjəs] ве́жливый, учти́вый

courtesy ['kəːtɪsɪ] ве́жливость, учти́вость

courtyard ['kɔːtjɑːd] двор

cousin ['kʌzn] двою́родный брат, двою́родная сестра́

cover ['kʌvə] **1.** v 1) закрыва́ть; покрыва́ть 2) охва́тывать **2.** n 1) (по)кры́шка; покрыва́ло; чехо́л; take ~ пря́таться 2) прибо́р (обе́денный)

covet ['kʌvɪt] жа́ждать; домога́ться; ~ous ['kʌvɪtəs] а́лчный, скупо́й

cow [kau] коро́ва

coward ['kauəd] трус; ~ice [-ɪs] тру́сость; ~ly [-lɪ] трусли́вый; малоду́шный

cowboy ['kaubɔɪ] ковбо́й

coy [kɔɪ] засте́нчивый

crab [kræb] 1) краб 2) (С.) Рак (знак зодиака)

crack [kræk] **1.** v 1) раска́лывать(ся), тре́скаться 2) щёлкать **2.** n тре́щина

cracker ['krækə] 1) пече́нье 2) хлопу́шка

crackle ['krækl] хрусте́ть; потре́скивать

cradle ['kreɪdl] колыбе́ль

craft [krɑːft] 1) ремесло́ 2) су́дно; собир. суда́

craftsman ['krɑːftsmən] реме́сленник

cram [kræm] 1) запи́хивать 2) пи́чкать 3) учи́ть на-

спех; ната́скивать (к экза́менам)

crane [kreɪn] 1) жура́вль 2) подъёмный кран

crank I [kræŋk] рукоя́тка, ру́чка

crank II [kræŋk] чуда́к

crash [kræʃ] **1.** n 1) треск, гро́хот 2) ава́рия 3) крах, банкро́тство **2.** v 1) разби́ть(ся) (о самолёте, маши́не) 2) потерпе́ть крах

crawl [krɔːl] по́лзать

craze [kreɪz] ма́ния; увлече́ние

crazy ['kreɪzɪ] поме́шанный

creak [kriːk] **1.** n скрип **2.** v скрипе́ть

cream [kriːm] **1.** n сли́вки; крем; double ~ густы́е сли́вки **2.** a кре́мовый

crease [kriːs] скла́дка

create [kriːˈeɪt] твори́ть, создава́ть

creation [kriːˈeɪʃn] созда́ние; (со)творе́ние

creative [kriːˈeɪtɪv] тво́рческий

creator [kriːˈeɪtə] творе́ц, созда́тель, а́втор

creature ['kriːtʃə] созда́ние

credentials [krɪˈdenʃəlz] pl 1) вери́тельные гра́моты 2) рекоменда́ция

credit ['kredɪt] 1) дове́рие 2) честь 3) креди́т

credulity [krɪˈdjuːlɪtɪ] легкове́рие

credulous ['kredjuləs] легкове́рный

creed [kri:d] 1) вероуче́ние 2) кре́до

creep [kri:p] (crept; crept) 1) по́лзать 2) кра́сться; ~er ['kri:pə] выющееся расте́ние

cremate [krı'meıt] сжига́ть, кремирова́ть

crept [krept] *past и p. p. от* creep

crescent ['kresnt] полуме́сяц

crest [krest] 1) гребешо́к, хохоло́к 2) гре́бень (*волны, горы*)

crevice ['krevıs] тре́щина, расще́лина

crew I [kru:] экипа́ж, кома́нда (*судна*)

crew II [kru:] *past от* crow I

crib [krıb] *разг.* шпарга́лка

cricket I ['krıkıt] сверчо́к

cricket II ['krıkıt] *спорт.* кри́кет

crime [kraım] преступле́ние

criminal ['krımınl] 1. *a* престу́пный; уголо́вный 2. *n* престу́пник

crimson ['krımzn] а́лый; мали́новый

cringe [krındʒ] раболе́пствовать

cripple ['krıpl] 1. *n* кале́ка 2. *v* кале́чить

crisis ['kraısıs] 1) кри́зис 2) перело́м (*в ходе болезни*)

crisp [krısp] рассы́пчатый, хрустя́щий

critical ['krıtıkəl] крити́ческий

criticism ['krıtısızm] кри́тика

criticize ['krıtısaız] критикова́ть; порица́ть

crocodile ['krɔkədaıl] крокоди́л

crook [kruk] 1) изги́б 2) *разг.* жу́лик, моше́нник; ~ed ['krukıd] 1) криво́й 2) нече́стный

crop [krɔp] 1. *n* 1) урожа́й; посе́в 2) зоб 2. *v* 1) подстрига́ть (*волосы*) 2) щипа́ть траву́ (*о животных*)

cross I [krɔs] 1. *n* крест 2. *v* 1) пересека́ть 2) переезжа́ть, переходи́ть (*реку, дорогу*) 3) скре́щивать (*породы*); ~ out вычёркивать

cross II [krɔs] серди́тый

cross-examination [krɔsıgzæmı'neıʃn] перекрёстный допро́с

crossing ['krɔsıŋ] перепра́ва

crossroads ['krɔsrəudz] перекрёсток

crouch [krautʃ] притаи́ться

crow I [krəu] (crowed, crew; crowed) петь, крича́ть (*о петухе*)

crow II [krəu] воро́на

crowd [kraud] 1. *n* толпа́ 2. *v* толпи́ться; тесни́ться

crown [kraun] 1. *n* 1) коро́на 2) вено́к 3) маку́шка 4) кро́на (*монета*) 2. *v* 1) коронова́ть 2) увенчивать; to ~ all в доверше́ние всего́

crucial ['kru:ʃjəl] реша́ющий, крити́ческий

crucify ['kru:sɪfaɪ] распя́ть (*на кресте*)

crude [kru:d] 1) сыро́й, незре́лый; *перен.* примити́вный 2) необрабо́танный

cruel [kruəl] жесто́кий; ~ty ['kruəltɪ] жесто́кость

cruise [kru:z] 1. *v* крейси́ровать 2. *n* крейси́рование

cruiser ['kru:zə] кре́йсер

crumb [krʌm] кро́шка

crumble ['krʌmbl] 1) кроши́ть(ся) 2) мя́ть(ся)

crush [krʌʃ] 1. *v* 1) (раз)дави́ть 2) (с)мять 2. *n* да́вка

crust [krʌst] ко́рка

crutch [krʌtʃ] косты́ль

cry [kraɪ] 1. *v* 1) крича́ть; восклица́ть 2) пла́кать 2. *n* крик

cub [kʌb] детёныш (*зве́ря*)

cube [kju:b] куб

cubic ['kju:bɪk] куби́ческий

cuckoo ['kuku:] куку́шка

cucumber ['kju:kəmbə] огуре́ц

cue [kju:] 1) ре́плика 2) намёк

cuff [kʌf] 1) манже́та; обшла́г 2) уда́р

culprit ['kʌlprɪt] 1) обвиня́емый 2) престу́пник

cultivate ['kʌltɪveɪt] 1) возде́лывать (*зе́млю*) 2) развива́ть(*тала́нты*)

culture ['kʌltʃə] культу́ра; ~d [-d] культу́рный

cunning ['kʌnɪŋ] 1. *n* хи́трость 2. *a* хи́трый, кова́рный

cup [kʌp] 1) ча́шка 2) ку́бок; ~board ['kʌbəd] шкаф; буфе́т

curb [kə:b] 1. *n* 1) узда́ 2) край тротуа́ра 2. *v* обу́здывать

curdle ['kə:dl] свёртываться (*о молоке́*)

curds [kə:dz] *pl* творо́г

cure [kjuə] 1. *v* 1) лечи́ть 2) консерви́ровать 2. *n* сре́дство; лече́ние

curiosity [kjuərɪ'ɔsɪtɪ] любопы́тство

curious ['kjuərɪəs] 1) любопы́тный 2) любозна́тельный 3) курьёзный, стра́нный

curl [kə:l] 1. *v* ви́ться; завива́ть(ся) 2. *n* ло́кон, завито́к

currant ['kʌrənt] 1) кори́нка 2) сморо́дина

currency ['kʌrənsɪ] 1) (де́нежное) обраще́ние 2) валю́та

current ['kʌrənt] 1. *a* 1) теку́щий 2) ходя́чий (*о выраже́ниях и т. п.*) 2. *n* 1) пото́к; тече́ние 2) струя́; эл. ток

curse [kə:s] 1. *v* проклина́ть 2. *n* прокля́тие

cursory ['kə:sərɪ]: ~ reading бе́глое чте́ние

curt [kə:t] сухо́й (*об отве́те и т. п.*)

curtail [kə:'teɪl] сокращáть, урéзывать

curtain ['kə:tn] 1. *n* зáнавес, занавéска 2. *v* за(на)вéшивать

curve [kə:v] 1. *n* кривáя (лúния) 2. *v* изгибáть(ся)

cushion ['kuʃən] (дивáнная) подýшка

custody ['kʌstədɪ] 1) опéка 2): in ~ под арéстом

custom ['kʌstəm] 1) обы́чай 2) привы́чка

customary ['kʌstəmərɪ] обы́чный

customer ['kʌstəmə] покупáтель; закáзчик

custom house ['kʌstəm haus] тамóжня

customs ['kʌstəmz] *pl* 1) тамóженный контрóль 2) тамóженные пóшлины

cut [kʌt] 1. *n* порéз; разрéз 2. *v* (cut; cut) 1) рéзать 2) рубúть 3) стричь; ~ **down** сокращáть; ~ **off** отключáть (*электричество*); ~ **out** вырезáть; кроúть ◇ he is ~ting his teeth у негó прорéзываются зýбы

cut glass ['kʌtglɑ:s] хрустáль (*посуда*)

cutlery ['kʌtlərɪ] столóвый прибóр (*вилки, ложки, ножи*)

cutlet ['kʌtlɪt] котлéта

cutting ['kʌtɪŋ] 1. *n* газéтная вы́резка 2. *a* óстрый; рéзкий; ~ **remark** язвúтельное замечáние

cybernetics [saɪbə:'netɪks] кибернéтика

cycle ['saɪkl] цикл

cyclist ['saɪklɪst] велосипедúст

cynical ['sɪnɪkəl] цинúчный; бессты́дный

cypress ['saɪprɪs] кипарúс

Czech [tʃek] 1. *n* чех 2. *a* чéшский

Czechoslovak ['tʃekəu'sləuvæk] чехословáцкий

D

dad, daddy [dæd, 'dædɪ] *разг.* пáпа, пáпочка

dagger ['dægə] кинжáл

daily ['deɪlɪ] 1. *a* ежеднéвный 2. *adv* ежеднéвно

dainty ['deɪntɪ] лáкомство; деликатéс

dairy ['dɛərɪ] молóчный магазúн; ~ **farm** молóчная фéрма

daisy ['deɪzɪ] маргарúтка

dam [dæm] 1. *n* дáмба, плотúна 2. *v* запрýживать

damage ['dæmɪdʒ] 1. *n* 1) вред 2) ущéрб 3) *pl юр.* убы́тки; вознаграждéние за убы́тки 2. *v* 1) поврeждáть 2) наносúть ущéрб

damn [dæm] 1. *n* проклятие 2. *v*: ~ **it!** чёрт возьмú!

damp [dæmp] 1. *n* 1) сы́рость; влáжность 2) унúние, подáвленность 2. *a* сырóй, влáжный

dance [dɑːns] **1.** *n* 1) та́нец 2) бал **2.** *v* танцева́ть

dancer [ˈdɑːnsə] танцо́вщица; танцо́р

dandelion [ˈdændɪlaɪən] одува́нчик

Dane [deɪn] датча́нин

danger [ˈdeɪndʒə] опа́сность; ~ous [ˈdeɪndʒrəs] опа́сный

dangle [ˈdæŋgl] 1) кача́ться 2) подве́шивать

Danish [ˈdeɪnɪʃ] да́тский

dare [dɛə] 1) сметь, отва́живаться 2) (*smb. to*) вызыва́ть на ◇ I ~ say вероя́тно

daring [ˈdɛərɪŋ] **1.** *n* сме́лость, отва́га **2.** сме́лый, отва́жный

dark [dɑːk] **1.** *a* 1) тёмный 2) сму́глый **2.** *n* темнота́; ~ness [ˈdɑːknɪs] темнота́

darling [ˈdɑːlɪŋ] **1.** *a* люби́мый; ми́лый; дорого́й **2.** *n* люби́мец

darn [dɑːn] што́пать

dash [dæʃ] **1.** *v* промча́ться **2.** *n* тире́

data [ˈdeɪtə] *pl* 1) да́нные 2) фа́кты

database [ˈdeɪtəbeɪs] *вчт.* ба́за да́нных

date I [deɪt] **1.** *n* 1) да́та, число́; вре́мя; out of ~ устаре́лый; up to ~ совреме́нный 2) *амер. разг.* свида́ние; make a ~ назнача́ть свида́ние **2.** *v* дати́ровать; ~ from относи́ться (*к какому-л. вре́мени*)

date II [deɪt] фи́ник

daughter [ˈdɔːtə] дочь; ~~in-law [ˈdɔːtərɪnlɔː] неве́стка, сноха́

daunt [dɔːnt] запу́гивать, обескура́живать

daw [dɔː] га́лка

dawdle [ˈdɔːdl] (away) зря тра́тить вре́мя, безде́льничать

dawn [dɔːn] **1.** *v* рассвета́ть **2.** *n* рассве́т; (у́тренняя) заря́

day [deɪ] день; ~ off выходно́й день; the ~ before yesterday позавчера́; the ~ after tomorrow послеза́втра; ~break [ˈdeɪbreɪk] рассве́т

daze [deɪz] удиви́ть, ошело́мить

dazed [deɪzd] ошеломлённый

dazzle [ˈdæzl] ослепля́ть; прельща́ть

dead [ded] мёртвый; he is ~ он у́мер ◇ ~ shot ме́ткий стрело́к

deaf [def] глухо́й; ~ mute глухонемо́й; ~en [ˈdefn] 1) оглуша́ть 2) заглуша́ть

deal [diːl] **1.** *v* (dealt; dealt) сдава́ть (*ка́рты*); ~ in торгова́ть; ~ out распределя́ть; ~ with име́ть де́ло (*с кем-л.*) **2.** *n* 1) коли́чество; a great ~ of мно́го 2) сде́лка, де́ло; ~ing(s) [ˈdiːlɪŋ(z)] дела́, деловы́е отноше́ния

dealt [delt] *past и p. p. от* deal 1

dean [diːn] 1) дека́н 2) настоя́тель собо́ра

dear I [dɪə] **1.** *a* дорогой; my ~ мой милый; ~ Sir милостивый государь (*в письмах*) **2.** *adv* дорого

death [deθ] смерть; put to ~ казнить; ~ rate ['deθreɪt] смертность, процент смертности

debate [dɪ'beɪt] **1.** *v* обсуждать **2.** *n* 1) дебаты, прения 2) спор

debt [det] долг; ~or ['detə] должник

decade ['dekeɪd] десятилетие

decathlon [dɪ'kæθlɒn] десятиборье

decay [dɪ'keɪ] **1.** *v* 1) гнить, разлагаться 2) приходить в упадок **2.** *n* 1) гниение; разложение; распад 2) упадок

deceased [dɪ'si:st] (the) покойник, умерший

deceit [dɪ'si:t] обман, хитрость

deceive [dɪ'si:v] обманывать

December [dɪ'sembə] декабрь

decency ['di:snsɪ] приличие, благопристойность

decent ['di:snt] 1) приличный; порядочный 2) скромный

deception [dɪ'sepʃn] обман

deceptive [dɪ'septɪv] обманчивый

decide [dɪ'saɪd] решать

decimal ['desɪməl] **1.** *a* десятичный **2.** *n* десятичная дробь

decimate ['desɪmeɪt] убить, уничтожить большую часть

decipher [dɪ'saɪfə] расшифровывать

decision [dɪ'sɪʒn] 1) решение 2) решимость

decisive [dɪ'saɪsɪv] 1) решающий 2) решительный

deck [dek] палуба

declaim [dɪ'kleɪm] 1) говорить с пафосом, декламировать 2) (against) протестовать

declaration [deklə'reɪʃn] 1) заявление; декларация 2) объявление

declare [dɪ'kleə] 1) объявлять; провозглашать 2) заявлять

declension [dɪ'klenʃn] *грам.* склонение

decline [dɪ'klaɪn] **1.** *v* 1) отклонять; отказывать(ся) 2) *грам.* склонять **2.** *n* упадок, падение

decontrol [di:kən'trəul] освобождать от государственного контроля

decorate ['dekəreɪt] 1) украшать 2) награждать знаком отличия

decoration [dekə'reɪʃn] 1) украшение 2) знак отличия, орден

decoy [dɪ'kɔɪ] **1.** *n* 1) западня 2) приманка **2.** *v* заманивать в ловушку

decrease 1. *v* [di:'kri:s] уменьшать(ся); убывать **2.** *n* ['di:kri:s] уменьше́ние; у́быль

decree [dɪ'kri:] 1. *n* декре́т, ука́з 2. *v* издава́ть декре́т; постановля́ть

decrepit [dɪ'krepɪt] 1) ве́тхий 2) дря́хлый

decry [dɪ'kraɪ] выступа́ть про́тив, осужда́ть

dedicate ['dedɪkeɪt] посвяща́ть

deduct [dɪ'dʌkt] вычита́ть; отнима́ть; ~ion [dɪ'dʌkʃn] 1) вычита́ние; вы́чет; удержа́ние 2) вы́вод, заключе́ние

deed [di:d] 1) де́ло, посту́пок 2) *юр.* докуме́нт, акт

deep [di:p] 1. *a* глубо́кий 2. *adv* глубоко́; ~ly ['di:plɪ] глубоко́

deer [dɪə] оле́нь; лань

deface [dɪ'feɪs] по́ртить (вне́шний вид)

defame [dɪ'feɪm] клевета́ть, поро́чить

defeat [dɪ'fi:t] 1. *v* побежда́ть, наноси́ть пораже́ние 2. *n* пораже́ние

defect [dɪ'fekt] недоста́ток; недочёт; ~ive [-ɪv] неиспра́вный; недоста́точный, неполноце́нный; дефекти́вный

defence [dɪ'fens] защи́та; оборо́на; ~less [-lɪs] беззащи́тный

defend [dɪ'fend] защища́ть

defensive [dɪ'fensɪv] 1. *a* оборони́тельный 2. *n* оборо́на

deference ['defərəns] почти́тельность

defiance [dɪ'faɪəns] вы́зов, откры́тое неповинове́ние

defiant [dɪ'faɪənt] вызыва́ющий

deficiency [dɪ'fɪʃənsɪ] недоста́ток; дефици́т

define [dɪ'faɪn] определя́ть, устана́вливать

definite ['defɪnɪt] определённый

definition [defɪ'nɪʃn] определе́ние

deflection [dɪ'flekʃn] отклоне́ние

deformed [dɪ'fɔ:md] обезобра́женный

deft [deft] ло́вкий, иску́сный

defuse [di:'fju:z] сни́зить напряже́ние, успоко́ить

defy [dɪ'faɪ] 1) де́йствовать напереко́р; ~ *smb.* to вызыва́ть на спор; I ~ you to find руча́юсь, что не найдёте 2) пренебрега́ть (*опасностью и т. п.*)

degenerate 1. *v* [dɪ'dʒenəreɪt] вырожда́ться 2. *a* [dɪ'dʒenərɪt] вырожда́ющийся 3. *n* [dɪ'dʒenərɪt] дегенера́т

degrade [dɪ'greɪd] понижа́ть; разжа́ловать; ~d [-ɪd] 1) разжа́лованный 2) опусти́вшийся

degree [dɪ'gri:] 1) сту́пень; сте́пень; by ~s постепе́нно 2) гра́дус 3) учёная сте́пень

deign [deɪn] снизойти́

deity ['di:ɪtɪ] божество́

dejected [dɪ'dʒektɪd] удручённый, угнетённый

delay [dɪ'leɪ] 1. *v* задерживать; откладывать; медлить 2. *n* задержка; промедление

delegate 1. *v* ['delɪgeɪt] посылать делегатом 2. *n* ['delɪgɪt] делегат

deliberate [dɪ'lɪbərɪt] обдуманный, намеренный

delicacy ['delɪkəsɪ] 1) деликатность; тонкость 2) нежность (*красок*) 3) хрупкость, болезненность 4) лакомство

delicate ['delɪkɪt] 1) тонкий 2) болезненный, слабый 3) щекотливый (*вопрос, дело*) 4) тактичный

delicious [dɪ'lɪʃəs] 1) восхитительный, прелестный 2) вкусный

delight [dɪ'laɪt] 1. *n* наслаждение; восторг 2. *v* приводить в восторг; ~ful [dɪ'laɪtful] прелестный, восхитительный

delinquency [dɪ'lɪŋkwənsɪ] преступность, правонарушение (несовершеннолетних)

delirium [dɪ'lɪrɪəm] бред

deliver [dɪ'lɪvə] 1) доставлять 2) освобождать; избавлять 3) сделать (*доклад*); произносить (*речь*); ~ance [dɪ'lɪvərəns] освобождение, избавление

delivery [dɪ'lɪvərɪ] 1) доставка 2) роды

delusion [dɪ'luːʒn] заблуждение

demand [dɪ'maːnd] 1. *v* 1) требовать 2) спрашивать 2. *n* 1) требование 2) *эк.* спрос; in ~ имеющий спрос

demeanour [dɪ'miːnə] поведение

demobilize [diː'məubɪlaɪz] демобилизовать

democracy [dɪ'mɔkrəsɪ] демократия

democratic [demə'krætɪk] демократический

demolish [dɪ'mɔlɪʃ] разрушать

demonstrate ['demənstreɪt] 1) показывать; демонстрировать 2) доказывать

demonstration [deməns'treɪʃn] 1) показ; демонстрация 2) доказательство

demoralized [dɪ'mɔrəlaɪzd] 1) обескураженный; деморализованный 2) опустившийся

demote [dɪ'məut] понизить в должности

den [den] 1) берлога 2) притон

denial [dɪ'naɪəl] отрицание

denomination [dɪnɔmɪ'neɪʃn] 1) название; наименование 2) вероисповедание 3) : money of small ~s купюры малого достоинства

denote [dɪ'nəut] означать; обозначать

denounce [dɪ'nauns] обвинять, обличать,

dense [dens] густóй, плóтный

density ['densɪtɪ] плóтность

dent [dent] вы́емка, углублéние

dentist ['dentɪst] зубнóй врач

denude [dɪ'nju:d] обнажáть, оголя́ть

deny [dɪ'naɪ] 1) отрицáть 2) отказывать (ся)

deodorant [di:'əudərənt] дезодорáнт

depart [dɪ'pɑ:t] отбывáть, уезжáть

department [dɪ'pɑ:tmənt] 1) отдéл; ~ store универмáг 2) вéдомство; департáмент 3) *амер.* министéрство

departure [dɪ'pɑ:tʃə] 1) отбы́тие, отъéзд; вы́лет, отлёт 2) отклонéние

depend [dɪ'pend] (on) 1) зави́сеть (от) 2) полагáться (на); ~ant [-ənt] иждивéнец; ~ence [-əns] зави́симость; ~ent [-ənt] зави́симый

depict [dɪ'pɪkt] опи́сывать

deplorable [dɪ'plɔ:rəbl] плачéвный

deportation [di:pɔ:'teɪʃən] депортáция, вы́сылка

deposit [dɪ'pɔzɪt] **1.** *v* 1) класть 2) положи́ть (*в банк*) 3) отлагáть, давáть осáдок **2.** *n* 1) вклад 2) задáток 3) осáдок

depot ['depəu] 1) депó 2) склад 3) *амер.* железнодорóжная стáнция

depraved [dɪ'preɪvd] испóрченный; развращённый

deprecate ['deprəkeɪt] осуждáть, протестовáть

depreciate [dɪ'pri:ʃɪeɪt] обесцéнивать (ся)

depress [dɪ'pres] удручáть, угнетáть; ~ion [dɪ'preʃn] 1) уны́ние 2) *эк.* депрéссия

deprive [dɪ'praɪv] лишáть

depth [depθ] глубинá

deputy ['depjutɪ] 1) депутáт; *амер.* 2) заместитель

deranged [dɪ'reɪndʒd] ненормáльный, сумасшéдший

derisive [dɪ'raɪsɪv] насмéшливый, ирони́ческий

derivation [derɪ'veɪʃn] истóчник, происхождéние, начáло

descend [dɪ'send] спускáться; be ~ed from происходи́ть от; ~ant [-ənt] потóмок

descent [dɪ'sent] 1) спуск 2) склон 3) десáнт 4) происхождéние

describe [dɪs'kraɪb] опи́сывать

description [dɪs'krɪpʃn] описáние

desert 1. *v* [dɪ'zə:t] 1) покидáть, бросáть 2) дезерти́ровать **2.** *n* ['dezət] пусты́ня **3.** *a* ['dezət] необитáемый; ~ed [dɪ'zə:tɪd] брóшенный, пусты́нный; ~er [dɪ'zə:tə] дезерти́р

deserts [dɪ'zə:ts] *pl* заслу́-

DES | DEV — D

ги; according to one's ~ по заслу́гам

deserve [dɪ'zə:v] заслу́живать

design [dɪ'zaɪn] 1. *n* 1) за́мысел 2) прое́кт 3) узо́р 2. *v* 1) замышля́ть; намерева́ться 2) проекти́ровать

designate ['dezɪgneɪt] (пред)назнача́ть

desirable [dɪ'zaɪərəbl] жела́тельный

desire [dɪ'zaɪə] 1. *n* жела́ние 2. *v* жела́ть

desirous [dɪ'zaɪərəs]: be ~ of жела́ть

desk [desk] 1) пи́сьменный стол 2) конто́рка 3) па́рта

desolate ['desəlɪt] поки́нутый, забро́шенный

despair [dɪs'pɛə] 1. *n* отча́яние 2. *v* (of) отча́иваться

despatch [dɪs'pætʃ] *см.* dispatch

desperate ['despərɪt] отча́янный, безнадёжный

despicable [de'spɪkəbl] презре́нный

despise [dɪs'paɪz] презира́ть

despite [dɪs'paɪt] несмотря́ на, вопреки́

despotic [des'pɔtɪk] деспоти́ческий

destination [destɪ'neɪʃn] 1) (пред)назначе́ние 2) ме́сто назначе́ния

destiny ['destɪnɪ] судьба́

destitute ['destɪtjuːt]

(си́льно) нужда́ющийся; ~ of лишённый чего́-л.

destroy [dɪs'trɔɪ] разруша́ть; уничтожа́ть

destroyer [dɪs'trɔɪə] эска́дренный миноно́сец

destruction [dɪs'trʌkʃn] разруше́ние, уничтоже́ние

detach [dɪ'tætʃ] 1) отделя́ть 2) *воен.* посыла́ть; ~ment [-mənt] 1) отделе́ние 2) отря́д

detail ['diːteɪl] подро́бность, дета́ль

detain [dɪ'teɪn] 1) заде́рживать 2) уде́рживать (*зарплату*)

detect [dɪ'tekt] обнару́живать

detective [dɪ'tektɪv] сы́щик

detention [dɪ'tenʃən] задержа́ние, аре́ст

deteriorate [dɪ'tɪərɪəreɪt] ухудша́ться, по́ртиться

determination [dɪtə:mɪ'neɪʃn] 1) определе́ние 2) реши́мость

determine [dɪ'tə:mɪn] 1) определя́ть 2) реша́ть(ся)

detest [dɪ'test] ненави́деть

detonate ['detəneɪt] взрыва́ть

devaluation [diːvæljuː'eɪʃən] девальва́ция

devastate ['devəsteɪt] опустоша́ть, разоря́ть

develop [dɪ'veləp] 1) развива́ть(ся) 2) *фото* проявля́ть; ~ment [-mənt] 1) разви́тие 2) *фото* проявле́ние

deviation [di:vɪ'eɪʃn] 1) отклонение 2) *полит.* уклон

device [dɪ'vaɪs] 1) план, схема, проект 2) девиз 3) приспособление; механизм

devil ['devl] дьявол, чёрт

devise [dɪ'vaɪz] придумывать; изобретать

devoid [dɪ'vɔɪd] (of) лишённый чего-л.

devote [dɪ'vəut] посвящать (себя); ~d [-ɪd] преданный

devotion [dɪ'vəuʃn] преданность

devour [dɪ'vauə] пожирать

dew [dju:] роса

dexterity [deks'terɪtɪ] проворство, ловкость

diagram ['daɪəgræm] диаграмма; схема

dial ['daɪəl] **1.** *n* циферблат **2.** *v* набирать номер (*по телефону*)

dialectical [daɪə'lektɪkəl] диалектический

diameter [daɪ'æmɪtə] диаметр

diamond ['daɪəmənd] алмаз; бриллиант

diaper ['daɪəpə] пелёнка

diary ['daɪərɪ] дневник

dictate [dɪk'teɪt] диктовать

dictation [dɪk'teɪʃn] диктант

dictatorship [dɪk'teɪtəʃɪp] диктатура

dictionary ['dɪkʃənrɪ] словарь

did [dɪd] *past om* do

die [daɪ] умирать; ~ away замирать (*о звуке*)

diet ['daɪət] 1) пища 2) диета

differ ['dɪfə] 1) отличаться 2) расходиться во мнениях; ~ence ['dɪfrəns] 1) разница, различие 2) разногласие; ~ent ['dɪfrənt] 1) другой 2) разный

difficult ['dɪfɪkəlt] трудный; ~y [-ɪ] трудность; затруднение

diffidence ['dɪfɪdəns] неуверенность в себе

diffident ['dɪfɪdənt] неуверенный; застенчивый

diffuse [dɪ'fju:s] 1) многословный 2) рассеянный (*о свете*)

dig [dɪg] (dug; dug) рыть, копать; закапывать

digest 1. *v* [dɪ'dʒest] 1) переваривать 2) усваивать 2. *n* ['daɪdʒest] краткое изложение; ~ion [dɪ'dʒestʃn] пищеварение

dignified ['dɪgnɪfaɪd] достойный

dignity ['dɪgnɪtɪ] 1) достоинство 2) звание, сан

dike [daɪk] 1) канава 2) дамба

dilapidated [dɪ'læpɪdeɪtɪd] ветхий, полуразвалившийся

diligence ['dɪlɪdʒəns] прилежание

diligent ['dɪlɪdʒənt] прилёжный

dilettante [dɪlɪ'tæntɪ] дилетант, любитель

dill [dɪl] укроп

dilute [daɪˈljuːt] разбавлять

dim [dɪm] 1) тусклый, неясный 2) слабый (*о зрении*) 3) туманный, смутный

dime [daɪm] *амер.* монета в 10 центов

dimension [dɪˈmenʃn] 1) измерение 2) *pl* размеры, величина

diminish [dɪˈmɪnɪʃ] уменьшаться

diminutive [dɪˈmɪnjutɪv] 1) миниатюрный 2) *грам.* уменьшительный

dimple [ˈdɪmpl] ямочка (*на щеке*)

dine [daɪn] обедать

dining car [ˈdaɪnɪŋkɑː] вагон-ресторан

dining room [ˈdaɪnɪŋrum] столовая

dinner [ˈdɪnə] обед

dip [dɪp] 1. *v* окунать; ~ the flag спустить флаг 2. *n:* have a ~ искупаться

diplomacy [dɪˈpləuməsɪ] дипломатия

diplomat [ˈdɪpləmæt] дипломат; ~ic [dɪpləˈmætɪk] дипломатический

direct [dɪˈrekt] 1. *a* прямой 2. *v* 1) направлять 2) руководить 3) приказывать; ~ion [dɪˈrekʃn] 1) направление 2) указание 3) руководство; ~ly [-lɪ] 1) прямо 2) тотчас, немедленно

directory [dɪˈrektərɪ] адресная книга, справочник

dirt [dəːt] грязь; ~y [ˈdəːtɪ] грязный

disabled [dɪsˈeɪbld] искалеченный, выведенный из строя

disadvantage [dɪsədˈvɑːntɪdʒ] неудобство; невыгода; at a ~ в невыгодном положении; catch smb. at a ~ застать кого-л. врасплох

disagree [dɪsəˈgriː] 1) не соглашаться 2) расходиться, противоречить

disagreeable [dɪsəˈgrɪəbl] неприятный

disappear [dɪsəˈpɪə] исчезать

disappoint [dɪsəˈpɔɪnt] 1) разочаровывать 2) обмануть (*надежды*)

disapprobation [dɪsæprəˈbeɪʃən] неодобрение, осуждение

disapproval [dɪsəˈpruːvəl] неодобрение

disarm [dɪsˈɑːm] 1) обезоруживать; ~ing smile обезоруживающая улыбка 2) разоружать(ся)

disaster [dɪˈzɑːstə] катастрофа; бедствие

disastrous [dɪˈzɑːstrəs] гибельный; катастрофический

disband [dɪsˈbænd] распускать (*войска*)

disbelief [dɪsbɪˈliːf] неверие

discern [dɪˈsəːn] различать, видеть

discharge [dɪsˈtʃɑːdʒ] 1. *v*

55

1) разгружа́ть 2) *эл.* разряжа́ть 3) вы́стрелить 4) увольня́ть 5) выпи́сывать (*из больни́цы*) **2.** *n* 1) *эл.* разря́д 2) вы́стрел 3) увольне́ние

disciple [dı'saıpl] учени́к, после́дователь

discipline ['dısıplın] дисципли́на

disclose [dıs'kləuz] раскрыва́ть, обнару́живать

discomfit [dıs'kʌmfıt] приводи́ть в замеша́тельство, наруша́ть пла́ны

discomfort [dıs'kʌmfət] неудо́бство

disconcert [dıskən'sə:t] приводи́ть в замеша́тельство, смуща́ть

disconnect [dıskə'nekt] разъединя́ть

discontent [dıskən'tent] недово́льство; ~ed [-ıd] недово́льный

discontinue [dıskən'tınju:] прекраща́ть, прерыва́ть

discord ['dıskɔ:d] 1) раздо́ры 2) *муз.* диссона́нс

discount 1. *v* [dıs'kaunt] 1) учи́тывать векселя́ 2) де́лать ски́дку **2.** *n* ['dıskaunt] 1) учёт векселе́й 2) ски́дка

discourage [dıs'kʌrıdʒ] обескура́живать, озада́чивать

discover [dıs'kʌvə] открыва́ть; обнару́живать

discovery [dıs'kʌvərı] откры́тие

discredit [dıs'kredıt] недове́рие, сомне́ние

discreet [dıs'kri:t] 1) осторо́жный 2) сде́ржанный

discrepancy [dıs'krepənsı] разногла́сие; противоре́чие

discretion [dıs'kreʃn] 1) такт; сде́ржанность 2): at your ~ на ва́ше усмотре́ние

discriminat|e [dıs'krımıneıt] различа́ть; ~ion [dıskrımı'neıʃn] 1) предпочте́ние 2) дискримина́ция

discuss [dıs'kʌs] обсужда́ть; ~ion [dıs'kʌʃn] обсужде́ние; диску́ссия

disdain [dıs'deın] **1.** *v* презира́ть; пренебрега́ть **2.** *n* презре́ние; пренебреже́ние

diseas|e [dı'zi:z] боле́знь; ~ed [-d] больно́й; ~ed liver больна́я пе́чень

disembark [dısəm'ba:k] выгружа́ть, выса́живать (на бе́рег)

disfigure [dıs'fıgə] обезобра́живать; по́ртить

disgrace [dıs'greıs] **1.** *n* 1) позо́р, бесче́стье 2): be in ~ быть в неми́лости **2.** *v* позо́рить; ~ful [-ful] позо́рный

disguise [dıs'gaız] **1.** *v* 1) переодева́ться; маскирова́ться 2) скрыва́ть **2.** *n* маскиро́вка; *перен.* ма́ска; in ~ переоде́тый

disgust [dıs'gʌst] **1.** *n* отвраще́ние **2.** *v* вызыва́ть отвраще́ние; be ~ed чу́вствовать отвраще́ние

dish [dıʃ] блю́до

dishevelled [dı'ʃevəld] растрёпанный; взъеро́шенный

dishonest [dɪs'ɔnɪst] нечéстный

dishonour [dɪs'ɔnə] позóр; ~**able** [dɪs'ɔnərəbl] бесчéстный, позóрный

dishwasher ['dɪʃwɔʃə] посудомóечная машúна

disillusion [dɪsɪ'lu:ʒn] 1. *v* разочарóвывать 2. *n* разочаровáние

disinterested [dɪs'ɪntrɪstɪd] 1) бескорыстный; беспристрáстный 2) *амер.* равнодýшный

disk [dɪsk] диск; floppy ~ гúбкий диск; ~**ette** [dɪs'ket] дискéта

dislike [dɪs'laɪk] 1. *n* нелюбóвь, неприязнь 2. *v* не любúть

dismal ['dɪzməl] мрáчный, унылый

dismay [dɪs'meɪ] ýжас

dismiss [dɪs'mɪs] 1) распускáть (*учеников*) 2) выгонять, увольнять 3): ~ an idea выбросить из головы

dismount [dɪs'maunt] спéшиваться

disobey ['dɪsə'beɪ] не повиновáться; не слýшаться

disorder [dɪs'ɔ:də] беспорядок

disorganize [dɪs'ɔ:gənaɪz] расстрáивать, вносúть беспорядок

dispatch [dɪs'pætʃ] 1. *v* отправлять; посылáть 2. *n* 1) отпрáвка 2) депéша

dispense [dɪs'pens] раздавáть; ~ **with** обходúться без чегó-л.

disperse [dɪs'pə:s] 1) рассéивать(ся) 2) разгонять

displace [dɪs'pleɪs] перемeщáть; ~**d** persons перемещённые лúца

display [dɪs'pleɪ] 1. *n* 1) покáз, выставка 2) дисплéй 2. *v* 1) выставлять; показывать 2) проявлять, обнарýживать

displease [dɪs'pli:z] сердúть, раздражáть; ~**d** [-d] недовóльный

displeasure [dɪs'pleʒə] неудовóльствие, недовóльство, досáда

disposable [dɪ'spəuzəbl] однорáзовый, однорáзового пóльзования; ~ syringe однорáзовый шприц

disposal [dɪs'pəuzəl]: at my ~ в моём распоряжéнии

dispose [dɪs'pəuz] располагáть ◇ ~ of избавляться от

disposition [dɪspə'zɪʃn] харáктер

dispute [dɪs'pju:t] 1. *v* спóрить; оспáривать 2. *n* спор

disregard ['dɪsrɪ'ga:d] 1. *v* пренебрегáть 2. *n* пренебрежéние

disreputable [dɪs'repjutəbl] пóльзующийся дурнóй репутáцией, позóрный

disrupt [dɪs'rʌpt] разрывáть, разрушáть

dissatisfaction [dɪsætɪs'fækʃn] недовóльство, неудовлетворённость

dissemble [dı'sembl] скрывáть, маскировáть

disseminate [dı'semıneıt] разбрáсывать, рассéивать

dissension [dı'senʃn] 1) разноглáсие 2) разлáд

dissident ['dısıdənt] инакомыслящий

dissimilar [dı'sımılə] несхóдный, непохóжий

dissipate ['dısıpeıt] рассéивать, разгонять

dissolution [dısə'lu:ʃn] 1) распáд 2) рóспуск 3) расторжéние

dissolve [dı'zɔlv] 1) растворять(ся) 2) распускáть 3) расторгáть

dissuade [dı'sweıd] отговáривать

distance ['dıstəns] расстояние

distant ['dıstənt] отдалённый

distinct [dıs'tıŋkt] отчётливый, ясный; ~ion [dıs'tıŋkʃn] 1) различие, отличие 2) знак отличия

distinguish [dıs'tıŋgwıʃ] 1) различáть 2) отличáть; ~ed [-t] выдающийся; почётный

distract [dıs'trækt] отвлекáть

distress [dıs'tres] **1.** n 1) гóре 2) нуждá **2.** v огорчáть, расстрáивать

distribute [dıs'trıbju:t] распределять

distribution [dıstrı'bju:ʃn] распределéние

district ['dıstrıkt] райóн; óкруг

distrust [dıs'trʌst] **1.** n недовéрие **2.** v не доверять

disturb [dıs'tə:b] 1) беспокóить, мешáть 2) трево́жить

ditch [dıtʃ] канáва

dive [daıv] **1.** v 1) нырять 2) ав. пики́ровать **2.** n ныря́ние

diver ['daıvə] водолáз

diverse [daı'və:s] рáзный, различный

diversity [daı'və:sıtı] разнообрáзие, различие

divert [daı'və:t] 1) отводи́ть 2) отвлекáть

divide [dı'vaıd] дели́ть(ся); разделять(ся)

divine [dı'vaın] божéственный

division [dı'vıʒn] 1) (раз)делéние 2) часть, раздéл; отдéл 3) воен. дивизия

divorce [dı'vɔ:s] **1.** n развóд **2.** v 1) разводи́ть(ся) 2) разъединять

do [du:] (did; done) 1) дéлать; do one's bed сдéлать постéль; do a room убирáть кóмнату; do one's hair причёсываться 2) как вспомогат. глагол в вопросит. и отрицат. формах: didn't you see me? рáзве вы меня не ви́дели?; I do not (don't) speak French я не говорю по-францу́зски 3) для усиления: do come! пожáлуйста, приходи́те!; do up застёгивать; do without обходи́ться

без ◇ that will do! а) хва́-
тит!; дово́льно!; б) э́то подхо-
дя́ще!; how do you do!
здра́вствуйте!; this will never
do э́то никуда́ не годи́тся

dock I [dɔk] скамья́ под-
суди́мых

dock II [dɔk] 1) док 2)
при́стань; ~er ['dɔkə] до́кер,
порто́вый рабо́чий

doctor ['dɔktə] врач, до́к-
тор

document ['dɔkjumənt] до-
куме́нт

doesn't ['dʌznt] *разг.* =
does not

dog [dɔg] соба́ка

dogged ['dɔgid] упо́рный

doll [dɔl] ку́кла

dollar ['dɔlə] до́ллар

dolphin ['dɔlfin] дельфи́н

dome [dəum] ку́пол

domestic [də'mestik] 1)
дома́шний 2) вну́тренний

dominant ['dɔminənt] гос-
по́дствующий

dominate ['dɔmineit] 1)
преоблада́ть 2) госпо́дство-
вать

dominion [də'minjən] 1)
влады́чество 2) владе́ние 3)
доминио́н

donate [dəu'neit] поже́рт-
вовать

donation [dəu'neiʃn] по-
же́ртвование

done [dʌn] *p. p. от* do

donkey ['dɔŋki] осёл

don't [dəunt] *разг.* = do
not

doom [du:m] 1. *n* 1) рок,

судьба́ 2) (по)ги́бель 2. *v*
осужда́ть, обрека́ть

door [dɔ:] дверь

doorstep ['dɔ:step] поро́г

dormitory ['dɔ:mitəri] 1)
спа́льня 2) *амер.* студе́нче-
ское общежи́тие

dot [dɔt] то́чка

double ['dʌbl] 1. *a* двой-
но́й 2. *adv* вдвойне́ 3. *v* уд-
ва́ивать 4. *n* двойни́к

doubly ['dʌbli] вдво́е

doubt [daut] 1. *n* сомне́-
ние; по ~ несомне́нно 2. *v*
сомнева́ться; ~ful ['dautful]
сомни́тельный; be ~ful со-
мнева́ться; ~less ['dautlis]
несомне́нно

dough [dəu] те́сто

dove [dʌv] го́лубь

down I [daun] 1. *adv* 1)
вниз 2) внизу́ 2. *prep* вниз;
по

down II [daun] пух

downstairs ['daun'stɛəz] 1)
вниз (*по ле́стнице*) 2) вни-
зу́, в ни́жнем этаже́

doze [dəuz] дрема́ть

dozen ['dʌzn] дю́жина

draft [drɑ:ft] 1) *см.*
draught 2) *воен.* набо́р в а́р-
мию

drag [dræg] тащи́ть(ся)

drain [drein] 1. *v* 1) осу-
ша́ть 2) истоща́ть (*си́лы,
сре́дства*) 2. *n pl* канализа́-
ция; ~ pipe водоотво́д

dramatic [drə'mætik] дра-
мати́ческий

drank [dræŋk] *past от*
drink 1

drapery [ˈdreɪpərɪ] 1) ткани 2) драпировка

drastic [ˈdræstɪk]: ~ measures решительные меры; ~ remedy сильное средство

draught [drɑ:ft] 1) сквозняк 2) набросок; черновик

draw [drɔ:] 1. v (drew; drawn) 1) тянуть; тащить; ~ near приближаться 2) привлекать 3) рисовать 4) черпать 2. n ничья (*в игре*); the match ended in a ~ игра окончилась вничью

drawer [drɔ:] ящик (*выдвижной*)

drawers [drɔ:z] pl кальсоны

drawing [ˈdrɔ:ɪŋ] рисунок

drawn [drɔ:n] p. p. от draw 1

dread [dred] 1. v страшиться 2. n страх; ~ful [ˈdredful] ужасный, страшный

dream [dri:m] 1. n 1) сон 2) мечта 2. v (dreamt; dreamt) 1) видеть во сне 2) мечтать

dreamt [dremt] past и p. p. от dream 2

dreary [ˈdrɪərɪ] мрачный, унылый

dress [dres] 1. n платье, одежда 2. v 1) одевать(ся) 2) перевязывать (*рану*)

dressing gown [ˈdresɪŋ gaun] халат

dressing table [ˈdresɪŋ teɪbl] туалетный столик

dressmaker [ˈdresmeɪkə] портниха

drew [dru:] past от draw 1

dried [draɪd] сушёный

drift [drɪft] 1. n 1) течение 2) стремление 3) сугроб 2. v относить течением; плыть по течению

drill I [drɪl] воен. строевое учение

drill II [drɪl] 1. n сверло 2. v сверлить

drink [drɪŋk] 1. v (drank; drunk) пить 2. n питьё; напиток (*тж. алкогольный*); to have a ~ выпить

drip [drɪp] капать

drive [draɪv] 1. v (drove; driven) 1) гнать 2) везти, ехать (*в машине, экипаже*); управлять (*машиной*) 3) вбивать (*гвоздь*) 2. n 1) поездка, прогулка (*в машине, экипаже*) 2) подъездная аллея (*к дому*); ~n [ˈdrɪvn] p. p. от drive 1; ~r [ˈdraɪvə] 1) возница 2) водитель (*машины*)

droop [dru:p] поникать

drop [drɔp] 1. n 1) капля 2) понижение; падение 2. v 1) капать 2) ронять 3) опускать; бросать 4) понижать(ся); ~ in зайти (*мимоходом*)

dropout [ˈdrɔpaut] выбывший, исключённый (*человек*)

drought [draut] засуха

drove [drəuv] past от drive 1

drown [draun] 1) тону́ть 2) топи́ть(ся) 3) заглуша́ть

drowse [drauz] дрема́ть

drug [drʌg] 1) медикаме́нт, лека́рство 2) нарко́тик; **~gist** ['drʌgist] апте́карь; **~store** ['drʌgstɔ:] *амер.* апте́ка

drum [drʌm] 1. *n* бараба́н 2. *v* бараба́нить; стуча́ть

drunk [drʌŋk] 1. *p. p. от* drink 1 2. *a* пья́ный

drunkard ['drʌŋkəd] пья́ница

dry [drai] 1. *a* сухо́й 2. *v* 1) суши́ть 2) со́хнуть

dry cleaner's [drai'kli:nəz] химчи́стка

dubious ['dju:bjəs] сомни́тельный

duchess ['dʌtʃis] герцоги́ня

duck [dʌk] у́тка

due [dju:] 1) до́лжный 2) причита́ющийся 3) обусло́вленный, вы́званный; **~ to** благодаря́, всле́дствие

dues [dju:z] *pl* 1) сбо́ры 2) взно́сы

dug [dʌg] *past и p. p. от* dig

duke [dju:k] ге́рцог

dull [dʌl] 1) тупо́й, глу́пый 2) ску́чный 3) ту́склый; па́смурный 4) притупле́нный; **~ edge** тупо́е ле́звие

dumb [dʌm] 1) немо́й 2) бессло́весный 3) *амер.* бестолко́вый

dummy ['dʌmi] 1) манеке́н 2) маке́т

dump [dʌmp] му́сорная сва́лка

dupe [dju:p] 1. *n* же́ртва обма́на; проста́к 2. *v* обма́нывать, води́ть за́ нос

duplicate ['dju:plikit] дублика́т, ко́пия

durable ['djuərəbl] про́чный

duration [djuə'reiʃn] продолжи́тельность

during ['djuəriŋ] в тече́ние, в продолже́ние

dusk [dʌsk] су́мерки

dust [dʌst] 1. *n* пыль 2. *v* стира́ть пыль; **~er** ['dʌstə] пы́льная тря́пка; **~y** ['dʌsti] пы́льный

dustpan ['dʌstpæn] сово́к

Dutch [dʌtʃ] 1. *a* голла́ндский 2. *n:* the ~ голла́ндцы; **~man** ['dʌtʃmən] голла́ндец; **~woman** ['dʌtʃwumən] голла́ндка

duty ['dju:ti] 1) долг; обя́занность 2) по́шлина ◇ on ~ дежу́рный

duty-free ['dju:ti'fri:] беспо́шлинный; ~ shop магази́н в междунаро́дных аэропо́ртах

dwarf [dwɔ:f] ка́рлик; *миф.* гном

dwell [dwel] (dwelt; dwelt) жить; ~ **on** распространя́ться (*о чём-л.*); **~ing** ['dweliŋ] жилье́

dwelt [dwelt] *past и p. p. от* dwell

dye [dai] 1. *n* кра́ска 2. *v*

кра́сить; ~d [-d] кра́шеный; ~d hair кра́шеные во́лосы

dying [ˈdaɪɪŋ] 1) умира́ющий 2) предсме́ртный

dysentery [ˈdɪsntrɪ] дизенте́рия

E

each [iːtʃ] ка́ждый; ~ other друг дру́га

eager [ˈiːgə] пы́лкий; be ~ to горе́ть жела́нием; ~ness [ˈiːgənɪs] пыл, рве́ние, жела́ние

eagle [ˈiːgl] орёл

ear I [ɪə] у́хо

ear II [ɪə] 1. n ко́лос 2. v колоси́ться

early [ˈəːlɪ] 1. a ра́нний 2. adv ра́но

earn [əːn] 1) зараба́тывать 2) заслу́живать

earnest [ˈəːnɪst] 1. a 1) серьёзный 2) горя́чий, убеди́тельный 2. n: in ~ всерьёз

earnings [ˈəːnɪŋz] pl за́работок

earring [ˈɪərɪŋ] серьга́

earth [əːθ] земля́ ◇ what on ~ is the matter? в чём же де́ло?; ~ly [ˈəːθlɪ] земно́й ◇ it's no ~ly use asking him бесполе́зно его́ спра́шивать

earthquake [ˈəːθkweɪk] землетрясе́ние

ease [iːz] 1. n лёгкость; at ~ непринуждённо; ill at ~ нело́вко 2. v облегча́ть (боль и т. п.)

easel [ˈiːzl] мольбе́рт

easily [ˈiːzɪlɪ] легко́

east [iːst] 1. n восто́к 2. a восто́чный 3. adv на восто́к(е), к восто́ку

Easter [ˈiːstə] Па́сха

eastern [ˈiːstən] восто́чный

easy [ˈiːzɪ] 1) лёгкий; it's ~ э́то легко́ 2) непринуждённый (о манерах)

eat [iːt] (ate; eaten) есть; ~en [-n] p. p. om eat

eaves [iːvz] карни́з (крыши)

eavesdrop [ˈiːvzdrɔp] (on) подслу́шивать

ebb [eb] 1. n отли́в 2. v убыва́ть

eccentric [ɪkˈsentrɪk] чудакова́тый, стра́нный

echo [ˈekəu] 1. n 1) э́хо 2) подража́ние 2. v вто́рить, подража́ть

eclipse [ɪˈklɪps] 1. n затме́ние 2. v затмева́ть

ecology [ɪˈkɔlədʒɪ] эколо́гия

economic [iːkəˈnɔmɪk] экономи́ческий; ~al [-l] бережли́вый, эконо́мный

economics [iːkəˈnɔmɪks] эконо́мика; наро́дное хозя́йство

economy [iˈkɔnəmɪ] 1) эконо́мия; бережли́вость 2) (наро́дное) хозя́йство ◇ political ~ полити́ческая эконо́мия

edge [edʒ] край; остриё; кро́мка

edible [ˈedɪbl] съедо́бный

edit ['edɪt] редакти́ровать; ~ion [ɪ'dɪʃn] изда́ние; ~or ['edɪtə] реда́ктор; ~orial [edɪ'tɔ:rɪəl] 1. *a* редакцио́нный 2. *n амер.* передова́я статья́

educate ['edju:keɪt] дава́ть образова́ние; воспи́тывать; ~d [-ɪd] образо́ванный

education [edju:'keɪʃn] образова́ние; воспита́ние

effect [ɪ'fekt] 1) результа́т 2) де́йствие; ~ive [-ɪv] эффекти́вный, действенный

efficient [ɪ'fɪʃnt] 1) де́льный, толко́вый, уме́лый 2) эффекти́вный

effort ['efət] уси́лие; напряже́ние

e.g. ['i:'dʒi:] напр. (наприме́р)

egg [eg] яйцо́; bácon and ~s яи́чница с ветчино́й

egocentric [egəʊ'sentrɪk] эгоцентри́ст

Egyptian [ɪ'dʒɪpʃn] 1. *a* еги́петский 2. *n* египтя́нин

eight [eɪt] во́семь

eighteen ['eɪ'ti:n] восемна́дцать; ~th [-θ] восемна́дцатый

eighth [eɪtθ] восьмо́й

eightieth ['eɪtɪɪθ] восьмидеся́тый

eighty ['eɪtɪ] во́семьдесят

either ['aɪðə] 1. *a, pron* ка́ждый, любо́й (*из двух*) 2. *adv, conj:* ~ ... or и́ли... и́ли

elaborate [ɪ'læbərɪt] тща́тельно разрабо́танный; подро́бный; ~ lie иску́сная

ложь; ~ explanation простра́нное объясне́ние

elapse [ɪ'læps] проходи́ть (*о времени*)

elastic [ɪ'læstɪk] 1. *a* эласти́чный, упру́гий 2. *n* рези́нка

elated [ɪ'leɪtɪd] окрылённый

elbow ['elbəʊ] ло́коть

elder ['eldə] ста́рший; ~ly [-lɪ] пожило́й

eldest ['eldɪst] (са́мый) ста́рший

elect [ɪ'lekt] выбира́ть, избира́ть; ~ion [ɪ'lekʃn] 1) вы́боры; general ~ion всеобщие вы́боры 2) избра́ние; ~ive [-ɪv] вы́борный; избира́тельный; ~or [ɪ'lektə] избира́тель

electric(al) [ɪ'lektrɪk (əl)] электри́ческий

electricity [ɪlek'trɪsɪtɪ] электри́чество

electrocution [ɪlektrə'kju:ʃn] казнь на электри́ческом сту́ле

electronics [ɪlek'trɔnɪks] электро́ника

elegant ['elɪgənt] изя́щный

element ['elɪmənt] 1) элеме́нт 2) стихи́я 3) *pl* осно́вы (*науки и т. п.*)

elementary [elɪ'mentərɪ] элемента́рный; (перво)нача́льный

elephant ['elɪfənt] слон

elevate ['elɪveɪt] поднима́ть, возвыша́ть

eleven [ɪ'levn] оди́ннадцать; ~th [-θ] оди́ннадцатый

elicit [ɪ'lɪsɪt] извлекáть, дéлать вы́воды (*на осно́ве фáктов*)

eligible ['elɪdʒəbl] 1) имéющий прáво быть и́збранным 2) подходя́щий

eliminate [ɪ'lɪmɪneɪt] исключáть; устраня́ть

elk [elk] лось

elm [elm] вяз

eloquent ['eləkwənt] красноречи́вый

else [els] 1) ещё; крóме; what ~? что ещё?; who ~? кто ещё?; somebody ~ ктó-нибудь другóй; по one ~ бóльше никогó; никтó другóй 2): or ~ инáче

elsewhere [els'wɛə] гдé-нибудь в другóм мéсте

elude [ɪ'lu:d] избегáть, уклоня́ться

emancipation [ɪmænsɪ'peɪʃn] освобождéние, эмансипáция

embankment [ɪm'bæŋkmənt] нáбережная

embargo [em'bɑ:gəu] эмбáрго

embark [ɪm'bɑ:k] сади́ться на корáбль; ~ for отплывáть; ~ upon приступи́ть к чему́-л.

embarrass [ɪm'bærəs] смущáть

embassy ['embəsɪ] посóльство

emblem ['embləm] эмблéма; си́мвол

embody [ɪm'bɔdɪ] воплощáть

embrace [ɪm'breɪs] **1.** *v* 1) обнимáть(ся) 2) охвáтывать **2.** *n* объя́тия

embroider [ɪm'brɔɪdə] 1) вышивáть 2) приукрáшивать; ~ [-п] вы́шивка

embryo ['embrɪəu] эмбриóн, зарóдыш

emerald ['emərəld] изумру́д

emerge [ɪ'mɜ:dʒ] появля́ться

emergency [ɪ'mɜ:dʒənsɪ] крити́ческое положéние, крáйность; in case of ~ при крáйней необходи́мости; ~ exit запáсный вы́ход

eminent ['emɪnənt] выдаю́щийся

emotion [ɪ'məuʃn] волнéние; чу́вство

emperor ['empərə] имперáтор

emphasis ['emfəsɪs] ударéние

emphasize ['emfəsaɪz] подчёркивать

emphatic [ɪm'fætɪk] 1) вырази́тельный; многозначи́тельный 2) реши́тельный; ~ refusal реши́тельный откáз

empire ['empaɪə] импéрия

employ [ɪm'plɔɪ] 1) нанимáть; держáть на слу́жбе 2) употребля́ть, применя́ть

employee [emplɔ'i:] слу́жащий

employer [ɪm'plɔɪə] предпринимáтель, хозя́ин

employment [ɪm'plɔɪmənt] рабóта, слу́жба; заня́тие

empower [ɪm'pauə] уполномо́чивать

empty ['emptɪ] 1. *a* пусто́й 2. *v* опорожня́ть

emulation [emju'leɪʃn] соревнова́ние

enable [ɪ'neɪbl] дава́ть возмо́жность (*сделать что-л.*)

enamel [ɪ'næməl] 1) эма́ль 2) глазу́рь

encamp [ɪn'kæmp] располага́ть ла́герь

encase [ɪn'keɪs] упако́вывать

enchanted [ɪn'tʃɑːntɪd] очаро́ванный, околдо́ванный

encircle [ɪn'sɜːkl] окружа́ть

enclose [ɪn'kləuz] 1) огора́живать; заключа́ть 2) вкла́дывать (*в конверт*)

encompass [ɪn'kʌmpəs] включа́ть, охва́тывать

encounter [ɪn'kauntə] 1. *n* 1) встре́ча 2) столкнове́ние 2. *v* 1) встреча́ть(ся); 2) ста́лкиваться (*с кем-л., с чем-л.*)

encourage [ɪn'kʌrɪdʒ] 1) ободря́ть 2) поощря́ть

end [end] 1. *n* коне́ц 2. *v* конча́ть(ся)

endearment [ɪn'dɪəmənt] выраже́ние любви́

endeavour [ɪn'devə] 1. *v* пыта́ться, стара́ться 2. *n* попы́тка, стара́ние

ending ['endɪŋ] оконча́ние, коне́ц

endless ['endlɪs] бесконе́чный

endurance [ɪn'djuərəns] выно́сливость; терпе́ние

enemy ['enɪmɪ] враг, неприя́тель

energetic [enə'dʒetɪk] энерги́чный

energy ['enədʒɪ] эне́ргия, си́ла

enforce [ɪn'fɔːs] 1) принужда́ть; наста́ивать 2) проводи́ть в жизнь

engage [ɪn'geɪdʒ] 1) нанима́ть 2) (in) вступа́ть (*в сраже́ние, в разгово́р*) ◇ be ~d а) быть за́нятым; б) быть помо́лвленным; ~d [-d] 1) за́нятый 2) приглашённый 3) помо́лвленный; ~ment [-mənt] 1) де́ло, заня́тие 2) приглаше́ние; свида́ние 3) помо́лвка

engine ['endʒɪn] 1) мото́р, дви́гатель 2) парово́з; ~ driver машини́ст

engineer [endʒɪ'nɪə] 1) инжене́р; меха́ник 2) *амер.* машини́ст; ~ing [endʒɪ'nɪərɪŋ] те́хника

English ['ɪŋglɪʃ] 1. *a* англи́йский 2. *n* 1): the ~ англича́не 2) англи́йский язы́к

Englishman ['ɪŋglɪʃmən] англича́нин

Englishwoman ['ɪŋglɪʃwumən] англича́нка

engrave [ɪn'greɪv] гравирова́ть

engross [ɪn'grəus] (in) по́лностью поглоща́ть (*вре́мя, внима́ние*)

enhance [in'ha:ns] увеличивать, усиливать, углублять

enjoin [in'dʒɔin] приказать выполнить

enjoy [in'dʒɔi] 1) наслаждаться; получать удовольствие 2) обладать; ~ment [-mənt] 1) удовольствие, наслаждение 2) обладание

enlarge [in'la:dʒ] 1) расширять(ся) 2) увеличивать(ся)

enlighten [in'laitn] просвещать

enlist [in'list] поступать на военную службу

enmity ['enmiti] вражда

enormous [i'nɔ:məs] громадный

enough [i'nʌf] довольно; достаточно; not ~ мало, недостаточно; have you ~ money? у вас хватит денег?; that's ~ ! довольно!; is that ~ ? хватит?

enquire [in'kwaiə] см. inquire

enrich [in'ritʃ] обогащать

enrol(l) [in'rəul] регистрировать

enslave [in'sleiv] порабощать

ensue [in'sju:] следовать, вытекать, получаться в результате

entangled [in'tæŋgld] запутанный

enter ['entə] 1) входить 2) вносить (в книгу; в список); ~ into вступать (в переговоры и т. п.)

enterprise ['entəpraiz] 1) предприятие 2) предприимчивость

enterprising ['entəpraiziŋ] предприимчивый

entertain [entə'tein] 1) развлекать; принимать (гостей) 2) питать (надежду)

enthusiasm [in'θju:ziæzm] энтузиазм; восторг

enthusiastic [inθju:zi'æstik] восторженный, горячий

entice [in'tais] соблазнять

entire [in'taiə] полный; целый; весь; ~ly [-li] всецело, вполне, совершенно

entitle [in'taitl] 1) называться 2) давать право; be ~d (to) иметь право

entrance ['entrəns] вход

entreat [in'tri:t] умолять; ~y [-i] мольба

entry ['entri] 1) вход 2) вступление 3) запись

enumerate [i'nju:məreit] перечислять

envelop [in'veləp] заворачивать; закутывать

envelope ['enviləup] конверт

envious ['enviəs] завистливый

environment [in'vaiərənmənt] среда, окружение, обстановка

envy ['envi] 1. n зависть 2. v завидовать

epidemic [epi'demik] 1. a эпидемический 2. n эпидемия

epoch ['i:pɔk] эпоха

equal ['i:kwəl] **1.** *a* ра́вный **2.** *v* равня́ться; ~ity [i:'kwɔlɪtɪ] ра́венство

equation [ɪ'kweɪʒn] *мат.* уравне́ние

equator [ɪ'kweɪtə] эква́тор

equip [ɪ'kwɪp] снаряжа́ть; ~ment [-mənt] 1) обору́дование; снаряже́ние 2) обмундирова́ние

equivalent [ɪ'kwɪvələnt]: be ~ to равня́ться

era ['ɪərə] э́ра

eradicate [ɪ'rædɪkeɪt] искореня́ть

erase [ɪ'reɪz] стира́ть (*резинкой*), *перен.* изгла́живать

erect [ɪ'rekt] **1.** *v* воздвига́ть, сооружа́ть **2.** *a* прямо́й

errand ['erənd] поруче́ние

erroneous [ɪ'rəunjəs] оши́бочный

error ['erə] оши́бка, заблужде́ние

eruption [ɪ'rʌpʃn] изверже́ние

escalation [eskə'leɪʃən] эскала́ция, расшире́ние, обостре́ние

escape [ɪs'keɪp] **1.** *v* 1) убега́ть 2) избежа́ть 3) ускольза́ть **2.** *n* бе́гство; избавле́ние; he had a narrow ~ он едва́ спа́сся

escort 1. *n* ['eskɔ:t] охра́на, конво́й **2.** *v* [ɪs'kɔ:t] сопровожда́ть, конвои́ровать

especially [ɪs'peʃəlɪ] осо́бенно

essay ['eseɪ] о́черк

essence ['esns] 1) су́щ-

ность, существо́ 2) эссе́нция; ду́хи

essential [ɪ'senʃəl] суще́ственный

establish [ɪs'tæblɪʃ] устана́вливать; осно́вывать; ~ment [-mənt] учрежде́ние

estate [ɪs'teɪt] 1) име́ние 2) иму́щество; real ~ недви́жимое иму́щество

esteem [ɪs'ti:m] **1.** *v* уважа́ть, почита́ть **2.** *n* уваже́ние

estimate 1. *v* ['estɪmeɪt] оце́нивать **2.** *n* ['estɪmɪt] 1) оце́нка 2) сме́та

etc. [ɪt'setrə] (et cetera) и т. д., и т. п. (и так да́лее, и тому́ подо́бное)

eternal [i:'tə:nəl] ве́чный

eternity [i:'tə:nɪtɪ] ве́чность

ether ['i:θə] эфи́р

European [juərə'pi:ən] **1.** *a* европе́йский **2.** *n* европе́ец

evacuate [ɪ'vækjueɪt] эвакуи́ровать

evade [ɪ'veɪd] 1) избега́ть 2) уклоня́ться; обходи́ть (*закон*)

evaluate [ɪ'væljueɪt] оце́нивать

evaporate [ɪ'væpəreɪt] 1) испаря́ться 2) выпа́ривать

eve [i:v] кану́н; on the ~ накану́не

even I ['i:vən] ро́вный; ~ number чётный но́мер

even II ['i:vən] да́же

evening ['i:vnɪŋ] ве́чер; ~ party вечери́нка

event [ɪ'vənt] собы́тие,

происшествие; at all ~s во всяком случае; ~ful [-ful] знаменательный

eventually [ɪ'ventjuəlɪ] в конце концов

ever ['evə] когда-либо; for ~ навсегда

every ['evrɪ] каждый; ~ other day через день; ~body [-bɒdɪ] каждый; все; ~day [-deɪ] ежедневный, повседневный; ~one [-wʌn] каждый; ~thing [-θɪŋ] всё; ~where [-wɛə] всюду

evidence ['evɪdəns] 1) доказательство 2) *юр.* улика; свидетельское показание

evidently ['evɪdəntlɪ] очевидно

evil ['iːvl] 1. *a* дурной 2. *n* зло

evince [ɪ'vɪns] проявлять, выказывать

evoke [ɪ'vəuk] вызывать *(симпатию и т. п.)*

exact [ɪg'zækt] точный; ~ly [-lɪ] точно

exaggerate [ɪg'zædʒəreɪt] преувеличивать

exalt [ɪg'zɔːlt] 1) возвышать 2) превозносить

examination [ɪgzæmɪ'neɪʃn] 1) экзамен 2) осмотр; исследование

examine [ɪg'zæmɪn] 1) экзаменовать 2) осматривать; исследовать

example [ɪg'zɑːmpl] пример, образец; for ~ например

exasperation [ɪgzɑːspə

'reɪʃn] раздражение; ожесточение

excavate ['ekskəveɪt] выкапывать; раскапывать

excavator ['ekskəveɪtə] экскаватор; walking ~ шагающий экскаватор

exceed [ɪk'siːd] 1) превышать 2) превосходить 3) преувеличивать

exceedingly [ɪk'siːdɪŋlɪ] чрезвычайно

excel [ɪk'sel] 1) превосходить 2) отличаться

excellent ['eksələnt] превосходный

except [ɪk'sept] исключая, кроме; ~ing [-ɪŋ] за исключением; ~ion [ɪk'sepʃn] исключение; ~ional [ɪk'sepʃənəl] исключительный

excess [ɪk'ses] излишек; to ~ до крайности; ~ive [-ɪv] чрезмерный

exchange [ɪks'tʃeɪndʒ] 1. *n* 1) обмен; размен 2) биржа 2. *v* обменивать

excite [ɪk'saɪt] возбуждать; ~ment [-mənt] возбуждение, волнение

exclaim [ɪks'kleɪm] восклицать

exclamation [eksklə'meɪʃn] восклицание

exclude [ɪks'kluːd] исключать

exclusive [ɪks'kluːsɪv]: for the ~ use of исключительно (только) для

excursion [ɪks'kəːʃn] экскурсия; поездка

excuse 1. *v* [ɪks'kju:z] извиня́ть; проща́ть **2.** *n* [ɪks'kju:s] оправда́ние; a good ~ предло́г

execute ['eksɪkju:t] 1) исполня́ть 2) казни́ть

execution [eksɪ'kju:ʃn] 1) выполне́ние 2) казнь

executive [ɪg'zekjutɪv] 1) исполни́тельный 2) *амер.* администрати́вный

exercise ['eksəsaɪz] **1.** *n* упражне́ние; take ~ гуля́ть; занима́ться спо́ртом **2.** *v* упражня́ть(ся)

exert [ɪg'zə:t] 1) напряга́ть *(силы)*; ~ oneself стара́ться 2) ока́зывать *(действие, влияние и т. п.)*; ~ion [ɪg'zə:ʃn] напряже́ние, уси́лие

exhaust [ɪg'zɔ:st] **1.** *v* исче́рпывать; истоща́ть **2.** *n* *тех.* вы́хлоп; ~ed [-ɪd] истощённый; изму́ченный; изну́рённый; ~ion [ɪg'zɔ:stʃn] истоще́ние; изнеможе́ние

exhibit [ɪg'zɪbɪt] **1.** *v* 1) пока́зывать 2) выставля́ть **2.** *n* экспона́т; ~ion [eksɪ'bɪʃn] вы́ставка

exile ['eksaɪl] **1.** *n* 1) ссы́лка 2) изгна́нник **2.** *v* ссыла́ть

exist [ɪg'zɪst] существова́ть; ~ence [-əns] существова́ние

exit ['eksɪt] вы́ход

expand [ɪks'pænd] расширя́ть(ся)

expansion [ɪks'pænʃn] 1) расшире́ние 2) экспа́нсия

expatriate [eks'pætrɪeɪt] изгоня́ть из оте́чества

expect [ɪks'pekt] ожида́ть; наде́яться; ~ation [ekspek'teɪʃn] ожида́ние

expedient [ɪk'spi:dɪənt] целесообра́зный, подходя́щий, вы́годный

expedition [ekspɪ'dɪʃn] экспеди́ция

expel [ɪks'pel] выгоня́ть, исключа́ть

expenditure [ɪks'pendɪtʃə] тра́та, расхо́д

expense [ɪks'pens] расхо́д; at smb.'s ~ за счёт кого́-л.

expensive [ɪks'pensɪv] дорого́й *(о цене)*

experience [ɪks'pɪərɪəns] **1.** *n* 1) о́пыт 2) пережива́ние **2.** *v* испы́тывать; ~d [-t] о́пытный; мно́го испыта́вший

experiment 1. *n* [ɪks'perɪmənt] о́пыт, экспериме́нт **2.** *v* [ɪks'perɪment] эксперименти́ровать

expert ['ekspə:t] **1.** *a* о́пытный, иску́сный; квалифици́рованный **2.** *n* знато́к, экспе́рт

expire [ɪks'paɪə] истека́ть *(о сроке)*

explain [ɪks'pleɪn] объясня́ть

explanation [eksplə'neɪʃn] объясне́ние, толкова́ние

explicit [ɪks'plɪsɪt] я́сный, вы́сказанный до конца́, определённый; категори́ческий

explode [ɪks'pləud] взрыва́ть (ся)

exploit I [ɪks'plɔɪt] 1) разраба́тывать 2) эксплуати́ровать

exploit II ['eksplɔɪt] по́двиг

explore [ɪks'plɔ:] иссле́довать; ~r [ɪks'plɔ:rə] иссле́дователь

explosion [ɪks'pləuʒn] взрыв

explosive [ɪks'pləusɪv] 1. *a* взры́вчатый 2. *n* взры́вчатое вещество́

Expo. [ɪks'pəu] вы́ставка; экспози́ция

export 1. *v* [eks'pɔ:t] экспорти́ровать; вывози́ть 2. *n* ['ekspɔ:t] э́кспорт, вы́воз

expose [ɪks'pəuz] 1) выставля́ть 2) подверга́ть 3) разоблача́ть

express I [ɪks'pres] 1. *v* выража́ть 2. *a* определённый, я́сно вы́раженный

express II [ɪks'pres] 1) сро́чный 2) курье́рский; ~ train экспре́сс

expression [ɪks'preʃn] выраже́ние

expressive [ɪks'presɪv] вырази́тельный

expressly I [ɪks'preslɪ] наро́чно, специа́льно

expressly II [ɪks'preslɪ] то́чно, я́сно; категори́чески

extend [ɪks'tend] 1) простира́ться 2) выка́зывать (*сочувствие*)

extension [ɪks'tenʃn] 1)

протяже́ние 2) расшире́ние, распростране́ние

extensive [ɪks'tensɪv] обши́рный

extent [ɪks'tent] протяже́ние; to what ~? до како́й сте́пени?

extenuating [eks'tenjueɪtɪŋ]: ~ circumstances смягча́ющие (вину́) обстоя́тельства

exterior [eks'tɪərɪə] 1. *a* вне́шний 2. *n* вне́шность, вне́шний вид

external [eks'tə:nl] вне́шний

extinct [ɪks'tɪŋkt] 1) поту́хший (*о вулкане*) 2) вы́мерший

extinguish [ɪks'tɪŋgwɪʃ] гаси́ть

extort [ɪks'tɔ:t] 1) вымога́ть 2) выпы́тывать

extra ['ekstrə] доба́вочный; сверх-

extract 1. *v* [ɪks'trækt] удаля́ть, извлека́ть 2. *n* ['ekstrækt] 1) экстра́кт 2) вы́держка (*из книги*)

extraordinary [ɪks'trɔ:dnrɪ] 1) необыча́йный 2) чрезвыча́йный

extravagant [ɪks'trævəgənt] 1) сумасбро́дный; ~ speeches сумасбро́дные ре́чи 2) расточи́тельный 3) преувели́ченный

extreme [ɪks'tri:m] 1. *a* кра́йний 2. *n* кра́йность

extremity [ɪks'tremɪtɪ] 1)

конец, край 2) крайность 3) *pl* конечности

exult [ıg'zʌlt] ликовать, радоваться

eye [aı] 1. *n* глаз 2. *v* рассматривать, смотреть; ~brow ['aıbrau] бровь; ~lash ['aılæʃ] ресница; ~lid ['aılıd] веко

eyedropper ['aıdrɔpə] пипетка

eyeglasses ['aıglɑ:sız] очки

eye shadow ['aıʃædəu] тени для век

F

fable ['feıbl] басня

fabric ['fæbrık] ткань

fabricate ['fæbrıkeıt] выдумывать, сочинять

fabulous ['fæbjuləs] 1) баснословный 2) невероятный, неправдоподобный

face [feıs] 1. *n* лицо; make ~s гримасничать; ~ of the clock циферблат (*часов*) 2. *v* 1) быть обращённым к 2) встречать (*трудности и т. п.*); we must ~ facts надо прямо смотреть правде в лицо; the problem that ~s us стоящая перед нами проблема

facetious [fə'si:ʃəs] игривый

facility [fə'sılıtı] 1) лёгкость 2) *pl* средства; удобства

fact [fækt] факт; in ~ действительно

faction ['fækʃn] фракция

factory ['fæktərı] фабрика, завод

faculty ['fækəltı] 1) дар, способность 2) факультет

fade [feıd] увядать

fail [feıl] 1) недоставать, не хватать 2) обмануть ожидания 3) провалиться (*на экзамене*) 4) не удаваться

failure ['feıljə] 1) неудача 2) банкротство

faint [feınt] 1. *a* слабый 2. *v* падать в обморок

fair I [fɛə] ярмарка

fair II [fɛə] 1) честный; справедливый 2) белокурый; ~ly ['fɛəlı] 1) честно; справедливо 2) довольно, достаточно; ~ly well неплохо

fairy tale ['fɛərıteıl] (волшебная) сказка

faith [feıθ] вера; ~ful ['feıθful] верный; преданный

falcon ['fɔ:lkən] сокол

fall [fɔ:l] 1. *v* (fell; fallen) 1) падать; понижаться 2) впадать в 3) пасть (*в бою*) 4) наступать (*о ночи*) ◇ ~ asleep засыпать; ~ in love влюбляться 2. *n* 1) падение 2) *амер.* осень

fallacy ['fæləsı] ложное заключение; ошибка

fallen ['fɔ:lən] *p. p. от* fall 1

false [fɔ:ls] 1) ложный 2) лживый; фальшивый 3) ис-

кӳсственный; ~hood
['fɔ:lshud] ложь

fame [feɪm] слáва; извéстность

familiar [fə'mɪljə] 1) знакóмый, общеизвéстный 2) фамилья́рный

family ['fæmɪlɪ] 1) семья́ 2) род

famine ['fæmɪn] гóлод

famous ['feɪməs] знамени́тый, извéстный

fan I [fæn] **1.** *n* 1) вéер 2) вентиля́тор 3) вéялка **2.** *v* обмáхивать(ся) вéером

fan II [fæn] *разг.* 1) энтузиáст, поклóнник; a Charlie Chaplin ~ поклóнник Чáрли Чáплина; ~ mail пи́сьма почитáтелей (*актёру и т. п.*) 2) *спорт.* болéльщик

fancy ['fænsɪ] **1.** *n* 1) воображéние, фантáзия 2) пристрáстие; take a ~ to облюбовáть 3) капри́з. *a* 1) причýдливый 2): ~ dress маскарáдный костю́м **3.** *v* представля́ть себé, воображáть

fantastic [fæn'tæstɪk] 1) фантасти́ческий 2) причýдливый

far [fɑ:] **1.** *adv* далекó ◇ as ~ as поскóльку; so ~ до сих пóр, покá **2.** *a* дáльний, далёкий

fare [fɛə] плáта за проéзд

farewell [fɛə'wel] **1.** *n* прощáние **2.** *int* прощáйте!, до свидáния!

farm [fɑ:m] **1.** *n* 1) (кре-

стья́нское) хозя́йство 2) фéрма **2.** *v* обрабáтывать зéмлю; ~er ['fɑ:mə] фéрмер

farsighted [fɑ:'saɪtɪd] дальнови́дный

farther ['fɑ:ðə] дáльше

fascinate ['fæsɪneɪt] очарóвывать

fashion ['fæʃn] мóда; ~able [-əbl] 1) мóдный 2) свéтский

fast [fɑ:st] **1.** *a* 1) скóрый, бы́стрый; be ~ спеши́ть (*о часáх*) 2) прóчный (*о крáске*) **2.** *adv* 1) бы́стро 2) крéпко

fasten ['fɑ:sn] прикрепля́ть, скрепля́ть; привя́зывать

fat [fæt] **1.** *a* тóлстый **2.** *n* жир, сáло

fatal ['feɪtl] 1) роковóй 2) смертéльный; пáгубный

fate [feɪt] судьбá, рок

father ['fɑ:ðə] отéц; ~-in--law ['fɑ:ðərɪnlɔ:] тесть; свёкор

fatigue [fə'ti:g] **1.** *n* устáлость **2.** *v* утомля́ть(ся)

fault [fɔ:lt] 1) недостáток 2) оши́бка, винá; it's my ~ я винóват

favour ['feɪvə] 1) благосклóнность 2) одолжéние ◇ in ~ of в пóльзу; ~able ['feɪvərəbl] 1) благоприя́тный 2) благосклóнный

favourite ['feɪvərɪt] **1.** *a* люби́мый **2.** *n* люби́мец

fear [fɪə] **1.** *n* страх **2.** *v*

бояться; ~less ['fɪəlɪs] бесстрашный

feast [fiːst] пир

feat [fiːt] подвиг

feather ['feðə] перо (*птичье*)

feature ['fiːtʃə] 1) особенность; признак 2) *pl* черты лица

featuring ['fiːtʃərɪŋ] (*о фильме*) с участием

February ['februərɪ] февраль

fed [fed] *past и p. p. от* feed

federal ['fedərəl] федеральный; союзный

federative ['fedərətɪv] федеративный

fee [fiː] гонорар

feeble ['fiːbl] слабый

feed [fiːd] (fed; fed) кормить

feel [fiːl] (felt; felt) 1) чувствовать 2) щупать; прощупывать; ~ing ['fiːlɪŋ] чувство

feet [fiːt] *pl от* foot

feign [feɪn] притворяться

felicity [fɪ'lɪsɪtɪ] счастье, блаженство

fell I [fel] рубить, валить (*деревья*)

fell II [fel] *past от* fall 1

fellow ['feləu] 1) парень; old ~ дружище, старина; poor ~ бедняга 2) товарищ, собрат 3) член учёного общества

felt I [felt] войлок; фетр

felt II [felt] *past и p. p. от* feel

female ['fiːmeɪl] 1. *a* женского пола; женский 2. *n* самка

feminine ['femɪnɪn] 1) женский 2) *грам.* женского рода

fence I [fens] 1. *n* изгородь, забор 2. *v* огораживать

fenc|e II [fens] фехтовать; ~ing ['fensɪŋ] фехтование

ferment 1. *n* ['fəːment] закваска; фермент 2. *v* [fə'ment] бродить (*о вине, варенье*)

fern [fəːn] *бот.* папоротник

ferocious [fə'rəuʃəs] свирепый

ferocity [fə'rɔsɪtɪ] свирепость

ferry ['ferɪ] 1. *n* паром 2. *v* перевозить, переезжать (*на лодке, пароме*)

fertile ['fəːtaɪl] плодородный

fertilizer ['fəːtɪlaɪzə] удобрение

fervent ['fəːvənt] горячий, пылкий

fervour ['fəːvə] жар, пыл, страсть

festival ['festəvəl] 1) празднество 2) фестиваль

fetch [fetʃ] 1) принести 2) сходить за кем-л., чем-л.

feudalism ['fjuːdəlɪzm] феодализм

fever ['fiːvə] жар, лихорадка; ~ish ['fiːvərɪʃ] лихорадочный

few [fjuː] 1) немногие; немного, мало 2): а ~ несколько

fiancé [fɪ'ɑ:nseɪ] жених

fiancée [fɪ'ɑ:nseɪ] невеста

fiction ['fɪkʃn] 1) вымысел 2) беллетристика

fiddle ['fɪdl] 1. *n* скрипка 2. *v* 1) играть на скрипке 2) вертеть в руках

fidget ['fɪdʒɪt] ёрзать, вертеться

field [fi:ld] 1) поле; ~ glasses полевой бинокль 2) сфера, поприще

fierce [fɪəs] свирепый, лютый

fifteen [fɪf'ti:n] пятнадцать; ~th [-θ] пятнадцатый

fifth [fɪfθ] пятый

fiftieth ['fɪftɪɪθ] пятидесятый

fifty ['fɪftɪ] пятьдесят

fight [faɪt] 1. *v* (fought; fought) сражаться; бороться 2. *n* бой; драка; ~er ['faɪtə] 1) боец 2) *ав.* истребитель

figure ['fɪgə] 1) фигура; ~ skating фигурное катание 2) цифра

file I [faɪl] 1. *n* напильник 2. *v* подпиливать; шлифовать

file II [faɪl] 1. *n* шеренга, строй; ряд 2. *v* идти шеренгой

file III [faɪl] 1. *n* 1) папка, дело 2) картотека 2. *v* регистрировать (*документы*)

fill [fɪl] 1) наполнять(ся) 2) пломбировать (*зуб*)

film [fɪlm] 1. *n* фильм;

плёнка 2. *v* производить киносъёмку

filter ['fɪltə] 1. *n* фильтр 2. *v* 1) фильтровать 2) просачиваться

fin [fɪn] плавник; swim ~s *спорт.* ласты

final ['faɪnəl] конечный; заключительный; последний; ~ly [-ɪ] наконец

finance [faɪ'næns] 1. *n* финансы 2. *v* финансировать

find [faɪnd] (found; found) находить; ~ out узнавать; обнаруживать

fine I [faɪn] 1. *n* штраф 2. *v* штрафовать

fine II [faɪn] 1) превосходный 2) изящный, тонкий 3) мелкий

finger ['fɪŋgə] палец

finish ['fɪnɪʃ] кончать

Finn [fɪn] финн; ~ish ['fɪnɪʃ] финский

fir [fə:] ель

fire ['faɪə] 1. *n* 1) огонь; set on ~, set ~ to поджигать; be on ~ гореть 2) пожар 2. *v* стрелять; ~arm ['faɪərɑ:m] огнестрельное оружие; ~man [-mən] пожарный; ~place [-pleɪs] очаг, камин; ~proof [-pru:f] огнеупорный; ~wood [-wud] дрова; ~works [-wə:ks] фейерверк

firm I [fə:m] фирма

firm II [fə:m] 1) твёрдый 2) стойкий

first [fə:st] 1. *a, num* первый 2. *adv* сначала; at ~

снача́ла; ~-rate ['fə:st'reɪt] первокла́ссный

fish [fɪʃ] 1. *n* ры́ба 2. *v* лови́ть, уди́ть ры́бу; ~ing ['fɪʃɪŋ] ры́бная ло́вля

fisherman ['fɪʃəmən] рыба́к

fishy ['fɪʃɪ] *разг.* подозри́тельный, сомни́тельный

fist [fɪst] кула́к

fit I [fɪt] 1) припа́док 2) поры́в; by ~s and starts уры́вками

fit II [fɪt] 1. *a* го́дный 2. *v* быть впо́ру

fitter ['fɪtə] сле́сарь-монта́жник

five [faɪv] пять

fix [fɪks] 1) укрепля́ть; устана́вливать 2) фикси́ровать; ~ed [-t] 1) неподви́жный 2) устано́вленный

flag [flæg] флаг, зна́мя

flakes [fleɪks] *pl* хло́пья

flame [fleɪm] 1. *n* пла́мя 2. *v* пыла́ть

flank [flæŋk] фланг

flannel ['flænəl] фране́ль

flap [flæp] 1. *v* 1) развева́ться 2) взма́хивать (*крыльями*) 2. *n* 1) взмах (*крыльев*) 2) кла́пан

flare [flɛə] 1. *v* вспы́хивать 2. *n* 1) вспы́шка 2) освети́тельная раке́та

flash [flæʃ] 1. *v* 1) сверка́ть 2) мелька́ть; промелькну́ть 2. *n* вспы́шка; про́блеск; ~light ['flæʃlaɪt] 1) сигна́льный ого́нь 2) вспыш-

ка ма́гния 3) ручно́й электри́ческий фона́рь

flask [flɑ:sk] фля́жка

flat I [flæt] пло́ский

flat II [flæt] кварти́ра

flatter ['flætə] льстить; ~ing ['flætərɪŋ] 1) льсти́вый 2) ле́стный; ~y ['flætərɪ] лесть

flavour ['fleɪvə] 1. *n* прия́тный вкус 2. *v* приправля́ть

flaw [flɔ:] изъя́н, недоста́ток; ~less ['flɔ:lɪs] безукори́зненный

flax [flæks] лён

flea [fli:] блоха́

fleck [flek] кра́пинка

fled [fled] *past и p. p. от* flee

flee [fli:] (fled; fled) бежа́ть, спаса́ться бе́гством

fleet [fli:t] флот (*и́лия*)

flesh [fleʃ] 1) плоть; те́ло 2) мя́коть (*плодов*)

flew [flu:] *past от* fly I, 1

flexible ['fleksəbl] ги́бкий

flick [flɪk] лёгкий уда́р, щелчо́к

flier ['flaɪə] лётчик

flight I [flaɪt] 1) полёт 2): ~ of stairs проём (ле́стницы)

flight II [flaɪt] бе́гство, побе́г

fling [flɪŋ] (flung; flung) броса́ть(ся); швыря́ть(ся)

float [fləut] 1. *v* пла́вать (*на пове́рхности воды́*) 2. *n* поплаво́к

flock [flɔk] 1. *n* ста́до; ста́я 2. *v* собира́ться толпо́й, толпи́ться

flood [flʌd] **1.** *n* наводнение; потоп **2.** *v* затоплять, заливать

floor [flɔ:] 1) пол 2) этаж; ground ~ первый этаж; first ~ второй этаж (*в Англии*) ◇ take the ~ выступать, брать слово

flour ['flauə] мука

flourish ['flʌrɪʃ] **1.** *v* 1) процветать 2) размахивать **2.** *n* росчерк

flow [fləu] **1.** *v* течь **2.** *n* течение

flower ['flauə] **1.** *n* цветок **2.** *v* цвести; ~bed [-bed] клумба; ~y ['flauərɪ] цветистый

flown [fləun] *p. p. от* fly I, 1

fluent ['flu:ənt] беглый; гладкий; ~ly [-lɪ] бегло; гладко

fluid ['flu:ɪd] **1.** *a* жидкий **2.** *n* жидкость

flung [flʌŋ] *past и p. p. от* fling

flush [flʌʃ] **1.** *n* поток; прилив **2.** *v* вспыхнуть, покраснеть

flute [flu:t] флейта

flutter ['flʌtə] 1) махать, бить крыльями; перепархивать 2) развеваться; колыхаться

fly I [flaɪ] **1.** *v* (flew; flown) летать **2.** *n* полёт

fly II [flaɪ] муха

flyer ['flaɪə] *см.* flier

foal [fəul] жеребёнок

foam [fəum] пена

fob [fɔb]: ~ off не обращать внимания

f. o. b. ['ef'əu'bi:] (free on board) с бесплатной погрузкой

fodder ['fɔdə] фураж; корм

foe [fəu] враг

fog [fɔg] (густой) туман; ~gy ['fɔgɪ] туманный

foil [fɔɪl] фольга

fold [fəuld] **1.** *v* 1) складывать; сгибать 2) скрещивать (*руки*). **2.** *n* складка; ~er ['fəuldə] 1) папка (*для дел*) 2) *амер.* брошюра; ~ing ['fəuldɪŋ] складной

foliage ['fəulɪɪdʒ] листва

folk [fəuk] 1) люди 2) *pl разг.* родня

folklore ['fəuklɔ:] фольклор

folk song ['fəuksɔŋ] народная песня

follow ['fɔləu] 1) следовать 2) следить; ~er [-ə] последователь; ~ing [-ɪŋ] следующий

folly ['fɔlɪ] глупость; безумие; безрассудство

fond [fɔnd]: be ~ of быть привязанным, любить кого-л., что-л.

food [fu:d] пища; ~stuffs ['fu:dstʌfs] продукты, продовольствие

fool [fu:l] **1.** *n* дурак; make a ~ of oneself поставить себя в глупое положение; play the ~ валять дурака **2.** *v* 1) дурачиться, шутить 2) одурачивать; обма́нывать; ~ about болта́ться без де́ла

foolish [ˈfuːlɪʃ] глу́пый

foot [fut] 1) нога́; on ~ пешко́м 2) фут 3) подно́жие; ~ball [ˈfutbɔːl] 1) футбо́л 2) футбо́льный мяч; ~note [ˈfutnəut] подстро́чное примеча́ние, сно́ска; ~step [ˈfutstep] след; по́ступь, похо́дка

for [fɔː] **1.** *prep.* 1) для; it's good ~ you вам э́то поле́зно 2) из-за 3) на (*определённое время*); ~ a few minutes на не́сколько мину́т 4) в тече́ние, в продолже́ние; ~ the past six weeks за после́дние 6 неде́ль 5) за, вме́сто; pay ~ me! заплати́ за меня́! **2.** *conj* и́бо, потому́ что

forbade [fəˈbeɪd] *past om* forbid

forbid [fəˈbɪd] (forbade; forbidden) запреща́ть

forbidden [fəˈbɪdn] *p. p. om* forbid

force [fɔːs] **1.** *n* си́ла; armed ~s вооружённые си́лы **2.** *v* 1) заставля́ть; принужда́ть 2) взла́мывать

forced [fɔːst] 1) вы́нужденный 2) натя́нутый (*об улы́бке и т. п.*)

forcible [ˈfɔːsəbl] 1) наси́льственный 2) убеди́тельный

ford [fɔːd] **1.** *n* брод **2.** *v* переходи́ть вброд

foreground [ˈfɔːgraund] пере́дний план

forehead [ˈfɔrɪd] лоб

foreign [ˈfɔrɪn] иностра́нный; Foreign Office мини́стерство иностра́нных дел (*А́нглии*); ~er [-ə] иностра́нец

foreman [ˈfɔːmən] ма́стер, ста́рший рабо́чий; те́хник, прора́б

foremost [ˈfɔːməust] пере́дний, передово́й

foresaw [fɔːˈsɔː] *past om* foresee

foresee [fɔːˈsiː] (foresaw; foreseen) предви́деть; ~n [-n] *p. p. om* foresee

foresight [ˈfɔːsaɪt] 1) предви́дение 2) предусмотри́тельность

forest [ˈfɔrɪst] лес

foretell [fɔːˈtel] (foretold; foretold) предска́зывать

foretold [fɔːˈtəuld] *past u p. p. om* foretell

foreword [ˈfɔːwəːd] преди́словие

forfeit [ˈfɔːfɪt] лиша́ться, утра́чивать (*что-л.*)

forgave [fəˈgeɪv] *past om* forgive

forge [fɔːdʒ] **1.** *n* ку́зница **2.** *v* 1) кова́ть 2) подде́лывать; ~ry [ˈfɔːdʒərɪ] подде́лка, подло́г

forget [fəˈget] (forgot; forgotten) забыва́ть; ~ful [-ful] забы́вчивый

forget-me-not [fəˈgetmɪnɔt] незабу́дка

forgive [fə'gɪv] (forgave; forgiven) проща́ть; ~n [-n] *p. p. om* forgive

forgot [fə'gɔt] *past om* forget; ~ten [-n] *p. p. om* forget

fork [fɔ:k] **1.** *n* 1) ви́лка 2) ви́лы 3) разветвле́ние **2.** *v* разветвля́ться

form [fɔ:m] **1.** *n* 1) фо́рма 2) форма́льность 3) бланк, анке́та 4) класс (*в школе*) **2.** *v* 1) придава́ть фо́рму 2) обра́зовывать; составля́ть 3) выраба́тывать (*характер*)

formal ['fɔ:məl] 1) форма́льный; официа́льный 2) вне́шний

formation [fɔ:'meɪʃn] образова́ние; составле́ние

former ['fɔ:mə] 1) пре́жний 2) предше́ствующий 3): the ~ пе́рвый (*из упомяну́тых*); ~ly [-lɪ] пре́жде; когда́-то

formula ['fɔ:mjulə] 1) фо́рмула 2) реце́пт

forsake [fə'seɪk] оставля́ть, покида́ть навсегда́

forth [fɔ:θ] вперёд; ~coming [fɔ:θ'kʌmɪŋ] предстоя́щий, гряду́щий

fortieth ['fɔ:tɪɪθ] сороково́й

fortifications [fɔ:tɪfɪ'keɪʃnz] *pl* укрепле́ния

fortify ['fɔ:tɪfaɪ] 1) укрепля́ть 2) подкрепля́ть

fortitude ['fɔ:tɪtju:d] сто́йкость, му́жество

fortnight ['fɔ:tnaɪt] две неде́ли

fortress ['fɔ:trɪs] кре́пость

fortunate ['fɔ:tʃnɪt] счастли́вый; ~ly [-lɪ] к сча́стью

fortune ['fɔ:tʃən] 1) сча́стье, уда́ча 2) судьба́ 3) состоя́ние, бога́тство

forty ['fɔ:tɪ] со́рок

forward ['fɔ:wəd] **1.** *adv* 1) вперёд 2) впредь **2.** *v* отправля́ть, пересыла́ть; ~s [-z] *см.* forward 1

fossil ['fɔsl] ископа́емое

fought [fɔ:t] *past и p. p. om* fight 1

foul [faul] 1) загрязнённый, гря́зный 2) бесче́стный; ~ play моше́нничество

found I [faund] *past и p. p. om* find

found II [faund] осно́вывать; ~ation [faun'deɪʃn] основа́ние, фунда́мент

founder ['faundə] основа́тель

fountain ['fauntɪn] фонта́н; ~ pen автомати́ческая ру́чка

four [fɔ:] четы́ре; ~teen [fɔ:'ti:n] четы́рнадцать; ~teenth [fɔ:'ti:nθ] четы́рнадцатый; ~th [fɔ:θ] четвёртый

fowl [faul] (дома́шняя) пти́ца

fox [fɔks] лиси́ца

fraction ['frækʃn] 1) дробь 2) части́ца

fracture ['fræktʃə] **1.** *n* 1) перело́м 2) изло́м **2.** *v* лома́ть

fragile ['frædʒaɪl] хру́пкий

fragment ['frægmənt] 1) обло́мок 2) отры́вок

fragrance ['freɪgrəns] арома́т

frail [freɪl] хру́пкий; хи́лый

frame [freɪm] 1. v обрамля́ть 2. n 1) ра́ма 2) о́стов; ~**up** ['freɪmʌp] амер. суде́бная инсцениро́вка; ~**work** ['freɪmwəːk] карка́с; о́стов ◇ ~**work of society** обще́ственный строй

frank [fræŋk] и́скренний, открове́нный

frantic ['fræntɪk] безу́мный

fraternal [frə'təːnl] бра́тский

fraud [frɔːd] 1) обма́н 2) обма́нщик

fraught [frɔːt] (with) чрева́тый

free [friː] 1. a 1) свобо́дный 2) беспла́тный 3) откры́тый (о конкурсе и т. п.) 2. v освобожда́ть

freedom ['friːdəm] свобо́да

freeze [friːz] (froze; frozen) 1) замора́живать 2) замерза́ть, мёрзнуть; ~**r** ['friːzə] морози́льник

freight [freɪt] груз; ~ **train** амер. това́рный по́езд

French [frentʃ] 1. a францу́зский 2. n: the ~ францу́зы; ~**man** ['frentʃmən] францу́з; ~**woman** ['frentʃwumən] францу́женка

frequency ['friːkwənsɪ] частота́

frequent 1. a ['friːkwənt] ча́стый 2. v [frɪ'kwent] ча́сто посеща́ть; ~**ly** ['friːkwəntlɪ] ча́сто

fresh [freʃ] 1) све́жий 2) пре́сный (о воде)

friction ['frɪkʃn] тре́ние

Friday ['fraɪdɪ] пя́тница

friend [frend] друг; това́рищ; ~**less** ['frendlɪs] одино́кий; ~**ly** ['frendlɪ] дру́жеский; дружелю́бный; ~**ship** ['frendʃɪp] дру́жба

fright [fraɪt] испу́г; ~**en** [-n] пуга́ть; ~**ful** ['fraɪtful] стра́шный; ужа́сный

fringe [frɪndʒ] 1. n 1) бахрома́ 2) кайма́ 3) чёлка 2. v окаймля́ть; украша́ть бахромо́й

fro [frəu]: **to and** ~ взад и вперёд

frock [frɔk] пла́тье

frog [frɔg] лягу́шка

from [frɔm] от, из, с; от

front [frʌnt] 1. n 1) пере́дняя сторона́; фаса́д; **in** ~ **of** впереди́; пе́ред 2) фронт 2. a пере́дний; ~ **door** пара́дная дверь

frontier ['frʌntjə] грани́ца; ~ **guard** пограни́чник

frost [frɔst] моро́з; ~-**bitten** ['frɔstbɪtn] обморо́женный; ~**y** ['frɔstɪ] моро́зный

froth [frɔθ] 1. n пе́на 2. v пе́ниться

frown [fraun] 1. v нахму́риться 2. n недово́льное выраже́ние лица́

froze [frəuz] past от

freeze; ~**n** [-n] *p. p. от* freeze

fruit [fru:t] плод; фрукт; **bear ~** приноси́ть плоды́; ~**ful** ['fru:tful] плодотво́рный; ~**less** ['fru:tlis] беспло́дный

frustrate [frʌs'treit] расстра́ивать, срыва́ть (*планы*)

fry [frai] жа́рить(ся)

frying pan ['fraiŋpæn] сковорода́

fuel [fjuəl] то́пливо

fugitive ['fju:dʒitiv] **1.** *a* 1) бе́глый 2) мимолётный **2.** *n* бегле́ц

fulfil [ful'fil] 1) выполня́ть; осуществля́ть 2) заверша́ть

full [ful] по́лный (*чего-л.*) ◇ ~ **dress** пара́дная фо́рма

fully ['fuli] вполне́; соверше́нно

fume [fju:m] **1.** *n* 1) дым 2) *pl* пары́ 3) за́пах 4) волне́ние **2.** *v* 1) дыми́ть; испаря́ться 2) оку́ривать 3) волнова́ться

fun [fʌn] шу́тка; заба́ва; весе́лье; **have ~** весели́ться; **for ~** в шу́тку; **make ~ of** высме́ивать

function ['fʌŋkʃn] **1.** *n* 1) фу́нкция 2) обя́занности **2.** *v* функциони́ровать; де́йствовать

fund [fʌnd] 1) запа́с 2) фонд

fundamental [fʌndə'mentl] основно́й; коренно́й

funeral ['fju:nərəl] **1.** *n* по́хороны **2.** *a* похоро́нный

funnel ['fʌnəl] 1) воро́нка 2) труба́ (*паровоза, парохода*)

funny ['fʌni] 1) смешно́й, забавный 2) стра́нный

fur [fə:] мех; ~ **coat** мехово́е пальто́

furious ['fjuəriəs] 1) взбешённый; **be ~** беси́ться 2) бе́шеный, нейстовый

furlough ['fə:ləu] *воен.* о́тпуск

furnace ['fə:nis] печь, то́пка; горн

furnish ['fə:niʃ] 1) снабжа́ть 2) меблирова́ть, обставля́ть

furniture ['fə:nitʃə] ме́бель, обстано́вка

furrow ['fʌrəu] борозда́; ~**ed** [-d]: ~**ed cheeks** морщи́нистые щёки

furry ['fə:ri] пуши́стый

further ['fə:ðə] **1.** *adv* да́льше **2.** *a* 1) бо́лее отдалённый 2) дальне́йший **3.** *v* спосо́бствовать

furtive ['fə:tiv] скры́тый, незаме́тный, та́йный; ~ **glance** взгляд укра́дкой

fury ['fjuəri] неистовство, бе́шенство, я́рость

fuse I [fju:z] 1) пла́вить(ся), сплавля́ть(ся) 2) перегоря́ть; **the bulb is ~d** ла́мпа перегоре́ла

fuse II [fju:z] 1) взрыва́тель 2) *эл.* предохрани́тель

fuss [fʌs] **1.** *n* суета́; **make**

a ~ about суети́ться, поднима́ть шум (*вокруг чего-л.*) 2. v суети́ться; беспоко́иться; хлопота́ть

futile ['fju:taıl] 1) бесполе́зный, тще́тный 2) пусто́й (*о человеке*)

future ['fju:tʃə] 1. a бу́дущий; ~ tense *грам.* бу́дущее вре́мя 2. n бу́дущее

G

gadfly ['gædflaı] о́вод, слепе́нь

gaiety ['geıətı] 1) весе́лье 2) наря́дность 3) *pl* развлече́ния

gaily ['geılı] ве́село

gain [geın] 1. v 1) получа́ть, зараба́тывать 2) достига́ть 3) выи́грывать 4) прибавля́ть (*в весе*) 2. n преиму́щество

gait [geıt] похо́дка

galaxy ['gæləksı] гала́ктика

gall [gɔ:l] жёлчь; ~ bladder ['gɔ:lblædə] жёлчный пузы́рь

gallant ['gælənt] хра́брый, до́блестный

gallery ['gælərı] галере́я

gamble ['gæmbl] игра́ть (*в азартные игры*); ~r [-ə] игро́к

game I [geım] игра́

game II [geım] дичь

gang [gæŋ] 1) ша́йка, ба́нда 2) брига́да; па́ртия;

артéль; ~ster ['gæŋstə] банди́т, га́нгстер

gap [gæp] 1) проло́м 2) пробе́л 3) промежу́ток

gape [geıp] зева́ть, глазе́ть

garage ['gæra:ʒ] гара́ж

garbage ['ga:bıdʒ] му́сор

garden ['ga:dn] сад; ~ flowers садо́вые цветы́; ~er [-ə] садо́вник

garland ['ga:lənd] гирля́нда

garlic ['ga:lık] чесно́к

garment ['ga:mənt] оде́жда, одея́ние

garret ['gærət] мансáрда; чердáк

garrison ['gærısn] 1. n гарнизо́н. v ста́вить гарнизо́н

gas [gæs] 1) газ 2) *амер.* горю́чее

gasolene ['gæsəli:n] 1) газоли́н 2) *амер.* бензи́н

gasp [ga:sp] задыха́ться

gate [geıt] кали́тка; воро́та

gather ['gæðə] собира́ть(ся)

gauge [geıdʒ] разме́р; кали́бр; измери́тельный прибо́р; этало́н

gave [geıv] *past от* give

gay [geı] 1) весёлый 2) беспу́тный

gaze [geız] 1. v при́стально гляде́ть 2. n при́стальный взгляд

gear [gıə] 1) приспособле́ния; принадле́жности 2) *mex.* шестерня́; переда́ча;

привóд; in ~ включённый; out ~ вы́ключенный

geese [gi:s] *pl om* goose

gender ['dʒendə] *грам.* род

general ['dʒenərəl] **1.** *a* 1) óбщий; in ~ вообщé 2) обы́чный **2.** *n* генерáл

generally ['dʒenərəlɪ] 1) вообщé 2) обы́чно

generate ['dʒenəreɪt] 1) вызывáть 2) генери́ровать

generation [dʒenə'reɪʃn] поколéние

generosity [dʒenə'rɒsɪtɪ] 1) великодýшие 2) щéдрость

generous ['dʒenərəs] 1) великодýшный; благорóдный 2) щéдрый

genial ['dʒi:njəl] привéтливый

genitive ['dʒenɪtɪv] *грам.* роди́тельный падéж

genius ['dʒi:njəs] гéний

gentle ['dʒentl] лáсковый; нéжный; мя́гкий

gentleman ['dʒentlmən] джентльмéн, господи́н

gently ['dʒentlɪ] 1) мя́гко, нéжно 2) осторóжно; спокóйно

genuine ['dʒenjuɪn] 1) пóдлинный; настоя́щий 2) и́скренний

geography [dʒɪ'ɒgrəfɪ] геогрáфия

geology [dʒɪ'ɒlədʒɪ] геолóгия

geometry [dʒɪ'ɒmɪtrɪ] геомéтрия

germ [dʒə:m] 1) *биол.* зарóдыш 2) микрóб

German ['dʒə:mən] **1.** *a* гермáнский, немéцкий **2.** *n* нéмец

gesture ['dʒestʃə] жест

get [get] (got; got) 1) получáть; доставáть 2) станови́ться; ~ warm согрéться; ~ better поправля́ться; ~ wet промóкнуть 3) *в конструкциях с* have *не переводится;* have you got a pencil? есть у вас карандáш? ~ in входи́ть; ~ on a) уживáться; б) дéлать успéхи; how are you ~ting on? как делá?; ~ out (of) выходи́ть; ~ up вставáть

ghost [gəust] привидéние, дух

giant ['dʒaɪənt] великáн, гигáнт

giddy ['gɪdɪ]: I am ~ у меня́ крýжится головá

gift [gɪft] подáрок; дар; ~ed ['gɪftɪd] одарённый

gigantic [dʒaɪ'gæntɪk] гигáнтский

giggle ['gɪgl] хихи́кать

gild [gɪld] золоти́ть

gilt [gɪlt] **1.** *n* позолóта. **2.** *a* золочёный

Gipsy ['dʒɪpsɪ] **1.** *a* цыгáнский **2.** *n* цыгáн(ка)

girl [gə:l] 1) дéвочка 2) дéвушка

girlfriend ['gə:lfrend] люби́мая дéвушка, возлюбленная

give [gɪv] (gave; given) 1) давáть 2) доставля́ть (удо-

вольствие); причиня́ть *(боль и т. п.);* ~ in уступа́ть; ~ up бро́сить *(привы́чку)*

given ['gɪvn] *p. p. om* give

glacier ['glæsjə] ледни́к, гле́тчер

glad [glæd]: be ~ ра́доваться; I am ~ я рад, дово́лен

glance [glɑːns] **1.** *n* бы́стрый взгляд **2.** *v* ме́льком взгляну́ть

gland [glænd] железа́

glass [glɑːs] 1) стекло́ 2) стака́н; бока́л 3) зе́ркало 4) *pl* очки́

gleam [gliːm] **1.** *n* про́блеск **2.** *v* свети́ться

glide [glaɪd] 1) скользи́ть 2) *ав.* плани́ровать

glimpse [glɪmps]: have a ~, get a ~ уви́деть ме́льком

glitter ['glɪtə] **1.** *v* блесте́ть, сверка́ть **2.** *n* блеск

globe [gləub] 1) (земно́й) шар 2) гло́бус

gloom [gluːm] 1) мрак 2) уны́ние; ~y ['gluːmɪ] 1) мра́чный 2) угрю́мый

glorify ['glɔːrɪfaɪ] прославля́ть

glorious ['glɔːrɪəs] 1) сла́вный 2) великоле́пный

glory ['glɔːrɪ] 1) сла́ва 2) великоле́пие

glossy ['glɔsɪ] гля́нцевитый; блестя́щий *(о волоса́х)*

glove [glʌv] перча́тка

glow [gləu] **1.** *v* пыла́ть **2.** *n* 1) пыл, жар 2) румя́нец

◇ evening ~ вече́рняя заря́

glue [gluː] **1.** *n* клей **2.** *v* кле́ить; прикле́ивать

gnat [næt] мо́шка

gnaw [nɔː] грызть, глода́ть

go [gəu] (went; gone) 1) идти́; ходи́ть 2) уходи́ть; уезжа́ть; ~ in войти́; ~ on продолжа́ть; ~ out вы́йти

goal [gəul] 1) цель 2) *спорт.* гол

goat [gəut] козёл; коза́

god [gɔd] бог; ~dess ['gɔdɪs] боги́ня

goggles ['gɔglz] защи́тные очки́, очки́-консе́рвы

gold [gəuld] **1.** *n* зо́лото **2.** *a* золото́й; ~en ['gəuldən] золото́й; золоти́стый

gone [gɔn] *p. p. om* go

good [gud] **1.** *a* 1) хоро́ший 2) до́брый 2. *n* по́льза; добро́ ◇ for ~ навсегда́

goodbye [gud'baɪ] до свида́ния!, проща́йте!

good-looking ['gud'lukɪŋ] краси́вый

good-natured ['gud'neɪtʃəd] доброду́шный

goodness ['gudnɪs] доброта́

goods [gudz] *pl* това́ры

goose [guːs] гусь

gooseberry ['guzbərɪ] крыжо́вник

Gospel ['gɔspəl] Ева́нгелие

gossip ['gɔsɪp] **1.** *n* 1) спле́тня 2) болтовня́ 3) спле́тник 2. *v* 1) спле́тничать 2) болта́ть

got [gɔt] *past и p. p. от* get

gout [gaut] подáгра

govern [ˈgʌvən] управлять, прáвить; ~ment [-mənt] правительство; ~or [-ə] губернáтор

gown [gaun] плáтье

grab [græb] хватáть, схвáтывать

grace [greɪs] грáция; ~ful [ˈgreɪsful] грациóзный

grade [greɪd] 1. *n* 1) класс (*в школе*) 2) стéпень; ранг 3) кáчество, сорт 2. *v* сортировáть

gradual [ˈgrædjuəl] постепéнный

graduate 1. *v* [ˈgrædjueɪt] кончáть (вы́сшую) шкóлу 2. *n* [ˈgrædjuɪt] окóнчивший вы́сшую шкóлу

grain [greɪn] 1) зернó 2) крупи́нка 3) гран 4) волокнó

grammar [ˈgræmə] граммáтика

grammar school [ˈgræmə ˈskuːl] срéдняя шкóла

gramme [græm] грамм

granary [ˈgrænərɪ] амбáр; жи́тница

grand [grænd] 1) величéственный 2) *разг.* замечáтельный

grandchild [ˈgræntʃaɪld] внук; внýчка

grand-daughter [ˈgrændɔːtə] внýчка

grandeur [ˈgrændʒə] 1)

вели́чие 2) великолéпие, грандиóзность

grandfather [ˈgrænfɑːðə] дéд(ушка)

grandmother [ˈgrænmʌðə] бáбушка

grandson [ˈgrænsʌn] внук

granite [ˈgrænɪt] грани́т

grant [grɑːnt] 1. *v* 1) удовлетвори́ть (*прóсьбу*) 2) жáловать, дари́ть ◇ take for ~ed считáть самó собóй разумéющимся 2. *n* 1) субси́дия 2) дар

grape [greɪp] виногрáд

graphic [ˈgræfɪk] 1) графи́ческий 2) нагля́дный, óбразный

grasp [grɑːsp] 1. *v* 1) зажимáть в рукé; схвáтывать 2) улáвливать смысл 2. *n:* hold in one's ~ держáть в рукáх; be in his ~ быть в егó влáсти; have a good ~ (of) хорошó схвáтывать (*смысл*)

grass [grɑːs] травá; ~hopper [ˈgrɑːshɔpə] кузнéчик

grate I [greɪt] кáминная решётка

grate II [greɪt] 1) скрести́; терéть 2) скрипéть

grateful [ˈgreɪtful] благодáрный

grater [ˈgreɪtə] тёрка

gratitude [ˈgrætɪtjuːd] благодáрность

grave I [greɪv] моги́ла

grave II [greɪv] серьёзный; вáжный

gravel [ˈgrævəl] грáвий

gravity [ˈgrævɪtɪ] 1) серьёзность; важность 2) *физ.* сила тяжести

gray [greɪ] *см.* grey

graze I [greɪz] пасти(сь)

graze II [greɪz] 1) задевать 2) оцарапать; содрать (*кожу*)

grease 1. *n* [griːs] 1) жир, сало 2) мазь, смазка 2. *v* [griːz] смазывать (*жиром и т. п.*)

greasy [ˈgriːzɪ] жирный, сальный

great [greɪt] 1) великий 2) большой; a ~ deal много

greedy [ˈgriːdɪ] жадный

Greek [griːk] 1. *a* греческий 2. *n* грек

green [griːn] зелёный

greengrocer's [ˈgriːn grəʊsəz] овощной магазин

greet [griːt] приветствовать; кланяться; ~ing [ˈgriːtɪŋ] приветствие, поклон

grenade [grɪˈneɪd] граната

grew [gruː] *past от* grow

grey [greɪ] 1) серый 2) седой

grief [griːf] горе

grievance [ˈgriːvəns] 1) обида 2) жалоба

grieve [griːv] 1) горевать 2) огорчать

grim [grɪm] 1) мрачный 2) неумолимый

grin [grɪn] 1. *v* 1) ухмыляться 2) скалить зубы 2. *n* усмешка

grind [graɪnd] (ground; ground) 1) молоть; толочь 2) точить ◇ ~ one's teeth скрежетать зубами; ~stone [ˈgraɪndstəʊn] точильный камень

grip [grɪp] 1. *n* пожатие; хватка 2. *v* 1) схватывать 2) зажимать

groan [grəʊn] 1. *n* стон 2. *v* стонать

grocer [ˈgrəʊsə] владелец небольшого продуктового магазина; ~y [ˈgrəʊsərɪ] 1) небольшой продуктовый магазин 2) *pl* бакалея

groove [gruːv] жёлоб

gross [grəʊs] 1) грубый 2) валовой; оптовый

ground I [graʊnd] *past и p. p. от* grind

ground II [graʊnd] 1) земля, почва; ~ floor нижний этаж 2) основание, мотив 3) *жив.* грунт, фон 4) *pl* гуща 5) *pl* частный парк

group [gruːp] 1. *n* группа 2. *v* группировать(ся)

grow [grəʊ] (grew; grown) 1) расти 2) выращивать; разводить 3) становиться

growl [graʊl] 1. *v* 1) рычать 2) ворчать 2. *n* 1) рычание 2) ворчание

grown [grəʊn] *p. p. от* grow; ~-up [ˈgrəʊnʌp] взрослый

growth [grəʊθ] 1) рост 2) увеличение 3) опухоль

grudge [grʌdʒ] 1. *n:* bear (have) a ~ against smb. зата-

ить злобу, иметь зуб против
кого-л. 2. *v* 1) завидовать 2)
жалеть (*время, деньги*)

grumble ['grʌmbl] ворчать, жаловаться

grunt [grʌnt] 1. *v* хрюкать
2. *n* хрюканье

guarantee [gærən'tiː] 1. *n*
гарантия; залог 2. *v* гарантировать

guard [gɑːd] 1. *n* 1) стража; охрана 2) *pl* гвардия 3)
сторож 4) проводник (*в поезде*) 5) бдительность; be on
(one's) ~ быть настороже 2.
v охранять; сторожить

guardian ['gɑːdjən] опекун, попечитель

guerilla [gə'rılə] партизан;
~ war партизанская война

guess [ges] 1. *v* 1) угадывать 2) догадываться 3)
амер. считать, полагать 2. *n*
предположение, догадка

guest [gest] гость

guide [gaid] 1. *n* 1) проводник, гид 2) руководитель
3) путеводитель 2. *v* 1) руководить 2) вести

guilt [gilt] вина; виновность

guilty ['gilti] виновный

guinea ['gini] гинея

guitar [gi'tɑː] гитара

gulf [gʌlf] 1) залив 2)
пропасть, бездна 3) водоворот

gull [gʌl] чайка

gulp [gʌlp] 1. *n* большой
глоток 2. *v* жадно *или* быстро глотать

gum [gʌm] 1. *n* смола;
клей 2. *v* склеивать(ся)

gumboots ['gʌmbuːts] *pl*
резиновые сапоги

gums [gʌmz] *pl* дёсны

gun [gʌn] 1) огнестрельное оружие; ружьё 2) пушка 3) *амер.* револьвер; ~ner
['gʌnə] артиллерист; пулемётчик; ~powder ['gʌn
paudə] порох

gust [gʌst] порыв (*ветра*)

gusto ['gʌstəu] удовольствие, смак

guts [gʌts] *pl* кишки

gutter ['gʌtə] 1) водосточный жёлоб 2) канава

Gypsy ['dʒipsi] *см.* Gipsy

H

haberdashery ['hæbə
dæʃəri] галантерея

habit ['hæbit] 1) привычка 2) обычай

habitual [hə'bitjuəl] привычный, обычный

had [hæd] *past* и *p. p. от*
have

hadn't ['hædnt] *разг.* =
had not

haggard ['hægəd] изможденный, измученный

hail I [heil] 1. *n* град 2. *v*
сыпаться градом; it ~s, it is
~ing идёт град

hail II [heil] 1) приветствовать 2) окликать, звать

hair [hɛə] волос; волосы;
~brush ['hɛəbrʌʃ] щётка для

волóс; ~do ['hɛədu:] причёска; ~dresser ['hɛədresə] парикмáхер; ~pin ['hɛəpɪn] шпи́лька

hairy ['hɛərɪ] волосáтый

half [ha:f] **1.** *n* полови́на **2.** *adv* наполови́ну

half-hearted ['ha:f'ha:tɪd] нереши́тельный

halfpenny ['heɪpnɪ] полпéнни

half time [ha:f'taɪm] 1) непóлный рабóчий день (*на производстве*) 2) *спорт.* полови́на игры́

hall [hɔ:l] 1) зал 2) перéдняя, вестибю́ль, холл

hallo [hə'ləu] аллó!

halt [hɔ:lt] **1.** *n* останóвка; привáл **2.** *v* останáвливать(ся) **3.** *int* стой!

ham [hæm] ветчинá; óкорок

hammer ['hæmə] **1.** *n* мóлот, молотóк **2.** *v* 1) вбивáть 2) колоти́ть

hammock ['hæmək] гамáк

hamper ['hæmpə] мешáть, препя́тствовать

hand [hænd] **1.** *n* 1) рукá 2) стрéлка (*часóв*) **2.** *v* вручáть; передавáть

handbag ['hændbæg] дáмская сýмочка

handbook ['hændbuk] спрáвочник; руковóдство

handful ['hændful] при́горшня

handicraft ['hændɪkra:ft] ремеслó

handkerchief ['hæŋkətʃɪf] носовóй платóк

handle ['hændl] **1.** *n* рýчка; рукоя́ть **2.** *v* трóгать, хватáть

handsome ['hænsəm] краси́вый, интерéсный

handwriting ['hændraɪtɪŋ] пóчерк

handy ['hændɪ] 1) удóбный 2) лóвкий, искýсный

hang [hæŋ] (hung; hung) 1) висéть 2) вéшать; подвéшивать

hangar ['hæŋə] ангáр

hangover ['hæŋəuvə] 1) *амер.* пережи́ток 2) *разг.* похмéлье

happen ['hæpən] 1) случáться 2) случáйно оказáться

happiness ['hæpɪnɪs] счáстье

happy ['hæpɪ] счастли́вый

harass ['hærəs] тревóжить, беспокóить

harbour ['ha:bə] **1.** *n* гáвань **2.** *v* тáить (*мысль, злóбу и т. п.*)

hard [ha:d] **1.** *a* 1) твёрдый, жёсткий 2) сурóвый 3) трýдный, тяжёлый **2.** *adv* 1) си́льно 2) усéрдно

harden ['ha:dn] 1) твердéть; грубéть 2) черствéть 3) закáливать

hardly ['ha:dlɪ] 1) едвá (ли) 2) с трудóм

hardship ['ha:dʃɪp] лишение; it is no ~ (э́то) нетрýдно

hare [hɛə] зáяц

harm [hɑːm] **1.** *n* вред **2.** *v* вреди́ть; ~**less** [ˈhɑːmlɪs] безвре́дный, безоби́дный

harmonious [hɑːˈməunjəs] 1) гармони́чный 2) дру́жный

harmony [ˈhɑːmənɪ] 1) гармо́ния; созву́чие 2) согла́сие

harness [ˈhɑːnɪs] **1.** *n* у́пряжь **2.** *v* запряга́ть

harrow [ˈhærəu] борона́

harsh [hɑːʃ] 1) жёсткий; гру́бый 2) суро́вый; жесто́кий

harvest [ˈhɑːvɪst] 1) жа́тва 2) урожа́й; ~**er** [-ə] 1) жнец 2) жа́твенная маши́на

hasn't [ˈhæznt] *разг.* = has not

haste [heɪst] поспе́шность; make ~ торопи́ться; ~**n** [ˈheɪsn] торопи́ть(ся)

hastily [ˈheɪstɪlɪ] 1) поспе́шно 2) опроме́тчиво 3) запа́льчиво

hasty [ˈheɪstɪ] 1) поспе́шный 2) опроме́тчивый 3) запа́льчивый

hat [hæt] шля́па

hatch [hætʃ] выси́живать (цыпля́т); be ~ed вылупли́ваться

hatchet [ˈhætʃɪt] топо́р(ик)

hate [heɪt] **1.** *v* ненави́деть **2.** *n* не́нависть; ~**ful** [ˈheɪtful] ненави́стный

hatred [ˈheɪtrɪd] не́нависть

hatstand [ˈhætstænd] ве́шалка для шляп

haughty [ˈhɔːtɪ] высокоме́рный, надме́нный

haul [hɔːl] **1.** *v* тяну́ть, букси́ровать **2.** *n* 1) тя́га, воло́чение 2) уло́в

haunt [hɔːnt] 1) пресле́довать (*о мыслях и т. п.*) 2) появля́ться (*как призрак*)

have [hæv] (had; had) 1) име́ть 2) получа́ть; (will you) ~ a cigarette? хоти́те папиро́су? 3): ~ to + *inf.* быть до́лжным, вы́нужденным что-л. сде́лать; I ~ to go мне ну́жно идти́, я до́лжен идти́

haven [ˈheɪvn] 1) га́вань 2) убе́жище

hawk [hɔːk] я́стреб

hay [heɪ] се́но; ~**stack** [ˈheɪstæk] стог се́на

hazard [ˈhæzəd] опа́сность, риск

hazel [ˈheɪzl] **1.** *n* оре́шник **2.** *a* све́тло-кори́чневый; ка́рий

he [hiː] он

head [hed] **1.** *n* 1) голова́ 2) глава́; руководи́тель; ~ master дире́ктор шко́лы 3) заголо́вок **2.** *v* 1) возглавля́ть 2) озагла́вливать

headache [ˈhedeɪk] головна́я боль

heading [ˈhedɪŋ] заголо́вок

headlight [ˈhedlaɪt] фа́ра (*автомоби́ля*); огни́ (*парово́за*)

headlong [ˈhedlɔŋ] очертя́ го́лову

headquarters [ˈhed

'kwɔːtəz] 1) штаб 2) гла́вное управле́ние; центр

heal [hiːl] 1) изле́чивать 2) зажива́ть

health [helθ] здоро́вье; ~ resort куро́рт

healthy ['helθɪ] здоро́вый

heap [hiːp] **1.** *n* ку́ча; гру́да **2.** *v* нагроможда́ть

hear [hɪə] (heard; heard) 1) слы́шать 2) слу́шать

heard [həːd] *past и p. p. от* hear

hearer ['hɪərə] слу́шатель

hearing ['hɪərɪŋ] 1) слух 2) юр. разбо́р де́ла

heart [haːt] 1) се́рдце; at ~ в глубине́ души́ 2) сердцеви́на ◇ by ~ наизу́сть

hearth [haːθ] оча́г

hearty ['haːtɪ] 1) и́скренний; (чисто)серде́чный; раду́шный 2) сы́тный; ~ meal сы́тная еда́

heat [hiːt] **1.** *n* 1) тепло́, жара́ 2) пыл 3) те́чка (*у живо́тных*) **2.** *v* 1) нагрева́ть(ся) 2) топи́ть

heather ['heðə] ве́реск

heating ['hiːtɪŋ] 1) нагрева́ние 2) отопле́ние

heaven ['hevn] небеса́, не́бо

heavy ['hevɪ] тяжёлый

hectare ['hektaː] гекта́р

hedge [hedʒ] жива́я и́згородь

hedgehog ['hedʒhɔg] ёж

heedless ['hiːdlɪs] невнима́тельный; небре́жный

heel [hiːl] 1) пя́тка 2) каблу́к

height [haɪt] 1) высота́; вышина́, рост 2) возвы́шенность 3): the ~ of верх (*глу́пости и т. п.*)

heir [ɛə] насле́дник

held [held] *past и p. p. от* hold I

hell [hel] ад

he'll [hiːl] *разг.* = he will

helm [helm] руль

helmet ['helmɪt] шлем, ка́ска

help [help] **1.** *v* помога́ть **2.** *n* 1) по́мощь 2) *амер.* прислу́га; ~ful ['helpful] поле́зный; ~less ['helplɪs] беспо́мощный

hem [hem] **1.** *n* 1) рубе́ц 2) кро́мка; кайма́ **2.** *v* подшива́ть, подруба́ть

hemisphere ['hemɪsfɪə] полуша́рие

hemp [hemp] конопля́; пенька́

hen [hen] ку́рица

hence [hens] сле́довательно; ~forward [hens'fɔːwəd] впредь, отны́не

her [həː] 1) ей; её 2) своя́

herald ['herəld] **1.** *n* ве́стник **2.** *v* возвеща́ть

herb [həːb] (лека́рственная) трава́

herd [həːd] ста́до

here [hɪə] 1) здесь, тут 2) сюда́ ◇ ~ you are! вот, пожа́луйста!; ~by [hɪə'baɪ] э́тим; при сём

hereditary [hɪ'redɪtərɪ] на-
слéдственный

herein [hɪər'ɪn] в э́том;
при сём

heresy ['herəsɪ] éресь

herewith [hɪə'wɪð] при
сём; настоя́щим

heritage ['herɪtɪdʒ] насле́д-
ство

hermit ['hə:mɪt] отшéль-
ник

hero ['hɪərəu] герóй; ~ic
[hɪ'rəuɪk] герои́ческий; ге-
рóйский; ~ine ['herəuɪn] геро-
и́ня; ~ism ['herəuɪzm] ге-
рои́зм

heron ['herən] цáпля

herring ['herɪŋ] сельдь

hers [hə:z] её

herself [hə:'self] 1) себя́;
-ся 2) самá

he's [hi:z] разг. = he is

hesitate ['hezɪteɪt] коле-
бáться

hid [hɪd] past и p. p. от
hide I

hidden ['hɪdn] p. p. от
hide I

hide I [haɪd] (hid; hid,
hidden) прятать(ся); скры-
вáть(ся)

hide II [haɪd] шкýра;
~bound ['haɪdbaund] огра-
ни́ченный

hideous ['hɪdɪəs] безобрáз-
ный, урóдливый, стрáшный

high [haɪ] высóкий ◇ ~
school срéдняя шкóла

highly ['haɪlɪ] весьмá

highway ['haɪweɪ] шоссé

hill [hɪl] холм

him [hɪm] емý; егó

himself [hɪm'self] 1) себя́;
-ся 2) сам

hinder ['hɪndə] мешáть;
препя́тствовать

hindrance ['hɪndrəns] помéха, препя́тствие

Hindu ['hɪndu:] 1. *a* ин-
дýсский 2. *n* индýс

hinge [hɪndʒ] 1. *n* пéтля;
шарни́р 2. *v* 1) висéть; вра-
щáться на пéтлях 2) *перен.*
(on) зави́сеть (от)

hint [hɪnt] 1. *n* намёк 2. *v*
намекáть

hip [hɪp] бедрó

hippie, hippy ['hɪpɪ] хи́п-
пи

hire ['haɪə] нанимáть; for
~ выдаётся напрокáт

his [hɪz] егó; свой

hiss [hɪs] 1. *n* шипéние;
свист 2. *v* 1) шипéть; свистéть 2) освистáть

historic(al) [hɪs'tɔrɪk(əl)]
истори́ческий

history ['hɪstərɪ] истóрия

hit [hɪt] 1. *v* (hit; hit) 1)
ударя́ть 2) попадáть 2. *n*
удáча; «гвоздь» (*сезóна*)

hitherto ['hɪðə'tu:] прéж-
де, до сих пор

hive [haɪv] ýлей

hoard [hɔ:d] 1. *n* запáс 2.
v запасáть; копи́ть

hoarfrost ['hɔ:'frɔst] и́ней

hoarse [hɔ:s] хри́плый

hoax [həuks] злáя шýтка,
обмáн

hobby ['hɔbɪ] люби́мое зана́тие в часы́ досу́га; страсть; «конёк», хо́бби

hockey ['hɔkı] хоккей

hoe [həu] моты́га

hog [hɔg] свинья́; бо́ров

hoist [hɔıst] поднима́ть (*флаг, парус*)

hold I [həuld] (held; held) 1) держа́ть 2) вмеща́ть; содержа́ть (*в себе*); ~ out a) выде́рживать; б) протя́гивать; ~ up заде́рживать

hold II [həuld] трюм

holdup ['həuldʌp] *разг.* налёт, ограбле́ние

hole [həul] 1) дыра́ 2) нора́

holiday ['hɔlıdı] 1) пра́здник 2) о́тпуск 3) *pl* кани́кулы

hollow ['hɔləu] **1.** *a* 1) по́лый, пусто́й 2) впа́лый 3) глухо́й (*о звуке*) **2.** *n* 1) пустота́ 2) дупло́ 3) вы́боина **3.** *v* выда́лбливать

holy ['həulı] свяще́нный, свято́й

homage ['hɔmıdʒ]: do (pay) ~ воздава́ть по́чести; свиде́тельствовать почте́ние

home [həum] **1.** *n* жили́ще; дом; at ~ до́ма **2.** *a* 1) дома́шний 2) вну́тренний; Home Office министе́рство вну́тренних дел **3.** *adv* домо́й; ~less ['həumlıs] бездо́мный, бесприю́тный; ~sick ['həumsık] тоску́ющий по ро́дине, по до́му

honest ['ɔnıst] че́стный

honesty ['ɔnıstı] че́стность

honey ['hʌnı] мёд; ~comb [-kəum] со́ты; ~moon [-mu:n] медо́вый ме́сяц

honour ['ɔnə] **1.** *n* 1) честь 2) почёт 3) *pl* по́чести **2.** *v* почита́ть; ~able ['ɔnərəbl] 1) почётный 2) почтённый 3) че́стный

hood [hud] 1) капюшо́н; ка́пор 2) *тех.* кры́шка, колпа́к

hoof [hu:f] копы́то

hook [huk] **1.** *n* крюк **2.** *v* 1) зацепля́ть 2) застёгивать (*на крючок*)

hoop [hu:p] о́бруч

hop I [hɔp] *бот.* хмель

hop II [hɔp] **1.** *v* скака́ть **2.** *n* прыжо́к

hope [həup] **1.** *n* наде́жда **2.** *v* наде́яться; ~ful ['həupful] 1) наде́ющийся; оптимисти́чески настро́енный 2) подаю́щий наде́жды, многообеща́ющий; ~less ['həuplıs] безнадёжный

horizon [hə'raızn] 1) горизо́нт 2) (у́мственный) кругозо́р

horizontal [hɔrı'zɔntəl] горизонта́льный

horn [hɔ:n] рог

horrible ['hɔrəbl] ужа́сный; отврати́тельный

horror ['hɔrə] у́жас; отвраще́ние

horse [hɔ:s] ло́шадь; ~back ['hɔ:sbæk]: on ~back верхо́м; ~man ['hɔ:smən] вса́дник; ~shoe ['hɔ:sʃu:] подко́ва

horticulture ['hɔ:tɪkʌltʃə] садоводство

hose [həuz] рукав, шланг

hosiery ['həuʒərɪ] чулочные изделия; трикотаж

hospitable ['hɔspɪtəbl] гостеприимный

hospital ['hɔspɪtl] больница, госпиталь

host I [həust] хозяин

host II [həust] множество; толпа

hostage ['hɔstɪdʒ] заложник

hostess ['həustɪs] хозяйка

hostile ['hɔstaɪl] враждебный

hostility [hɔs'tɪlɪtɪ] 1) враждебность 2) *pl* военные действия

hot [hɔt] 1) горячий, жаркий 2) пылкий ◇ ~ line прямая телефонная связь

hotel [həu'tel] гостиница, отель

hothouse ['hɔthaus] оранжерея; теплица

hour ['auə] час

house 1. *n* [haus] 1) дом; ~ painter маляр 2) палата; the House of Commons палата общин; the House of Lords палата лордов **2.** *v* [hauz] 1) поселять 2) приютить(ся)

household ['haushəuld] 1) семья 2) хозяйство; ~er [-ə] съёмщик (*дома, квартиры*)

housekeeper ['hauski:pə] экономка

housemaid ['hausmeɪd] горничная

housewife ['hauswaɪf] домашняя хозяйка

hover ['hɔvə] 1) парить 2) вертеться

how [hau] как?, каким образом?; ~ever [hau'evə] однако; всё-таки, тем не менее

howl [haul] **1.** *v* выть **2.** *n* вой

huge [hju:dʒ] огромный, громадный

hum [hʌm] жужжать, гудеть

human ['hju:mən] человеческий

humane [hju:'meɪn] человечный, гуманный

humanity [hju:'mænɪtɪ] 1) человечество 2) гуманность

humble ['hʌmbl] **1.** *a* 1) скромный 2) покорный, смиренный **2.** *v* унижать

humbug ['hʌmbʌg] 1) обманщик 2) ханжа

humiliate [hju:'mɪlɪeɪt] унижать

humorous ['hju:mərəs] юмористический; забавный, смешной

humour ['hju:mə] 1) юмор 2) настроение; out of ~ не в духе

hump [hʌmp] горб

hunchback ['hʌntʃbæk] горбун

hundred ['hʌndrəd] сто; сотня; ~th [-θ] сотый

hundredweight ['hʌndrədweɪt] центнер

hung [hʌŋ] *past и p. p. от* hang

Hungarian [hʌŋ'gɛərɪən] 1. *a* венгерский 2. *n* венгр

hunger ['hʌŋgə] голод

hungry ['hʌŋgrɪ] голодный

hunt [hʌnt] 1. *n* охота 2. *v* 1) охотиться 2) гнаться; ~ for искать

hunter ['hʌntə] охотник

hurl [hə:l] швырять

hurrah [hu'rɑ:] ура!

hurricane ['hʌrɪkən] ураган

hurry ['hʌrɪ] 1. *v* торопить(ся); ~ up! скорее! 2. *n* спешка; in a ~ второпях; I'm in a great ~ я очень спешу

hurt [hə:t] (hurt; hurt) причинять боль; *перен.* задевать

husband ['hʌzbənd] муж

hush [hʌʃ] водворять тишину; ~! тише!

husk [hʌsk] 1. *n* шелуха, скорлупа; наружная оболочка 2. *v* очищать от шелухи

hut [hʌt] хижина

hydrogen ['haɪdrɪdʒən] водород

hydrophobia [haɪdrə'fəubjə] водобоязнь; бешенство

hygienic [haɪ'dʒi:nɪk] гигиенический

hyphen ['haɪfən] дефис

hypocrisy [hɪ'pɔkrəsɪ] лицемерие

hypocrite ['hɪpəkrɪt] лицемер

hysterical [hɪs'terɪkəl] истерический

I

I [aɪ] я

ice [aɪs] 1) лёд 2) мороженое; ~berg ['aɪsbə:g] айсберг; ~ cream [aɪs'kri:m] мороженое

Icelander ['aɪsləndə] исландец

Icelandic [aɪs'lændɪk] исландский

icicle ['aɪsɪkl] сосулька

icy ['aɪsɪ] ледяной

I'd [aɪd] *разг.* = I should, I would, I had

idea [aɪ'dɪə] идея; представление; мысль

ideal [aɪ'dɪəl] 1. *a* идеальный 2. *n* идеал

identical [aɪ'dentɪkəl] тождественный

identify [aɪ'dentɪfaɪ] 1) отождествлять(ся) 2) опознавать

ideology [aɪdɪ'ɔlədʒɪ] идеология

idiot ['ɪdɪət] идиот

idle ['aɪdl] 1) праздный, ленивый 2) тщетный; бесполезный

idol ['aɪdl] 1) идол 2) кумир

i.e. ['aɪ'i:] (id est) то есть, а именно

if [ɪf] если; if only если бы; хотя бы; I don't know if he is here я не знаю, здесь ли он

ignorance ['ɪgnərəns] 1) невежество 2) незнание

ignorant ['ɪgnərənt] 1) невежественный 2) неосведомлённый, несведущий

ignore [ɪg'nɔ:] игнорировать; пренебрегать

ill [ɪl] больной; be ~ быть больным; fall ~ заболеть

ill-bred ['ɪl'bred] невоспитанный

illegal [ɪ'li:gəl] незаконный, нелегальный

illiterate [ɪ'lɪtərɪt] неграмотный

illness ['ɪlnɪs] болезнь

illuminate [ɪ'lju:mɪneɪt] освещать

illustrate ['ɪləstreɪt] иллюстрировать

I'm [aɪm] *разг.* = I am

image ['ɪmɪdʒ] образ; изображение

imagination [ɪmædʒɪ'neɪʃn] воображение

imagine [ɪ'mædʒɪn] воображать, представлять себе

imitate ['ɪmɪteɪt] подражать

imitation [ɪmɪ'teɪʃn] 1) подражание 2) имитация

immediately [ɪ'mi:djətlɪ] немедленно

immense [ɪ'mens] огромный, необъятный

immigrant ['ɪmɪgrənt] иммигрант

imminent ['ɪmɪnənt] неминуемый; грозящий

immoral [ɪ'mɔrəl] безнравственный

immortal [ɪ'mɔ:tl] бессмертный

immunity [ɪ'mju:nɪtɪ] неприкосновенность

impartial [ɪm'pɑ:ʃəl] беспристрастный

impatience [ɪm'peɪʃəns] нетерпение

impatient [ɪm'peɪʃənt] нетерпеливый; be ~ to + *inf.* гореть желанием

impediment [ɪm'pedɪmənt] препятствие

impel [ɪm'pel] побуждать

impenetrable [ɪm'penɪtrəbl] непроницаемый

imperative [ɪm'perətɪv] 1. *a* 1) повелительный 2) насущный (*о потребностях*) 2. *n грам.* повелительное наклонение

imperfect [ɪm'pə:fɪkt] несовершённый

imperialism [ɪm'pɪərɪəlɪzm] империализм

imperialistic [ɪmpɪərɪə'lɪstɪk] империалистический

impersonal [ɪm'pə:snəl] безличный (*тж. грам.*)

impertinence [ɪm'pə:tɪnəns] дерзость

imperturbable [ɪmpə:'tə:bəbl] невозмутимый, спокойный

implement ['ɪmplɪmənt] 1. *n* орудие, инструмент 2. *v* выполнять, осуществлять

implore [ɪm'plɔ:] умолять

imply [ɪm'plaɪ] подразумевать; намекать

import 1. *v* [ım'pɔ:t] ввози́ть **2.** *n* ['ımpɔ:t] и́мпорт; ввоз

importance [ım'pɔ:təns] ва́жность, значи́тельность

important [ım'pɔ:tənt] ва́жный, значи́тельный

importunity [ımpɔ:'tjunıtı] назо́йливость

impose [ım'pəuz] 1) налага́ть; облага́ть (*нало́гом, штра́фом*) 2) навя́зывать; ~ (**up**)**on** злоупотребля́ть (*гостеприи́мством, дове́рием*)

impossible [ım'pɔsəbl] невозмо́жный; **it is** ~ невозмо́жно

impostor [ım'pɔstə] самозва́нец

impoverish [ım'pɔvərıʃ] 1) доводи́ть до нищеты́ 2) истоща́ть

impress [ım'pres] 1) производи́ть впечатле́ние 2) внуша́ть

impression [ım'preʃn] 1) впечатле́ние 2) отпеча́ток

imprison [ım'prızn] заключа́ть в тюрьму́

improbable [ım'prɔbəbl] неправдоподо́бный; **it is** ~ маловероя́тно, вря́д ли

improper [ım'prɔpə] неподходя́щий; неприли́чный

improve [ım'pru:v] улучша́ть(ся), соверше́нствовать(ся); ~**ment** [-mənt] улучше́ние, усоверше́нствование

impulse ['ımpʌls] побужде́ние; порыв

impunity [ım'pju:nıtı]: **with** ~ безнака́занно

in [ın] **1.** *prep* в, во **2.** *adv* внутри́; внутрь; **is he in?** он до́ма?

inability [ınə'bılıtı] неспосо́бность

inaccessible [ınæk'sesəbl] недосту́пный

inadequate [ın'ædıkwıt] не отвеча́ющий тре́бованиям; недоста́точный

inapt [ın'æpt] неуме́стный

inattentive [ınə'tentıv] невнима́тельный

inaudible [ın'ɔ:dəbl] несл́ышный

inauguration [ınɔ:gju'reıʃn] 1) торже́ственное откры́тие 2) торже́ственное вступле́ние в до́лжность

inborn [ın'bɔ:n] прирождённый

inbred [ın'bred] врождённый

incapable [ın'keıpəbl] (**of**) неспосо́бный (к)

incentive [ın'sentıv] сти́мул, побужде́ние

incessant [ın'sesnt] непреры́вный, бесконе́чный

inch [ınʃ] дюйм

incident ['ınsıdənt] слу́чай, происше́ствие; ~**ally** [ınsı'dentəlı] ме́жду про́чим

incite [ın'saıt] возбужда́ть; подстрека́ть

inclination [ınklı'neıʃn] скло́нность

inclined [ın'klaınd] накло́нный; ~ **to** скло́нный

include [ɪn'klu:d] заключа́ть, содержа́ть, включа́ть

including [ɪn'klu:dɪŋ] включа́я, в том числе́

inclusive [ɪn'klu:sɪv] включа́ющий в себя́, содержа́щий

incoherent [ɪŋkəu'hɪərənt] бессвя́зный

income ['ɪnkəm] дохо́д; ~ tax подохо́дный нало́г

incompatible [ɪŋkəm'pætəbl] несовмести́мый

incomprehensible [ɪnkəmprɪ'hensəbl] непоня́тный, непостижи́мый

inconsiderate [ɪnkən'sɪdərɪt] невнима́тельный (к други́м), нечу́ткий

inconsistent [ɪnkən'sɪstənt] непосле́довательный

inconvenient [ɪnkən'vi:njənt] неудо́бный

incorrect [ɪnkə'rekt] неве́рный, непра́вильный

increase 1. v [ɪn'kri:s] увели́чивать(ся); уси́ливать(ся) 2. n ['ɪnkri:s] возраста́ние; увеличе́ние; приро́ст

incredible [ɪn'kredəbl] невероя́тный

incumbent [ɪn'kʌmbənt]: it is ~ upon me мне прихо́дится, я обя́зан

incur [ɪn'kə:] подверга́ться чему́-л., навле́чь на себя́

incurable [ɪn'kjuərəbl] неизлечи́мый

indebted [ɪn'detɪd]: be ~ быть обя́занным, быть в долгу́

indecent [ɪn'di:snt] неприли́чный

indeed [ɪn'di:d] в са́мом де́ле, действи́тельно

indefinite [ɪn'defɪnɪt] 1) неопределённый 2) неограни́ченный

independence [ɪndɪ'pendəns] незави́симость

independent [ɪndɪ'pendənt] незави́симый

index ['ɪndeks] 1) указа́тель; и́ндекс 2) показа́тель

Indian ['ɪndjən] 1. a 1) инди́йский 2) инде́йский ◇ ~ summer «ба́бье ле́то» 2. n 1) инди́ец 2) инде́ец

indicate ['ɪndɪkeɪt] 1) ука́зывать; пока́зывать 2) тре́бовать (лечения)

indicative [ɪn'dɪkətɪv] грам. изъяви́тельное наклоне́ние

indicator ['ɪndɪkeɪtə] указа́тель, индика́тор

indifference [ɪn'dɪfrəns] равноду́шие, безразли́чие

indifferent [ɪn'dɪfrənt] равноду́шный, безразли́чный

indignant [ɪn'dɪgnənt] негоду́ющий, возмущённый

indignation [ɪndɪg'neɪʃn] негодова́ние, возмуще́ние

indirect [ɪndɪ'rekt] 1) ко́свенный 2) непрямо́й 3) укло́нчивый

indiscreet [ɪndɪs'kri:t] 1) неосторо́жный 2) нескро́мный; ~ question нескро́мный вопро́с

indispensable [ɪndɪs

'pensəbl] необходи́мый; обяза́тельный; nobody is ~! незамени́мых люде́й нет!

individual [ɪndɪ'vɪdjuəl] **1.** *a* 1) ли́чный; индивидуа́льный 2) отде́льный **2.** *n* 1) индиви́дуум 2) челове́к

indivisible [ɪndɪ'vɪzəbl] недели́мый

indoors [ɪn'dɔ:z] до́ма, в помеще́нии

induce [ɪn'dju:s] 1) убежда́ть 2) побужда́ть

indulge [ɪn'dʌldʒ] 1) потво́рствовать, балова́ть 2) (in) предава́ться (удово́льствиям)

industrial [ɪn'dʌstrɪəl] промы́шленный; произво́дственный

industrious [ɪn'dʌstrɪəs] трудолюби́вый, приле́жный

industry ['ɪndəstrɪ] 1) промы́шленность 2) прилежа́ние

inedible [ɪn'edɪbl] несъедо́бный

inefficient [ɪnɪ'fɪʃənt] 1) неспосо́бный; неуме́лый 2) неэффекти́вный

inept [ɪ'nept] 1) неуме́лый 2) неуме́стный

inertia [ɪ'nə:ʃɪə] 1) ине́рция 2) ине́ртность

inevitable [ɪn'evɪtəbl] неизбе́жный

inexorable [ɪn'eksərəbl] неумоли́мый

inexplicable [ɪn'eksplɪkəbl] необъясни́мый

infant ['ɪnfənt] младе́нец

infantry ['ɪnfəntrɪ] пехо́та

infect [ɪn'fekt] заража́ть; ~ious [ɪn'fekʃəs] зара́зный

infer [ɪn'fə:] заключа́ть, де́лать вы́вод

inferior [ɪn'fɪərɪə] 1) ни́зший (*по чину, положению*) 2) плохо́й; ху́дший (*по качеству*)

infinite ['ɪnfɪnɪt] безграни́чный, бесконе́чный

infinitive [ɪn'fɪnɪtɪv] *грам.* неопределённая фо́рма глаго́ла

inflammation [ɪnflə'meɪʃn] воспале́ние

inflate [ɪn'fleɪt] надува́ть, наполня́ть га́зом

inflict [ɪn'flɪkt] 1) наноси́ть (*удар*) 2) налага́ть (*взыскание*) 3) причиня́ть (*боль, горе и т. п.*)

influence ['ɪnfluəns] **1.** *n* влия́ние **2.** *v* влия́ть

inform [ɪn'fɔ:m] 1) сообща́ть; уведомля́ть 2) доноси́ть (*на кого-л.*)

informal [ɪn'fɔ:məl] неофициа́льный

information [ɪnfə'meɪʃn] сообще́ние; сведе́ния

ingenious [ɪn'dʒi:njəs] изобрета́тельный; остроу́мный 2) нахо́дчивый

ingenuous [ɪn'dʒenjuəs] 1) бесхи́тростный, простоду́шный 2) и́скренний

ingratitude [ɪn'grætɪtju:d] неблагода́рность

ingredient [ɪn'gri:djənt] составна́я часть

inhabit [ɪn'hæbɪt] жить, обитáть; ~ant [-ənt] жи́тель

inhale [ɪn'heɪl] вдыхáть

inherent [ɪn'hɪərənt] 1) свóйственный 2) врождённый

inherit [ɪn'herɪt] (у)наслéдовать; ~ance [-əns] наслéдство

inhuman [ɪn'hju:mən] бесчеловéчный

initial [ɪ'nɪʃəl] 1. *a* (перво)начáльный 2. *n pl* инициáлы

initiative [ɪ'nɪʃɪətɪv] почи́н, инициати́ва

injection [ɪn'dʒekʃn] инъéкция, впры́скивание

injure ['ɪndʒə] 1) повреди́ть; рáнить 2) оскорби́ть

injury ['ɪndʒərɪ] 1) поврежде́ние; вред 2) оскорблéние; оби́да

injustice [ɪn'dʒʌstɪs] несправедли́вость

ink [ɪŋk] черни́ла; ~stand ['ɪŋkstænd] черни́льница; пи́сьменный прибóр

inland 1. *a* ['ɪnlənd] внýтренний 2. *adv* [ɪn'lænd] внутрь; внутри́ страны́

inn [ɪn] гости́ница, постóялый двор

inner ['ɪnə] 1) внýтренний 2) скры́тый; ~ meaning скры́тый смысл

innocence ['ɪnəsns] 1) неви́нность 2) *юр.* невинóвность

innocent ['ɪnəsnt] 1) неви́нный 2) *юр.* невинóвный

innovation [ɪnəu'veɪʃn] нóвшество

innumerable [ɪ'nju:mərəbl] бесчи́сленный

inoculation [ɪnɔkju'leɪʃn] приви́вка

inoffensive [ɪnə'fensɪv] безоби́дный, безврéдный

input ['ɪnput] 1. *n* 1) ввод 2) загрýзка 2. *v* вводи́ть дáнные

inquest ['ɪnkwest] *юр.* слéдствие

inquire [ɪn'kwaɪə] 1) спрáшивать; справля́ться, освéдомля́ться 2) (into) исслéдовать, разузнавáть

inquiries [ɪn'kwaɪərɪz] *pl* спрáвочное бюрó

inquiry [ɪn'kwaɪərɪ] 1) запрóс 2) расслéдование; ~ agent чáстный детекти́в

inquisitive [ɪn'kwɪzɪtɪv] любопы́тный

insane [ɪn'seɪn] душевнобольнóй, ненормáльный

inscription [ɪn'skrɪpʃn] нáдпись

insect ['ɪnsekt] насекóмое

insecure [ɪnsɪ'kjuə] ненадёжный, небезопáсный

inseparable [ɪn'sepərəbl] неотдели́мый; неразлýчный

insert [ɪn'sə:t] 1) вставля́ть 2) помещáть (*в газете*)

inside [ɪn'saɪd] 1. *n* внýтренняя сторонá; внýтренность; изнáнка; ~ out наизнáнку 2. *a* внýтренний ◇ ~ information секрéтные свéдения 3. *adv* внутри́, внутрь

insignificant [ɪnsɪg'nɪfɪkənt] незначи́тельный; ничто́жный

insincere [ɪnsɪn'sɪə] нейскренний

insipid [ɪn'sɪpɪd] безвку́сный; бесце́нный

insist [ɪn'sɪst] наста́ивать

insolent ['ɪnsələnt] на́глый, де́рзкий; оскорби́тельный

inspect [ɪn'spekt] 1) осма́тривать 2) инспекти́ровать; ~ion [ɪn'spekʃn] 1) осмо́тр 2) инспе́кция; ~or [-ə] контролёр; инспе́ктор

inspiration [ɪnspə'reɪʃn] вдохнове́ние

inspire [ɪn'spaɪə] 1) вдохновля́ть 2) внуша́ть 3) инспири́ровать

install [ɪn'stɔ:l] 1) водворя́ть; устра́ивать 2) устана́вливать

instalment [ɪn'stɔ:lmənt] 1) очередно́й взнос; by ~s в рассро́чку 2) вы́пуск, се́рия (*об издании*)

instance ['ɪnstəns] приме́р; for ~ напри́мер

instant ['ɪnstənt] мгнове́ние; this ~ сейча́с же; ~ly [-lɪ] неме́дленно, сейча́с же

instead [ɪn'sted] вме́сто; взаме́н; ~ of вме́сто того́, чтобы

instinct ['ɪnstɪŋkt] инсти́нкт

institute ['ɪnstɪtju:t] институ́т, учрежде́ние

institution [ɪnstɪ'tju:ʃn] 1) учрежде́ние 2) установле́ние

instruct [ɪn'strʌkt] учи́ть, инструкти́ровать; ~ion [ɪn'strʌkʃn] инстру́кция; ~or [-ə] инстру́ктор

instrument ['ɪnstrumənt] инструме́нт, ору́дие; прибо́р

insubstantial [ɪnsəb'stænʃəl] 1) иллюзо́рный 2) непро́чный

insult 1. *n* ['ɪnsʌlt] оскорбле́ние 2. *v* [ɪn'sʌlt] оскорбля́ть

insurance [ɪn'ʃuərəns] страхова́ние

insure [ɪn'ʃuə] страхова́ть

insurrection [ɪnsə'rekʃn] восста́ние

integral ['ɪntɪgrəl] 1. *a* суще́ственный; це́лый 2. *n* интегра́л

intellect ['ɪntɪlekt] ум, интелле́кт; ~ual [ɪntɪ'lektjuəl] интеллектуа́льный; у́мственный

intelligence [ɪn'telɪdʒəns] 1) ум; поня́тливость 2) све́дение ◇ ~ service разве́дывательная слу́жба, разве́дка

intelligent [ɪn'telɪdʒənt] 1) развито́й, у́мный 2) толко́вый, смышлёный

intend [ɪn'tend] намерева́ться; ~ed [-ɪd] предназна́ченный, предполага́емый

intense [ɪn'tens] 1) си́льный 2) кра́йне напряжённый; интенси́вный

intensify [ɪn'tensɪfaɪ] уси́ливать(ся)

intention [ɪn'tenʃn] наме́-рение; у́мысел; ~al [-əl] умы́шленный

interact [ɪntər'ækt] 1) взаимоде́йствовать 2) возде́йствовать

intercept [ɪntə:'sept] перехва́тывать

interchange 1. v [ɪntə'tʃeɪndʒ] 1) обме́нивать(ся) 2) чередова́ться **2.** n ['ɪntətʃeɪndʒ] 1) обме́н 2) сме́на; чередова́ние

intercity [ɪntə'sɪtɪ] междугоро́дный

interest ['ɪntrəst] **1.** n 1) интере́с 2) вы́года **2.** v интересова́ть; заинтересо́вывать; ~ing [-ɪŋ] интере́сный

interface ['ɪntəfeɪs] 1) пересече́ние 2) интерфе́йс

interfere [ɪntə'fɪə] 1) вме́шиваться 2) помеша́ть; ~nce [ɪntə'fɪərəns] 1) вмеша́тельство 2) поме́ха, препя́тствие

interior [ɪn'tɪərɪə] **1.** a вну́тренний **2.** n 1) вну́тренность 2) вну́тренние райо́ны страны́; глуби́нка (разг.) ◇ Department of the Interior министе́рство вну́тренних дел

interjection [ɪntə'dʒekʃn] 1) восклица́ние 2) грам. междоме́тие

intermediary [ɪntə'mi:djərɪ] **1.** n посре́дник **2.** a промежу́точный

internal [ɪn'tə:nəl] вну́тренний

international [ɪntə'næʃnəl] междунаро́дный; интернаци-

она́льный; ~ism [-ɪzm] интернационали́зм

interpret [ɪn'tə:prɪt] 1) переводи́ть (устно) объясня́ть, толкова́ть; ~ation [ɪntə:prɪ'teɪʃn] толкова́ние; интерпрета́ция; ~er [-ə] перево́дчик (устный)

interrogate [ɪn'terəgeɪt] 1) спра́шивать 2) допра́шивать

interrupt [ɪntə'rʌpt] прерыва́ть

interval ['ɪntəvəl] 1) промежу́ток; интерва́л 2) па́уза; переры́в; переме́на; антра́кт

intervene [ɪntə'vi:n] вме́шиваться

intervention [ɪntə'venʃn] 1) интерве́нция 2) вмеша́тельство

interview ['ɪntəvju:] **1.** n 1) свида́ние; бесе́да 2) интервью́ **2.** v име́ть бесе́ду, интервью́и́ровать (кого-л.)

intimacy ['ɪntɪməsɪ] инти́мность; бли́зость

intimate ['ɪntɪmɪt] инти́мный; бли́зкий; ~ knowledge бли́зкое знако́мство

into ['ɪntu] в, во

intolerable [ɪn'tɔlərəbl] невыноси́мый, нестерпи́мый

intolerant [ɪn'tɔlərənt] нетерпи́мый

intonation [ɪntə'neɪʃn] интона́ция

intoxicate [ɪn'tɔksɪkeɪt] опьяня́ть; возбужда́ть

intransitive [ɪn'trænsɪtɪv] грам. перехо́дный (о глаго́ле)

intrepid [ɪn'trepɪd] бесстра́шный

intricate ['ɪntrɪkɪt] запу́танный

intrigue [ɪn'tri:g] интри́га

introduce [ɪntrə'dju:s] 1) вноси́ть на обсужде́ние (*вопрос и т. п.*) 2) вводи́ть 3) представля́ть, знако́мить

introduction [ɪntrə'dʌkʃn] 1) предисло́вие 2) введе́ние чего́-л

intrude [ɪn'tru:d] 1) вторга́ться, вме́шиваться 2) навя́зываться

invade [ɪn'veɪd] 1) вторга́ться 2) нахлы́нуть

invader [ɪn'veɪdə] захва́тчик; оккупа́нт

invalid I ['ɪnvəli:d] больно́й, инвали́д

invalid II [ɪn'vælɪd] *юр.* недействи́тельный

invaluable [ɪn'væljuəbl] неоцени́мый

invasion [ɪn'veɪʒn] вторже́ние, наше́ствие

invent [ɪn'vent] 1) изобрета́ть 2) выду́мывать; ~ion [ɪn'venʃn] 1) изобрете́ние 2) вы́думка; ~or [-ə] изобрета́тель

inventory ['ɪnvəntrɪ] о́пись

invest [ɪn'vest] вкла́дывать, помеща́ть (*капитал*)

investigate [ɪn'vestɪgeɪt] 1) иссле́довать 2) рассле́довать

investment [ɪn'vestmənt] (капитало)вложе́ние

inveterate [ɪn'vetərɪt] зако-

рене́лый; an ~ smoker зая́длый кури́льщик; an ~ foe закля́тый враг

invisible [ɪn'vɪzəbl] неви́димый

invitation [ɪnvɪ'teɪʃn] приглаше́ние

invite [ɪn'vaɪt] приглаша́ть

involuntary [ɪn'vɔləntərɪ] нево́льный

involve [ɪn'vɔlv] вовлека́ть; запу́тывать

inward ['ɪnwəd] вну́тренний; ~ly [-lɪ] 1) внутри́, внутрь 2) в душе́, про себя́

iris ['aɪərɪs] 1) ра́дужная оболо́чка (*гла́за*) 2) *бот.* и́рис

Irish ['aɪərɪʃ] **1.** *a* ирла́ндский **2.** *n*: the ~ ирла́ндцы; ~man [-mən] ирла́ндец

iron ['aɪən] **1.** *n* 1) желе́зо 2) утю́г **2.** *a* желе́зный **3.** *v* гла́дить, утю́жить; ~clad [-klæd] брониро́ванный

ironical [aɪ'rɔnɪkəl] ирони́ческий

irregular [ɪ'regjulə] 1) непра́вильный 2) беспоря́дочный 3) неро́вный 4) несимметри́чный

irrelevant [ɪ'relɪvənt] неуме́стный, нену́жный; that's ~ э́то к де́лу не отно́сится

irresistible [ɪrɪ'zɪstəbl] неотрази́мый, непреодоли́мый

irresolute [ɪ'rezəlu:t] нереши́тельный

irresponsible [ɪrɪs'pɔnsəbl] безотве́тственный

irrigation [ırı'geıʃn] орошёние

irritate ['ırıteıt] раздражáть

is [ız] *3 л. ед. ч. наст. вр. гл.* be

island ['aılənd] óстров

isle [aıl] óстров

isn't ['ıznt] *разг.* = is not

isolate ['aısəleıt] изолúровать, отделя́ть

isolation [aısə'leıʃn] изоля́ция; in ~ отдéльно, изолúрованно; ~ hospital инфекцио́нная больнúца; ~ ward изоля́тор

issue ['ısju:] 1. *n* 1) вы́ход 2) исхóд 3) издáние, вы́пуск 2. *v* 1) выходúть 2) издавáть

isthmus ['ısməs] перешéек

it [ıt] 1) он, онá, онó 2) э́то

Italian [ı'tæljən] 1. *a* итальáнский 2. *n* итальáнец

italics [ı'tælıks] *pl* курсúв

itch [ıtʃ] зуд

item ['aıtem] 1) пункт, парáграф; статья́; предмéт (*в списке*) 2) нóмер програ́ммы

its [ıts] егó, её; свой

it's [ıts] *разг.* = it is

itself [ıt'self] 1) себя́; -ся 2) сам, сама́, самá

I've [aıv] *разг.* = I have

ivory ['aıvərı] слонóвая кость

ivy ['aıvı] плющ

J

jack [dʒæk] домкрáт

jackal ['dʒækɔ:l] шакáл

jackdaw ['dʒækdɔ:] гáлка

jacket ['dʒækıt] 1) жакéт, кýртка; пиджáк 2) суперобло́жка

jag [dʒæg] зубéц

jail [dʒeıl] тюрьмá; ~er ['dʒeılə] тюрéмщик

jam I [dʒæm] 1. *n* прóбка, затóр (*уличного движения*) 2. *v* 1) зажимáть, сжимáть 2) *радио* заглушáть

jam II [dʒæm] повúдло, джем, варéнье

janitor ['dʒænıtə] 1) швейцáр 2) стóрож; дворник

January ['dʒænjuərı] янвáрь

Japanese [dʒæpə'ni:z] 1. *a* япóнский 2. *n* япóнец

jar [dʒɑ:] бáнка

jaw [dʒɔ:] чéлюсть

jazz [dʒæz] джаз ◇ and all that ~ и всё такóе; ~y ['dʒæzı] 1) джáзовый 2) пёстрый, кричáщий

jealous ['dʒeləs] ревнúвый; ~y [-ı] рéвность

jeans [dʒi:nz] джúнсы

jeer [dʒıə] высмéивать; насмехáться

jelly ['dʒelı] 1) желé 2) стýдень; ~fish [-fıʃ] медýза

jeopardize ['dʒepədaız] подвергáть опáсности, рискóвать

jerk [dʒəːk] **1.** *n* 1) рéзкий толчóк 2) подёргивание **2.** *v* рéзко толкáть, дёргать

jest [dʒest] **1.** *n* шýтка; half in ~ полушутлúво **2.** *v* шутúть; высмéивать

jet [dʒet] 1) струя́ (*воды, пара, газа*) 2) реактúвный самолёт

Jew [dʒuː] еврéй

jewel ['dʒuːəl] драгоцéнный кáмень; ~ler [-ə] ювелúр; ~lery [-rɪ] драгоцéнности

Jewish ['dʒuːɪʃ] еврéйский

job [dʒɔb] рабóта, слýжба

jogging ['dʒɔgɪŋ] бег трусцóй

join [dʒɔɪn] 1) свя́зывать(ся); соединя́ть(ся) 2) присоединя́ть(ся) 3) вступáть, поступáть

joiner ['dʒɔɪnə] плóтник; столя́р

joint [dʒɔɪnt] **1.** *a* соединённый; совмéстный **2.** *n* сустáв

joke [dʒəuk] **1.** *n* шýтка **2.** *v* шутúть

jolly ['dʒɔlɪ] 1) весёлый 2) *разг.* слáвный

journal ['dʒəːnəl] журнáл; ~ist [-ɪst] журналúст

journey ['dʒəːnɪ] путешéствие, поéздка

joy [dʒɔɪ] рáдость; ~ful ['dʒɔɪful], ~ous ['dʒɔɪəs] рáдостный, весёлый

jubilee ['dʒuːbɪliː] юбилéй

judge [dʒʌdʒ] **1.** *n* 1) судья́ 2) знатóк **2.** *v* судúть;

~ment ['dʒʌdʒmənt] 1) приговóр 2) суждéние

jug [dʒʌg] кувшúн

juice [dʒuːs] сок

juicy ['dʒuːsɪ] сóчный

July [dʒuːˈlaɪ] июль

jump [dʒʌmp] **1.** *v* пры́гать **2.** *n* прыжóк

jumper ['dʒʌmpə] джéмпер

junction ['dʒʌŋkʃn] 1) соединéние 2) *ж.-д.* ýзел

June [dʒuːn] июнь

jungle ['dʒʌŋgl] джýнгли

junior ['dʒuːnjə] млáдший

jury ['dʒuərɪ] 1) прися́жные 2) жюрú

just I [dʒʌst] справедлúвый

just II [dʒʌst] 1) тóчно, как рáз 2) тóлько что; ~ now сейчáс; тóлько что

justice ['dʒʌstɪs] 1) справедлúвость; do ~ воздавáть дóлжное (*человеку*) 2) правосýдие

justify ['dʒʌstɪfaɪ] опрáвдывать

juvenile ['dʒuːvɪnaɪl] ю́ный, ю́ношеский

K

keel [kiːl] киль

keen [kiːn] 1) óстрый 2) пронúзывающий 3) сúльный, рéзкий 4) проницáтельный (*об уме, взгляде*) 5) тóнкий (*о слýхе*)

keep [ki:p] (kept; kept) 1) хранить 2) держать 3) соблюдать; ~er ['ki:pə] хранитель; смотритель

kennel ['kenl] (собачья) конура; pl собачий питомник

kept [kept] past и p. p. om keep

kerb [kə:b] обочина

kernel ['kə:nəl] ядро, зерно

kettle ['ketl] (металлический) чайник

key [ki:] 1) ключ 2) клавиша; ~hole ['ki:həul] замочная скважина

keyboard ['ki:bɔ:d] клавиатура (компьютера)

kick [kik] 1. v лягать, толкать (ногой); брыкаться 2. n пинок

kid I [kid] 1) козлёнок 2) разг. малыш; ~-glove ['kid glʌv] деликатный

kid II [kid] v подшучивать; обманывать; no ~ding? ты серьёзно?

kidnap ['kidnæp] похищать (человека)

kidney ['kidni] анат. почка

kill [kil] 1) убивать 2) резать (скот)

kind I [kaind] добрый; любезный; you are very ~ очень любезно с вашей стороны

kind II [kaind] 1) род 2) сорт

kindly ['kaindli] 1. a добрый; добродушный 2. adv ласково; любезно

kindness ['kaindnis] доброта

king [kiŋ] король; ~dom ['kiŋdəm] королевство, царство

kiss [kis] 1. n поцелуй 2. v целовать

kitchen ['kitʃin] кухня; ~-garden огород

kitten ['kitn] котёнок

knapsack ['næpsæk] 1) рюкзак 2) ранец

knave [neiv] карт. валёт

knee [ni:] колено

kneel [ni:l] (knelt; knelt) 1) становиться на колени 2) (to) стоять на коленях (перед кем-л.)

knelt [nelt] past и p. p. om kneel

knew [nju:] past om know

knife [naif] нож

knight [nait] 1) рыцарь 2) шахм. конь

knit [nit] 1) вязать; ~ting ['nitiŋ] вязанье 2): ~ one's brows хмурить брови

knitwear ['nitwɛə] трикотаж

knock [nɔk] 1. n стук 2. v стучать; ~ down сбивать с ног

knot [nɔt] 1. n узел 2. v завязывать узел

know [nəu] (knew; known) 1) знать; быть знакомым 2) узнавать

knowledge ['nɔlidʒ] знание

known [nəʊn] 1. *p. p. om* know 2. *a* известный

Korean [kəˈrɪən] 1. *a* корейский 2. *n* кореец

L

label ['leɪbl] 1. *n* ярлык; этикетка, наклейка 2. *v* наклеивать ярлык

laboratory [ləˈbɒrətərɪ] лаборатория

labour ['leɪbə] 1. *n* 1) труд; работа 2) рабочий класс ◇ Labour Party лейбористская партия 2. *v* трудиться, работать

lace [leɪs] 1) кружево 2) шнурок

lack [læk] 1. *n* отсутствие, недостаток 2. *v* недоставать

lad [læd] парень

ladder ['lædə] лестница (*приставная*)

lady ['leɪdɪ] дама

ladybird ['leɪdɪbɜːd] божья коровка

lag [læg]: ~ behind отставать

laid [leɪd] *past и p. p. om* lay II

lain [leɪn] *p. p. om* lie II

lake [leɪk] озеро

lamb [læm] ягнёнок; *перен.* агнец, овечка

lame [leɪm] 1) хромой 2) неубедительный; ~ excuse слабое оправдание

lamp [læmp] лампа; ~shade ['læmpʃeɪd] абажур

land [lænd] 1. *n* 1) земля, суша 2) страна 2. *v* 1) высаживаться на берег 2) приземляться; ~lady ['lænleɪdɪ] хозяйка (*дома, гостиницы*); ~lord ['lænlɔːd] 1) хозяин (*дома, гостиницы*) 2) владелец; ~owner ['lændəʊnə] землевладелец

landscape ['lændskeɪp] пейзаж

lane [leɪn] 1) просёлочная дорога 2) переулок

language ['læŋgwɪdʒ] язык (*речь*); bad ~ брань

lap I [læp] колени; *перен.* лоно; in the ~ of luxury в роскоши

lap II [læp] лакать

lard [lɑːd] топлёное свиное сало

large [lɑːdʒ] большой; крупный; at ~ а) в целом б) пространно в) на свободе

lark [lɑːk] жаворонок

laser ['leɪzə] лазер

lash [læʃ] 1. *v* хлестать; ударять 2. *n* плеть

lass [læs] девушка

last I [lɑːst] 1. *a* 1) последний 2) прошлый 2. *n*: at ~ наконец; to the ~ до конца

last II [lɑːst] 1) длиться 2) сохраняться; хватать; that'll ~ me for a week мне хватит этого на неделю

latch [lætʃ] задвижка, щеколда; ~key ['lætʃkiː] ключ от квартиры

late [leɪt] **1.** *a* 1) по́здний; запозда́вший; be ~ опозда́ть 2) неда́вний, после́дний **2.** *n:* the ~ поко́йный, уме́рший ◇ of ~ неда́вно; за после́днее вре́мя **3.** *adv* по́здно; ~ly ['leɪtlɪ] за после́днее вре́мя

later ['leɪtə] **1.** *a* бо́лее по́здний **2.** *adv* по́зже, пото́м

latitude ['lætɪtjuːd] *геогр.* широта́

latter ['lætə] 1) после́дний 2) неда́вний

laugh [lɑːf] **1.** *v* смея́ться **2.** *n* смех; ~ter ['lɑːftə] смех; хо́хот

laundry ['lɔːndrɪ] пра́чечная

laurel ['lɔrəl] 1) лавр 2) *pl* ла́вры

lavatory ['lævətərɪ] туале́т, убо́рная

law [lɔː] зако́н; пра́во

lawn I [lɔːn] газо́н

lawn II [lɔːn] бати́ст

lawyer ['lɔːjə] адвока́т; юри́ст

lay I [leɪ] *past от* lie II

lay II [leɪ] (laid; laid) класть; положи́ть

laziness ['leɪzɪnɪs] лень

lazy ['leɪzɪ] лени́вый

lead I [liːd] (led; led) 1) вести́ 2) руководи́ть

lead II [led] 1) свине́ц 2) гри́фель

leader ['liːdə] 1) вождь; руководи́тель 2) передова́я (статья́); ~ship [-ʃɪp] руково́дство

leaf [liːf] 1) лист 2) страни́ца

league [liːg] ли́га, сою́з

leak [liːk] **1.** *n* течь **2.** *v* протека́ть, проса́чиваться

lean I [liːn] (leaned, leant; leaned, leant) 1) наклоня́ть(ся) 2) прислоня́ть(ся)

lean II [liːn] худоща́вый, то́щий

leant [lent] *past и p. p. от* lean I

leap [liːp] **1.** *v* (leapt, leaped; leapt, leaped) пры́гать **2.** *n* прыжо́к

leapt [lept] *past и p. p. от* leap I

leap year ['liːpjɜː] висо́косный год

learn [lɜːn] (learnt, learned; learnt, learned) 1) учи́ть; учи́ться 2) узнава́ть

learnt [lɜːnt] *past и p. p. от* learn

lease [liːs] **1.** *n* аре́нда **2.** *v* сдава́ть; брать в аре́нду

least [liːst] **1.** *a* наиме́ньший **2.** *adv* наиме́нее **3.** *n* (the) са́мое ме́ньшее ◇ at ~ по кра́йней ме́ре; not in the ~ ничу́ть

leather ['leðə] **1.** *n* ко́жа **2.** *a* ко́жаный

leave I [liːv] (left; left) 1) покида́ть 2) оставля́ть 3) уезжа́ть; ~ out пропуска́ть ◇ ~ smb. alone оста́вить кого́-л. в поко́е

leave II [liːv] 1) разреше́ние 2) о́тпуск 3): take ~ (of) проща́ться (*с кем-л., чем-л.*)

leaves [li:vz] *pl от* leaf

lecture ['lekt∫ə] 1. *n* ле́кция 2. *v* чита́ть ле́кции

led [led] *past и p. p. от* lead I

leech [li:t∫] пия́вка

left I [left] *past и p. p. от* leave I

left II [left] 1. *a* ле́вый 2. *adv* нале́во; сле́ва; **~hander** [-'hændə] левша́

leg [leg] 1) нога́ 2) но́жка (*стола и т. п.*)

legacy ['legəsɪ] насле́дство

legal ['li:gəl] 1) юриди́ческий 2) зако́нный

legend ['ledʒənd] 1) леге́нда 2) на́дпись

legible ['ledʒəbl] разбо́рчивый, чёткий

legislation [ledʒɪs'leɪ∫n] законода́тельство

legitimate [lɪ'dʒɪtɪmɪt] зако́нный

leisure ['leʒə] досу́г; **~ly** [-lɪ] неторопли́вый

lemon ['lemən] лимо́н; **~ade** [lemə'neɪd] лимона́д

lend [lend] (lent; lent) дава́ть взаймы́

length [leŋθ] длина́ ◇ at **~** наконе́ц; at great **~** подро́бно; **~en** ['leŋθən] удлиня́ть(ся)

lens [lenz] ли́нза

lent [lent] *past и p. p. от* lend

leopard ['lepəd] леопа́рд

less [les] 1. *a* ме́ньший 2. *adv* ме́ньше, ме́нее; **~en** ['lesn] уменьша́ть(ся)

lesson ['lesn] уро́к

let [let] (let; let) 1) дава́ть; позволя́ть; пуска́ть 2) *в повели́тельном наклоне́нии как вспомогат. глагол:* **~'s** go пойдёмте 3) сдава́ть вна-ём; **~** in впуска́ть; **~** out выпуска́ть ◇ **~** smb. know сообща́ть (*кому-л.*); **~** alone оставля́ть в поко́е

letter ['letə] 1) бу́ква 2) письмо́ 3) *pl* литерату́ра

lettuce ['letɪs] сала́т (*растение*)

level ['levl] 1. *n* у́ровень 2. *a* ро́вный

levy ['levɪ] сбор (*нало́гов*)

lexical ['leksɪkəl] слова́рный; лекси́ческий

liable ['laɪəbl] (to) 1) подве́рженный 2) обя́занный

liar ['laɪə] лгун

libel ['laɪbəl] 1. *n* клевета́ 2. *v* клевета́ть

liberal ['lɪbərəl] 1. *a* 1) либера́льный 2) ще́дрый 2. *n* либера́л

liberate ['lɪbəreɪt] освобожда́ть

liberty ['lɪbətɪ] свобо́да

librarian [laɪ'breərɪən] библиоте́карь

library ['laɪbrərɪ] библиоте́ка; **lending ~** абонеме́нт (*библиоте́ки*)

lice [laɪs] *pl от* louse

licence ['laɪsəns] разреше́ние; права́; лице́нзия

lichen ['laɪkən, 'lɪt∫ən] мох

lick [lɪk] лиза́ть

lid [lɪd] кры́шка

lie I [laɪ] **1.** *n* ложь **2.** *v* лгать

lie II [laɪ] (lay; lain) лежа́ть; ~ **down** ложи́ться

lieutenant [lef'tenənt] лейтена́нт

life [laɪf] жизнь

life belt ['laɪfbelt] спаса́тельный по́яс

lift [lɪft] **1.** *v* поднима́ть **2.** *n* 1) лифт 2): give a ~ подвезти́ (*кого-л.*)

light I [laɪt] **1.** *n* свет; *pl* огни́ **2.** *a* све́тлый **3.** *v* (lit, lighted; lit, lighted) зажига́ть(ся); освеща́ть(ся)

light II [laɪt] лёгкий (*о весе*)

lighthouse ['laɪthaus] мая́к

lightning ['laɪtnɪŋ] мо́лния

like I [laɪk] **1.** *a* похо́жий, подо́бный **2.** *adv* похо́же; подо́бно; как

like II [laɪk] люби́ть; I ~ мне нра́вится; я люблю́; I should ~ я хоте́л бы

likely ['laɪklɪ] вероя́тно; скоре́е всего́

likeness ['laɪknɪs] схо́дство

lilac ['laɪlək] **1.** *n* сире́нь **2.** *a* сире́невый

lily ['lɪlɪ] ли́лия; ~ **of the valley** ла́ндыш

limb [lɪm] *анат.* коне́чность

lime [laɪm] и́звесть

lime (tree) ['laɪm(tri:)] ли́па

limit ['lɪmɪt] **1.** *n* грани́ца, преде́л **2.** *v* ограни́чивать; ~**ation** [lɪmɪ'teɪʃn] ограниче́ние

limp [lɪmp] хрома́ть

line [laɪn] **1.** *n* 1) ли́ния 2) ряд 3) строка́ 4) о́бласть (*де́ятельности*) **2.** *v*: ~ **up** выстра́ивать в ряд

linen ['lɪnɪn] **1.** *a* льняно́й **2.** *n* 1) (льняно́е) полотно́ 2) бельё

liner ['laɪnə] ла́йнер

linger ['lɪŋgə] ме́длить, заде́рживаться

linguistics [lɪŋ'gwɪstɪks] лингви́стика

lining ['laɪnɪŋ] подкла́дка

link [lɪŋk] **1.** *n* 1) звено́; связь 2) *тех.* шарни́р **2.** *v* соединя́ть, свя́зывать

lion ['laɪən] лев

lip [lɪp] губа́; ~**stick** ['lɪpstɪk] губна́я пома́да

liquid ['lɪkwɪd] **1.** *a* жи́дкий **2.** *n* жи́дкость

liquor ['lɪkə] *амер.* спиртно́й напи́ток

lisp [lɪsp] шепеля́вить

list [lɪst] спи́сок

listen ['lɪsn] слу́шать; ~**er** ['lɪsənə] слу́шатель

listless ['lɪstləs] вя́лый, апати́чный

lit [lɪt] *past и p. p. от* light I, 3

literal ['lɪtərəl] бу́квенный; буква́льный

literary ['lɪtərərɪ] литерату́рный

literate ['lɪtərɪt] гра́мотный

literature ['lɪtərɪtʃə] литература

litmus ['lɪtməs] *хим.* лакмус

litre ['liːtə] литр

litter ['lɪtə] 1) сор, мусор 2) подстилка 3) помёт (*поросят, щенят*)

little ['lɪtl] **1.** *a* маленький **2.** *adv* мало; a ~ немного

little finger [lɪtl'fɪŋgə] мизинец

live [lɪv] жить

liver ['lɪvə] печень

living ['lɪvɪŋ] **1.** *n* средства к существованию **2.** *a* живой; живущий; ~ room гостиная

lizard ['lɪzəd] ящерица

load [ləud] **1.** *n* 1) груз 2) бремя **2.** *v* 1) грузить 2) обременять 3) заряжать

loaf I [ləuf] батон хлеба

loaf II [ləuf] бездельничать, слоняться

loan [ləun] заём

loathe [ləuð] чувствовать отвращение; ненавидеть

lobe [ləub] мочка (уха)

lobby ['lɔbɪ] вестибюль

lobster ['lɔbstə] омар

local ['ləukəl] местный; ~ity [ləu'kælɪtɪ] местность

lock I [lɔk] **1.** *n* 1) замок 2) шлюз **2.** *v* запирать(ся)

lock II [lɔk] локон

locker ['lɔkə] запирающийся шкафчик

locksmith ['lɔksmɪθ] слесарь

locust ['ləukəst] саранча

lodge [lɔdʒ] помещение привратника, садовника *и т. п.*; сторожка у ворот

lodger ['lɔdʒə] жилец

lodgings ['lɔdʒɪŋz] *pl* квартира

loft [lɔft] 1) сеновал 2) чердак

lofty ['lɔftɪ] 1) высокий 2) возвышенный

log [lɔg] колода; бревно; чурбан

log cabin [lɔg'kæbɪn] бревенчатая хижина

logic ['lɔdʒɪk] логика

loiter ['lɔɪtə] слоняться без дела

lollipop ['lɔlɪpɔp] леденец на палочке

lonely ['ləunlɪ] одинокий; be ~ чувствовать себя одиноким

long I [lɔŋ] **1.** *a* 1) длинный 2) долгий **2.** *adv* долго; ~ ago давно

long II [lɔŋ] 1) стремиться 2) (for) жаждать 3) (to) тосковать, томиться (по)

long-distance call ['lɔŋdɪstəns'kɔːl] междугородный *или* международный разговор

longing ['lɔŋɪŋ] сильное, страстное желание

longitude ['lɔndʒɪtjuːd] *геогр.* долгота

loo [luː] *разг.* туалет

look [luk] **1.** *v* 1) смотреть 2) выглядеть 3) выходить на (*о комнате, окнах*); ~ after заботиться; ~ for искать; ~

on наблюда́ть; ~ out остерега́ться; ~ over просма́тривать; ~ up справля́ться (*по книге*) 2. *n* 1) взгляд 2) вид

looking glass ['lukɪŋglɑ:s] зе́ркало

looks [luks] *pl* вне́шность (*особ. привлекательная*)

loom [lu:m] тка́цкий стано́к

loop [lu:p] пе́тля́; *ав.* мёртвая пе́тля́

loophole ['lu:phəul] лазе́йка, увёртка

loose [lu:s] 1) свобо́дный 2) неприкреплённый; ~n ['lu:sn] 1) развя́зывать, распуска́ть 2) ослабля́ть

loot [lu:t] добы́ча, награ́бленное

lord [lɔ:d] лорд

lorry ['lɔrɪ] грузови́к

lose [lu:z] (lost; lost) 1) теря́ть 2) прои́грывать ◇ be lost заблуди́ться

loss [lɔs] 1) поте́ря 2) убы́ток; про́игрыш ◇ be at a ~ быть в затрудне́нии

lost [lɔst] 1. *past и p. p. om* lose 2. *a* 1) поги́бший; поте́рянный 2) прои́гранный

lot [lɔt] 1) жре́бий 2) уча́сть; до́ля 3) уча́сток земли́ 4) *разг.:* a ~ of мно́жество, ма́сса

lotion ['ləuʃn] лосьо́н, примо́чка

loud [laud] 1. *a* 1) гро́мкий 2) шу́мный 3) крича́щий (*о цвете*) 2. *adv* гро́мко

loudspeaker [laud'spi:kə] громкоговори́тель

lounge [laundʒ] холл, ко́мната для о́тдыха

louse [laus] вошь

lousy ['lauzɪ] отврати́тельный

love [lʌv] 1. *n* любо́вь; in ~ with влюблённый в; make ~ to занима́ться любо́вью 2. *v* люби́ть; ~ly ['lʌvlɪ] преле́стный, краси́вый; ~r ['lʌvə] 1) любо́вник; возлю́бленный 2) люби́тель

low [ləu] 1. *a* 1) ни́зкий 2) ти́хий (*о голосе*) 3): ~ spirits уны́ние 2. *adv* ни́зко

lower ['ləuə] 1. *a* ни́зший; ни́зкий 2. *adv* ни́же 3. *v* понижа́ть(ся)

loyal ['lɔɪəl] ве́рный, пре́данный; ~ty [-tɪ] ве́рность, пре́данность

luck [lʌk] сча́стье, уда́ча; I'm in ~ мне везёт; a stroke of ~ везе́ние; good ~! счастли́во!; ~ily ['lʌkɪlɪ] к сча́стью; ~y ['lʌkɪ] счастли́вый; уда́чный; this is a ~y day for me мне сего́дня везёт

ludicrous ['lu:dɪkrəs] неле́пый, смехотво́рный

luggage ['lʌgɪdʒ] бага́ж

lull [lʌl] 1. *v* 1) убаю́кивать 2) стиха́ть 2. *n* зати́шье

lumber ['lʌmbə] лесоматериа́лы

lump [lʌmp] кусо́к, комо́к

lunatic ['lu:nətɪk] сумасше́дший

lunch [lʌntʃ] 1. *n* обе́д; ~

hours обéденный перерыв 2.
v обéдать

lung [lʌŋ] *анат.* лёгкое

lure [ljuə] **1.** *n* примáнка
2. *v* завлекáть; замáнивать

lustre ['lʌstə] блеск; лоск;
глáнец

lusty ['lʌstɪ] здорóвый,
крéпкий

luxurious [lʌg'zjuərɪəs] рос-
кóшный

luxury ['lʌkʃərɪ] рóскошь,
~ goods предмéты рóскоши

lying ['laɪŋ] *pres. p. om* lie
I, 2 и II

lynx [lɪŋks] рысь

lyric ['lɪrɪk] **1.** *n* лирú-
ское стихотворéние **2.** *a* лирú-
ческий; ~al [-əl] лирúче-
ский

M

macabre [mə'kɑ:brə]
мрáчный, жýткий

machine [mə'ʃi:n] 1) машúна 2) механúзм

machinery [mə'ʃi:nərɪ] 1)
машúны 2) механúзмы

mad [mæd] 1) сумасшéдший, безýмный; be ~ about
быть помéшанным на
(*чём-л.*) 2) бéшеный (*о собаке*)

made [meɪd] *past и p. p.
om* make

made-up ['meɪdʌp] 1) на-
крáшенный 2) придýманный

magazine [mægə'zi:n]
журнáл

magic ['mædʒɪk] волшéб-
ный; ~ian [mə'dʒɪʃn] вол-
шéбник

magnet ['mægnɪt] магнúт;
~ic [mæg'netɪk] магнúтный

magnificent [mæg'nɪfɪsnt]
великолéпный, пышный

magpie ['mægpaɪ] сорóка

maid [meɪd] гóрничная,
служáнка

mail [meɪl] 1. *n* пóчта 2. *v*
посылáть пóчтой

main [meɪn] глáвный; in
the ~ в основнóм

mainland ['meɪnlənd] ма-
терúк

mainly ['meɪnlɪ] глáвным
óбразом

maintain [men'teɪn] 1)
поддéрживать 2) содержáть
3) утверждáть 4) продол-
жáть

majesty ['mædʒɪstɪ] 1) ве-
лúчественность 2) велúчест-
во (*титул*)

major ['meɪdʒə] 1. *a* 1)
глáвный 2) *муз.* мажóрный
2. *n* майóр; ~ity [mə'dʒɔrɪtɪ]
1) большинствó 2) совер-
шеннолéтие

make [meɪk] (made; made)
1) дéлать; производúть; совершáть 2) заставлáть; ~ out
a) различáть; б) понáть; ~
up a) выдýмывать; б) гри-
мировáть ◇ ~ up one's mind
решúться

make-up ['meɪkʌp] космé-
тика; грим

male [meɪl] 1. *a* мужско́й 2. *n* саме́ц

malicious [məˈlɪʃəs] зло́бный

malignant [məˈlɪgnənt] 1) зло́бный, зло́стный 2) злока́чественный

mammal [ˈmæml] млекопита́ющее

man [mæn] 1) челове́к 2) мужчи́на

manage [ˈmænɪdʒ] 1) руководи́ть; управля́ть; заве́довать 2) ухитри́ться, суме́ть; ~ment [-mənt] управле́ние; ~r [-ə] заве́дующий; управля́ющий, дире́ктор

mane [meɪn] гри́ва

mania [ˈmeɪnjə] ма́ния

manifest [ˈmænɪfest] 1. *a* я́вный 2. *v* проявля́ть(ся)

mankind [mænˈkaɪnd] челове́чество; род челове́ческий

manner [ˈmænə] 1) спо́соб; стиль; мане́ра; in this ~ таки́м о́бразом 2) *pl* мане́ры; поведе́ние

mansion [ˈmænʃn] особня́к

manual [ˈmænjuəl] 1. *n* руково́дство, спра́вочник 2. *a* ручно́й; ~ labour физи́ческий труд

manufacture [mænjuˈfæktʃə] произво́дство, изготовле́ние

manure [məˈnjuə] удобре́ние

manuscript [ˈmænjuskrɪpt] ру́копись

many [ˈmenɪ] 1. *a* мно́гие;

мно́го; how ~? ско́лько?; as ~ as сто́лько же ско́лько 2. *n*: a great ~ мно́жество

map [mæp] 1) ка́рта (*географи́ческая*) 2) план

maple [ˈmeɪpl] клён

marble [ˈmɑːbl] мра́мор

March [mɑːtʃ] март

march [mɑːtʃ] 1. *v* марширова́ть; идти́ 2. *n* марш ◇ ~ of events ход, разви́тие собы́тий

mare [meə] кобы́ла

margin [ˈmɑːdʒɪn] 1) край 2) по́ле (*страни́цы*) 3) запа́с (*вре́мени, де́нег и т. п.*)

marine [məˈriːn] 1. *a* морско́й 2. *n* 1) флот 2) *pl* морска́я пехо́та; ~r [ˈmærɪnə] моря́к

mark [mɑːk] 1. *n* 1) знак 2) при́знак 3) мише́нь 4) отпеча́ток; след 5) отме́тка ◇ up to the ~ на до́лжной высоте́ 2. *v* отмеча́ть; замеча́ть

market [ˈmɑːkɪt] ры́нок (*тж. эк.*)

marketing [ˈmɑːkətɪŋ] ма́ркетинг

marriage [ˈmærɪdʒ] брак; жени́тьба, заму́жество

married [ˈmærɪd] жена́тый, заму́жняя

marry [ˈmærɪ] 1) жени́ть(ся); выходи́ть за́муж; выдава́ть за́муж 2) венча́ться

marsh [mɑːʃ] боло́то

marshal [ˈmɑːʃəl] ма́ршал

martial [ˈmɑːʃəl] вое́нный;

воинственный ◇ ~ law воённое положéние

martin ['mɑ:tɪn] лáсточка; стриж

martyr ['mɑ:tə] 1. *n* мýченик, жéртва 2. *v* мýчить

marvellous ['mɑ:vɪləs] удивительный, замечáтельный

Marxism ['mɑ:ksɪzm] марксизм

masculine ['mɑ:skjulɪn] 1) мужскóй 2) *грам.* мужскóго рóда

mash [mæʃ] 1. *n* картóфельное пюрé 2. *v* мять

mask [mɑ:sk] мáска

mason ['meɪsn] 1) кáменщик 2) (M.) масóн

masquerade [mæskə'reɪd] 1. *n* маскарáд 2. *v* маскировáться; притворя́ться

mass [mæs] 1) мáсса; мнóжество 2) *pl* нарóдные мáссы

massacre ['mæsəkə] резня́, избиéние

massage ['mæsɑ:ʒ] 1. *n* массáж 2. *v* массажировать

massive ['mæsɪv] массивный; солидный

mass media [mæs'mi:dɪə] срéдства мáссовой информáции

mast [mɑ:st] мáчта

master ['mɑ:stə] 1. *n* 1) хозя́ин 2) учитель 3) мáстер 2. *v* овладéть; ~piece [-pi:s] шедéвр

mat [mæt] половик; дорóжка; кóврик

match I [mætʃ] спичка

match II [mætʃ] 1. *n* 1) рóвня, пáра 2) брак 3) состязáние, матч 2. *v* подходить друг к дрýгу

mate [meɪt] 1) товáрищ 2) самéц, сáмка

material [mə'tɪərɪəl] 1. *a* 1) материáльный 2) существенный 2. *n* 1) материáл 2) *текст.* матéрия

materialism [mə'tɪərɪəlɪzm] материализм

maternal [mə'tə:nəl] материнский

mathematics [mæθɪ'mætɪks] математика

matter ['mætə] 1. *n* 1) вещество 2) матéрия 3) дéло, вопрóс; what's the ~? в чём дéло?; as a ~ of fact в сáмом дéле 2. *v* имéть значéние; it doesn't ~ невáжно, ничегó

mattress ['mætrɪs] матрáц

mature [mə'tjuə] 1. *a* зрéлый; созрéвший 2. *v* созревáть

May [meɪ] май; ~ Day Пéрвое мáя

may [meɪ] (*past* might) мочь; ~be ['meɪbi:] мóжет быть

mayor [mɛə] мэр

me [mi:] мне; меня́

meadow ['medəu] луг

meal [mi:l] едá, трáпеза

mean I [mi:n] (meant; meant) 1) намеревáться; хотéть; what d'you ~? что вы хотите этим сказáть? 2)

иметь в виду; подразумевать
3) значить; it ~s значит

mean II [mi:n] 1) подлый
2) скупой

mean III [mi:n] **1.** *a* средний **2.** *n* середина

meaning ['mi:nıŋ] значение; смысл; what's the ~ of this? это что значит?

meaningless ['mi:nıŋləs] бессмысленный

means [mi:nz] *pl* средства; by ~ of посредством; by all ~ во что бы то ни стало; by no ~ отнюдь не; ни в коем случае

meant [ment] *past и p. p. от* mean I

meantime ['mi:ntaım]: in the ~ между тем, тем временем

meanwhile ['mi:nwaıl] тем временем

measles ['mi:zlz] корь; German ~ краснуха

measure ['meʒə] **1.** *n* 1) мера 2) мерка 3) *муз.* такт 4) размер (*стиха*) **2.** *v* 1) измерять; отмерять 2) иметь (определённый) размер; ~ment [-mənt] 1) измерение 2) *pl* размеры

meat [mi:t] мясо

mechanic [mı'kænık] механик; ~al [-əl] механический; ~s [-s] механика

mechanism ['mekənızm] механизм

meddle ['medl] вмешиваться

medical ['medıkəl] медицинский

medicine ['medsın] 1) медицина 2) лекарство

medieval [medı'i:vəl] средневековый

meditate ['medıteıt] размышлять; обдумывать

medium ['mi:djəm] **1.** *n* 1) средство 2) *физ.* среда **2.** *a* средний

meek [mi:k] кроткий

meet [mi:t] (met; met) 1) встречать(ся) 2) собираться; ~ing ['mi:tıŋ] 1) встреча 2) собрание, митинг

mellow ['meləu] зрелый; созревший

melody ['melədı] мелодия

melon ['melən] дыня

melt [melt] 1) таять; *перен.* смягчать 2) плавить(ся)

member ['membə] член; ~ship [-ʃıp] членство

memorable ['memərəbl] памятный

memorial [mı'mɔ:rıəl] 1) памятник 2) *pl* историческая хроника

memory ['memərı] 1) память 2) *pl* воспоминания

men [men] *pl от* man

menace ['menəs] **1.** *n* угроза **2.** *v* угрожать

mend [mend] исправлять, чинить; штопать

mental ['mentl] 1) умственный 2) мысленный

mention ['menʃn] **1.** *v* упоминать; dont ~ it не стоит благодарности; not to ~ не говоря уже о **2.** *n* упомина́ние

menu ['menju:] меню́

mercenary ['mə:sɪnərɪ] **1.** *a* коры́стный; прода́жный **2.** *n* наёмник

merchant ['mə:tʃənt] купе́ц, торго́вец

merciful ['mə:sɪful] милосе́рдный

merciless ['mə:sɪləs] беспоща́дный

mercury ['mə:kjurɪ] ртуть

mercy ['mə:sɪ] 1) милосе́рдие 2) ми́лость; поми́лование

mere [mɪə] просто́й; a ~ child ещё ребёнок; it was a ~ chance э́то бы́ло случа́йно

merely ['mɪəlɪ] то́лько, про́сто

merge [mə:dʒ] слива́ть(ся), соединя́ть(ся)

meridian [mə'rɪdɪən] меридиа́н

merit ['merɪt] **1.** *n* 1) заслу́га 2) досто́инство **2.** *v* заслу́живать

merry ['merɪ] весёлый, ра́достный

mess [mes] **1.** *n* беспоря́док, пу́таница **2.** *v* пу́тать; ~ up по́ртить

message ['mesɪdʒ] 1) сообще́ние 2) посла́ние 3) поруче́ние

messenger ['mesɪndʒə] 1) курье́р 2) ве́стник 3) рассы́льный

met [met] *past и p. p. от* meet

metal ['metl] мета́лл

meteor ['mi:tjə] метео́р

meter ['mi:tə] счётчик

method ['meθəd] 1) ме́тод; спо́соб 2) систе́ма

metre ['mi:tə] 1) метр 2) разме́р (*стиха*)

mice [maɪs] *pl от* mouse

microscope ['maɪkrəskəup] микроско́п

microwave ['maɪkrəuweɪv]: ~ oven микроволно́вая печь

midday ['mɪddeɪ] по́лдень

middle ['mɪdl] **1.** *n* середи́на **2.** *a* сре́дний; ~ classes сре́дние кла́ссы о́бщества; ~-aged ['mɪdl'eɪdʒd] пожило́й

midnight ['mɪdnaɪt] по́лночь

midwife ['mɪdwaɪf] акуше́рка

might I [maɪt] *past от* may

might II [maɪt] могу́щество; си́ла; ~y ['maɪtɪ] могу́щественный

mild [maɪld] 1) мя́гкий (*климат, характер и т. п.*) 2) нео́стрый (*о пище*); сла́бый (*о пиве, вине*)

mile [maɪl] ми́ля; ~age ['maɪlɪdʒ] расстоя́ние в ми́лях

military ['mɪlɪtərɪ] вое́нный, во́инский; ~ uniform вое́нная фо́рма

milk [mɪlk] **1.** *n* молоко́ **2.** *v* дои́ть

mill [mɪl] 1) ме́льница; ~er ['mɪlə] ме́льник 2) фа́брика

millet ['mɪlɪt] про́со; пшено́

million ['mɪljən] миллио́н

millionaire [mɪljə'neə] миллионе́р

millstone ['mɪlstəun] жёрнов

mince [mɪns] 1. *v* пропуска́ть че́рез мясору́бку; руби́ть ◇ not to ~ words (matters) говори́ть без обиняко́в 2. *n* фарш

mind [maɪnd] 1. *n* 1) ра́зум; ум 2): bear in ~ по́мнить, име́ть в виду́ 2. *v* возража́ть, име́ть что-л. про́тив; do you ~ my smoking? вы не возража́ете, е́сли я закурю́?; I don't ~ мне всё равно́ ◇ never ~! ничего́!, не беспоко́йтесь!

mine I [maɪn] мой

mine II [maɪn] 1. *n* 1) ша́хта, рудни́к 2) *воен.* ми́на 2. *v* 1) разраба́тывать рудни́к; добыва́ть руду́ 2) мини́ровать

miner ['maɪnə] горня́к, шахтёр

mineral ['mɪnərəl] 1. *n* минера́л 2. *a* минера́льный

minimize ['mɪnɪmaɪz] преуменьша́ть

minimum ['mɪnɪməm] ми́нимум

mining ['maɪnɪŋ] го́рная промы́шленность

minister ['mɪnɪstə] 1) мини́стр 2) посла́нник 3) свяще́нник

ministry ['mɪnɪstrɪ] министе́рство

mink [mɪŋk] но́рка

minor ['maɪnə] 1. *a* 1) второстепе́нный 2) мла́дший 3) *муз.* мино́рный 2. *n* несовершенноле́тний, подро́сток; ~ity [maɪ'nɔrɪtɪ] меньшинство́

mint I [mɪnt] мя́та

mint II [mɪnt] моне́тный двор

minus ['maɪnəs] ми́нус

minute I ['mɪnɪt] 1) мину́та 2) *pl* протоко́л(ы)

minute II [maɪ'nju:t] 1) кро́шечный 2) подро́бный, дета́льный

miracle ['mɪrəkl] чу́до

mirror ['mɪrə] зе́ркало

mirth [mə:θ] весе́лье, ра́дость

misadventure [mɪsəd'ventʃə] несча́стье; несча́стный слу́чай

misapprehension [mɪsæprɪ'henʃn] недоразуме́ние

misbehaviour [mɪsbɪ'heɪvjə] недосто́йное поведе́ние

miscarriage [mɪs'kærɪdʒ] вы́кидыш

miscellaneous [mɪsɪ'leɪnjəs] сме́шанный, разнообра́зный

mischief ['mɪstʃɪf] 1) зло; беда́; make ~ се́ять раздо́ры 2) ша́лость, озорство́

mischievous ['mɪstʃɪvəs] 1) злонаме́ренный, зло́бный 2) шаловли́вый, озорно́й

miser ['maɪzə] скря́га

miserable ['mɪzərəbl] несча́стный; жа́лкий

misery ['mɪzərɪ] 1) несча́стье 2) нищета́

misfortune [mɪs'fɔ:tʃn] несча́стье

misgiving [mɪs'gɪvɪŋ] опасе́ние, предчу́вствие дурно́го

misinterpret [mɪsɪn'tə:prɪt] неве́рно поня́ть; непра́вильно истолкова́ть

mislay [mɪs'leɪ] засу́нуть куда́-л., потеря́ть

mislead [mɪs'li:d] (misled; misled) вводи́ть в заблужде́ние

misled [mɪs'led] *past и p. p. от* mislead

misprint ['mɪsprɪnt] опеча́тка

miss I [mɪs] **1.** *v* 1) прома́хну́ться, не попа́сть 2) упусти́ть; пропусти́ть 3) скуча́ть по **2.** *n* про́мах

miss II [mɪs] мисс (*незаму́жняя же́нщина*)

missile ['mɪsaɪl] раке́та

missing ['mɪsɪŋ] 1) недоста́ющий, отсу́тствующий 2) пропа́вший (без вести)

mission ['mɪʃn] 1) ми́ссия 2) поруче́ние; командиро́вка 3) призва́ние

mist [mɪst] тума́н, мгла

mistake [mɪs'teɪk] **1.** *v* (mistook; mistaken) ошиба́ться; be ~n ошиба́ться **2.** *n* оши́бка; make a ~ ошиба́ться; ~n [-n] *p. p. от* mistake

mistook [mɪs'tuk] *past от* mistake

mistress ['mɪstrɪs] 1) хозя́йка 2) учи́тельница 3) любо́вница

mistrust [mɪs'trʌst] **1.** *n* недове́рие **2.** *v* недоверя́ть

misty ['mɪstɪ] тума́нный

misunderstand ['mɪsʌndə'stænd] (misunderstood; misunderstood) непра́вильно поня́ть; ~ing [-ɪŋ] недоразуме́ние

misunderstood ['mɪsʌndə'stud] *past и p. p. от* misunderstand

mitten ['mɪtn] ва́режка

mix [mɪks] сме́шивать(ся); ~ up спу́тать, перепу́тать; ~er ['mɪksə] ми́ксер; ~ture ['mɪkstʃə] смесь

moan [məun] **1.** *n* стон **2.** *v* стона́ть

mob [mɔb] толпа́, сбо́рище

mobile ['məubaɪl] подвижно́й

mobilization [ˌməubɪlaɪ'zeɪʃn] мобилиза́ция

mock [mɔk] высме́ивать, издева́ться; ~ery ['mɔkərɪ] издева́тельство

mode [məud] спо́соб, ме́тод

model ['mɔdl] 1) образе́ц 2) моде́ль 3) нату́рщик, нату́рщица

moderate ['mɔdərɪt] уме́ренный

modern ['mɔdən] совреме́нный; сего́дняшний; ~ times но́вые времена́

modest ['mɔdɪst] скро́мный

modify ['mɔdıfaı] видоизменя́ть

moist [mɔıst] вла́жный; ~en ['mɔısn] сма́чивать; увлажня́ть(ся); ~ure ['mɔıstʃə] вла́жность

mole I [məul] ро́динка

mole II [məul] крот

moment ['məumənt] миг, моме́нт

monarch ['mɔnək] мона́рх; ~y [-ı] мона́рхия

Monday ['mʌndı] понеде́льник

monetary ['mʌnıtərı] де́нежный

money ['mʌnı] де́ньги; ~ order де́нежный перево́д

Mongol ['mɔŋgɔl] **1.** *a* монго́льский **2.** *n* монго́л

monitor ['mɔnıtə] *тех.* монито́р

monk [mʌŋk] мона́х

monkey ['mʌŋkı] обезья́на

monopoly [mə'nɔpəlı] монопо́лия

monotonous [mə'nɔtənəs] однообра́зный, моното́нный

monster ['mɔnstə] чудо́вище

monstrous ['mɔnstrəs] чудо́вищный

month [mʌnθ] ме́сяц; ~ly ['mʌnθlı] **1.** *a* (еже)ме́сячный **2.** *adv* ежеме́сячно

monument ['mɔnjumənt] па́мятник

mood I [mu:d] настрое́ние

mood II [mu:d] *грам.* наклоне́ние

moon [mu:n] луна́

mop [mɔp] **1.** *n* шва́бра **2.** *v* мыть пол (шва́брой)

moral ['mɔrəl] **1.** *a* мора́льный; нра́вственный **2.** *n* 1) мора́ль 2) *pl* нра́вы; нра́вственность

more [mɔ:] **1.** *a* бо́льший **2.** *adv* бо́льше, бо́лее; ~over [mɔ:'rəuvə] бо́лее того́, кро́ме того́

morning ['mɔ:nıŋ] у́тро

morose [mə'rəus] угрю́мый

morse [mɔ:s] морж

morsel ['mɔ:səl] кусо́чек

mortal ['mɔ:tl] 1) сме́ртный 2) смерте́льный; ~ity [mɔ:'tælıtı] 1) сме́ртность 2) смерте́льность

mortgage ['mɔ:gıdʒ] **1.** *n* 1) закла́д 2) закладна́я 3) ссу́да на поку́пку до́ма **2.** *v* закла́дывать

mosquito [məs'ki:təu] кома́р

moss [mɔs] мох

most [məust] **1.** *a* наибо́льший **2.** *adv* наибо́лее, бо́льше всего́ **3.** *n* большинство́, бо́льшая часть; ~ly ['məustlı] гла́вным о́бразом; ча́ще всего́

motel [məu'tel] моте́ль

moth [mɔθ] 1) моль 2) моты́лёк

mothball ['mɔθbɔ:l] антимо́ль

mother ['mʌðə] мать; ~-in--law ['mʌðərınlɔ:] тёща; свекро́вь; ~-of-pearl ['mʌðə rəvpə:l] перламу́тр

motion ['məuʃn] 1) движе́ние, ход; ~ picture кинофи́льм 2) предложе́ние (*на собра́нии*); ~less [-lɪs] неподви́жный

motive ['məutɪv] 1. *n* моти́в; побужде́ние 2. *a* дви́жущий

motor ['məutə] дви́гатель, мото́р; ~way [-weɪ] шоссе́, автостра́да

motto ['mɔtəu] ло́зунг, деви́з

mould ['məuld] 1. *n тех.* фо́рма; шабло́н 2. *v* формова́ть, отлива́ть фо́рму

mound [maund] на́сыпь; хо́лмик

mount [maunt] 1) поднима́ться 2) вскочи́ть (*на коня́*) 3) монти́ровать; вставля́ть

mountain ['mauntɪn] гора́

mountaineering [mauntɪn'ɪərɪŋ] альпини́зм

mourn [mɔːn] горева́ть, опла́кивать; ~ful ['mɔːnful] гру́стный; ~ing ['mɔːnɪŋ] тра́ур

mouse [maus] мышь

moustache [məs'taːʃ] усы́

mouth [mauθ] 1) рот 2) отве́рстие 3) у́стье

move [muːv] 1. *v* 1) дви́гать(ся) 2) переезжа́ть 3) тро́гать; ~ smb. to tears растро́гать кого́-л. до слёз 4) вноси́ть предложе́ние 2. *n* ход (*в игре́*); *перен.* посту́пок; шаг; ~ment ['muːvmənt] движе́ние

movie ['muːvɪ]: ~ camera кинока́мера

movies ['muːvɪz] *pl разг.* кино́

moving ['muːvɪŋ] тро́гательный

mow [məu] (mowed; mown) коси́ть; ~n [-n] *p. p. от* mow

Mr. ['mɪstə] (mister) господи́н

Mrs. ['mɪsɪz] (mistress) госпожа́

much [mʌtʃ] мно́го; гора́здо; how ~ ? ско́лько?; as ~ as сто́лько же

mud [mʌd] грязь; ~dy ['mʌdɪ] 1) гря́зный 2) му́тный

mug [mʌg] кру́жка

multiplication [mʌltɪplɪ'keɪʃn] умноже́ние

multiply ['mʌltɪplaɪ] 1) увели́чивать(ся) 2) умножа́ть

multistage ['mʌltɪsteɪdʒ] многоступе́нчатый

multitude ['mʌltɪtjuːd] 1) мно́жество 2) толпа́

mumble ['mʌmbl] бормота́ть

mummy ['mʌmɪ] му́мия

munitions [mjuː'nɪʃnz] *pl* вое́нные запа́сы; снаряже́ние

murder ['məːdə] 1. *n* уби́йство 2. *v* убива́ть; ~er [-гə] уби́йца

murmur ['məːmə] 1. *n* 1) журча́ние 2) бормота́ние 3) ро́пот 2. *v* 1) журча́ть 2) (про)бормота́ть 3) ворча́ть, ропта́ть

muscle ['mʌsl] му́скул, мы́шца

muse [mju:z] размышля́ть, заду́мываться

museum [mju:'zɪəm] музе́й

mushroom ['mʌʃrum] гриб

music ['mju:zɪk] 1) му́зыка 2) но́ты; ~ian [mju:'zɪʃn] музыка́нт

must [mʌst] быть обя́занным; I ~ go я до́лжен идти́

mustard ['mʌstəd] горчи́ца

mute [mju:t] 1) молчали́вый 2) немо́й

mutilate ['mju:tɪleɪt] 1) уве́чить 2) уро́довать, по́ртить

mutiny ['mju:tɪnɪ] 1. n мяте́ж 2. v подня́ть мяте́ж

mutter ['mʌtə] бормота́ть

mutton ['mʌtn] бара́нина

mutual ['mju:tjuəl] взаи́мный, обою́дный

muzzle ['mʌzl] 1) мо́рда 2) намо́рдник 3) ду́ло

my [maɪ] мой, моя́, моё; мои́

myself [maɪ'self] 1) себя́; -ся 2) сам, сама́, само́

mysterious [mɪs'tɪərɪəs] таи́нственный

mystery ['mɪstərɪ] та́йна

mystify ['mɪstɪfaɪ] мистифици́ровать

myth [mɪθ] миф

mythology [mɪ'θɔlədʒɪ] мифоло́гия

N

nag [næg] придира́ться

nail [neɪl] 1. n 1) но́готь 2) гвоздь 2. v прибива́ть; пригвожда́ть

nail varnish ['neɪlvɑ:nɪʃ] лак для ногте́й

naïve [nɑ:'i:v] наи́вный

naked ['neɪkɪd] го́лый ◇ with ~ eye невооружённым гла́зом

name [neɪm] 1. n и́мя; фами́лия 2. v называ́ть; ~ly ['neɪmlɪ] и́менно, то есть

nanny ['nænɪ] ня́ня

nap I [næp] ворс

nap II [næp] 1. n дремо́та; to take a ~ вздремну́ть 2. v вздремну́ть ◇ to catch smb. ~ping засти́гнуть кого́-л. враспло́х

nape [neɪp]: ~ of the neck заты́лок

napkin ['næpkɪn] 1) салфе́тка 2) пелёнка

narrative ['nærətɪv] повествова́ние, расска́з

narrow ['nærəu] у́зкий ◇ I had a ~ escape я с трудо́м избежа́л опа́сности; --minded [-'maɪndɪd] ограни́ченный, у́зкий

nasty ['nɑ:stɪ] 1) га́дкий, скве́рный 2) непристо́йный, гря́зный

nation ['neɪʃn] на́ция, наро́д; ~al ['næʃnəl] национа́льный; наро́дный; ~ality [næʃə'næliti] национа́льность

native ['neitiv] **1.** *a* 1) родно́й 2) тузе́мный **2.** *n* уроже́нец; тузе́мец

natural ['nætʃrəl] есте́ственный, приро́дный; ~ly [-i] коне́чно

nature ['neitʃə] 1) приро́да 2) нату́ра, хара́ктер

naughty ['nɔ:ti] нехоро́ший; капри́зный (*о ребёнке*)

naval ['neivəl] вое́нно--морско́й

navigable ['nævigəbl] судохо́дный

navigation [nævi'geiʃn] судохо́дство; пла́вание, навига́ция

navvy ['nævi] землеко́п, чернорабо́чий

navy ['neivi] вое́нный флот

near [niə] бли́зко, о́коло; ~ly ['niəli] почти́; приблизи́тельно

neat [ni:t] 1) опря́тный, аккура́тный 2) то́чный, чёткий 3) чи́стый (*о спирте*)

necessary ['nesisəri] необходи́мый

necessity [ni'sesiti] 1) необходи́мость 2) нужда́

neck [nek] 1) ше́я 2) го́рлышко; ~lace ['neklis] ожере́лье

need [ni:d] **1.** *n* на́добность, потре́бность; нужда́; be in ~ of нужда́ться в чём--л. **2.** *v* нужда́ться

needle ['ni:dl] 1) иго́лка, игла́ 2) стре́лка (*компаса*)

negative ['negətiv] **1.** *a* отрица́тельный **2.** *n* 1) отрица́ние 2) негати́в

neglect [ni'glekt] **1.** *v* пренебрега́ть, запуска́ть **2.** *n* пренебреже́ние

negligence ['neglidʒəns] небре́жность

negotiate [ni'gəuʃieit] вести́ перегово́ры; догова́риваться

negotiation [nigəuʃi'eiʃn] перегово́ры

Negro ['ni:grəu] **1.** *a* негритя́нский **2.** *n* негр

neigh [nei] ржать

neighbour ['neibə] сосе́д; ~hood [-hud] 1) сосе́дство 2) окре́стности; ~ing ['neibəriŋ] сосе́дний

neither ['naiðə] **1.** *adv* та́кже не **2.**: ~ ... nor... ни... ни... **3.** *a* никако́й **4.** *pron* ни тот, ни друго́й

nephew ['nevju:] племя́нник

nerve [nə:v] нерв

nervous ['nə:vəs] не́рвный; I'm ~ about him я о́чень беспоко́юсь о нём; ~ break down не́рвный срыв

nest [nest] **1.** *n* гнездо́ **2.** *v* гнезди́ться

net I [net] се́тка, сеть

net II [net] чи́стый, не́тто (*о весе*)

nettle ['netl] крапи́ва

network ['netwə:k] 1) сеть 2) радиосе́ть 3) эл. схе́ма

neuter [ˈnjuːtə] *грам.* среднего рода

neutral [ˈnjuːtrəl] нейтральный; ~ity [njuːˈtrælɪtɪ] нейтралитет

never [ˈnevə] никогда

nevertheless [nevəðəˈles] тем не менее

new [njuː] 1) новый 2) свежий; ~ potatoes молодой картофель; ~born [ˈnjuːbɔːn] новорождённый

newcomer [ˈnjuːkʌmə] вновь прибывший

newlywed [ˈnjuːlɪwed] молодожён

news [njuːz] (*употр. как sing*) новость, известие, сообщение

news agency [ˈnjuːz ˈeɪdʒənsɪ] агентство новостей; информационное агентство

newspaper [ˈnjuːspeɪpə] газета

newsreel [ˈnjuːzriːl] кинохроника, киножурнал

next [nekst] 1. *a* следующий (*по порядку*); ближайший 2. *adv* после этого; потом 3. *prep* рядом, около

nice [naɪs] 1) хороший; симпатичный; how ~ of him! как мило с его стороны! 2) вкусный

nickel [ˈnɪkl] 1) никель 2) *амер.* монета в 5 центов

nickname [ˈnɪkneɪm] прозвище

niece [niːs] племянница

night [naɪt] ночь; вечер;

~dress [ˈnaɪtdres], ~gown [ˈnaɪtɡaun], ~ie [ˈnaɪtɪ] ночная рубашка

nightingale [ˈnaɪtɪŋɡeɪl] соловей

nightmare [ˈnaɪtmɛə] кошмар

night school [ˈnaɪtskuːl] вечерняя школа, курсы

nine [naɪn] девять; ~teen [naɪnˈtiːn] девятнадцать; ~teenth [naɪnˈtiːnθ] девятнадцатый; ~tieth [ˈnaɪntɪθ] девяностый; ~ty [ˈnaɪntɪ] девяносто

ninth [naɪnθ] девятый

nip [nɪp] щипать

nipple [ˈnɪpl] сосок

nitrogen [ˈnaɪtrɪdʒən] азот

no [nəu] 1. *part* нет; ~ bread хлеба нет 2. *adv* не (*при сравнит. степени*); no more нет (больше)

noble [ˈnəubl] благородный; ~man [-mən] дворянин

nobody [ˈnəubədɪ] никто

nod [nɔd] 1. *v* 1) кивать головой 2) дремать 2. *n* кивок

noise [nɔɪz] шум; ~less [ˈnɔɪzlɪs] бесшумный

noisy [ˈnɔɪzɪ] шумный

nominate [ˈnɔmɪneɪt] 1) назначать 2) выставлять кандидатуру

nomination [nɔmɪˈneɪʃn] 1) назначение (*на должность*) 2) выставление кандидатуры

nominative [ˈnɔmɪnətɪv] *грам.* именительный падеж

none [nʌn] 1. *a* никакóй; have you a cigarette? — I have ~ у вас есть сигарéта? — Нет 2. *pron* ни одúн, никтó

nonentity [nɔ'nentɪtɪ] ничтóжество

non-party ['nɔnpɑːtɪ] беспартúйный

nonsense ['nɔnsəns] вздор, бессмы́слица, чепухá

noodle ['nuːdl] лапшá

noon [nuːn] пóлдень

nor [nɔː] и не; тáкже не; neither... ~ ... ни... ни...

normal ['nɔːməl] обы́чный, нормáльный

north [nɔːθ] 1. *n* сéвер 2. *a* сéверный 3. *adv* на сéвер(е), к сéверу

northern ['nɔːðən] сéверный; ~ lights сéверное сияние

Norwegian [nɔː'wiːdʒn] 1. *a* норвéжский 2. *n* норвéжец

nose [nəuz] нос

nostril ['nɔstrɪl] ноздря́

nosy ['nəuzɪ] *разг.* чересчýр любопы́тный

not [nɔt] не, нет, ни

notch [nɔtʃ] зарýбка

note [nəut] 1. *n* 1) примечáние; замечáние 2) запúска; make a ~ запúсать 3) *дип., муз.* нóта 2. *v* 1) замечáть; отмечáть 2) запúсывать

notebook ['nəutbuk] тетрáдь

noteworthy ['nəutwəːðɪ] достóйный внимáния

nothing ['nʌθɪŋ] ничтó, ничегó

notice ['nəutɪs] 1. *n* 1) извещéние; предупреждéние 2) замéтка 3) внимáние 2. *v* замечáть

noticeable ['nəutɪsəbl] замéтный, примéтный

notify ['nəutɪfaɪ] извещáть, уведомля́ть

notion ['nəuʃn] поня́тие; представлéние

notorious [nəu'tɔːrɪəs] 1) извéстный 2) отъя́вленный

noun [naun] *грам.* úмя существúтельное

nought [nɔːt] ноль; ~s and crosses крéстики и нóлики

nourish ['nʌrɪʃ] питáть; кормúть; ~ing [-ɪŋ] питáтельный; ~ment [-mənt] 1) питáние 2) пúща

novel ['nɔvl] 1. *n* ромáн 2. *a* оригинáльный

novelty ['nɔvəltɪ] 1) новизнá 2) новúнка

November [nəu'vembə] ноя́брь

novice ['nɔvɪs] новичóк, начинáющий

now [nau] тепéрь ◇ ~ and again, ~ and then врéмя от врéмени; just ~ тóлько что

nowadays ['nauədeɪz] в настоя́щее врéмя

nowhere ['nəuwɛə] нигдé; никудá

nuclear ['nju:klɪə] я́дерный; ~ reactor я́дерный реа́ктор; ~ weapons я́дерное ору́жие

nucleus ['nju:klɪəs] ядро́ (*клетки*)

nudge [nʌdʒ] подтолкну́ть (*ло́ктем*)

nugget ['nʌgɪt] саморо́док

nuisance ['nju:sns] 1) неприя́тность; доса́да; what a ~ ! кака́я доса́да! 2) неприя́тный, надое́дливый челове́к

numb [nʌm] онеме́лый, оцепене́лый

number ['nʌmbə] 1. *n* 1) число́; коли́чество 2) но́мер 2. *v* 1) счита́ть 2) нумерова́ть 3) насчи́тывать

numeral ['nju:mərəl] *грам.* числи́тельное

numerous ['nju:mərəs] многочи́сленный; ~ly [-lɪ] в большо́м коли́честве

nun [nʌn] мона́хиня

nurse [nə:s] 1. *n* 1) ня́ня 2) сиде́лка, сестра́ 2. *v* 1) ня́нчить 2) уха́живать (*за больны́м*) 3) корми́ть (*ребёнка*)

nursery ['nə:srɪ] де́тская (ко́мната)

nut I [nʌt] оре́х

nut II [nʌt] *тех.* га́йка

nutritious [nju:'trɪʃəs] пита́тельный

nuts [nʌts] *разг.* сумасше́дший

nutshell ['nʌtʃel]: in a ~ вкра́тце

O

oak [əuk] дуб; ~en ['əukən] дубо́вый

oar [ɔ:] весло́

oath [əuθ] кля́тва; прися́га

oatmeal ['əutmi:l] овся́нка

oat(s) [əut(s)] овёс

obedience [ə'bi:djəns] послуша́ние

obedient [ə'bi:djənt] послу́шный

obey [ə'beɪ] слу́шаться, повинова́ться

obituary [ə'bɪtʃuərɪ] некроло́г

object 1. *n* ['ɔbdʒɪkt] 1) предме́т; объе́кт 2) цель 3) *грам.* дополне́ние 2. *v* [əb'dʒekt] возража́ть; ~ion [əb'dʒekʃn] возраже́ние

objective [əb'dʒektɪv] 1. *n* 1) цель; зада́ча 2) *грам.* объе́ктный паде́ж 2. *a* объекти́вный

obligation [ɔblɪ'geɪʃn] 1) обяза́тельство 2) обя́занность

oblige [ə'blaɪdʒ] 1) обя́зывать 2) де́лать одолже́ние; ~d [-d] обя́занный

oblique [ə'bli:k] косо́й, накло́нный

obliterate [ə'blɪtəreɪt] стира́ть, уничтожа́ть

oblivion [ə'blɪvɪən] забве́ние

oblong ['ɔblɔŋ] продолгова́тый, удлинённый

obscene [ɔb'si:n] непристо́йный, неприли́чный

obscure [əb'skjuə] 1) нея́сный 2) неизве́стный; an ~ little village затеря́нная дере́вушка

obsequious [ɔb'si:kwɪəs] подобостра́стный, рабо́ле́пный

observance [əb'zə:vəns] соблюде́ние (*закона, обычая и т. п.*)

observation [ɔbzə:'veɪʃn] 1) наблюде́ние 2) замеча́ние

observe [əb'zə:v] 1) наблюда́ть 2) замеча́ть 3) соблюда́ть; ~r [-ə] наблюда́тель

obsess [əb'ses] завладе́ть умо́м; ~ion [-ʃn] одержи́мость

obsolete ['ɔbsəli:t] устаре́лый

obstacle ['ɔbstəkl] препя́тствие

obstinate ['ɔbstɪnɪt] упря́мый

obstruct [əb'strʌkt] загражда́ть путь; чини́ть препя́тствия

obtain [əb'teɪn] достава́ть, получа́ть

obvious ['ɔbvɪəs] очеви́дный; я́сный

occasion [ə'keɪʒn] слу́чай 2) по́вод; there is no ~ for wonder нет основа́ний удивля́ться; ~al [-əl] случа́йный, ре́дкий; ~ally [-əlɪ] случа́йно; и́зредка

occupation [ɔkju'peɪʃn] 1) заня́тие 2) оккупа́ция

occupy ['ɔkjupaɪ] 1) занима́ть 2) оккупи́ровать

occur [ə'kə:] 1) случа́ться, име́ть ме́сто 2) приходи́ть на ум; it ~s to me мне пришло́ в го́лову; ~rence [ə'kʌrəns] собы́тие, слу́чай, происше́ствие

ocean ['əuʃn] океа́н; ~ liner океа́нский ла́йнер

o'clock [ə'klɔk]: at three ~ в три часа́

October [ɔk'təubə] октя́брь

odd [ɔd] 1) нечётный 2) непа́рный 3) стра́нный, необы́чный 4) случа́йный

odious ['əudɪəs] гну́сный, отврати́тельный

odour ['əudə] за́пах, арома́т

of [ɔv, əv] *предлог, с по́мощью кото́рого образу́ется роди́тельный и предло́жный падежи* ◇ of course коне́чно, разуме́ется

off [ɔ:f, ɔf] 1. *prep* с, со; от; take the book ~ the table сними́ кни́гу со стола́ 2. *adv* hands ~! ру́ки прочь!

offence [ə'fens] 1) оби́да; give ~ обижа́ть, оскорбля́ть; take ~ обижа́ться 2) наруше́ние (*закона*)

offend [ə'fend] обижа́ть; ~er [-ə] 1) оби́дчик 2) наруши́тель

offensive [ə'fensɪv] 1. *a* 1) оскорби́тельный 2) .отврати́-

offer [ˈɔfə] **1.** *v* предлагáть **2.** *n* предложéние

office [ˈɔfis] 1) контóра, бюрó 2) (O.) министéрство 3) фýнкция, дóлжность

officer [ˈɔfisə] 1) офицéр 2) должностнóе лицó; чинóвник

official [ɔˈfiʃəl] **1.** *a* официáльный; служéбный **2.** *n* должностнóе лицó, чинóвник, отвéтственный служáщий

often [ˈɔfn] чáсто

oil [ɔil] **1.** *n* 1) растúтельное мáсло 2) машúнное мáсло 3) нефть **2.** *v* смáзывать; ~cloth [ˈɔilklɔθ] клеёнка; ~ paint [ˈɔilpeint] мáсляная крáска

ointment [ˈɔintmənt] мазь

O. K.! [ˈəuˈkei] *амер.* лáдно!; everything's O. K. всё в порядке

old [əuld] стáрый; ~ age стáрость; ~ boy *разг.* старинá; ten years ~ десятú лет; how ~ are you? скóлько вам лет?; ~fashioned [-ˈfæʃənd] 1) старúнный 2) старомóдный

olive [ˈɔliv] **1.** *n* олúва, маслúна **2.** *a* олúвкового цвéта; ~ oil провáнское мáсло

omen [ˈəumən] знак, предзнаменовáние

ominous [ˈɔminəs] зловéщий

omit [əˈmit] опускáть; пропускáть, упускáть

on [ɔn] **1.** *prep* 1) на 2) (*по определённым дням*) on Monday в понедéльник; I'll see on the third я увúжу вас трéтьего **2.** *adv* вперёд, дáльше

once [wʌns] (одúн) раз; однáжды, нéкогда, когдá-то ◇ ~ more ещё раз; at ~ срáзу, сейчáс же

one [wʌn] **1.** *num* одúн **2.** *pron* 1) нéкто, ктó-то; ~ another друг дрýга 2) *в безл. предложéнии не перевóдится:* ~ can't help liking him егó трýдно не любúть; ~ feels so helpless чýвствуешь себя такóй беспóмощной

oneself [wʌnˈself] 1) -ся; excuse ~ извинúться 2) (самогó) себя

onion [ˈʌnjən] лук

only [ˈəunli] **1.** *adv* тóлько **2.** *a* едúнственный

onward [ˈɔnwəd] **1.** *adv* вперёд, дáлее **2.** *a* продвигáющийся вперёд

open [ˈəupən] **1.** *a* открытый **2.** *v* открывáть(ся); ~ing [ˈəupniŋ] **1.** *n* 1) отвéрстие 2) начáло 4) открытие *шахм.* дебют **2.** *a* вступúтельный

opera [ˈɔprə] óпера; ~ glasses *pl* бинóкль (*театрáльный*)

operate [ˈɔpreit] 1) дéйствовать 2) управлять 3) *мед.* оперúровать

operation [ɔpə'reɪʃn] операция; действие

opinion [ə'pɪnjən] мнение

opponent [ə'pəunənt] противник, оппонент

opportunity [ɔpə'tju:nɪtɪ] удобный случай; возможность

oppose [ə'pəuz] 1) противопоставлять 2) противиться

opposite ['ɔpəzɪt] 1. *a* противоположный 2. *prep, adv* (на)против 3. *n* противоположность; quite the ~ совсем наоборот

opposition [ɔpə'zɪʃn] 1) сопротивление 2) оппозиция

oppress [ə'pres] угнетать; ~ion [ə'preʃn] угнетение; ~ive [-ɪv] гнетущий; ~or [-ə] угнетатель

optic ['ɔptɪk] глазной, зрительный

optimistic [ɔptɪ'mɪstɪk] оптимистичный

optimum ['ɔptɪməm] наиболее благоприятный

option ['ɔpʃn] выбор, замена

opulent ['ɔpjulənt] богатый, роскошный

or [ɔ:] или

oracle ['ɔrəkl] 1) оракул 2) прорицание, предсказание

oral ['ɔ:rəl] устный

orange ['ɔrɪndʒ] 1. *n* апельсин 2. *a* оранжевый (*о цвете*)

orator ['ɔrətə] оратор

orbit ['ɔ:bɪt] 1. *n* орбита 2. *v* выводить на орбиту

orchard ['ɔ:tʃəd] фруктовый сад

orchestra ['ɔ:kɪstrə] оркестр

ordeal [ɔ:'di:l] тяжёлое испытание

order ['ɔ:də] 1. *n* 1) порядок 2) приказ 3) заказ 4) орден 5) *воен.* строй ◇ in ~ that с тем, чтобы 2. *v* 1) приказывать 2) заказывать

ordinal ['ɔ:dɪnəl] *грам.* порядковое числительное

ordinary ['ɔ:dnrɪ] обычный, обыкновенный

ore [ɔ:] руда

organ ['ɔ:gən] 1) орган 2) *муз.* орган; ~ic [ɔ:'gænɪk] органический; ~ism [-ɪzm] организм

organization [ɔ:gənaɪ'zeɪʃn] организация

organize ['ɔ:gənaɪz] организовывать; ~r [-ə] организатор

oriental [ɔ:rɪ'entl] восточный

origin ['ɔrɪdʒɪn] 1) источник, начало 2) происхождение; ~al [ə'rɪdʒənəl] 1. *a* 1) первоначальный 2) подлинный 3) оригинальный 2. *n* подлинник; ~ate [ə'rɪdʒɪneɪt] возникать; происходить

ornament 1. *n* ['ɔ:nəmənt] украшение; орнамент 2. *v* ['ɔ:nəment] украшать

orphan ['ɔ:fən] 1. *n* сирота 2. *a* сиротский

orthodox [ˈɔ:θədɔks] 1) ортодо́кс 2) (O.) *рел.* правосла́вный

osier [ˈəuʒə] и́ва; и́вовая лоза́

ostentatious [ɔstenˈteiʃəs] показно́й, наро́читый, хвастли́вый

ostrich [ˈɔstritʃ] стра́ус

other [ˈʌðə] друго́й, ино́й ◇ the ~ day на днях; every ~ day че́рез день; ~wise [-waiz] ина́че; в проти́вном слу́чае

ought [ɔ:t]: you ~ to know that... вам бы сле́довало знать, что...; it ~ to be ready э́то должно́ бы́ло бы быть гото́во

ounce [auns] у́нция

our, ours [auə, auəz] наш, на́ша, на́ше; на́ши

ourself, ourselves [auəˈself, auəˈselvz] 1) себя́; -сь 2) (мы) са́ми

out [aut] из; вне; нару́жу; he is ~ его́ нет до́ма

outbreak [ˈautbreik] 1) взрыв, вспы́шка 2) нача́ло (войны́ и т. п.)

outcast [ˈautkɑ:st] и́згнанный, бездо́мный

outclass [ˈautklɑ:s] превзойти́

outcome [ˈautkʌm] результа́т, исхо́д

outcry [ˈautkrai] 1) крик 2) проте́ст

outdoors [ˈautdɔ:z] на откры́том во́здухе

outer [ˈautə] вне́шний, нару́жный

outfit [ˈautfit] 1) снаряже́ние; обмундирова́ние 2) обору́дование

outing [ˈautiŋ] экску́рсия; похо́д в теа́тр, кино́ и т. п.

outlaw [ˈautlɔ:] лицо́ вне зако́на, отве́рженный

outline [ˈautlain] 1. *n* очерта́ние; ко́нтур 2. *v* наброса́ть в о́бщих черта́х

outlook [ˈautluk] вид, перспекти́ва

out-of-doors [autəvˈdɔ:z] на откры́том во́здухе

output [ˈautput] 1) добы́ча; проду́кция 2) производи́тельность

outrageous [autˈreidʒəs] возмути́тельный

outright [ˈautrait] прямо́й, откры́тый

outside [autˈsaid] 1. *n* нару́жная сторона́ 2. *a* нару́жный 3. *adv* снару́жи

outskirts [ˈautskə:ts] *pl* 1) окра́ина (го́рода) 2) опу́шка (ле́са)

outspread [ˈautspred] 1) распространя́ть 2) простира́ться

outstanding [autˈstændiŋ] выдаю́щийся; (хорошо́) изве́стный

outward [ˈautwəd] вне́шний, нару́жный

outworn [autˈwɔ:n] устаре́лый

oven [ˈʌvn] печь

over [ˈəuvə] 1. *prep* над;

чéрез, на, по; за; influence ~ влия́ние на; travel all ~ the world путешéствовать по всемý свéту 2. *adv* бóльше (чем); стáрше (*о возрасте*); he is ~ fifty ему́ за 50 ◇ be ~ быть окóнченным

overbearing [əuvə'bɛərɪŋ] влáстный

overburden [əuvə'bə:dn] перегружáть

overcame [əuvə'keɪm] *past от* overcome

overcoat ['əuvəkəut] пальтó

overcome [əuvə'kʌm] (overcame; overcome) поборóть; преодолéть ◇ he was ~ with gratitude он был преиспóлнен благодáрности

overdo [əuvə'du:] 1) заходи́ть сли́шком далекó 2) перестарáться

overflow [əuvə'fləu] 1) перемивáться чéрез край; заливáть 2) переполня́ть

overhead ['əuvə'hed] 1. *adv* наверхý; над головóй 2. *a* 1) вéрхний 2): ~ charges, ~ expenses накладны́е расхóды

overhear [əuvə'hɪə] (overheard; overheard) нечáянно услы́шать; ~d [əuvə'hə:d] *past и p. p. от* overhear

overlook [əuvə'luk] 1) не замéтить, проглядéть 2) смотрéть сквозь пáльцы; прости́ть

overnight [əuvə'naɪt] 1)

накануне вéчером 2) всю ночь

oversea [əuvə'si:] 1. *adv* за мóрем 2. *a* замóрский, заокеáнский; ~s [-z] *см.* oversea 1

overshoe ['əuvə'ʃu:] галóша, бóтик

overtake [əuvə'teɪk] (overtook; overtaken) 1) догнáть 2) засти́гнуть враспло́х; ~n [-n] *p. p. от* overtake

overthrew [əuvə'θru:] *past от* overthrow 1

overthrow 1. *v* [əuvə'θrəu] (overthrew; overthrown) 1) опроки́дывать 2) сверга́ть 2. *n* ['əuvəθrəu] ниспровержéние; ~n [əuvə'θrəun] *p. p. от* overthrow

overtime ['əuvətaɪm] сверхурóчный

overtook [əuvə'tuk] *past от* overtake

overturn [əuvə'tə:n] 1) опроки́дывать(ся) 2) ниспроверга́ть

overwhelm [əuvə'welm] 1) засыпáть; забрáсывать (*вопросами и т. п.*) 2) сокрушáть; be ~ed быть ошеломлённым

owe [əu] быть дóлжным; быть обя́занным

owing ['əuɪŋ]: ~ to благодаря́

owl [aul] совá

own [əun] 1. *v* 1) обладáть; владéть 2) признавáть(ся); ~ one's faults признать свои ошибки 2. *a* 1) собственный 2): my ~ мой дорогой

owner ['əunə] обладатель; владелец, собственник; ~ship [-ʃɪp] владение; право собственности

oxide ['ɔksaɪd] *хим.* окись, окисел

oxygen ['ɔksɪdʒən] кислород

oyster ['ɔɪstə] устрица

P

pace [peɪs] 1. *n* шаг 2. *v* шагать

pacific [pə'sɪfɪk] мирный; миролюбивый ◇ the Pacific Тихий океан

pack [pæk] 1. *n* 1) вьюк; кипа; ~ of cigarettes *амер.* пачка сигарет 2) колода (*карт*) 2. *v* упаковывать(ся); ~age ['pækɪdʒ] пакёт; свёрток

packet ['pækɪt] связка; пачка

pact [pækt] пакт, договор; mutual assistance ~ пакт о взаимопомощи

pad [pæd] 1. *n* мягкая прокладка, подушка 2. *v* подбивать (*ватой и т. п.*)

paddle I ['pædl] 1. *n* короткое весло 2. *v* грести одним веслом

paddle II ['pædl] шлёпать по воде

padlock ['pædlɔk] висячий замок

pagan ['peɪgən] язычник

page [peɪdʒ] страница

paid [peɪd] *past и p. p. от* pay

pail [peɪl] ведро

pain [peɪn] 1. *n* боль ◇ take ~s стараться 2. *v* 1) причинять боль 2) огорчать; ~ful ['peɪnful] 1) болезненный 2) печальный (*о событии и т. п.*)

paint [peɪnt] 1. *n* краска 2. *v* 1) красить 2) писать красками; ~er ['peɪntə] живописец; ~ing ['peɪntɪŋ] 1) живопись 2) картина

pair [peə] пара; чета

pal [pæl] *разг.* приятель, дружок

palace ['pælɪs] дворец

pale [peɪl] 1. *a* бледный 2. *v* бледнеть

palm I [pɑːm] ладонь

palm II [pɑːm] пальма

paltry ['pɔːltrɪ] ничтожный, презренный

pamphlet ['pæmflɪt] брошюра; памфлет

pan [pæn] кастрюля

pancake ['pænkeɪk] блин

pane [peɪn] оконное стекло

pang [pæŋ] острая боль; ~s of conscience угрызения совести

panic ['pænɪk] паника

pansy ['pænzɪ] *бот.* анютины глазки

pant [pænt] задыхаться

panther ['pænθə] пантéра

panties ['pæntɪz] трýсики

pants [pænts] *амер.* брюки

panty hose ['pæntɪhəʊz] *амер.* колгóтки

paper ['peɪpə] **1.** *n* 1) бумáга 2) обóи 3) газéта 4) *pl* докумéнты **2.** *v*: ~ a room оклéивать кóмнату обóями

parachute ['pærəʃuːt] парашют

parade [pə'reɪd] **1.** *n* парáд **2.** *v* 1) учáствовать в парáде 2) выставлять напокáз

paradise ['pærədaɪs] 1) рай 2) *театр.* галёрка

paragraph ['pærəɡrɑːf] 1) абзáц 2) парáграф

parallel ['pærəlel] параллéльный; ~ed [-d]: ~ed bars брýсья

paralyse ['pærəlaɪz] парализовáть

parcel ['pɑːsl] пакéт; посылка

pardon ['pɑːdn] **1.** *n* прощéние; помилование; I beg your ~! простите! **2.** *v* прощáть; (по)миловáть

parents ['peərənts] *pl* родители

park [pɑːk] **1.** *n* парк **2.** *v* постáвить на стоянку (*автомашину*)

parking lot ['pɑːkɪŋlət] *амер.* стоянка для автомашин

parliament ['pɑːləmənt] парлáмент

parlour ['pɑːlə] гостиная

parrot ['pærət] попугáй

parsley ['pɑːslɪ] *бот.* петрýшка

part [pɑːt] **1.** *n* 1) часть 2) учáстие 3) роль 4) *амер.* пробóр **2.** *v* 1) дели́ть(ся); разделя́ть(ся) 2) расставáться

partake [pɑː'teɪk] *шутл.* принимáть пи́щу; пробовать напи́тки

partial ['pɑːʃəl] 1) части́чный 2) пристрáстный

participate [pɑː'tɪsɪpeɪt] принимáть учáстие, учáствовать

participle ['pɑːtɪsɪpl] *грам.* прича́стие

particle ['pɑːtɪkl] части́ца; not a ~ of truth in it ни крупи́цы и́стины в э́том

particular [pə'tɪkjʊlə] **1.** *a* 1) осóбый, осóбенный 2) определённый 3) приверéдливый **2.** *n* подрóбность; in ~ в чáстности, в осóбенности; ~ly [-lɪ] осóбенно

parting ['pɑːtɪŋ] **1.** *n* 1) расставáние; разлýка 2) пробóр **2.** *a* прощáльный

partisan [pɑːtɪ'zæn] 1) сторóнник, привéрженец 2) партизáн

partition [pɑː'tɪʃn] 1) раздéл(éние), расчленéние 2) перегорóдка; перебóрка

partly ['pɑːtlɪ] части́чно, отчáсти, чáстью

partner ['pɑːtnə] 1) компаньóн 2) партнёр

partridge ['pɑːtrɪdʒ] куропáтка

party ['pɑːtɪ] 1) па́ртия 2) гру́ппа 3) *юр.* сторона́ 4) компа́ния 5) вечери́нка; tea ~ чаепи́тие

pass [pɑːs] 1. *v* 1) проходи́ть; проезжа́ть 2) минова́ть 3) сдать (экза́мен) 4) передава́ть 2. *n* 1) перева́л; уще́лье 2) про́пуск

passage ['pæsɪdʒ] 1) прохо́д; прое́зд 2) коридо́р 3) отры́вок (*из кни́ги*)

passenger ['pæsɪndʒə] пассажи́р

passerby ['pɑːsə'baɪ] прохо́жий

passion ['pæʃn] 1) страсть, пыл 2) гнев, я́рость; ~ate ['pæʃənɪt] стра́стный

passive ['pæsɪv] 1) пасси́вный, безде́ятельный 2) *грам.* страда́тельный

passmark ['pɑːsmɑːk] удовлетвори́тельная оце́нка

passport ['pɑːspɔːt] па́спорт

past [pɑːst] 1. *a* 1) про́шлый, мину́вший; for some time ~ после́днее вре́мя 2) *грам.* проше́дший 2. *n* про́шлое 3. *adv* ми́мо; she walked ~ она́ прошла́ ми́мо 4. *prep* за, по́сле; ~ four пя́тый час; ten minutes ~ four 10 мину́т пя́того

paste [peɪst] 1. *n* 1) те́сто 2) клейстер; па́ста 2. *v* кле́ить, скле́ивать

pastime ['pɑːstaɪm] прия́тное заня́тие, развлече́ние

pastry ['peɪstrɪ] конди́терские изде́лия

pasture ['pɑːstʃə] па́стбище

patch [pætʃ] 1. *n* 1) запла́та 2) пятно́ 2. *v* класть запла́ты, чини́ть

patent ['peɪtənt] 1. *n* пате́нт 2. *a* 1) я́вный 2) патенто́ванный; ~ leather лакиро́ванная ко́жа 3. *v* брать пате́нт (*на что-л.*)

paternal [pə'tɜːnəl] отцо́вский; оте́ческий

path [pɑːθ] 1) доро́жка; тропи́нка 2) путь

pathetic [pə'θetɪk] тро́гательный

pathos ['peɪθɔs] воодушевле́ние, энтузиа́зм

patience ['peɪʃns] терпе́ние

patient ['peɪʃnt] 1. *n* пацие́нт, больно́й 2. *a* терпели́вый

patriot ['pætrɪət] патрио́т; ~ic [pætrɪ'ɔtɪk] патриоти́ческий; ~ism [-ɪzm] патриоти́зм

patronize ['pætrənaɪz] 1) покрови́тельствовать 2) относи́ться свысока́

pattern ['pætən] 1) образе́ц; моде́ль 2) вы́кройка 3) узо́р

pause [pɔːz] 1. *n* па́уза; переды́шка 2. *v* остана́вливать(ся); де́лать па́узу

pave [peɪv] мости́ть; ~ the way прокла́дывать путь, подгота́влять; ~ment ['peɪvmənt]

1) тротуа́р 2) *амер.* мостова́я

pavilion [pə'vɪljən] 1) пала́тка 2) павильо́н

paw [pɔ:] ла́па

pawn I [pɔ:n] *шахм.* пе́шка

pawn II [pɔ:n] закла́дывать

pay [peɪ] 1. *v* (paid; paid) плати́ть; опла́чивать 2. *n* пла́та, жа́лованье; ~ment ['peɪmənt] упла́та, платёж

pea [pi:] горо́х

peace [pi:s] 1) мир 2) поко́й; ~able ['pi:səbl] миролюби́вый; ми́рный; ~ful ['pi:sful] ми́рный; споко́йный; ти́хий

peach [pi:tʃ] пе́рсик

peacock ['pi:kɔk] павли́н

peak [pi:k] пик, верши́на

peanut ['pi:nʌt] земляно́й оре́х

pear [pɛə] гру́ша

pearl [pə:l] же́мчуг

peasant ['peznt] крестья́нин

peat [pi:t] торф

pebble ['pebl] га́лька

peck [pek] клева́ть

peculiar [pɪ'kju:ljə] 1) необы́чный, стра́нный 2) осо́бенный; ~ to сво́йственный

pedal ['pedl] педа́ль

pedestrian [pɪ'destrɪən] пешехо́д

peel [pi:l] 1. *n* 1) кожура́; шелуха́ 2) ко́рка 2. *v* 1) чи́стить, обдира́ть (*кожу, кору*) 2) шелуши́ться

peep [pi:p] 1) прогля́дывать 2) выгля́дывать

peephole ['pi:phəul] дверно́й глазо́к

peer I [pɪə] пэр, лорд

peer II [pɪə] всма́триваться

peevish ['pi:vɪʃ] сварли́вый, раздражи́тельный

peg [peg] 1) ве́шалка 2) ко́лышек

pelican ['pelɪkən] пелика́н; ~ crossing пешехо́дный перехо́д, «зе́бра»

pen [pen] перо́, ру́чка; ballpoint ~ ша́риковая ру́чка

penalty ['penəltɪ] наказа́ние; штраф

pence [pens] *pl* пе́нсы

pencil ['pensl] каранда́ш

penetrate ['penɪtreɪt] проника́ть внутрь

pen friend ['penfrend] друг по перепи́ске

peninsula [pɪ'nɪnsjulə] полуо́стров

penknife ['pennaɪf] перочи́нный нож(ик)

pen name ['penneɪm] псевдони́м

penny ['penɪ] пе́нни

pension ['penʃn] пе́нсия

pentagon ['pentəgən] 1) пятиуго́льник 2) (the P.) Пентаго́н (*США*)

pentathlon [pen'tæθlən] пятибо́рье

people ['pi:pl] 1. *n* наро́д; лю́ди; young ~ молодёжь 2. *v* населя́ть; заселя́ть

pepper ['pepə] пе́рец

per [pə:] 1) через, посредством 2) в; на; ~ annum в год; ~ head на человека

perceive [pə'si:v] 1) воспринимать 2) ощущать

per cent [pə'sent] процент

perception [pə'sepʃn] восприятие

perfect 1. *a* ['pə:fikt] совершенный 2. *n* ['pə:fikt] *грам.* перфект; совершенная форма 3. *v* [pə'fekt] совершенствовать; ~ion [pə'fekʃn] совершенство

perform [pə'fɔ:m] исполнять, выполнять; ~ance [-əns] 1) исполнение 2) *театр.* представление

perfume 1. *n* ['pə:fju:m] 1) аромат 2) духи 2. *v* [pə'fju:m] (на)душить

perhaps [pə'hæps, præps] может быть, возможно

peril ['peril] опасность; ~ous [-əs] опасный, рискованный

period ['piəriəd] период, эпоха

perish ['periʃ] гибнуть, погибать

permanent ['pə:mənənt] постоянный

permission [pə'miʃn] позволение, разрешение

permit 1. *v* [pə'mit] разрешать, позволять 2. *n* ['pə:mit] пропуск

perpendicular [pə:pən'dikjulə] перпендикулярный

perpetual [pə'petjuəl] вечный; постоянный

perplex [pə'pleks] смущать, озадачивать

persecute ['pə:sikju:t] преследовать

perseverance [pə:si'viərəns] настойчивость, упорство

Persian ['pə:ʃən] 1. *a* персидский 2. *n* перс, иранец

persist [pə'sist] упорствовать; ~ent [-ənt] настойчивый, упорный

person ['pə:sn] лицо; особа; человек; ~al [-əl] личный; частный; ~ality [pə:sə'næliti] личность, индивидуальность; a strong ~ality сильная личность

perspire [pəs'paiə] потеть

persuade [pə'sweid] убеждать

pertain [pə:'tein] принадлежать; относиться

perverse [pə'və:s] 1) извращённый, испорченный 2) превратный

pest [pest] паразит, вредитель; *перен.* язва, бич

pet [pet] 1. *n* любимец, баловень 2. *v* баловать

petal ['petl] лепесток

petition [pi'tiʃn] 1. *n* петиция, прошение 2. *v* подавать петицию

petrol ['petrəl] бензин; ~ station заправочная станция

petroleum [pi'trəuljəm] 1) нефть 2) керосин

petticoat ['petɪkəut] (ни́жняя) ю́бка

petty ['petɪ] ме́лкий

petulance ['petjuləns] 1) раздражи́тельность 2) дурно́е настрое́ние

phantom ['fæntəm] 1) фанто́м, при́зрак 2) иллю́зия

pharmacy ['fɑ:məsɪ] апте́ка

phase [feɪz] 1) фа́за, ста́дия 2) аспе́кт

phenomenon [fɪ'nɔmɪnən] (pl -mena) феноме́н

philologist [fɪ'lɔlədʒɪst] фило́лог

philology [fɪ'lɔlədʒɪ] филоло́гия

philosopher [fɪ'lɔsəfə] фило́соф

philosophy [fɪ'lɔsəfɪ] филосо́фия

phone [fəun] разг. **1.** n телефо́н **2.** v звони́ть по телефо́ну

phony ['fəunɪ] подде́льный; фальши́вый

photocopy ['fəutəukɔpɪ] фотоко́пия

photograph ['fəutəgrɑ:f] **1.** n фотогра́фия, сни́мок **2.** v фотографи́ровать

phrase [freɪz] фра́за; выраже́ние

physical ['fɪzɪkəl] физи́ческий

physician [fɪ'zɪʃn] врач

physic|ist ['fɪzɪsɪst] фи́зик; ~s ['fɪzɪks] фи́зика

piano ['pjænəu] пиани́но; grand ~ роя́ль

pick [pɪk] 1) рвать, соби-

ра́ть (цветы, фрукты) 2) ковыря́ть 3) выбира́ть; ~ out выдёргивать; ~ out a tune подбира́ть мело́дию; ~ up a) поднима́ть, подбира́ть; б) схва́тывать, воспринима́ть

picket ['pɪkɪt] пике́т

pickle ['pɪkl] 1) pl соле́нья 2) рассо́л, марина́д

picture ['pɪktʃə] 1) карти́на; иллюстра́ция 2) портре́т 3): the ~s кино́

picturesque [pɪktʃə'resk] живопи́сный; о́бразный, я́ркий

pie [paɪ] пиро́г

piece [pi:s] 1) кусо́к 2) произведе́ние; пье́са; ~work ['pi:swə:k] сде́льная рабо́та

pier [pɪə] 1) при́стань 2) мол 3) сва́я, бык

pierce [pɪəs] 1) пронза́ть; протыка́ть 2) прони́зывать 3) проника́ть

pig [pɪg] свинья́

pigeon ['pɪdʒɪn] го́лубь

pike [paɪk] щу́ка

pile [paɪl] **1.** n ку́ча, гру́да; шта́бель **2.** v нагроможда́ть

pilgrimage ['pɪlgrɪmɪdʒ] пало́мничество

pill [pɪl] пилю́ля

pillar ['pɪlə] коло́нна; столб; ~ box почто́вый я́щик

pillow ['pɪləu] поду́шка; ~case [-keɪs] на́волочка

pilot ['paɪlət] **1.** n 1) пило́т; лётчик 2) ло́цман **2.** v вести́, управля́ть; пилоти́ровать

pin [pɪn] **1.** *n* булáвка ◇ ~ money дéньги на мéлкие расхóды **2.** *v* прикáлывать

pincers ['pɪnsəz] *pl* клéщи; щипцы́

pinch [pɪntʃ] **1.** *v* 1) щипáть 2) прищеми́ть **2.** *n* щипóк

pine I [paɪn] соснá

pine II [paɪn] (for) тосковáть

pineapple ['paɪnæpl] ананáс

pinecone ['paɪnkəun] соснóвая ши́шка

ping [pɪŋ] 1) свист *(пули)* 2) жужжáние

pink [pɪŋk] **1.** *a* рóзовый **2.** *n* бот. гвозди́ка

pint [paɪnt] пи́нта *(0,57 литра)*

pious ['paɪəs] нáбожный

pip [pɪp] кóсточка, зёрнышко

pipe [paɪp] 1) трубá 2) (кури́тельная) трýбка 3) дýдка

pipeline ['paɪplaɪn] трубопровóд

pique [piːk] задéтое самолю́бие, раздражéние

pirate ['paɪərɪt] пирáт

pistol ['pɪstl] револьвéр; пистолéт

pit [pɪt] 1) я́ма; впáдина 2) шáхта, копь; карьéр 3) *театр.* зáдние ряды́ партéра

pitch I [pɪtʃ] смолá

pitch II [pɪtʃ] 1) высотá *(звука)* 2) ýровень, стéпень

pitch-dark [pɪtʃ'dɑːk] темнó, хоть глаз вы́коли

piteous ['pɪtɪəs] жáлкий, жáлобный

pitiless ['pɪtɪlɪs] безжáлостный

pity ['pɪtɪ] **1.** *n* жáлость **2.** *v* жалéть

pivot ['pɪvət] ось, стéржень

pizza ['piːtsə] пи́цца

place [pleɪs] **1.** *n* мéсто ◇ take ~ имéть мéсто; состоя́ться; ~ setting столóвый прибóр **2.** *v* класть, помещáть

plague [pleɪg] 1) чумá 2) бич, нашéствие

plaid [plæd] плед

plain [pleɪn] **1.** *a* 1) я́сный; простóй; ~ chocolate чи́стый шоколáд 2) некраси́вый **2.** *n* равни́на

plaintive ['pleɪntɪv] жáлобный, заунывный

plait [plæt] косá *(волос)*

plan [plæn] **1.** *n* 1) план 2) схéма; проéкт **2.** *v* составля́ть план; плани́ровать

plane I [pleɪn] 1) плóскость 2) самолёт

plane II [pleɪn] **1.** *n* рубáнок **2.** *v* строгáть

planet ['plænɪt] планéта

plank [plæŋk] доскá

plant [plɑːnt] **1.** *n* 1) растéние 2) завóд; фáбрика **2.** *v* 1) сажáть 2) насаждáть

plantation [plæn'teɪʃn] плантáция

plash [plæʃ] плеск; всплеск

plaster ['pla:stə] 1. *n* 1) пла́стырь; put a ~ on накла́дывать пла́стырь 2) штукату́рка 2. *v* штукату́рить

plastic ['plæstɪk] пла́стик

plate [pleɪt] таре́лка

platform ['plætfɔ:m] 1) платфо́рма 2) трибу́на

play [pleɪ] 1. *n* 1) игра́ 2) пье́са 2. *v* игра́ть; ~bill ['pleɪbɪl] афи́ша; ~boy ['pleɪbɔɪ] пове́са; ~mate ['pleɪmeɪt] друг де́тства; ~wright ['pleɪraɪt] драмату́рг

plead [pli:d] 1) защища́ть де́ло (*в суде́*) 2) опра́вдывать(-ся) 3) (for) проси́ть (*о чём-л.*)

pleasant ['pleznt] прия́тный

please [pli:z] доставля́ть удово́льствие; be ~d быть дово́льным; ~ пожа́луйста

pleasure ['pleʒə] удово́льствие

pleat [pli:t] скла́дка

plenty ['plentɪ] (из)оби́лие; мно́жество; ~ of мно́го, ско́лько уго́дно

pliable ['plaɪəbl] 1) сгиба́емый, ги́бкий 2) легко́ поддаю́щийся влия́нию

plot [plɔt] 1. *n* 1) за́говор 2) фа́була, сюже́т 3) уча́сток (*земли́*) 2. *v* 1) замышля́ть; интригова́ть, приду́мывать 2) устра́ивать за́говор

plough [plau] 1. *n* плуг 2. *v* паха́ть

pluck I [plʌk] 1) ощи́пы-вать; выщи́пывать 2) рвать (*цветы́*)

pluck II [plʌk] сме́лость, отва́га

plucky ['plʌkɪ] сме́лый, отва́жный

plug [plʌg] про́бка, заты́чка

plum [plʌm] сли́ва

plump [plʌmp] пу́хлый, по́лный

plunder ['plʌndə] 1. *n* добы́ча 2. *v* гра́бить

plunge [plʌndʒ] 1. *v* окуна́ть(-ся), погружа́ть(-ся) 2. *n* погруже́ние

plural ['pluərəl] *грам.* мно́жественное число́

plus [plʌs] плюс

plywood ['plaɪwud] фане́ра

p. m. ['pi:'em] (post meridiem) по́сле полу́дня

pocket ['pɔkɪt] 1. *n* карма́н; ~ money карма́нные де́ньги 2. *v* 1) класть в карма́н 2) присва́ивать; ~book [-buk] бума́жник

poem ['pəuɪm] поэ́ма, стихотворе́ние

poet ['pəuɪt] поэ́т; ~ry [-п] поэ́зия; стихи́

poignant ['pɔɪnjənt] го́рький, мучи́тельный

point [pɔɪnt] 1. *n* 1) то́чка 2) пункт; вопро́с; the ~ is де́ло в том 3) очко́ 4) остриё 2. *v* пока́зывать (*па́льцем*); ~ out ука́зывать; ~ed ['pɔɪntɪd] 1) о́стрый 2) ко́лкий, крити́ческий 3) подчёркнутый

poison ['pɔɪzn] 1. *n* яд 2. *v*

отравля́ть; ~ous [-əs] ядови́тый

poke [pəuk] 1) толка́ть, пиха́ть 2) сова́ть (*нос, па́лец*)

polar ['pəulə] поля́рный

Pole [pəul] поля́к

pole I [pəul] шест; столб

pole II [pəul] по́люс

police [pə'li:s] поли́ция; ~**man** [-mən] полице́йский; ~**station** [-steɪʃn] полице́йский уча́сток

policy I ['pɔlɪsɪ] поли́тика

policy II ['pɔlɪsɪ] страхово́й по́лис

Polish ['pəulɪʃ] по́льский

polish ['pɔlɪʃ] 1. *v* полирова́ть, шлифова́ть 2. *n* 1) полиро́вка 2) лоск; гля́нец

polite [pə'laɪt] ве́жливый

political [pə'lɪtɪkəl] полити́ческий

politician [pɔlɪ'tɪʃn] полити́ческий де́ятель

politics ['pɔlɪtɪks] поли́тика

poll [pəul] 1. *n* 1) подсчёт (*голосо́в*) голосова́ние 2. *v* 1) голосова́ть 2) подсчи́тывать голоса́

pomp [pɔmp] пы́шность, по́мпа

pond [pɔnd] пруд

pony ['pəunɪ] по́ни

pool [pu:l] лу́жа

poor [puə] 1) бе́дный 2) ску́дный; жа́лкий 3) плохо́й, нева́жный

pop [pɔp] 1. *v* хло́пать, выстре́ливать (*о про́бке*) 2. *n*: ~ music поп-му́зыка

popcorn ['pɔpkɔ:n] возду́шная кукуру́за

pope [pəup] па́па (ри́мский)

poplar ['pɔplə] то́поль

poppy ['pɔpɪ] мак

popular ['pɔpjulə] 1) наро́дный 2) популя́рный; ~**ity** [pɔpju'lærɪtɪ] популя́рность

population [pɔpju'leɪʃn] (наро́до)населе́ние

porcelain ['pɔ:slɪn] фарфо́р

porch [pɔ:tʃ] 1) крыльцо́ 2) *амер.* вера́нда, терра́са

pore [pɔ:] по́ра

pork [pɔ:k] свини́на

porridge ['pɔrɪdʒ] (овся́ная) ка́ша

port [pɔ:t] порт, га́вань

portable ['pɔ:təbl] порта́тивный, переносны́й

porter ['pɔ:tə] 1) носи́льщик 2) швейца́р

portion ['pɔ:ʃn] часть, до́ля

Portuguese [pɔ:tju'gi:z] 1. *a* португа́льский 2. *n* португа́лец

pose [pəuz] по́за

position [pə'zɪʃn] положе́ние; be in a ~ to + *inf.* быть в состоя́нии, мочь (*сде́лать что-л.*)

positive ['pɔzətɪv] 1. *a* 1) положи́тельный 2) уве́ренный 2. *n грам.* положи́тельная сте́пень

possess [pə'zes] владе́ть, облада́ть; ~**ion** [pə'zeʃn] владе́ние, облада́ние; ~**ive** [-ɪv] *грам.* притяжа́тельный; ~**ive case** роди́тельный паде́ж

possibility [ˌpɔsəˈbɪlɪtɪ] возмо́жность

possible [ˈpɔsəbl] возмо́жный

post I [pəust] **1.** *n* столб **2.** *v* вывешивать объявле́ние

post II [pəust] пост

post III [pəust] **1.** *n* по́чта (*утренняя и т. п.*) **2.** *v* отправля́ть по́чтой; ~age [ˈpəustɪdʒ] почто́вые расхо́ды; ~al [ˈpəustəl] почто́вый

poster [ˈpəustə] плака́т

posterity [pɔsˈterɪtɪ] пото́мство

postman [ˈpəustmən] почтальо́н

post office [ˈpəustɔfɪs] по́чта, почто́вое отделе́ние

postpone [pəustˈpəun] откла́дывать, отсро́чивать

pot [pɔt] горшо́к

potato(es) [pəˈteɪtəu(z)] карто́фель

potency [ˈpəutənsɪ] си́ла, могу́щество

potential [pəˈtenʃəl] потенциа́льный

poultry [ˈpəultrɪ] дома́шняя пти́ца

pound I [paund] 1) толо́чь 2) колоти́ть

pound II [paund] 1) фунт 2) фунт сте́рлингов

pour [pɔː] ли́ть(ся); it's ~ing идёт си́льный дождь; ~ out а) налива́ть; б) излива́ть

poverty [ˈpɔvətɪ] бе́дность

powder [ˈpaudə] **1.** *n* 1) порошо́к 2) пу́дра; ~ puff пухо́вка 3) по́рох **2.** *v* 1)

превраща́ть в порошо́к 2) пу́дрить(ся)

power [ˈpauə] 1) си́ла; мо́щность 2) власть; 3) держа́ва 4) *мат.* сте́пень; ~ful [-ful] могу́щественный, си́льный; мо́щный; ~less [-lɪs] бесси́льный

practical [ˈpræktɪkəl] практи́ческий; ~ly [-ɪ] 1) факти́чески 2) практи́чески

practice [ˈpræktɪs] 1) пра́ктика 2) уче́ние 3) трениро́вка

practise [ˈpræktɪs] 1) упражня́ть(ся) 2) практикова́ть, рабо́тать (*о враче, юристе*)

praise [preɪz] **1.** *v* хвали́ть **2.** *n* (по)хвала́

pram [præm] де́тская коля́ска

pray [preɪ] проси́ть; моли́ть(ся); ~! пожа́луйста!; ~er [prɛə] 1) моли́тва 2) про́сьба

preach [priːtʃ] пропове́довать; ~er [ˈpriːtʃə] пропове́дник

precaution [prɪˈkɔːʃn] предосторо́жность

precede [prɪˈsiːd] предше́ствовать; ~nt [ˈpresɪdənt] прецеде́нт

preceding [prɪˈsiːdɪŋ] предше́ствующий

precious [ˈpreʃəs] драгоце́нный

precipice [ˈpresɪpɪs] про́пасть; обры́в

precise [prɪˈsaɪs] то́чный

precision [prɪ'sɪʒn] то́чность

predecessor ['priːdɪsesə] предше́ственник

predicate ['predɪkɪt] *грам.* сказу́емое

predict [prɪ'dɪkt] предска́зывать; ~ion [prɪ'dɪkʃn] предсказа́ние

preface ['prefɪs] предисло́вие

prefer [prɪ'fəː] предпочита́ть; ~able ['prefərəbl] предпочти́тельный; ~ence ['prefərəns] 1) предпочте́ние 2) преиму́щество

prefix ['priːfɪks] *грам.* пре́фикс, приста́вка

pregnant ['pregnənt] 1) бере́менная 2) чрева́тый (*после́дствиями и т. п.*)

preheat [priː'hiːt] подогрева́ть

prejudice ['predʒudɪs] 1. *n* 1) предубежде́ние 2) предрассу́док 3) вред, уще́рб 2. *v* 1) предубежда́ть 2) наноси́ть уще́рб, причиня́ть вред

preliminary [prɪ'lɪmɪnərɪ] предвари́тельный

premature [premə'tjuə] преждевре́менный

premiere ['premɪɛə] премье́ра

premise ['premɪs] 1) предпосы́лка 2) *pl* помеще́ние

premium ['priːmjəm] 1) (страхова́я) пре́мия 2) награ́да

preparation [prepə'reɪʃn] приготовле́ние; подгото́вка

prepare [prɪ'pɛə] приготовля́ть(ся), подготовля́ть(ся)

preposition [prepə'zɪʃn] *грам.* предло́г

prep school ['prep'skuːl] (ча́стная) нача́льная шко́ла

prescribe [prɪs'kraɪb] пропи́сывать

prescription [prɪs'krɪpʃn] 1) предписа́ние 2) реце́пт

presence ['prezns] прису́тствие

present I ['preznt] 1. *a* 1) прису́тствующий 2) тепе́решний, настоя́щий; ~ tense *грам.* настоя́щее вре́мя 2. *n* настоя́щее вре́мя; at ~ тепе́рь; в да́нное вре́мя; for the ~ пока́

present II 1. *n* ['preznt] пода́рок 2. *v* [prɪ'zent] 1) представля́ть 2) преподноси́ть, дари́ть

presentation [prezən'teɪʃn] презента́ция

presentiment [prɪ'zentɪmənt] предчу́вствие

presently ['prezntlɪ] вско́ре; I'm coming ~ я сейча́с приду́

preservation [prezəː'veɪʃn] 1) сохране́ние 2) сохра́нность 3) консерви́рование

preserve [prɪ'zəːv] 1) сохраня́ть 2) консерви́ровать

preside [prɪ'zaɪd] председа́тельствовать

president ['prezɪdənt] 1) председа́тель 2) президе́нт

press [pres] 1. *v* 1) нажимать, выжима́ть; прижима́ть 2) гла́дить 3) наста́ивать 2. *n* 1) пресс 2) печа́ть, пре́сса; ~ conference пресс-конфере́нция; ~ing ['presɪŋ] 1) неотло́жный, спе́шный 2) настоя́тельный; ~man ['pres mæn] репортёр

pressure ['preʃə] давле́ние; нажи́м; ~ cooker скорова́рка

presume [prɪ'zju:m] (пред)полага́ть

presumptuous [prɪ'zʌmptjuəs] самонаде́янный; наха́льный

pretence [prɪ'tens] 1) притво́рство 2) прете́нзия

pretend [prɪ'tend] притворя́ться, де́лать вид

pretext ['pri:tekst] предло́г, отгово́рка

pretty ['prɪtɪ] 1. *a* хоро́шенький 2. *adv разг.* дово́льно; it's ~ hot here здесь дово́льно жа́рко; ~ well вполне́

prevail [prɪ'veɪl] 1) преоблада́ть, госпо́дствовать 2) (over) побежда́ть; truth will ~ пра́вда победи́т; ~ (up)on убежда́ть, угова́ривать

prevent [prɪ'vent] 1) предотвраща́ть 2) меша́ть; ~ion [prɪ'venʃn] предотвраще́ние; предупрежде́ние

previous ['pri:vjəs] предыду́щий, предше́ствующий; ~ to пе́ред, пре́жде чем

prewar [pri:'wɔ:] довое́нный

prey [preɪ] добы́ча; *перен.*

же́ртва; beast of ~ хи́щное живо́тное; fall a ~ to стать же́ртвой

price [praɪs] цена́; ~less ['praɪslɪs] бесце́нный

prick [prɪk] (у)коло́ться; ~ly ['prɪklɪ] колю́чий

pride [praɪd] го́рдость; take ~ in горди́ться чем-л.

priest [pri:st] свяще́нник

primary ['praɪmərɪ] (перво)нача́льный, перви́чный; основно́й

prime [praɪm] 1. *a* гла́вный; Prime Minister премье́р-мини́стр 2. *n:* in the ~ of life во цве́те лет; в расцве́те сил

primeval [praɪ'mi:vəl] первобы́тный

primitive ['prɪmɪtɪv] 1) примити́вный 2) первобы́тный

prince [prɪns] принц; князь

principal ['prɪnsəpəl] гла́вный, основно́й; важне́йший

principle ['prɪnsəpl] при́нцип; пра́вило; on ~ из при́нципа, принципиа́льно

print [prɪnt] 1. *n* 1) о́ттиск 2) печа́ть 3) шрифт 4) си́тец 2. *v* печа́тать; ~er ['prɪntə] при́нтер

priority [praɪ'ɔrɪtɪ] приорите́т

prison ['prɪzn] тюрьма́; ~er ['prɪzənə] 1) заключённый 2) (военно)пле́нный

private ['praɪvɪt] 1. *a* ча́стный, ли́чный; ~ property частная со́бственность **2.** *n* рядово́й

privilege ['prɪvɪlɪdʒ] привиле́гия, преиму́щество; **~d** [-d] привилегиро́ванный

prize [praɪz] **1.** *n* 1) пре́мия; награ́да; приз; the Nobel Prize Но́белевская пре́мия 2) вы́игрыш **2.** *v* высоко́ цени́ть

probability [prɔbə'bɪlɪtɪ] вероя́тность

probably ['prɔbəblɪ] вероя́тно

probe [prəub] зонди́ровать; иссле́довать

problem ['prɔbləm] пробле́ма; зада́ча

proceed [prə'si:d] 1) продолжа́ть 2) происходи́ть 3) приступа́ть, переходи́ть (*к чему́-л.*); **~ing** [-ɪŋ] 1) посту́пок 2) мероприя́тие 3) *pl* протоко́лы; запи́ски

process ['prəuses] проце́сс

procession [prə'seʃn] проце́ссия

proclaim [prə'kleɪm] провозглаша́ть; объявля́ть

proclamation [prɔklə'meɪʃn] воззва́ние; проклама́ция

procure [prə'kjuə] достава́ть, добыва́ть

produce 1. *v* [prə'dju:s] 1) производи́ть 2) предъявля́ть **2.** *n* ['prɔdju:s] проду́кция, проду́кт

producer [prə'dju:sə] продю́сер, постано́вщик

product ['prɔdəkt] про-

ду́кт; результа́т; плоды́; **~ion** [prə'dʌkʃn] 1) произво́дство 2) проду́кция; **~ive** [prə'dʌktɪv] продукти́вный

profession [prə'feʃn] профе́ссия; **~al** [prə'feʃənəl] **1.** *a* профессиона́льный **2.** *n* профессиона́л; специали́ст

professor [prə'fesə] профе́ссор

profile ['prəufaɪl] про́филь

profit ['prɔfɪt] **1.** *n* 1) вы́года; по́льза 2) при́быль **2.** *v* 1) приноси́ть по́льзу 2) извлека́ть по́льзу; **~able** [-əbl] при́быльный; вы́годный; поле́зный

profound [prə'faund] глубо́кий

prognosis [prɔg'nəusɪs] прогно́з

program(me) ['prəugræm] програ́мма

programmer ['prəugræmə] программи́ст

programming ['prəugræmɪŋ] программи́рование

progress 1. *n* ['prəugres] продвиже́ние; разви́тие, прогре́сс **2.** *v* [prə'gres] продвига́ться; де́лать успе́хи; **~ive** [prə'gresɪv] 1) прогресси́вный, передово́й 2) возраста́ющий; прогресси́рующий

prohibit [prə'hɪbɪt] запреща́ть; **~ion** [prəuɪ'bɪʃn] 1) запреще́ние 2) «сухо́й зако́н»

project 1. *n* ['prɔdʒekt]

проéкт **2.** *v* [prə'dʒekt] 1) проектировать 2) выдавáться

proletarian [prəule'tɛərɪən] **1.** *n* пролетáрий **2.** *a* пролетáрский

proliferate [prə'lɪfəreɪt] размножáться, распространяться

prolong [prə'lɔŋ] продлевáть

prominent ['prɔmɪnənt] выдающийся, вúдный

promise ['prɔmɪs] **1.** *n* обещáние **2.** *v* обещáть

promote [prə'məut] 1) повышáть; выдвигáть 2) содéйствовать

promotion [prə'məuʃn] 1) повышéние; выдвижéние 2) содéйствие

prompt [prɔmpt] **1.** *a* бúстрый; немéдленный **2.** *v* 1) побуждáть 2) подскáзывать; ~er ['prɔmptə] суфлёр

pronoun ['prəunaun] *грам.* местоимéние

pronounce [prə'nauns] произносúть

pronunciation [prənʌnsɪ'eɪʃn] произношéние, вúговор

proof [pru:f] **1.** *n* 1) доказáтельство 2) корректýра; óттиск **2.** *a:* ~ against smth. неуязвúмый

prop [prɔp] **1.** *n* 1) подпóрка 2) опóра **2.** *v* подпирáть

propaganda [prɔpə'gændə] пропагáнда

proper ['prɔpə] свойст-

венный 2) прáвильный; надлежáщий 3): ~ name, ~ noun *грам.* úмя сóбственное; ~ly [-lɪ] как слéдует; ~ty [-tɪ] 1) сóбственность, имýщество 2) свóйство

prophesy ['prɔfɪsaɪ] пророчить

prophet ['prɔfɪt] пророк; ~ic [prə'fetɪk] пророческий

proponent [prə'pəunənt] сторóнник

proportion [prə'pɔ:ʃn] пропóрция, отношéние

proposal [prə'pəuzəl] предложéние

propose [prə'pəuz] 1) предлагáть 2) дéлать предложéние

proposition [prɔpə'zɪʃn] 1) предложéние 2) план, проéкт

proprietor [prə'praɪətə] сóбственник, владéлец

prose [prəuz] прóза

prosecute ['prɔsɪkju:t] 1) проводúть 2) преслéдовать по судý

prospect **1.** *n* ['prɔspekt] 1) перспектúва 2) вид **2.** *v* [prəs'pekt] развéдывать (*земные недра*)

prosper ['prɔspə] процветáть; ~ity [prɔs'perɪtɪ] процветáние; ~ous ['prɔspərəs] процветáющий

prostitution [prɔstɪ'tju:ʃn] проституция

protect [prə'tekt] 1) защищáть 2) покровúтельствовать; ~ion [prə'tekʃn] 1) за-

143

щита́ 2) покрови́тельство; ~or [-ə] защи́тник; покрови́тель

protest 1. v [prə'test] протестова́ть **2.** n ['prəutest] проте́ст

proud [praud] го́рдый; be ~ of горди́ться

prove [pru:v] 1) дока́зывать 2) оказа́ться (кем-л., чем-л.)

proverb ['prɔvəb] посло́вица

provide [prə'vaid] 1) снабжа́ть 2) обеспе́чивать; ~ for предоставля́ть; предусма́тривать; ~d [-id] е́сли, при усло́вии

providence ['prɔvidəns] провиде́ние

province ['prɔvins] 1) прови́нция; о́бласть 2) сфе́ра де́ятельности

provision [prə'viʒn] 1) обеспе́чение, снабже́ние 2) pl прови́зия 3) усло́вие

provocation [prɔvə'keiʃn] провока́ция

provocative [prə'vɔkətiv] 1) вызыва́ющий 2) провокацио́нный

provoke [prə'vəuk] 1) вызыва́ть 2) провоци́ровать

prudent ['pru:dənt] осторо́жный, благоразу́мный

prune [pru:n] черносли́в

psalm [sɑ:m] псало́м

psychiatrist [sai'kaiətrist] психиа́тр

psychic ['saikik] телепати́ческий

pub [pʌb] паб, пивна́я

public ['pʌblik] 1. a публи́чный; обще́ственный 2. n: the ~ пу́блика

publication [pʌbli'keiʃn] 1) опубликова́ние; публика́ция 2) изда́ние

publicity [pʌb'lisiti] 1) гла́сность; 2) рекла́ма

publish ['pʌbliʃ] издава́ть; ~er [-ə] изда́тель

puck [pʌk] спорт. ша́йба

pudding ['pudiŋ] пу́динг

puff [pʌf] 1. n 1) дымо́к 2) дунове́ние (ветра) 2. v дыми́ть, попы́хивать

pull [pul] 1. v 1) тяну́ть, тащи́ть 2) дёргать 3) нажа́ть (курок) 2. n рыво́к

pullover ['puləuvə] пуло́вер, дже́мпер

pulp [pʌlp] 1) мя́коть 2) бума́жная ма́сса

pulse [pʌls] 1. n пульс 2. v пульси́ровать

pump [pʌmp] 1. n насо́с; по́мпа 2. v кача́ть, выка́чивать

pumpkin ['pʌmpkin] ты́ква

punch I [pʌntʃ] 1. v 1) пробива́ть (отве́рстия) 2) ударя́ть кулако́м 2. n уда́р кулако́м

punch II [pʌntʃ] пунш

punctual ['pʌŋktjuəl] пунктуа́льный, аккура́тный

punctuation [pʌŋktju'eiʃn]: ~ marks зна́ки препина́ния

punish ['pʌniʃ] нака́зывать; ~ment [-mənt] наказа́ние

punk [pʌŋk] панк

pupil I [ˈpjuːpl] учени́к

pupil II [ˈpjuːpl] зрачо́к

puppet [ˈpʌpɪt] марионе́тка

puppy [ˈpʌpɪ] щено́к

purchase [ˈpəːtʃəs] **1.** *v* покупа́ть **2.** *n* поку́пка

pure [pjuə] 1) чи́стый; беспри́месный 2) непоро́чный 3) чисте́йший; ~ imagination чисте́йшая вы́думка

purity [ˈpjuərɪtɪ] чистота́; непоро́чность

purple [ˈpəːpl] лило́вый; мали́новый

purpose [ˈpəːpəs] цель, наме́рение; on ~ наро́чно; to no ~ тще́тно

purse [pəːs] кошелёк; *перен.* де́ньги

pursue [pəˈsjuː] пресле́довать

pursuit [pəˈsjuːt] 1) пресле́дование; пого́ня 2) заня́тие

push [puʃ] **1.** *v* 1) толка́ть, продвига́ть 2) прота́лкиваться **2.** *n* толчо́к; уда́р 2) эне́ргия, реши́мость

put [put] (put; put) класть; ста́вить; ~ **down** запи́сывать; ~ **in** вставля́ть; ~ **off** откла́дывать; ~ **on** надева́ть; ~ **out** туши́ть

puzzle [ˈpʌzl] **1.** *n* зада́ча; зага́дка **2.** *v* озада́чивать, ста́вить в тупи́к; ~ **over** лома́ть себе́ го́лову над

pyjamas [pəˈdʒɑːməs] *pl* пижа́ма

pyramid [ˈpɪrəmɪd] пирами́да

Q

quake [kweɪk] дрожа́ть, трясти́сь

qualification [ˌkwɔlɪfɪˈkeɪʃn] 1) квалифика́ция 2) огово́рка, ограниче́ние 3) сво́йство, ка́чество

quality [ˈkwɔlɪtɪ] 1) ка́чество; досто́инство 2) сво́йство

quantity [ˈkwɔntɪtɪ] коли́чество

quarrel [ˈkwɔrəl] **1.** *n* ссо́ра **2.** *v* ссо́риться

quarry [ˈkwɔrɪ] камоноло́мня, карье́р

quarter [ˈkwɔːtə] **1.** *n* 1) че́тверть 2) кварта́л (*го́да*) 3) *амер.* моне́та в 25 це́нтов 4) *pl* жили́ще; *воен.* кварти́ры **2.** *v* (on) расквартиро́вывать

quay [kiː] на́бережная

queen [kwiːn] 1) короле́ва 2) *шахм.* ферзь

queer [kwɪə] 1) стра́нный, эксцентри́чный 2): feel ~ пло́хо себя́ чу́вствовать

quell [kwel] подавля́ть

quench [kwentʃ] утоля́ть (*жа́жду*)

quest [kwest] по́иски

question [ˈkwestʃn] **1.** *n*

вопрос; ~ mark вопросительный знак 2. *v* 1) задавать вопрос(ы), спрашивать 2) подвергать сомнению

questionnaire [kwestɪə'nɛə] анкета

queue [kju:] 1. *n* очередь 2. *v* (up) стоять в очереди

quick [kwɪk] 1. *a* быстрый 2. *adv* быстро; be ~! скорее!; ~ly ['kwɪklɪ] быстро, проворно

quicksilver ['kwɪksɪlvə] ртуть

quiet ['kwaɪət] 1. *n* покой, тишина 2. *a* спокойный, тихий 3. *v* успокаивать(ся); ~down утихать

quilt [kwɪlt] стёганое одеяло

quit [kwɪt] оставлять, покидать

quite [kwaɪt] совершенно, вполне, совсем, всецело

quiver ['kwɪvə] 1. *v* дрожать, трепетать 2. *n* дрожь; трепет

quiz [kwɪz] викторина

quotation [kwəu'teɪʃn] цитата; ~ marks кавычки

quote [kwəut] цитировать; ссылаться

R

rabbit ['ræbɪt] кролик
raccoon [rə'ku:n] енот
race I [reɪs] гонка; *pl* бега, гонки, скачки

race II [reɪs] раса
racial ['reɪʃəl] расовый
racing ['reɪsɪŋ] скачки
racket I ['rækɪt] *спорт.* ракетка

racket II ['rækɪt] рэкет; ~eer [rækə'tɪə] рэкетир

radiant ['reɪdjənt] 1) лучистый 2) сияющий; лучезарный

radiator ['reɪdɪeɪtə] радиатор

radical ['rædɪkəl] 1. *a* коренной; радикальный 2. *n* радикал

radio ['reɪdɪəu] радио
radish ['rædɪʃ] редиска
rag [ræg] 1) тряпка 2) *pl* лохмотья

rage [reɪdʒ] ярость
ragged ['rægɪd] истрёпанный; оборванный; рваный

raid [reɪd] налёт
rail [reɪl] 1) перила 2) перекладина 3) рельс; go by ~ ехать поездом

railing ['reɪlɪŋ] ограда; перила

railroad ['reɪlrəud] *амер.* железная дорога

railway ['reɪlweɪ] железная дорога

rain [reɪn] 1. *n* дождь 2. *v*: it ~s, it is ~ing дождь идёт; ~bow ['reɪnbəu] радуга; ~-coat ['reɪnkəut] дождевик, плащ

rainy ['reɪnɪ] дождливый
raise [reɪz] 1. *v* 1) поднимать; ~ one's hopes возбуждать надежды; ~ one's voice

повыша́ть го́лос 2) воспи́тывать 3) выра́щивать; разводи́ть 2. *n амер.* повыше́ние (*зарплаты*)

raisin ['reɪzn] изю́м

rake [reɪk] гра́бли

rally ['rælɪ] 1) ма́ссовый ми́тинг; слёт 2) восстановле́ние 3) авторалли

ram [ræm] бара́н

ran [ræn] *past om* run 1

ranch [rɑ:ntʃ] ра́нчо, (скотово́дческая) фе́рма

random ['rændəm]: at ~ наугад, наобу́м

rang [ræŋ] *past om* ring II, 1

range [reɪndʒ] 1. *n* 1) го́рная цепь 2) преде́л; разма́х, диапазо́н 3) ку́хонная плита́ 2. *v* 1) простира́ться 2) выстра́ивать(ся) в ряд; ста́вить в поря́дке

rank [ræŋk] 1) ряд, шере́нга 2) чин, ранг, разря́д

ransom ['rænsəm] 1. *n* вы́куп 2. *v* выкупа́ть

rape [reɪp] наси́ловать

rapid ['ræpɪd] 1. *a* бы́стрый, ско́рый 2. *n pl* поро́ги (*реки́*)

rare [rɛə] ре́дкий; необыкнове́нный

rash I [ræʃ] стреми́тельный; поспе́шный; опроме́тчивый

rash II [ræʃ] сыпь

raspberry ['rɑːzbərɪ] мали́на

rat [ræt] кры́са

rate [reɪt] 1. *n* 1) но́рма;

расце́нка; ста́вка 2) темп; ско́рость 3) нало́г ◇ at any ~ во вся́ком слу́чае; at this ~ в тако́м слу́чае, при таки́х усло́виях 2. *v* оце́нивать

rather ['rɑːðə] 1) скоре́е; лу́чше 2) слегка́; не́сколько

ratify ['rætɪfaɪ] ратифици́ровать

ration ['ræʃn] паёк

rational ['ræʃnəl] разу́мный, рациона́льный

rattle ['rætl] 1. *v* треща́ть; греме́ть; грохота́ть 2. *n* треск, гро́хот 3) погрему́шка; трещо́тка

raven ['reɪvn] во́рон

raw [rɔ:] сыро́й; необрабо́танный; ~ material сырьё

ray [reɪ] луч

razor ['reɪzə] бри́тва

re [ri:] юр: ~ your letter ссыла́ясь на ва́ше письмо́

re- [ri:-] *приста́вка* пере-; сно́ва, обра́тно

reach [ri:tʃ] 1. *v* 1) достига́ть; доходи́ть; доезжа́ть 2) достава́ть; дотя́гиваться 3) простира́ться 2. *n*: within ~ в преде́лах досяга́емости; под руко́й; out of ~ вне преде́лов досяга́емости

react [ri:'ækt] реаги́ровать

reaction [ri:'ækʃn] реа́кция

read [ri:d] (read [red]; read [red]) чита́ть; ~er ['ri:də] 1) чита́тель 2) хрестома́тия (*шко́льная*); ~ing ['ri:dɪŋ] 1) чте́ние; ~ing room читáльный зал 2) вариáнт тéкста, разночтéние

ready ['redɪ] готóвый ◇ ~ шопеу налúчные дéньги

ready-made ['redɪ'meɪd] готóвый (*о плáтье*)

real [rɪəl] 1) действúтельный, настоя́щий 2): ~ estate недвúжимость

realistic [rɪə'lɪstɪk] реалистúческий; трéзвый

reality [rɪ'ælɪtɪ] действúтельность

realize ['rɪəlaɪz] 1) осуществля́ть 2) понимáть; представля́ть себé

really ['rɪəlɪ] действúтельно, в сáмом дéле

reap [riːp] 1) жать 2) пожинáть; ~er ['riːpə] 1) жнец, жнúца 2) жáтвенная машúна, жáтка

rear I [rɪə] 1. *a* зáдний 2. *n* тыл; зáдняя сторонá; in the ~ в тылý

rear II [rɪə] 1) становúться на дыбы́ 2) воспúтывать, растúть

reason ['riːzn] 1. *n* 1) причúна, основáние 2) рáзум, благоразýмие 2. *v* рассуждáть; ~able ['riːzənəbl] 1) разýмный 2) приéмлемый (*о ценé*)

reassure [riːə'ʃuə] успокáивать

rebel 1. *n* ['rebl] повстáнец; мятéжник 2. *v* [rɪ'bel] восставáть; ~lion [rɪ'beljən] восстáние; бунт; ~lious

[rɪ'beljəs] мятéжный, бунтáрский

recall [rɪ'kɔːl] 1. *v* 1) отзывáть 2) отменя́ть 3) вспоминáть 2. *n* отозвáние (*представúтеля, послáнника и т. п.*)

receipt [rɪ'siːt] 1) получéние 2) распúска, квитáнция

receive [rɪ'siːv] 1) получáть 2) принимáть (*гостéй*)

receiver [rɪ'siːvə] 1) получáтель 2) *тех.* приёмник 3) трýбка (*телефóнная*)

recent ['riːsnt] недáвний, нóвый, свéжий; ~ly [-lɪ] недáвно

reception [rɪ'sepʃn] 1) приём 2) восприя́тие

recess [rɪ'ses] канúкулы (*парлáмента*)

recipe ['resɪpɪ] рецéпт

recite [rɪ'saɪt] читáть, декламúровать

reckless ['reklɪs] отчáянный; безрассýдный; опромéтчивый

reckon ['rekən] 1) считáть, подсчúтывать 2) *разг.* дýмать, считáть; ~ on рассчúтывать на

recognition [rekəg'nɪʃn] признáние

recognize ['rekəgnaɪz] признавáть; узнавáть

recollect [rekə'lekt] припоминáть; ~ion [rekə'lekʃn] воспоминáние

recommend [rekə'mend] рекомендовáть, совéтовать;

~ation [rekəmen'deɪʃn] рекомендация

  recompense ['rekəmpens] 1. *v* вознаграждать; компенсировать 2. *n* вознаграждение; компенсация

  reconcile ['rekənsaɪl] примирять

  reconstruct [ri:kəns'trʌkt] перестраивать; реконструировать; ~ion ['ri:kəns'trʌkʃn] перестройка; реконструкция

  record 1. *v* [rɪ'kɔ:d] записывать; регистрировать 2. *n* ['rekɔ:d] 1) запись; протокол 2) граммофонная пластинка 3) рекорд 4) личное дело; ~ of service послужной список ◇ bad ~ плохая репутация; off the ~ не для протокола; ~ player проигрыватель

  recover [rɪ'kʌvə] 1) возвращать 2) выздоравливать; поправляться; ~y [rɪ'kʌvərɪ] 1) выздоровление 2) восстановление

  recreation [rekrɪ'eɪʃn] отдых, развлечение

  recruit [rɪ'kru:t] 1. *n* новобранец, рекрут 2. *v* вербовать

  recur [rɪ'kə:] 1) возвращаться (*к чему-л.*) 2) повторяться

  red [red] красный

  redeem [rɪ'di:m] 1) выкупать 2) искупать 3) выполнять (*обещание и т. п.*)

  reduce [rɪ'dju:s] 1) пони-

жать 2) (to) доводить до; снижать до

  reduction [rɪ'dʌkʃn] снижение; скидка; уменьшение

  reed [ri:d] тростник; камыш

  reel I [ri:l] 1) катушка 2) *тех.* барабан 3) *кино* часть, бобина

  reel II [ri:l] пошатываться; спотыкаться

  refer [rɪ'fə:] 1) ссылаться на 2) направлять кому-л.; ~ee [refə'ri:] *спорт.* судья, рефери; ~ence ['refrəns] 1) справка 2) ссылка; упоминание; with ~ence to a) ссылаясь на; б) относительно

  refill [ri:'fɪl] заправлять ручку

  refine [rɪ'faɪn] очищать

  reflect [rɪ'flekt] 1) отражать(ся) 2) размышлять; ~ion [rɪ'flekʃn] 1) отражение 2) размышление

  reform [rɪ'fɔ:m] 1. *v* 1) реформировать 2) исправлять(ся) 2. *n* реформа

  refrain I [rɪ'freɪn] припев

  refrain II [rɪ'freɪn] (from) воздерживаться (от)

  refresh [rɪ'freʃ] освежать; ~ment [-mənt] 1) подкрепление (*сил и т. п.*) 2) *pl* закуски и напитки; ~ment room буфет

  refrigerator [rɪ'frɪdʒəreɪtə] холодильник

  refuge ['refju:dʒ] убежище; take ~ спасаться

refugee [refju:'dʒi:] бе́женец

refusal [rɪ'fju:zəl] отка́з

refuse [rɪ'fju:z] отка́зывать(ся)

refute [rɪ'fju:t] опроверга́ть

regain [rɪ'geɪn] дости́чь; ~ the shore возврати́ться к бе́регу ◇ ~ consciousness прийти́ в себя́; ~ one's health попра́виться

regard [rɪ'gɑ:d] 1. v 1) смотре́ть 2) рассма́тривать; счита́ть 3) каса́ться; as ~s что каса́ется 2. n 1) уваже́ние 2) pl покло́н, приве́т ◇ in (with) ~ to относи́тельно

regatta [rɪ'gætə] рега́та

regime [reɪ'ʒi:m] строй, режи́м

regiment ['redʒɪmənt] полк

region ['ri:dʒən] 1) о́бласть 2) сфе́ра

register ['redʒɪstə] 1. n журна́л (за́писей) 2. v регистри́ровать; ~ed letter заказно́е письмо́

registration [redʒɪs'treɪʃn] регистра́ция

registry ['redʒɪstrɪ] регистрату́ра

regret [rɪ'gret] 1. v сожале́ть; раска́иваться 2. n сожале́ние

regular ['regjulə] пра́вильный; регуля́рный

regulate ['regjuleɪt] 1) регули́ровать 2) приспоса́бливать

regulation [regju'leɪʃn] 1)

регули́рование 2) pl пра́вила; регла́мент

rehearsal [rɪ'hə:səl] репети́ция

rehearse [rɪ'hə:s] репети́ровать

reign [reɪn] 1. n ца́рствование; перен. госпо́дство 2. v ца́рствовать; перен. госпо́дствовать

reindeer ['reɪndɪə] се́верный оле́нь

reinforce [ri:ɪn'fɔ:s] уси́ливать, подкрепля́ть; укрепля́ть

reins [reɪnz] pl пово́дья, во́жжи ◇ the ~ of government бразды́ правле́ния

reiterate [ri:'ɪtəreɪt] повторя́ть

reject [rɪ'dʒekt] отверга́ть

rejoice [rɪ'dʒɔɪs] ра́доваться(ся)

relate [rɪ'leɪt] расска́зывать

relation [rɪ'leɪʃn] 1) отноше́ние 2) ро́дственник

relationship [rɪ'leɪʃnʃɪp] 1) родство́ 2) (взаимо)отноше́ние; связь

relative ['relətɪv] 1. a относи́тельный; сравни́тельный 2. n ро́дственник

relax [rɪ'læks] 1) ослабля́ть; смягча́ть 2) отдыха́ть, расслабля́ться, де́лать переды́шку; ~ation [ri:læk'seɪʃn] ослабле́ние; расслабле́ние

release [rɪ'li:s] 1. v 1) освобождáть 2) отпускáть; выпускáть 2. *n* освобождéние

relent [rɪ'lent] смягчáться; **~less** [-lɪs] безжáлостный

reliable [rɪ'laɪəbl] надёжный

reliance [rɪ'laɪəns] довéрие; увéренность

relief [rɪ'li:f] 1) облегчéние 2) пóмощь; пособие 3) смéна (*дежурных и т. п.*)

relieve [rɪ'li:v] 1) облегчáть 2) окáзывать пóмощь 3) освобождáть 4) сменять

religion [rɪ'lɪdʒn] релúгия

religious [rɪ'lɪdʒəs] религиóзный

relish ['relɪʃ] 1) (прú)вкус 2) сóус, припрáва

reluctant [rɪ'lʌktənt] нерасположенный; be ~ быть нерасположенным; **~ly** [-lɪ] неохóтно

rely [rɪ'laɪ] (upon) полагáться (на)

remain [rɪ'meɪn] 1. *v* оставáться 2. *n pl* 1) остáтки 2) останки; **~der** [-də] остáток

remark [rɪ'mɑ:k] 1. *v* замечáть 2. *n* замечáние; **~able** [-əbl] замечáтельный

remedy ['remɪdɪ] 1. *n* 1) срéдство 2) лекáрство 2. *v* исправлять

remember [rɪ'membə] пóмнить, вспоминáть

remembrance [rɪ'membrəns] воспоминáние; пáмять

remind [rɪ'maɪnd] напоминáть

reminiscence [remɪ'nɪsns] воспоминáние

remittance [rɪ'mɪtəns] пересылка, перевóд дéнег

remnant ['remnənt] остáток

remorse [rɪ'mɔ:s] угрызéние сóвести

remote [rɪ'məut] отдалённый; уединённый; ~ control дистанциóнное управлéние

removal [rɪ'mu:vəl] 1) удалéние; устранéние 2) переéзд на другýю квартúру

remove [rɪ'mu:v] 1) удалять; устранять; снимáть 2) переезжáть

renew [rɪ'nju:] возобновлять

renounce [rɪ'nauns] 1) откáзываться (*от прав и т. п.*) 2) отрекáться (*от друзéй*)

rent [rent] 1. *n* арéндная плáта 2. *v* нанимáть *или* сдавáть в арéнду

repaid [ri:'peɪd] *past и p. p. от* repay

repair [rɪ'pɛə] 1. *v* ремонтúровать; исправлять 2. *n* почúнка, ремóнт; in good ~ в хорóшем состоянии

repay [rɪ'peɪ] (repaid; repaid) возмещáть; отплáчивать

repeat [rɪ'pi:t] повторять

repel [rɪ'pel] оттáлкивать; внушáть отвращéние

repent [rɪ'pent] раскáиваться; **~ance** [-əns] раскáяние

repertoire [ˈrepətwɑ:] репертуа́р

repetition [repɪˈtɪʃn] повторе́ние

replace [ri:ˈpleis] 1) положи́ть обра́тно 2) заменя́ть; замеща́ть

reply [rɪˈplai] 1. v отвеча́ть 2. n отве́т

report [rɪˈpɔ:t] 1. n 1) докла́д; донесе́ние; ра́порт; отчёт 2) звук взры́ва, вы́стрела 2. v сообща́ть; докла́дывать; ~er [-ə] 1) докла́дчик; 2) репортёр

repose [rɪˈpəuz] 1. v 1) отдыха́ть 2) лежа́ть, поко́иться 2. n о́тдых; поко́й

represent [reprɪˈzent] 1) представля́ть 2) изобража́ть; ~ation [reprɪzenˈteiʃn] 1) представле́ние 2) изображе́ние

representative [reprɪˈzentətɪv] 1. n представи́тель 2. a представля́ющий; представи́тельный

repress [rɪˈpres] подавля́ть; ~ion [rɪˈpreʃn] подавле́ние, репре́ссия

reproach [rɪˈprəutʃ] 1. n упрёк; осужде́ние 2. v упрека́ть

reproduce [ri:prəˈdju:s] воспроизводи́ть

reproduction [ri:prəˈdʌkʃn] воспроизведе́ние, репроду́кция

reproof [rɪˈpru:f] порица́ние; вы́говор

reprove [rɪˈpru:v] порица́ть; де́лать вы́говор

reptile [ˈreptail] пресмыка́ющееся

republic [rɪˈpʌblik] респу́блика

repulse [rɪˈpʌls] 1. v 1) отража́ть (нападение) 2) отверга́ть; отта́лкивать 2. n отпо́р

repulsive [rɪˈpʌlsɪv] отта́лкивающий, омерзи́тельный

reputation [repjuˈteiʃn] репута́ция

request [rɪˈkwest] 1. n про́сьба 2. v проси́ть

require [rɪˈkwaiə] 1) нужда́ться (в чём-л.) 2) тре́бовать; ~ment [-mənt] тре́бование, потре́бность

rescue [ˈreskju:] 1. v спаса́ть 2. n спасе́ние; to the ~ на по́мощь

research [rɪˈsə:tʃ] иссле́дование; нау́чная рабо́та

resemblance [rɪˈzembləns] схо́дство

resemble [rɪˈzembl] походи́ть, име́ть схо́дство

resent [rɪˈzent] обижа́ться; возмуща́ться; ~ment [-mənt] возмуще́ние

reservation [rezəˈveiʃn] 1) огово́рка 2) резерва́ция

reserve [rɪˈzə:v] 1. v 1) сберега́ть; запаса́ть 2) резерви́ровать 2. n 1) запа́с, резе́рв 2) сде́ржанность 3) запове́дник; ~d [-d] скры́тный; сде́ржанный

reside [rɪˈzaid] прожива́ть;

~nce ['rezɪdəns] местожи́-
тельство; резиде́нция; ~nt
['rezɪdənt] постоя́нный жи́-
тель

resign [rɪ'zaɪn] уходи́ть в
отста́вку; ~ oneself to подчи-
ня́ться, покоря́ться; ~ation
[rezɪg'neɪʃn] 1) отста́вка; за-
явле́ние об отста́вке 2) по-
ко́рность, смире́ние

resigned [rɪ'zaɪnd] поко́р-
ный, безро́потный

resist [rɪ'zɪst] сопротив-
ля́ться; ~ance [-əns] сопро-
тивле́ние

resolute ['rezəlu:t] реши́-
тельный

resolution [rezə'lu:ʃn] 1)
реше́ние, резолю́ция 2) ре-
ши́мость

resolve [rɪ'zɔlv] ре-
ша́ть(ся); принима́ть реше́-
ние

resort [rɪ'zɔ:t] 1. v (to)
прибега́ть (к) 2. n прибе́жи-
ще; summer ~ да́чное ме́сто

resound [rɪ'zaund] 1) зву-
ча́ть; оглаша́ть(ся) 2) гре-
ме́ть, производи́ть сенса́цию

resources [rɪ'sɔ:sɪz] ресу́р-
сы, сре́дства

respect [rɪs'pekt] 1. n 1)
уваже́ние 2): in ~ to в отно-
ше́нии 2. v уважа́ть; ~able
[-əbl] 1) почте́нный 2) по-
ря́дочный; ~ful [-ful] почти́-
тельный; ~ive [-ɪv] соотве́т-
ственный

respite ['respaɪt] переды́ш-
ка; отсро́чка

respond [rɪs'pɔnd] отве-
ча́ть; отзыва́ться

response [rɪs'pɔns] отве́т;
о́тклик

responsibility [rɪspɔnsə-
'bɪlɪtɪ] 1) отве́тственность 2)
обя́занность

responsible [rɪs'pɔnsəbl]
отве́тственный; be ~ for от-
веча́ть за

responsive [rɪs'pɔnsɪv] от-
зы́вчивый

rest I [rest] 1. n 1) о́тдых;
поко́й 2) опо́ра 2. v 1) отды-
ха́ть; поко́иться 2) опира́ть-
ся

rest II [rest]: the ~ остальн-
о́е; остальны́е; оста́ток

restaurant ['restrɔ:ŋ] ре-
стора́н

restless ['restlɪs] беспо-
ко́йный, неугомо́нный

restoration [restə'reɪʃn]
восстановле́ние, реставра́ция

restore [rɪ'stɔ:] 1) восста-
на́вливать, реставри́ровать
2) возвраща́ть

restrain [rɪs'treɪn] сде́ржи-
вать

restriction [rɪs'trɪkʃn] огра-
ниче́ние

result [rɪ'zʌlt] 1. n результ-
а́т, сле́дствие 2. v: ~ in кон-
ча́ться, име́ть результа́том

resume [rɪ'zju:m] возобно-
вля́ть

retail 1. n ['ri:teɪl] ро́знич-
ная прода́жа 2. adv ['ri:teɪl]
в ро́зницу 3. v [ri:'teɪl] про-
дава́ть(ся) в ро́зницу

retain [rɪ'teɪn] сохраня́ть

retire [rɪ'taɪə] 1) удаля́ться 2) уходи́ть в отста́вку 3) ложи́ться спать; ~ment [-mənt] 1) отста́вка 2) уедине́ние

retreat [rɪ'tri:t] 1. *v* отступа́ть 2. *n* 1) отступле́ние 2) убе́жище

return [rɪ'tə:n] 1. *v* 1) возвраща́ть(ся) 2) отвеча́ть 2. *n* 1) возвраще́ние 2) отве́т; in ~ for в отве́т на 2) возвра́т, отда́ча; in ~ в опла́ту; в обме́н 3) дохо́д, при́быль

reveal [rɪ'vi:l] открыва́ть, обнару́живать

revelation [revɪ'leɪʃn] откры́тие, обнаруже́ние

revenge [rɪ'vendʒ] 1. *n* месть 2. *v* мстить

revenue ['revɪnju:] годово́й дохо́д

reverence ['revərəns] почте́ние; благогове́ние

reverse [rɪ'və:s] 1. *a* обра́тный; переве́рнутый 2. *v* 1) переве́ртывать 2) меня́ть направле́ние (*движения, вращения*) 3. *n* 1) противополо́жное, обра́тное; quite the ~! совсе́м наоборо́т! 2) неуда́ча, превра́тность 3) за́дний ход

review [rɪ'vju:] 1. *n* 1) обзо́р 2) обозре́ние; журна́л 3) реце́нзия 2. *v* 1) пересма́тривать 2) де́лать обзо́р, реце́нзировать

revise [rɪ'vaɪz] исправля́ть; пересма́тривать

revive [rɪ'vaɪv] 1) оживля́ть

2) оживля́ть 3) восстана́вливать; возобновля́ть

revolt [rɪ'vəult] 1. *v* восстава́ть 2. *n* восста́ние; мяте́ж

revolution [revə'lu:ʃn] револю́ция

revolutionary [revə'lu:ʃənərɪ] 1. *a* революцио́нный 2. *n* революционе́р

revolve [rɪ'vɔlv] враща́ть(ся)

reward [rɪ'wɔ:d] 1. *n* награ́да 2. *v* награжда́ть

rheumatism ['ru:mətɪzm] ревмати́зм

rhinoceros [raɪ'nɔsərəs] носоро́г

rhyme [raɪm] 1. *n* ри́фма 2. *v* рифмова́ть

rib [rɪb] ребро́

ribbon ['rɪbən] ле́нта

rice [raɪs] рис

rich [rɪtʃ] 1) бога́тый 2) плодоро́дный 3) жи́рный (*о пище*); ~es ['rɪtʃɪz] *pl* 1) бога́тство 2) изоби́лие

rid [rɪd] (rid, ridded; rid, ridded) освобожда́ть, избавля́ть; get ~ of отде́лываться, избавля́ться

ridden ['rɪdn] *p. p. от* ride 1

riddle ['rɪdl] зага́дка

ride [raɪd] 1. *v* (rode; ridden) 1) е́хать верхо́м 2) е́хать 2. *n* 1) езда́ 2) прогу́лка (*в машине*)

rider ['raɪdə] нае́здник, вса́дник

ridge [rɪdʒ] 1) го́рный

хребе́т 2) гре́бень (*горы и т. п.*) 3): ~ of the roof конёк (крыши)

ridiculous [rɪ'dɪkjuləs] смехотво́рный, неле́пый

riding ['raɪdɪŋ] верхова́я езда́

rifle ['raɪfl] винто́вка; ~man [-mən] стрело́к

rift [rɪft] 1) тре́щина, щель 2) просве́т

right [raɪt] 1. *a* 1) пра́вильный; ве́рный; you are ~ вы пра́вы; ~ you are! пра́вильно! 2) пра́вый 3) прямо́й; ~ angle прямо́й у́гол. 2. *n* 1) пра́во 2) пра́вая сторона́; turn to the ~ поверни́те напра́во 3. *adv* 1) пра́вильно; all ~ хорошо́ 2) пря́мо 3) напра́во

rigid ['rɪdʒɪd] засты́вший; негну́щийся; жёсткий

rim [rɪm] обо́док, край

rind [raɪnd] 1) кожура́, кора́ 2) ко́рка

ring I [rɪŋ] 1) круг 2) кольцо́ 3) ринг, аре́на

ring II [rɪŋ] 1. *v* (rang; rung) 1) звони́ть 2) звуча́ть; ~ off дава́ть отбо́й; ~ up звони́ть (по телефо́ну) 2. *n* звон; звоно́к

rink [rɪŋk] като́к

rinse [rɪns] полоска́ть

riot ['raɪət] 1) бунт 2) разгу́л

ripe [raɪp] спе́лый; созре́вший; ~n ['raɪpən] зреть, созрева́ть

rise [raɪz] 1. *v* (rose; risen)

1) встава́ть; поднима́ться 2) восходи́ть (*о солнце*) 3) восстава́ть 4) увели́чиваться 2. *n* 1) подъём 2) нача́ло 3) восхо́д (*солнца*) 4) увеличе́ние (*зарплаты*)

risen ['rɪzn] *p. p. от* rise 1

risk [rɪsk] 1. *n* риск 2. *v* рискова́ть

rite [raɪt] церемо́ния, обря́д

rival ['raɪvəl] сопе́рник; конкуре́нт

river ['rɪvə] река́

road [rəud] доро́га

roam [rəum] броди́ть, скита́ться

roar [rɔ:] 1. *v* реве́ть 2. *n* 1) рёв 2) хо́хот

roast [rəust] 1. *v* жа́рить(ся) 2. *a* жа́реный 3. *n* жарко́е

rob [rɔb] гра́бить, обворо́вывать; ~ber ['rɔbə] граби́тель, разбо́йник; ~bery ['rɔbərɪ] кра́жа, грабёж

robin ['rɔbɪn] мали́новка

rock I [rɔk] 1) скала́ 2) *амер.* ка́мень 3) рок (*музыка*)

rock II [rɔk] кача́ть(ся); убаю́кивать

rocket ['rɔkɪt] раке́та

rod [rɔd] 1) прут 2) у́дочка

rode [rəud] *past от* ride 1

rogue [rəug] плут; моше́нник

role [rəul] роль

roll [rəul] 1. *v* 1) кати́ть(ся) 2) свёртывать(ся)

3) раскáтывать (*тесто*) 2. *n* 1) свёрток 2) спúсок 3) рулóн 4) бýлочка 5) кáчка; ~ call переклúчка; ~er рассúльный, вáлик, ~er-skates ['rəuləskeıts] *pl* рóликовые конькú, рóлики

Roman ['rəumən] 1. *a* рúмский; ~ Catholic католúк 2. *n* рúмлянин

Romanian [ru:'meınjən] 1. *a* румы́нский 2. *n* румы́н

romance [rə'mæns] 1) ромáнтика 2) романтúческая истóрия

romantic [rə'mæntık] романтúческий; романтúчный

roof [ru:f] 1. *n* кры́ша; кров 2. *v* настилáть, крыть кры́шу

rook I [ruk] грач

rook II [ruk] *шахм.* ладья́

room [ru:m] 1) кóмната 2) мéсто, прострáнство 3) нóмер (*гостиницы*)

root [ru:t] 1. *n* кóрень; take ~ пускáть кóрни 2. *v*: ~ out искореня́ть

rope [rəup] верёвка, канáт

rose I [rəuz] *past om* rise 1

rose II [rəuz] рóза

rosy ['rəuzı] рóзовый; румя́ный

rot [rɔt] 1. *v* гнить 2. *n* гниéние; гниль

rotation [rəu'teıʃn] 1) вращéние 2) чередовáние

rotten ['rɔtn] 1) гнилóй 2) *sl* отвратúтельный

rough [rʌf] 1) грýбый; нерóвный; шероховáтый 2)

бýйный, бýрный 3) неотдéланный; ~ copy черновúк

round [raund] 1. *a* крýглый 2. *n* 1) круг 2) обхóд 3) рáунд, тур 3. *adv* 1) вокрýг 3) по крýгу

rouse [rauz] 1) будúть 2) побуждáть

route [ru:t] маршрýт

routine [ru:'ti:n] режúм, поря́док

rove [rəuv] 1) скитáться 2) блуждáть (*о взгляде*)

row I [rəu] ряд

row II [rəu] грестú

row III [rau] *разг.* ссóра, скандáл; свáлка

royal ['rɔıəl] королéвский

rub [rʌb] 1) терéть(ся) 2) натирáть

rubber ['rʌbə] 1) резúна; каучýк 2) *амер. pl* галóши

rubbish ['rʌbıʃ] 1) хлам, мýсор 2) вздор

rudder ['rʌdə] руль

rude [ru:d] грýбый; невéжливый

ruffle ['rʌfl] 1) ерóшить (*волосы*) 2) ряби́ть (*воду*)

rug [rʌg] 1) кóврик; ковёр 2) плед

rugby ['rʌgbı] *спорт.* рéгби

ruin [ruın] 1. *n* гúбель, крушéние 2) (*обыкн. pl*) развáлины, руúны 2. *v* 1) (по)губúть 2) разрушáть; разорúть

rule [ru:l] 1. *n* 1) прáвило; as a ~ обы́чно 2) правлéние 2. *v* 1) прáвить, управля́ть 2) линовáть

ruler ['ru:lə] 1) прави́тель 2) лине́йка

Rumanian [ru:'meɪnjən] *см.* Romanian

rumour ['ru:mə] слух, молва́

rumple ['rʌmpl] мять

run [rʌn] 1 *v* (ran; run) 1) бе́гать, бежа́ть 2) идти́ (*о поезде, машине*) 3) течь 4) гласи́ть 5) вести́ (*дело, предприятие*); управля́ть (*машиной*); ~ over зада-ви́ть 2. *n* 1) бег 2) ход; in the long ~ в коне́чном счёте 3) рабо́та, де́йствие (*маши-ны*)

rung [rʌŋ] *p. p. om* ring II, 1

runner ['rʌnə] бегу́н

running ['rʌnɪŋ]: ~ jump прыжо́к с разбе́га; three days ~ три дня подря́д

runway ['rʌnweɪ] *ав.* взлётная полоса́

rural ['ruərəl] сéльский

rush [rʌʃ] мча́ться; ~ into врыва́ться

Russian ['rʌʃən] 1. *a* ру́с-ский 2. *n* 1) ру́сский 2) ру́с-ский язы́к

rust [rʌst] 1. *n* ржа́вчина 2. *v* ржа́веть

rustle ['rʌsl] 1. *n* ше́лест; шо́рох 2. *v* шелесте́ть, шур-ша́ть

rusty ['rʌstɪ] 1) заржа́в-ленный 2) порыже́вший

ruthless ['ru:θlɪs] безжа́ло-стный

rye [raɪ] рожь

sable ['seɪbl] 1) со́боль 2) собо́лий мех

sack [sæk] мешо́к

sacred ['seɪkrɪd] 1) свя-щённый 2) неприкоснове́н-ный

sacrifice ['sækrɪfaɪs] 1. *n* 1) жертвоприноше́ние 2) же́ртва 2. *v* приноси́ть в же́ртву; же́ртвовать

sad [sæd] печа́льный

saddle ['sædl] 1. *n* седло́ 2. *v* седла́ть

safe [seɪf] 1. *a* 1) невреди́-мый 2) безопа́сный 2. *n* сейф

safeguard ['seɪfgɑ:d] 1. *n* гара́нтия; предосторо́жность 2. *v* охраня́ть

safety ['seɪftɪ] безопа́с-ность; ~ measures ме́ры пре-досторо́жности; ~ razor без-опа́сная бри́тва

said [sed] *past и p. p. om* say

sail [seɪl] 1. *n* 1) па́рус 2) пла́вание (*на корабле*) 2. *v* пла́вать (*на корабле*); ~or ['seɪlə] моря́к; матро́с

saint [seɪnt] свято́й

sake [seɪk]: for the ~ of ра́-ди

salad ['sæləd] сала́т

salary ['sælərɪ] жа́ло-ванье, окла́д

sale [seɪl] прода́жа; рас-прода́жа; on ~ в прода́же

salesman ['seɪlzmən] продавец

salmon ['sæmən] лосось; сёмга

salt [sɔːlt] 1. *n* соль 2. *a* солёный 3. *v* солить; ~y ['sɔːltɪ] солёный

salute [sə'luːt] 1. *n* приветствие; салют 2. *v* приветствовать; салютовать

same [seɪm] тот же, одинаковый; it's all the ~ to me мне это безразлично; all the ~ всё же, всё-таки

sample ['sɑːmpl] 1. *n* образец; образчик 2. *v* пробовать

sanction ['sæŋkʃn] 1. *n* санкция; разрешение 2. *v* санкционировать

sand [sænd] песок

sandal ['sændl] сандалия

sandwich ['sænwɪdʒ] сандвич, бутерброд

sane [seɪn] нормальный, в здравом уме; разумный

sang [sæŋ] *past om* sing

sanitary ['sænɪtərɪ] санитарный; гигиенический

sank [sæŋk] *past om* sink I

Santa Claus ['sæntə'klɔːz] Санта Клаус; Дед Мороз

sap I [sæp] сок (*растений*)

sap II [sæp] подрывать

sardine [sɑː'dɪn] сардина

sat [sæt] *past и p. p. om* sit

satellite ['sætəlaɪt] *астр.* спутник

satin ['sætɪn] 1. *n* атлас 2. *a* атласный

satire ['sætaɪə] сатира

satisfaction [sætɪs'fækʃn] удовлетворение

satisfactory [sætɪs'fæktərɪ] удовлетворительный

satisfy ['sætɪsfaɪ] 1) удовлетворять 2) утолять

Saturday ['sætədɪ] суббота

sauce [sɔːs] соус; ~pan ['sɔːspən] кастрюля

saucer ['sɔːsə] блюдце

saucy ['sɔːsɪ] наглый, дерзкий

sausage ['sɔsɪdʒ] сосиска; колбаса

savage ['sævɪdʒ] 1. *a* 1) дикий 2) свирепый, жестокий 2. *n* дикарь

save I [seɪv] 1) спасать 2) экономить, беречь; ~ up копить деньги

save II [seɪv] кроме, исключая

savings ['seɪvɪŋz] сбережения

saw I [sɔː] *past om* see

saw II [sɔː] 1. *n* пила 2. *v* (sawed; sawed, sawn) пилить

sawn [sɔːn] *p. p. om* saw II, 2

say [seɪ] (said; said) говорить, сказать; ~ing ['seɪŋ] поговорка

scaffold ['skæfəld] эшафот; ~ing [-ɪŋ] леса (*строительные*)

scald [skɔːld] 1. *v* обваривать, ошпаривать 2. *n* ожог

scale I [skeɪl] чешуя

scale II [skeɪl] 1) чаша весов 2) *pl* весы

scale III [skeɪl] 1) шкала́; масшта́б 2) *муз.* га́мма

scandal ['skændl] 1) сканда́л; позо́р 2) злосло́вие, спле́тни

Scandinavian [skændɪ'neɪvjən] скандина́вский

scanty ['skæntɪ] ску́дный, недоста́точный

scar [skɑ:] шрам, рубе́ц

scarce [skeəs] 1) недоста́точный, ску́дный 2) ре́дкий; дефици́тный; ~ly едва́, с трудо́м 2) едва́ ли, вря́д ли

scarcity ['skeəsɪtɪ] нехва́тка, недоста́ток

scare [skeə] пуга́ть; be ~d испуга́ться; боя́ться

scarf [skɑ:f] шарф, косы́нка

scarlet ['skɑ:lɪt] а́лый ◇ ~ fever скарлати́на

scatter ['skætə] 1) разбра́сывать; рассыпа́ть 2) рассе́ивать, разгоня́ть 3) рассыпа́ться в ра́зные сто́роны, разбега́ться

scene [si:n] 1) явле́ние (*в пьесе*) 2) ме́сто де́йствия 3) сканда́л; make a ~ устра́ивать сканда́л, сце́ну ◇ behind the ~s за кули́сами; ~ry ['si:nərɪ] 1) пейза́ж 2) декора́ции

scent [sent] 1. *n* 1) за́пах 2) духи́ 3) след 2. *v* 1) почу́ять 2) ню́хать

schedule ['ʃedju:l, *амер.* 'skedju:l] расписа́ние, гра́фик

scheme [ski:m] 1. *n* 1) схе́ма; план 2) *pl* интри́ги, про́иски 2. *v* замышля́ть, интригова́ть

scholar ['skɒlə] учёный; ~ship [-ʃɪp] 1) эруди́ция 2) стипе́ндия

school [sku:l] шко́ла; ~boy ['sku:lbɔɪ] шко́льник; ~days ['sku:ldeɪz] шко́льные го́ды; ~girl ['sku:lɡə:l] шко́льница

science ['saɪəns] нау́ка; ~ fiction нау́чная фанта́стика

scientific [saɪən'tɪfɪk] нау́чный

scientist ['saɪəntɪst] учёный

scissors ['sɪzəz] *pl* но́жницы

scold [skəuld] брани́ть, руга́ть

scope [skəup] кругозо́р; охва́т; разма́х; it is beyond my ~ э́то вне мое́й компете́нции

scorch [skɔ:tʃ] обжига́ть(ся); (с)пали́ть

score [skɔ:] 1. *n* 1) счёт; what is the ~ now? *спорт.* како́й сейча́с счёт?; on that ~ на э́тот счёт 2) два деся́тка 3) *муз.* партиту́ра 2. *v* 1) де́лать отме́тки 2) *спорт.* вести́ счёт 3) выи́грывать

scorn [skɔ:n] 1. *n* презре́ние 2. *v* презира́ть; ~ful ['skɔ:nful] презри́тельный

Scotch [skɒtʃ]: the ~ шотла́ндцы

Scottish ['skɒtɪʃ] шотла́ндский

scoundrel ['skaundrəl] негодя́й

scout [skaut] разве́дчик; boy ~ бойска́ут

scramble ['skræmbl] кара́бкаться ◇ ~d eggs яи́чница-болту́нья

scrap [skræp] 1. *n* 1) клочо́к, лоскуто́к; кусо́чек 2) лом 3) брак (*испо́рченная вещь*); ~ heap помо́йка, сва́лка 2. *v* бракова́ть

scratch [skrætʃ] 1. *v* цара́пать(ся); чеса́ть(ся) 2. *n* цара́пина

scream [skri:m] 1 *v* пронзи́тельно крича́ть 2. *n* вопль, крик

screen [skri:n] 1. *n* ши́рма; экра́н 2. *v* 1) загора́живать; защища́ть, укрыва́ть 2) демонстри́ровать на экра́не

screw [skru:] 1. *n* винт 2. *v* зави́нчивать

script [skript] сцена́рий

scruple ['skru:pl] 1. *n* сомне́ние, колеба́ние 2. *v* колеба́ться; не реша́ться на что-л.

scrupulous ['skru:pjuləs] 1) щепети́льный 2) добросо́вестный

scull [skʌl] весло́

sculptor ['skʌlptə] ску́льптор

sculpture ['skʌlptʃə] скульпту́ра

scythe [saið] *с.-х.* коса́

sea [si:] мо́ре, океа́н

sea-calf ['si:ka:f] тюле́нь

seagull ['si:gʌl] ча́йка

seal I [si:l] тюле́нь

seal II [si:l] 1. *n* печа́ть; пло́мба 2. *v* скрепля́ть печа́тью; запеча́тывать

seam [si:m] шов

seaman ['si:mən] моря́к; матро́с

search [sə:tʃ] 1. *v* 1) иска́ть 2) обы́скивать 2. *n* 1) по́иски 2) о́быск

seasick ['si:sik] be ~ страда́ть морско́й боле́знью; ~ness [-nis] морска́я боле́знь

seaside ['si:said] морско́й бе́рег, побере́жье

season ['si:zn] 1. *n* вре́мя го́да; сезо́н 2. *v* приправля́ть (*пищу*); ~ed [-d] вы́держанный (*о вине, дереве*); закалённый (*о челове́ке*)

seat [si:t] 1. *n* 1) стул, сиде́нье; take a ~ сади́ться 2) ме́сто (*в аудито́рии*) 2. *v* усади́ть, посади́ть; вмеща́ть; ~ oneself сади́ться, сесть

second I ['sekənd] 1. *пит* второ́й 2. *v* подде́рживать (*предложе́ние*)

second II ['sekənd] секу́нда

secondary ['sekəndəri] второстепе́нный ◇ ~ school сре́дняя шко́ла

second-hand [sekənd 'hænd] поде́ржанный; ~ bookshop букинисти́ческий магази́н

second-rate [sekənd'reit] второсо́ртный, второразря́дный

secret ['si:krit] 1. *n* секре́т,

тайна 2. *a* секрéтный, тáйный

secretary ['sekrətrɪ] 1) секретáрь 2) минúстр; Secretary of State минúстр (*в Áнглии*); минúстр инострáнных дел (*в США*)

section ['sekʃn] сéкция; отдéл; часть; отделéние

secure [sɪ'kjuə] 1. *a* 1) прóчный, надёжный 2) обеспéченный 2. *v* 1) обеспéчивать, гарантúровать 2) закреплять, скреплять

security [sɪ'kjuərɪtɪ] 1) безопáсность 2) гарáнтия; обеспéчение

sedative ['sedətɪv] успокáивающий, болеутоляющий

sediment ['sedɪmənt] осáдок

seduce [sɪ'djuːs] соблазнять, совращáть

see [siː] (saw; seen) вúдеть; смотрéть; ~ off провожáть (*уезжáющего*) ◇ ~ smb. home проводúть когó-л. домóй; I ~ понимáю; let me ~ дáйте подýмать

seed [siːd] сéмя

seek [siːk] (sought; sought) 1) искáть 2) пытáться, старáться (to)

seem [siːm] казáться

seen [siːn] *p. p. om* see

segregation [segrɪ'geɪʃn] изоляция; сегрегáция

seize [siːz] 1) схвáтывать 2) захвáтывать 3) понимáть (*смысл, мысль*)

seldom ['seldəm] рéдко

select [sɪ'lekt] 1. *v* выбирáть 2. *a* úзбранный, отбóрный; ~ion [sɪ'lekʃn] выбор

self [self] сам, себя

self- [self-] пристáвка само-

self-confident [self'kɒnfɪdənt] самоувéренный

self-conscious [self'kɒnʃəs] застéнчивый

self-control ['selfkən'trəul] самообладáние

self-defence [selfdɪ'fens] самооборóна

selfish ['selfɪʃ] эгоистúчный

self-service ['self'səːvɪs] самообслýживание

self-support [selfsə'pɔːt] независимость

sell [sel] (sold; sold) продавáть (ся); ~er ['selə] продавéц

selves [selvz] *pl om* self

semicolon [semɪ'kəulən] тóчка с запятóй

semifinal [semɪ'faɪnl] *спорт.* полуфинáл

senate ['senɪt] сенáт

senator ['senətə] сенáтор

send [send] (sent; sent) 1) посылáть; отправлять; ~ for вызывáть; посылáть за 2) передавáть (*по рáдио*)

senior ['siːnjə] стáрший

sensation [sen'seɪʃn] 1) ощущéние, чýвство 2) сенсáция

sense [sens] 1. *n* 1) чýвство; сознáние 2) смысл 2. *v* чýвствовать; ~less ['senslɪs]

1) бессмы́сленный 2) бесчу́вственный

sensible ['sensǝbl] (благо)разу́мный; be ~ of сознава́ть, чу́вствовать

sensitive ['sensɪtɪv] чувстви́тельный

sensual ['sensjuǝl] чу́вственный

sent [sent] *past и p. p. от* **send**

sentence ['sentǝns] **1.** *n* 1) фра́за, предложе́ние 2) пригово́р **2.** *v* осужда́ть, пригова́ривать

sentiment ['sentɪmǝnt] чу́вство; ~**al** [sentɪ'mentl] сентимента́льный

sentry ['sentrɪ] часово́й

separate 1. *a* ['seprɪt] отде́льный; особый **2.** *v* ['sepǝreɪt] 1) отделя́ть(ся) 2) разлуча́ть(ся)

separation [sepǝ'reɪʃn] 1) отделе́ние, разделе́ние 2) разлу́ка

September [sǝp'tembǝ] сентя́брь

sequel ['si:kwǝl] 1) продолже́ние 2) результа́т

sequence ['si:kwǝns] после́довательность; ряд; поря́док

serf [sǝ:f] *ист.* крепостно́й; раб

sergeant ['sɑ:dʒǝnt] сержа́нт

series ['sɪǝri:z] се́рия; ряд

serious ['sɪǝrɪǝs] серьёзный; ва́жный

sermon ['sǝ:mǝn] про́поведь

serpent ['sǝ:pǝnt] змея́; змей

servant ['sǝ:vǝnt] слуга́; прислу́га

serve [sǝ:v] 1) служи́ть 2) подава́ть *(на стол)* 3) обслу́живать 4) отбыва́ть *(срок)*

service ['sǝ:vɪs] 1) слу́жба 2) обслу́живание 3) услу́га 4) серви́з 5) *спорт.* пода́ча *(мяча)*

serviette [sǝ:vɪ'et] салфе́тка

servile ['sǝ:vaɪl] раболе́пный, угодливый

session ['seʃn] 1) се́ссия 2) заседа́ние

set [set] **1.** *v* (set; set) 1) ста́вить, класть 2) вправля́ть *(кость)* 3) приводи́ть *(в поря́док, в движе́ние)*; ~ **free** освобожда́ть 4) *полигр.* набира́ть 5) сади́ться *(о со́лнце)* **2.** *n* 1) набо́р, компле́кт 2) гру́ппа; круг *(лиц)* 3) сет *(в те́ннисе)* 4) прибо́р, аппара́т

setting ['setɪŋ] опра́ва *(камня)*

settle ['setl] 1) посели́ть(ся), устро́ить(ся) 2) ула́живать(ся); устана́вливать(ся) 3) реша́ть; ~**ment** [-mǝnt] 1) поселе́ние; колония 2) урегули́рование, реше́ние *(вопро́са)*

seven ['sevn] семь; ~**teen** [sevn'ti:n] семна́дцать;

~teenth [sevn'ti:nθ] семнáдцатый; ~th [-θ] седьмóй; ~tieth [-tпθ] семидесятый; ~ty [-tп] сéмьдесят

several ['sevrəl] нéсколько

severe [sı'vıə] сурóвый; стрóгий

sew [səu] (sewed; sewed, sewn) шить; ~ing [-ıŋ] шитьё; ~ing machine швéйная машина

sewn [səun] p. p. от sew

sex [seks] биол. пол; ~ual ['seksjuəl] половóй, сексуáльный

shabby ['ʃæbı] потрёпанный, поношенный

shade [ʃeıd] 1. n 1) тень 2) оттéнок 3) амер. штóра 2. v заслонять (от света); затемнять

shadow ['ʃædəu] 1. n тень 2. v следить, выслéживать

shady ['ʃeıdı] 1) тенистый 2) сомнительный, тёмный

shaft [ʃɑ:ft] 1) дрéвко 2) рýчка, рукоятка 2) тех. вал

shaggy ['ʃægı] лохмáтый

shake [ʃeık] 1. v (shook; shaken) 1) трясти, встряхивать; ~ hands обменяться рукопожáтием 2) дрожáть 2. n встряска

shaken ['ʃeıkn] p. p. от shake 1

shall [ʃæl] (should) 1) как вспомогат. глагол служит для образования будущего времени 1-го лица ед. и мн. ч. 2) во 2 и 3 л. выражает долженствование, уверен-

ность в чём-л.; he ~ be there at six емý нýжно быть там в 6

shallow ['ʃæləu] 1. a 1) мéлкий 2) повéрхностный 2. n (от)мель

sham [ʃæm] 1) обмáн 2) поддéлка

shame [ʃeım] 1. n стыд, позóр ◇ ~ on you! как тебé не стыдно! 2. v стыдить; ~ful ['ʃeımful] позóрный; ~less ['ʃeımlıs] бесстыдный

shampoo [ʃæm'pu:] шампýнь

shape [ʃeıp] фóрма; очертáние; ~less ['ʃeıplıs] бесфóрменный

share [ʃeə] 1. n 1) часть, дóля 2) пай; áкция 2. v 1) делить(ся) 2) разделять; имéть дóлю (в чём-л.); учáствовать; ~holder ['ʃeəhəuldə] пáйщик; держáтель áкций

shark [ʃɑ:k] акýла

sharp [ʃɑ:p] 1. a 1) óстрый 2) рéзкий 2. n муз. диéз; ~en ['ʃɑ:pən] точить

shatter ['ʃætə] 1) разбить(ся) вдрéбезги 2) расшатáть (здоровье)

shave [ʃeıv] 1. v (shaved; shaved, shaven) брить(ся) 2. n бритьё

shaven ['ʃeıvn] p. p. от shave 1

shaving ['ʃeıvıŋ] бритьё

shawl [ʃɔ:l] платóк, шаль

she [ʃi:] онá

shear [ʃıə] стричь (овец)

shed I [ʃed] (shed; shed) 1) роня́ть, теря́ть *(шерсть, листья)* 2) пролива́ть, лить *(слёзы, кровь)*

shed II [ʃed] сара́й

sheep [ʃi:p] овца́; ~dog ['ʃi:pdɔg] овча́рка

sheer [ʃɪə] я́вный

sheet [ʃi:t] 1) простыня́ 2) лист *(бумаги, железа)*

shelf [ʃelf] по́лка

shell [ʃel] 1. n 1) скорлупа́ 2) ра́ковина 3) оболо́чка 4) ги́льза *(патрона)* 5) снаря́д 2. v 1) чи́стить, снима́ть скорлупу́ 2) бомбардирова́ть

shelter ['ʃeltə] 1. n прию́т, кров; убе́жище 2. v приюти́ть; укры́ть(ся)

shelves [ʃelvz] pl om shelf

shepherd ['ʃepəd] пасту́х

shield [ʃi:ld] 1. n щит 2. v защища́ть; прикрыва́ть

shift [ʃɪft] 1. v перекла́дывать; передвига́ть 2. n сме́на

shilling ['ʃɪlɪŋ] ши́ллинг

shin [ʃɪn] го́лень

shine [ʃaɪn] (shone; shone) сия́ть, свети́ть(ся); блесте́ть

ship [ʃɪp] 1. n кора́бль, су́дно 2. v отправля́ть *(пароходом)*; ~ment ['ʃɪpmənt] 1) погру́зка 2) груз; ~wreck ['ʃɪprek] кораблекруше́ние; ~yard ['ʃɪpja:d] верфь

shirt [ʃə:t] мужска́я руба́шка

shiver ['ʃɪvə] 1. v дрожа́ть 2. n дрожь

shock [ʃɔk] 1. n 1) уда́р, толчо́к 2) потрясе́ние 2. v

потряса́ть; шоки́ровать; ~ing ['ʃɔkɪŋ] возмути́тельный, ужа́сный

shod [ʃɔd] past и p. p. om shoe 2

shoe [ʃu:] 1. n боти́нок, ту́фля 2. v (shod; shod) подко́вывать; ~maker ['ʃu:meɪkə] сапо́жник

shone [ʃɔn] past и p. p. om shine

shook [ʃuk] past om shake 1

shoot [ʃu:t] 1. v (shot; shot) 1) стреля́ть 2) застрели́ть 3) пуска́ть ростки́ 2. n побе́г, росто́к

shop [ʃɔp] n 1) магази́н, ла́вка; ~ window витри́на 2) мастерска́я; цех; ~ping ['ʃɔpɪŋ] go ~ping де́лать поку́пки

shore [ʃɔ:] бе́рег

short [ʃɔ:t] 1) коро́ткий; низкоро́слый 2): be ~ of испы́тывать недоста́ток в

shortage ['ʃɔ:tɪdʒ] недоста́ток *(в чём-л.)*

shortcoming ['ʃɔ:tkʌmɪŋ] недоста́ток; дефе́кт

shorten ['ʃɔ:tn] сокраща́ть(ся), укора́чивать(ся)

shorthand ['ʃɔ:thænd] стеногра́фия

shortly ['ʃɔ:tlɪ] 1) незадо́лго 2) вско́ре 3) ре́зко

shorts [ʃɔ:ts] pl тру́сики; шо́рты

shortsighted [ʃɔ:t'saɪtɪd] близору́кий; *перен.* недальнови́дный

shot I [ʃɔt] *past и p. p. от* shoot 1

shot II [ʃɔt] 1) выстрел 2) дробь 3) стрелок 4) *кино* кадр

should [ʃud] *модальный глагол; выражает долженствование:* you ~ be more careful вы должны быть более осторожны

shoulder ['ʃəuldə] 1. *n* плечо 2. *v* 1) проталкиваться 2) взвалить *(на спину)*; брать на себя *(ответственность, вину)*

shout [ʃaut] 1. *v* кричать 2. *n* крик

shove [ʃʌv] 1. *v* толкать(ся), пихать 2. *n* толчок

shovel ['ʃʌvl] лопата

show [ʃəu] 1. *v* (showed; showed, shown) показывать(ся); ~ in ввести *(в дом, в комнату)*; ~ off хвастаться 2. *n* 1) выставка 2) спектакль, шоу

shower ['ʃauə] 1. *n* ливень, дождь; ~ bath душ 2. *v* лить как из ведра

shown [ʃəun] *p. p. от* show 1

shrank [ʃræŋk] *past от* shrink

shrewd [ʃru:d] 1) проницательный 2) ловкий *(делец)*

shriek [ʃri:k] 1. *v* кричать; вскрикнуть 2. *n* пронзительный крик

shrill [ʃril] резкий, пронзительный

shrink [ʃriŋk] (shrank, shrunk; shrunk) 1) отпрянуть 2) садиться *(о материи)*

shrubbery ['ʃrʌbəri] кустарник

shrug [ʃrʌg]: ~ one's shoulders пожимать плечами

shrunk [ʃrʌŋk] *past и p. p. от* shrink

shudder ['ʃʌdə] 1. *n* дрожь 2. *v* вздрагивать; содрогаться

shut [ʃʌt] (shut, shut) закрывать(ся); ~ in запирать; ~ off выключать *(ток, воду и т.п.)*; ~ up: ~ up! молчи!

shutter ['ʃʌtə] 1) ставень 2) затвор

shy [ʃai] робкий, застенчивый; be ~ стесняться; робеть

sick [sik] больной; be ~ of пресытиться; I am ~ of мне надоело

sickle ['sikl] серп

sick leave ['sikli:v] отпуск по болезни

sick list ['siklist] бюллетень

sickly ['sikli] хилый, болезненный

sickness ['siknis] 1) болезнь 2) тошнота, рвота

side [said] сторона; бок; ~ by ~ рядом; ~walk ['saidwɔ:k] *амер.* тротуар; ~ways ['saidweiz] 1) боком 2) косвенно

siege [si:dʒ] осада

sieve [siv] решето, сито

sigh [saɪ] 1. *v* вздыха́ть 2. *n* вздох

sight [saɪt] 1) зре́ние 2) вид; зре́лище; catch ~ of уви́деть 3) *pl* достопримеча́тельности

sign [saɪn] 1. *n* 1) знак 2) при́знак 2. *v* распи́сываться, подпи́сывать(ся)

signal ['sɪgnəl] 1. *n* сигна́л, знак 2. *v* сигнализи́ровать

signature ['sɪgnɪtʃə] по́дпись

signboard ['saɪnbɔ:d] вы́веска

significance [sɪg'nɪfɪkəns] значе́ние

significant [sɪg'nɪfɪkənt] ва́жный, суще́ственный; многозначи́тельный

signify ['sɪgnɪfaɪ] 1) зна́чить, означа́ть 2) име́ть значе́ние

silence ['saɪləns] 1. *n* молча́ние, тишина́ 2. *v* заста́вить замолча́ть; заглуши́ть

silent ['saɪlənt] безмо́лвный, молчали́вый

silk [sɪlk] шёлк

sill [sɪl] подоко́нник

silly ['sɪlɪ] глу́пый

silver ['sɪlvə] 1. *n* серебро́ 2. *a* сере́бряный

similar ['sɪmɪlə] схо́дный, подо́бный

simple ['sɪmpl] просто́й, несло́жный

simultaneous [sɪməl'teɪnjəs] одновреме́нный, синхро́нный

sin [sɪn] 1. *n* грех 2. *v* (со)греши́ть

since [sɪns] 1. *prep* с; she hasn't seen him ~ last year она́ не ви́дела его́ с про́шлого го́да 2. *conj* 1) с тех пор как; where have you been ~ I saw you last? где вы бы́ли с тех пор, как я вас ви́дел в после́дний раз? 2) так как; sit down ~ you are here сади́тесь, раз уж вы тут 3. *adv* с тех пор; I've never been there ~ с тех пор я там не был

sincere [sɪn'sɪə] и́скренний; ~ly [-lɪ] и́скренне

sincerity [sɪn'serɪtɪ] и́скренность

sing [sɪŋ] (sang; sung) 1) петь 2) воспева́ть; ~er ['sɪŋə] певе́ц; певи́ца

single ['sɪŋgl] 1. *a* 1) еди́нственный; not a ~ ни одного́ 2) отде́льный 3) холосто́й; незаму́жняя 2. *v* выбира́ть, отбира́ть

singular ['sɪŋgjulə] 1. *a* стра́нный; необы́чный 2. *n* *грам.* еди́нственное число́

sink I [sɪŋk] (sank; sunk) 1) тону́ть, погружа́ться 2) опуска́ться; оседа́ть 3) топи́ть; ~ a ship потопи́ть кора́бль

sink II [sɪŋk] ра́ковина (*водопрово́дная*)

sir [sə:] сэр, господи́н

sister ['sɪstə] сестра́; ~-in-law ['sɪstərɪnlɔ:] неве́стка; золо́вка

sit [sɪt] (sat; sat) 1) сиде́ть 2) заседа́ть; ~ **down** сади́ться

site [saɪt] местонахожде́ние, местоположе́ние

sitting ['sɪtɪŋ] заседа́ние; ~ room гости́ная

situated ['sɪtjueɪtɪd] располо́женный

situation [sɪtju'eɪʃn] 1) местоположе́ние 2) до́лжность 3) обстоя́тельства, ситуа́ция

six [sɪks] шесть; ~**teen** [sɪks'tiːn] шестна́дцать; ~**teenth** [sɪks'tiːnθ] шестна́дцатый; ~**th** [-θ] шесто́й; ~**tieth** ['sɪkstɪɪθ] шестидеся́тый; ~**ty** ['sɪkstɪ] шестьдеся́т

size [saɪz] разме́р, величина́

skate [skeɪt] 1. *n спорт.* конёк 2. *v* ката́ться на конька́х

skateboard ['skeɪtbɔːd] скейтборд

skating rink ['skeɪtɪŋrɪŋk] като́к

skein [skeɪn] мото́к пря́жи

skeleton ['skelɪtn] скеле́т; о́стов

sketch [sketʃ] 1. *n* 1) эски́з; набро́сок; рису́нок 2) скетч 2. *v* набра́сывать *(план, рисунок и т.п.)*

ski [skiː] 1. *n* лы́жа; лы́жи 2. *v* (skied; skied) ходи́ть на лы́жах

skied [skiːd] *past и p. p. от* ski 2

skier ['skiːə] лы́жник

skiing ['skiːɪŋ] лы́жный спорт

skilful ['skɪlful] иску́сный, уме́лый

skill [skɪl] иску́сство; мастерство́; ло́вкость; ~**ed** [-d] квалифици́рованный; иску́сный

skin [skɪn] 1. *n* ко́жа; шку́ра; кожура́ 2. *v* сдира́ть ко́жу

skin diving ['skɪndaɪvɪŋ] подво́дное пла́вание в ма́ске

skirt [skəːt] ю́бка

skull [skʌl] че́реп

sky [skaɪ] не́бо; ~**lark** ['skaɪlɑːk] жа́воронок

skyscraper ['skaɪskreɪpə] небоскрёб

slacken ['slækən] ослабля́ть; ослабева́ть

slalom ['slɑːləm] сла́лом

slander ['slɑːndə] 1. *n* клевета́ 2. *v* клевета́ть

slang [slæŋ] жарго́н, сленг

slap [slæp] шлёпать, хло́пать

slapstick ['slæpstɪk] дешёвый, гру́бый фарс

slate [sleɪt] 1) сла́нец, ши́фер 2) гри́фельная доска́

slaughter ['slɔːtə] 1. *n* резня́; убо́й 2. *v* ре́зать; убива́ть

Slav [slɑːv] 1. *a* славя́нский 2. *n* славяни́н

slave [sleɪv] раб; ~**ry** ['sleɪvərɪ] ра́бство

sled [sled] *см.* sledge

sledge [sledʒ] са́ни

sleep [sliːp] 1. *n* сон 2. *v* (slept; slept) спать

sleeping car ['sliːpɪŋkɑː] спа́льный ваго́н

sleeping pills [ˈsliːpɪŋpɪlz] снотво́рное сре́дство

sleepy [ˈsliːpɪ] со́нный; сонли́вый

sleeve [sliːv] рука́в

slender [ˈslendə] то́нкий, стро́йный

slept [slept] *past и p. p. om* sleep 2

slice [slaɪs] ло́мтик

slid [slɪd] *past и p. p. om* slide 1

slide [slaɪd] 1. *v* (slid; slid) скользи́ть 2. *n* 1) слайд 2) зако́лка; ~ **fastener** застёжка «мо́лния»; ~ **rule** логарифми́ческая лине́йка

slight [slaɪt] лёгкий, незначи́тельный; ~**est** [ˈslaɪtɪst] мале́йший; ~**ly** [ˈslaɪtlɪ] слегка́

slim [slɪm] то́нкий, стро́йный

slime [slaɪm] 1) слизь 2) ли́пкая грязь, ил

slip [slɪp] 1. *v* 1) скользи́ть 2) поскользну́ться 3) вы́скользнуть 4) сде́лать оши́бку 2. *n* 1) скольже́ние 2) оши́бка, обмо́лвка; про́мах; **make a** ~ сде́лать оши́бку 3) комбина́ция *(бельё)* ◇ ~ **of paper** бума́жка

slipper [ˈslɪpə] 1) ту́фля-ло́дочка 2) ко́мнатная ту́фля

slippery [ˈslɪpərɪ] ско́льзкий

slogan [ˈsləʊgən] ло́зунг

slope [sləʊp] отко́с; склон

slot machine [ˈslɒtməʃiːn] (торго́вый) автома́т

slow [sləʊ] 1. *a* ме́дленный; медли́тельный; **my watch is** ~ мои́ часы́ отстаю́т 2. *v:* ~ **down** замедля́ть(ся); ~**ly** [ˈsləʊlɪ] ме́дленно

sly [slaɪ] хи́трый; **on the** ~ тайко́м

small [smɔːl] ма́ленький, ме́лкий

smart [smɑːt] наря́дный; изя́щный

smash [smæʃ] разбива́ть(ся) вдре́безги

smell [smel] 1. *n* 1) за́пах 2) обоня́ние 2. *v* (smelt; smelt) 1) па́хнуть 2) обоня́ть; ню́хать

smelt I [smelt] *past и p. p. om* smell 2

smelt II [smelt] пла́вить

smile [smaɪl] 1. *n* улы́бка 2. *v* улыба́ться

smoke [sməʊk] 1. *n* дым 2. *v* 1) дыми́ть(ся) 2) кури́ть 3) оку́ривать, копти́ть

smoking car [ˈsməʊkɪŋkɑː] ваго́н для куря́щих

smoking room [ˈsməʊkɪŋruːm] кури́тельная ко́мната

smooth [smuːð] 1. *a* 1) гла́дкий; ро́вный 2) пла́вный 2. *v* сгла́живать; ~ **over** смягча́ть

snack [snæk] заку́ска; ~ **bar** заку́сочная

snake [sneɪk] змея́

snap I [snæp] 1) ца́пнуть,

укуси́ть 2) огрыза́ться 3) щёлкать *(чем-л.)*

snap II [snæp] 1) щёлканье 2) треск 3) защёлка, щеко́лда; ~ fastener кно́пка *(застёжка)*

snare [snɛə] лову́шка

snarl [snɑːl] 1. *v* рыча́ть; огрыза́ться 2. *n* 1) рыча́ние 2) ворча́ние

snatch [snætʃ] хвата́ть(ся); схвати́ть(ся)

sneer [snɪə] 1. *n* усме́шка; насме́шка 2. *v* насмеха́ться, издева́ться

sneeze [sniːz] 1. *v* чиха́ть 2. *n* чиха́нье

sniff [snɪf] сопе́ть; ~ at ню́хать

snore [snɔː] 1. *v* храпе́ть 2. *n* храп

snow [snəu] 1. *n* снег 2. *v:* it ~s, it is ~ing идёт снег; ~ball ['snəubɔːl] снежо́к; ~storm ['snəustɔːm] мете́ль

snub-nosed [snʌb'nəuzd] курно́сый

snug [snʌg] ую́тный

so [səu] так; таки́м о́бразом; ита́к; so far до сих по́р, пока́; so long! *амер.* пока́!

soak [səuk] 1) намочи́ть; пропи́тывать 2) проса́чиваться

so-and-so ['səuənsəu] тако́й-то *(вместо имени)*

soap [səup] 1. *n* мы́ло 2. *v* намы́ливать

sob [sɔb] 1. *n* рыда́ние, всхли́пывание 2. *v* рыда́ть, всхли́пывать

sober ['səubə] трёзвый

soccer ['sɔkə] футбо́л

sociable ['səuʃəbl] общи́тельный

social ['səuʃəl] обще́ственный; социа́льный

socialism ['səuʃəlizm] социали́зм

socialist ['səuʃəlist] 1. *n* социали́ст 2. *a* социалисти́ческий

society [sə'saiəti] о́бщество

sock [sɔk] носо́к

socket ['sɔkit] 1) патро́н *(эл. лампочки)* 2) глазна́я впа́дина

soda ['səudə] 1) со́да 2) газиро́ванная вода́

sofa ['səufə] дива́н

soft [sɔft] мя́гкий, не́жный, ти́хий; ~-boiled ['sɔftbɔild] всмя́тку *(о яйце)*; ~en ['sɔfn] смягча́ть(ся)

software ['sɔftwɛə] програ́ммное обеспе́чение

soil I [sɔil] земля́, по́чва

soil II [sɔil] па́чкать(ся), грязни́ть(ся)

soiree ['swɑːrei] вече́рний приём *(с концертом)*

sold [səuld] *past и p. p. от* sell

solder ['sɔldə] пая́ть

soldier ['səuldʒə] солда́т, во́ин

sole I [səul] 1. *n* подо́шва; подмётка 2. *v* ста́вить подмётку

sole II [səul] еди́нственный

solemn ['sɔləm] серьёзный; торжественный

solicitor [sə'lɪsɪtə] присяжный; стряпчий; поверенный

solid ['sɔlɪd] 1. *a* 1) твёрдый 2) сплошной 3) крепкий 4) солидный; основательный 2. *n физ.* твёрдое тело

solitary ['sɔlɪtərɪ] одинокий; уединённый

solitude ['sɔlɪtjuːd] одиночество; уединение

solution [sə'luːʃn] 1) решение 2) раствор

solve [sɔlv] решать, разрешать

sombre ['sɔmbə] тёмный, мрачный

some [sʌm] 1. *a* 1) какой-либо, какой-нибудь; некоторый; некий 2) несколько 2. *pron* 1) некоторые 2) некоторое количество; ~body ['sʌmbədɪ] кто-то; некто; ~how ['sʌmhau] как-нибудь; ~one ['sʌmwʌn] *см.* somebody; ~thing ['sʌmθɪŋ] что-то, кое-что, нечто; ~times ['sʌmtaɪmz] иногда; ~what ['sʌmwɔt] несколько, до некоторой степени; ~where ['sʌmwɛə] где-нибудь; куда-нибудь

son [sʌn] сын

sonde [sɔnd] зонд

song [sɔŋ] песня

sonic ['sɔnɪk]: ~ barrier звуковой барьер

son-in-law ['sʌnɪnlɔː] зять

soon [suːn] вскоре, скоро; as ~ as как только

soot [sut] сажа

soothe [suːð] 1) успокаивать, утешать 2) облегчать *(боль)*

sorcery ['sɔːsərɪ] колдовство

sore [sɔː] 1. *a* 1) чувствительный, болезненный; I have a ~ throat у меня болит горло 2) огорчённый; обиженный; my heart is ~ у меня болит сердце 2. *n* болячка; рана

sorrow ['sɔrəu] горе, печаль; скорбь; ~ful ['sɔrəful] печальный; скорбный

sorry ['sɔrɪ]: be ~ жалеть; быть огорчённым; ~! виноват; I'm (so) ~! простите!

sort [sɔːt] 1. *n* сорт; род, вид 2. *v* сортировать, разбирать

sought [sɔːt] *past и p.p. от* seek

soul [səul] душа

sound I [saund] 1. *n* звук 2. *v* звучать

sound II [saund] 1) здоровый, крепкий; safe and ~ цел и невредим 2) здравый, правильный

sound III [saund] измерять глубину

soup [suːp] суп

sour ['sauə] кислый; turn ~ прокисать

source [sɔːs] 1) источник 2) начало

souse [saus] 1. *v* солить;

мариновать 2. *n* рассол; маринад

south [sauθ] 1. *n* юг 2. *a* южный 3. *adv* на юг(е), к югу

southern ['sʌðən] южный

sovereign ['sɔvrɪn] 1) монарх; повелитель 2) соверен *(золотая монета в 1 фунт стерлингов);* ~ty ['sɔvrənti] суверенитет

Soviet ['səuviet] 1. *n* совет *(орган государственной власти)* 2. *a* советский

sow [səu] (sowed; sown, sowed) сеять, засевать; ~n [-n] *p.p. от* sow

space [speis] 1) пространство 2) расстояние, протяжение 3) космос

spaceman ['speismən] космонавт

spaceship ['speisʃip] космический корабль

spacious ['speiʃəs] 1) просторный; обширный; вместительный 2) *перен.* широкий, большой

spade [speid] лопата; заступ ◇ call a ~ a ~ называть вещи своими именами

Spaniard ['spænjəd] испанец

Spanish ['spæniʃ] испанский

spare [spɛə] 1. *v* 1) щадить, беречь 2) экономить 3) уделять *(время и т.п.)* 2. *a* запасный, лишний

spark [spɑːk] искра, вспышка

sparkle ['spɑːkl] сверкать; искриться

sparrow ['spærəu] воробей

spat [spæt] *past и p. p. от* spit

speak [spiːk] (spoke; spoken) говорить, разговаривать; ~er ['spiːkə] 1) оратор 2): the Speaker спикер *(в парламенте)*

spear [spiə] дротик; копьё

spearmint ['spiəmint] мята

special ['speʃəl] 1) специальный 2) особый 3) экстренный; ~ist [-ist] специалист; ~ize [-aiz] специализироваться

specific [spi'sifik] 1) характерный 2) особый, специфический 3) определённый 4) *физ.* удельный; ~ weight удельный вес

specify ['spesifai] точно определять, устанавливать

specimen ['spesimin] образец, образчик

spectacle ['spektəkl] зрелище

spectacles ['spektəklz] *pl* очки

spectator [spek'teitə] зритель

speculate ['spekjuleit] 1) размышлять; строить догадки 2) спекулировать

speculation [spekju'leiʃn] 1) размышление; предположение 2) спекуляция

sped [sped] *past и p. p. от* speed 2

speech [spi:tʃ] речь; ~less ['spi:tʃlıs] безмо́лвный

speed [spi:d] 1. *n* ско́рость, быстрота́ 2. *v* (sped, sped) спеши́ть; ~ up ускоря́ть

spell I [spel] ча́ры, обая́ние

spell II [spel] (spelt; spelt) писа́ть *или* произноси́ть по бу́квам; ~ing ['spelıŋ] правописа́ние

spelt [spelt] *past и p. p. от* spell II

spend [spend] (spent; spent) 1) тра́тить, расхо́довать 2) проводи́ть *(время)*

spent [spent] *past и p. p. от* spend

sphere [sfıə] 1) шар 2) сфе́ра; по́ле де́ятельности

spice [spaıs] пря́ность; *собир.* спе́ции

spider ['spaıdə] пау́к; ~'s web паути́на

spike [spaık] 1) остриё 2) шип

spill [spıl] (spilt; spilt) 1) пролива́ть(ся) 2) рассыпа́ть(ся)

spilt [spılt] *past и p. p. от* spill

spin [spın] (spin; spun) 1) прясть 2) крути́ть(ся)

spine [spaın] позвоно́чный столб, позвоно́чник

spinster ['spınstə] незаму́жняя же́нщина; ста́рая де́ва

spire ['spaıə] шпиль

spirit I ['spırıt] 1) дух 2)

pl настрое́ние; high ~s хоро́шее настрое́ние; low ~s плохо́е настрое́ние

spirit II ['spırıt] 1) спирт 2) *pl* спиртны́е напи́тки

spirited ['spırıtıd] живо́й; бо́йкий

spiritual ['spırıtjuəl] духо́вный

spit [spıt] (spat; spat) плева́ть(ся)

spite [spaıt] злость; зло́ба ◇ in ~ of несмотря́ на; ~ful ['spaıtful] зло́бный

splash [splæʃ] 1. *v* бры́згать(ся); забры́згать; плеска́ть(ся) 2. *n* плеск; бры́зги

splendid ['splendıd] великоле́пный, роско́шный; блестя́щий

splendour ['splendə] великоле́пие, ро́скошь; блеск

splinter ['splıntə] 1) ще́пка; оско́лок 2) зано́за

split [splıt] 1. *v* (split; split) коло́ть; раска́лывать(ся) 2. *n* 1) раско́л 2) тре́щина

spoil [spɔıl] 1. *v* (spoilt, spoiled; spoilt, spoiled) 1) по́ртить(ся) 2) балова́ть 2. *n* добы́ча; ~t [-t] *past и p. p. от* spoil 1

spoke [spəuk] *past от* speak; ~n ['spəukən] *p. p. от* speak

sponge [spʌndʒ] 1. *n* гу́бка; ~ cake бискви́т 2. *v* 1) мыть гу́бкой 2) жить за чей-л. счёт

sponsor ['spɔnsə] 1. *v* 1) руча́ться 2) устра́ивать 3)

субсиди́ровать 2. *n* 1) пору-
чи́тель 2) организа́тор 3)
спо́нсор

spontaneous [spɔn'teɪnjəs]
1) самопроизво́льный 2) не-
посре́дственный

spool [spu:l] кату́шка;
шпу́лька

spoon [spu:n] ло́жка

sport [spɔ:t] 1) спорт 2)
развлече́ние

sportsman ['spɔ:tsmən]
спортсме́н

spot [spɔt] 1) пятно́ 2) ме́-
сто 3) пры́щик; ~**less**
['spɔtlɪs] безупре́чный

spout [spaut] 1) но́сик
(посуды) 2) жёлоб

sprang [spræŋ] *past от*
spring I, 1

spray [spreɪ] 1. *v* 1) опры́-
скивать 2) распыля́ть 2. *n* 1)
бры́зги 2) пульвериза́тор;
спрей

spread [spred] (spread;
spread) 1) расстила́ть *(ска-
терть и т.п.)* 2) распрост-
раня́ться 3) простира́ться

spring I [sprɪŋ] 1. *v*
(sprang; sprung) 1) пры́гать;
вска́кивать 2) проистека́ть 2.
n 1) прыжо́к 2) пружи́на 3)
источник, ключ

spring II [sprɪŋ] весна́

sprinkle ['sprɪŋkl] бры́з-
гать

sprout [spraut] 1. *v* пуска́-
ть ростки́ 2. *n* отро́сток,
побе́г

sprung [sprʌŋ] *p. p. от*
spring I, 1

spume [spju:m] пе́на

spun [spʌn] *past и p. p.
от* spin

spur [spə:] 1. *n* 1) шпо́ра
2) сти́мул 2. *v* 1) пришпо́ри-
вать 2) подстрека́ть

spy [spaɪ] 1. *n* шпио́н 2. *v*
шпио́нить

squad [skwɔd] 1) гру́ппа
2) кома́нда 3) отря́д

squadron ['skwɔdrən] 1)
эскадро́н 2) *мор.* эска́дра

square [skwɛə] 1. *a* квад-
ра́тный 2. *n* 1) квадра́т; пря-
моуго́льник 2) пло́щадь;
сквер

squash [skwɔʃ] 1. *v* да-
ви́ть; сжима́ть 2. *n* да́вка;
толпа́

squeeze [skwi:z] 1. *v* 1)
выжима́ть 2) сжима́ть; да-
ви́ть 3) впи́хивать 4) проти́с-
киваться 2. *n* сжа́тие; да́вка

squint [skwɪnt] 1. *n* косо-
гла́зие 2. *v* коси́ть *(о глаза́х)*

squirrel ['skwɪrəl] бе́лка

stab [stæb] 1. *v* заколо́ть;
уда́рить ножо́м 2. *n* уда́р
(ножо́м и т.п.)

stability [stə'bɪlɪtɪ] 1) ус-
то́йчивость 2) сто́йкость,
про́чность

stable I ['steɪbl] 1) усто́й-
чивый 2) сто́йкий; про́чный

stable II ['steɪbl] коню́шня

stack [stæk] 1) стог 2) ку́-
ча, гру́да

stadium ['steɪdjəm] стади-
о́н

staff [stɑ:f] 1) штат; персо-
на́л 2) *воен.* штаб

stag [stæg] 1. *n* олень-самец 2. *a* холостяцкий

stage I [steɪdʒ] 1. *n* сцена 2. *v* инсценировать, ставить *(пьесу)*

stage II [steɪdʒ] фаза, стадия

stagger ['stægə] шататься

stagnation [stæg'neɪʃn] застой

stain [steɪn] 1. *n* пятно 2. *v* пятнать; пачкать

stainless ['steɪnlɪs] безупречный; ~ steel нержавеющая сталь

stair [steə] 1) ступенька 2) *pl* лестница; ~case ['steəkeɪs] лестница

stake [steɪk] ставка, заклад *(в пари)*

stale [steɪl] 1) чёрствый 2) затхлый; ~ joke избитая шутка

stalk [stɔːk] стебель

stall [stɔːl] 1) стойло 2) ларёк 3) *театр.* кресло в партере

stallion ['stæljən] жеребец

stammer ['stæmə] заикаться, запинаться

stamp [stæmp] 1. *v* 1) топать ногой 2) накладывать штамп 3) наклеивать марку 2. *n* 1) почтовая марка 2) штамп; штемпель

stand [stænd] 1. *v* (stood; stood) 1) стоять 2) поставить 3) выдерживать, выносить; ~ up for защищать 2. *n* 1) позиция 2) стойка; стенд

standard ['stændəd] 1. *n*

1) знамя 2) мерило, стандарт; ~ of living жизненный уровень 2. *a* стандартный

standpoint ['stændpɔɪnt] точка зрения

standstill ['stændstɪl]: be at a ~ остановиться на мёртвой точке

staple ['steɪpl] скреплять

star [stɑː] звезда

starch [stɑːtʃ] 1. *n* крахмал 2. *v* крахмалить

stare [steə] 1. *v* пристально смотреть; глазеть 2. *n* пристальный взгляд

starling ['stɑːlɪŋ] скворец

start [stɑːt] 1. *v* 1) начинать 2) отправляться 3) вскочить 4) вздрагивать 2. *n* 1) начало 2) *спорт.* старт

startle ['stɑːtl] 1) испугать 2) поражать

starvation [stɑː'veɪʃn] голод; истощение

starve [stɑːv] 1) голодать; умирать от голода 2) морить голодом

state I [steɪt] 1) государство 2) штат

state II [steɪt] 1. *n* состояние 2. *v* заявлять; формулировать

stately ['steɪtlɪ] величавый, величественный

statement ['steɪtmənt] заявление, утверждение

statesman ['steɪtsmən] государственный деятель

station ['steɪʃn] 1. *n* 1) станция, вокзал 2) общественное положе́ние 2. *v* ста́вить, размеща́ть

stationary ['steɪʃnərɪ] 1) неподви́жный 2) постоя́нный

stationery ['steɪʃnərɪ] писчебума́жные принадле́жности

statistics [stə'tɪstɪks] стати́стика

statue ['stætjuː] ста́туя; па́мятник

stature ['stætʃə] рост; of high ~ высо́кого ро́ста; grow in ~ расти́

statute ['stætjuːt] 1) зако́н; стату́т 2) уста́в

stay [steɪ] 1. *v* 1) остава́ться 2) остана́вливаться; гости́ть *(у кого́-л.)* 2. *n* 1) пребыва́ние 2) остано́вка

stay-at-home ['steɪəthəum] домосе́д(ка)

steady ['stedɪ] 1. *a* 1) усто́йчивый 2) постоя́нный; ро́вный 2. *v* де́лать(ся) усто́йчивым

steak [steɪk] бифште́кс

steal [stiːl] (stole; stolen) красть, ворова́ть

steam [stiːm] 1. *n* пар 2. *v* 1) выпуска́ть пар 2) разводи́ть пары́; ~er, ~ship ['stiːmə, 'stiːmʃɪp] парохо́д

steel [stiːl] 1. *n* сталь 2. *a* стально́й

steep [stiːp] круто́й

steer [stɪə] 1) пра́вить рулём, управля́ть *(маши́ной)* 2) направля́ть

stellar ['stelə] звёздный

stem [stem] ствол; сте́бель

step [step] 1. *n* 1) шаг; keep in ~ идти́ в но́гу 2) ступе́нька 2. *v* ступа́ть, шага́ть

stepdaughter ['stepdɔːtə] па́дчерица

stepfather ['stepfɑːðə] о́тчим

stepmother ['stepmʌðə] ма́чеха

stepson ['stepsʌn] па́сынок

stereo ['sterɪəu] *сокр. от* stereophonic; ~ system *разг.* стереосисте́ма

stereophonic [sterɪə'fɔnɪk] стереофони́ческий

stern [stəːn] суро́вый, стро́гий

stern II [stəːn] *мор.* корма́

stew [stjuː] 1. *v* туши́ть *(мя́со и т.п.)*; ~ed fruit компо́т 2. *n* тушёное мя́со

steward ['stjuəd] 1) официа́нт *(на парохо́де, самолёте)* 2) управля́ющий *(име́нием)*

stick I [stɪk] па́лка, трость

stick II [stɪk] (stuck; stuck) 1) втыка́ть 2) прикле́ивать(ся); ~ in застрева́ть; ~ to быть ве́рным; приде́рживаться

sticky ['stɪkɪ] ли́пкий, кле́йкий

stiff [stɪf] негну́щийся; засты́вший; *перен.* холо́дный, натя́нутый; ~en [-n] (о)коченеть

still I [stɪl] 1. *a* 1) ти́хий 2) неподви́жный ◇ ~ waters run deep ≈ в ти́хом о́муте

175

чёрти вóдятся 2. *n* тишинá 3. *v* успокáивать

still II [stɪl] 1) до сих пóр; всё ещё; однáко 2) ещё (*в сравнении*); ~ **better** ещё лýчше

stimulant ['stɪmjulənt] 1) возбуждáющее срéдство 2) стúмул

stimulate ['stɪmjuleɪt] побуждáть, стимулúровать

sting [stɪŋ] 1. *v* (stung; stung) жáлить 2. *n* 1) жáло 2) укýс

stir [stɜː] 1. *v* 1) шевелúть(ся) 2) размéшивать 3) возбуждáть 2. *n* движéние, оживлéние; **make a ~** возбудúть óбщий интерéс

stitch [stɪtʃ] 1. *n* стежóк, пéтля (*в вязании*) 2. *v* шить; ~ **up** зашивáть

stock [stɒk] 1) род, порóда 2) запáс; фонд; ~ **exchange** бúржа 3) акционéрный капитáл 4) áкция; ~**broker** ['stɒkbrəukə] биржевóй мáклер, брóкер; ~**holder** ['stɒkhəuldə] акционéр

stocking ['stɒkɪŋ] чулóк

stole [stəul] *past om* steal; ~**n** ['stəulən] *p. p. om* steal

stomach ['stʌmək] желýдок; живóт

stone [stəun] 1. *n* 1) кáмень 2) кóсточка (*плода*) 2. *a* кáменный 3. *v* 1) побúть камнями 2) вынимáть кóсточки (*из плодов*)

stood [stud] *past и p.p. om* stand 1

stool [stuːl] табурéтка

stoop [stuːp] 1) наклонáть(ся), нагибáть(ся) 2) сутýлиться, гóрбиться

stop [stɒp] 1. *v* 1) останáвливать(ся); прекращáть(ся) 2) затыкáть, задéлывать; пломбировáть (*зуб*) 2. *n* 1) останóвка; задéржка 2) знак препинáния; **full ~** тóчка

stopper ['stɒpə] прóбка; затычка

storage ['stɔːrɪdʒ] хранéние

store [stɔː] 1. *n* 1) запáс 2) склад 3) магазúн; *pl* универмáг ◇ **set great ~ by** óчень ценúть, дорожúть 2. *v* 1) запасáть 2) хранúть на склáде

storey ['stɔːrɪ] этáж

stork [stɔːk] áист

storm [stɔːm] 1. *n* 1) бýря; грозá 2) *воен.* штурм 2. *v* 1) бушевáть 2) *воен.* штурмовáть; ~**y** ['stɔːmɪ] бýрный

story ['stɔːrɪ] рассказ, пóвесть; истóрия

stout [staut] 1) тóлстый, пóлный 2) крéпкий

stove [stəuv] печь, пéчка, кýхонная плитá

straight [streɪt] 1. *a* прямóй 2. *adv* прямо; ~**en** ['streɪtn] выпрямлáть(ся)

strain [streɪn] 1. *v* 1) натягивать 2) напрягáть(ся) 2. *n* напряжéние

strait [streɪt] 1. *a* ýзкий 2. *n* 1) пролúв 2) (*обыкн. pl*) затрудни́тельное материа́льное положе́ние, нужда́

strange [streɪndʒ] 1) стра́нный 2) чужо́й; незнако́мый; ~r ['streɪndʒə] незнако́мец; чужо́й, посторо́нний челове́к

strangle ['stræŋgl] 1) (за)души́ть 2) задыха́ться 3) подавля́ть

strap [stræp] 1. *n* реме́нь 2. *v* стя́гивать ремнём

straw [strɔ:] 1. *n* соло́ма; соло́минка 2. *a* соло́менный

strawberry ['strɔ:bərɪ] земляни́ка; клубни́ка

stray [streɪ] 1. *v* сбива́ться с пути́ 2. *a* заблуди́вшийся ◇ ~ bullet шальна́я пу́ля

stream [stri:m] 1. *n* 1) пото́к; руче́й 2) тече́ние 2. *v* 1) течь, стру́иться 2) развева́ться

street [stri:t] у́лица; ~car ['stri:tkɑ:] *амер.* трамва́й

strength [streŋθ] си́ла; ~en ['streŋθən] уси́ливать(ся); крепи́ть

stress [stres] 1. *n* 1) стресс 2) нажи́м, давле́ние 3) ударе́ние 2. *v* подчёркивать; ста́вить ударе́ние

stretch [stretʃ] 1. *v* 1) протя́гивать 2) растя́гивать(ся) 3) тяну́ться 2. *n* 1) вытя́гивание 2) протяже́ние ◇ at a ~ без переры́ва, подря́д

stretcher ['stretʃə] носи́лки

strict [strɪkt] 1) стро́гий 2) то́чный

strident ['straɪdnt] ре́зкий, скрипу́чий

strike I [straɪk] (struck; struck) 1) ударя́ть(ся) 2): ~ a match заже́чь спи́чку 3) поража́ть 4) бить *(о часа́х)*

strike II [straɪk] 1. *n* ста́чка, забасто́вка 2. *v* бастова́ть; ~r ['straɪkə] забасто́вщик

string [strɪŋ] 1. *n* 1) верёвка; тесёмка, шнуро́к; завя́зка 2) ни́тка *(бус)* 3) струна́ 4) ряд, верени́ца 2. *v* (strung; strung) 1) завя́зывать 2) натя́гивать *(струну́)* 3) нани́зывать

strip [strɪp] 1. *v* 1) обдира́ть 2) раздева́ться 2. *n* лоску́т; поло́ска; полоса́

stripe [straɪp] 1) полоса́ 2) наши́вка; ~d [-t] полоса́тый

strive [straɪv] (strove; striven) 1) стара́ться 2) боро́ться; ~n [strɪvn] *p. p. om* strive

stroke [strəuk] 1. *n* 1) уда́р 2) взмах 2. *v* гла́дить, погла́живать

stroll [strəul] 1. *v* броди́ть, прогу́ливаться 2. *n* прогу́лка

strong [strɔŋ] си́льный; кре́пкий

strove [strəuv] *past om* strive

struck [strʌk] *past* и *p. p. om* strike I

structure ['strʌktʃə] 1) строе́ние, структу́ра 2) постро́йка

struggle ['strʌgl] 1. *v* боро́ться 2. *n* борьба́

strung [strʌŋ] *past и p. p. от* string 2

stubborn ['stʌbən] упо́рный, упря́мый

stuck [stʌk] *past и p. p. от* stick II

stud [stʌd] за́понка

student ['stju:dənt] 1) студе́нт; уча́щийся 2) изуча́ющий что-л.

study ['stʌdɪ] *I.* 1. *n* 1) изуче́ние 2) предме́т изуче́ния 3) кабине́т 4) этю́д 2. *v* 1) изуча́ть 2) учи́ться, занима́ться

stuff [stʌf] 1. *n* вещество́; материа́л 2. *v* 1) набива́ть; фарширова́ть 3) затыка́ть

stumble ['stʌmbl] 1) спотыка́ться 2) запина́ться

stumbling block ['stʌmbliŋblɔk] ка́мень преткнове́ния

stump [stʌmp] 1) пень 2) обру́бок

stun [stʌn] оглуша́ть; ошеломля́ть

stung [stʌŋ] *past и p. p. от* sting 1

stupefy ['stju:pɪfaɪ] 1) отупля́ть 2) изумля́ть, ошеломля́ть

stupid ['stju:pɪd] глу́пый, тупо́й

stupor ['stju:pə] оцепене́ние

sturdy ['stə:dɪ] кре́пкий; здоро́вый

sturgeon ['stə:dʒən] осётр

178

style [staɪl] 1) стиль; слог 2) мо́да; фасо́н

subdue [səb'dju:] подчиня́ть; ~d [-d] пода́вленный

subject 1. *a* ['sʌbdʒɪkt] 1) подчинённый; подвла́стный 2) (to) подве́рженный 2. *n* ['sʌbdʒɪkt] 1) предме́т, те́ма 2) *грам.* подлежа́щее 3. *v* [səb'dʒekt] 1) подчиня́ть 2) подверга́ть (*де́йствию чего́-л.*)

subjunctive [səb'dʒʌŋktɪv] *грам.* сослага́тельное наклоне́ние

submarine ['sʌbməri:n] 1. *a* подво́дный 2. *n* подво́дная ло́дка

submerge [səb'mə:dʒ] погружа́ть(ся) в во́ду

submission [səb'mɪʃn] подчине́ние; поко́рность

submit [səb'mɪt] 1) подчиня́ться; покоря́ться 2) представля́ть на рассмотре́ние

subordinate [sə'bɔ:dənɪt] подчинённый

subpoena [səb'pi:nə] пове́стка (*в суд*)

subscribe [səb'skraɪb] подпи́сываться; ~r [-ə] подпи́счик

subscription [səb'skrɪpʃn] 1) по́дпись 2) подпи́ска

subsequent ['sʌbsɪkwənt] после́дующий; ~ly [-lɪ] впосле́дствии, пото́м

subside [səb'saɪd] 1) па́дать; убыва́ть 2) утиха́ть; умолка́ть

substance ['sʌbstəns] 1)

сущность 2) вещество, материя

substitute ['sʌbstɪtjuːt] **1.** *n* 1) заместитель 2) заменитель, суррогат **2.** *v* заменять; замещать

subtle ['sʌtl] тонкий, неуловимый; **~ty** [-tɪ] тонкость

subtract [səb'trækt] *мат.* вычитать; **~ion** [səb'trækʃn] *мат.* вычитание

suburb ['sʌbəːb] 1) пригород 2) *pl* предместье, окрестности *(города)*; **~an** [sə'bəːbən] пригородный

subway ['sʌbweɪ] 1) туннель 2) *амер.* метрополитен

succeed [sək'siːd] 1) следовать *(за чем-л.)*; быть преемником 2) достигать цели; иметь успех; I ~ed in мне удалось

success [sək'ses] успех, **~ful** [-ful] удачный, успешный

succession [sək'seʃn] 1) последовательность 2) непрерывный ряд

successively [sək'sesɪvlɪ] последовательно, по порядку

successor [sək'sesə] преемник, наследник

such [sʌtʃ] такой

suck [sʌk] сосать

sudden ['sʌdn] **1.** *a* внезапный **2.** *n:* all of a ~ вдруг, внезапно; **~ly** [-lɪ] вдруг, внезапно

sue [sjuː] преследовать судебным порядком, возбуждать дело в суде

suffer ['sʌfə] страдать; **~ing** ['sʌfərɪŋ] страдание

sufficient [sə'fɪʃənt] достаточный

suffix ['sʌfɪks] *грам.* суффикс

suffocate ['sʌfəkeɪt] 1) душить 2) задыхаться

suffrage ['sʌfrɪdʒ] право голоса; universal ~ всеобщее избирательное право

sugar ['ʃugə] сахар; ~ beet сахарная свёкла; **~cane** [-keɪn] сахарный тростник; **~y** ['ʃugərɪ] 1) сахарный 2) льстивый

suggest [sə'dʒest] 1) предлагать 2) внушать; намекать; **~ion** [sə'dʒestʃn] 1) предложение 2) внушение

suicide ['sjuɪsaɪd] 1) самоубийство; commit ~ покончить с собой 2) самоубийца

suit [sjuːt] **1.** *n* 1) костюм 2) комплект, набор 3) прошение; *юр.* иск **2.** *v* 1) подходить; годиться 2) быть к лицу

suitable ['sjuːtəbl] подходящий

suitcase ['sjuːtkeɪs] чемодан

suite [swiːt] 1) свита 2) несколько комнат, аппартаменты

sulphur ['sʌlfə] сера

sultry ['sʌltrɪ] знойный, душный

sum [sʌm] **1.** *n* 1) сумма, итог 2) арифметическая за-

да́ча 2. v: ~ up подводи́ть
ито́г

summary ['sʌmərɪ] кра́т-
кое изложе́ние, резюме́,
сво́дка

summer ['sʌmə] ле́то

summit ['sʌmɪt] 1) верши́-
на 2) преде́л; верх 3) встре́-
ча в верха́х, на вы́сшем
у́ровне

summon ['sʌmən] 1) вы-
зыва́ть (в суд) 2) созыва́ть

sun [sʌn] со́лнце; ~beam
['sʌnbi:m] со́лнечный луч; ~-
blind ['sʌnblaɪnd] тент, на-
ве́с; ~burn ['sʌnbə:n] зага́р;
~burnt ['sʌnbə:nt] загоре́лый

Sunday ['sʌndɪ] воскре-
се́нье

sunflower ['sʌnflauə] под-
со́лнух

sung [sʌŋ] p. p. om sing

sunk [sʌŋk] p. p. om sink I

sunlight ['sʌnlaɪt] со́лнеч-
ный свет

sunny ['sʌnɪ] 1) со́лнеч-
ный 2) ра́достный

sunrise ['sʌnraɪz] восхо́д
со́лнца

sunset ['sʌnset] зака́т

sunshine ['sʌnʃaɪn] со́л-
нечный свет

sunstroke ['sʌnstrəuk] со́л-
нечный уда́р

superficial [sju:pə'fɪʃəl]
пове́рхностный, вне́шний

superfluous [sju:'pə:fluəs]
изли́шний, чрезме́рный

superintend [sju:prɪn'tend]
надзира́ть (за); ~ent [-ənt]
управля́ющий, заве́дующий

superior [sju:'pɪərɪə] 1. a
вы́сший, превосходя́щий;
лу́чший 2. n ста́рший, на-
ча́льник; ~ity [sju:pɪərɪ'ɔrɪtɪ]
превосхо́дство

superlative [sju:'pə:lətɪv]
грам. превосхо́дная сте́пень

supermarket ['sju:pəma:-
kɪt] универса́льный магази́н
самообслу́живания; супер-
ма́ркет

superstition [sju:pə'stɪʃn]
суеве́рие; предрассу́дки

supper ['sʌpə] у́жин

supplement 1. n ['sʌp-
lɪmənt] дополне́ние, прило-
же́ние 2. v ['sʌplɪment] по-
полня́ть, дополня́ть

supply [sə'plaɪ] 1. v снаб-
жа́ть; поставля́ть 2. n 1)
снабже́ние 2) запа́с 3) эк.
предложе́ние

support [sə'pɔ:t] 1. v 1)
подде́рживать 2) содержа́ть
2. n подде́ржка; ~er [-ə]
сторо́нник, приве́рженец

suppose [sə'pəuz] предпо-
лага́ть; полага́ть

suppress [sə'pres] 1) по-
давля́ть 2) запреща́ть (газе-
ту) 3) скрыва́ть (правду);
~ion [sə'preʃn] 1) подавле́-
ние 2) запреще́ние (газеты
и т. п.)

supreme [sju:'pri:m] вы́с-
ший; верхо́вный

sure [ʃuə] 1. a уве́ренный;
несомне́нный; be ~ быть уве́-
ренным; a ~ way надёжный
спо́соб 2. adv несомне́нно;
наверняка́; ~ly ['ʃuəlɪ] не-

сомне́нно; коне́чно; ~ly you don't mean that! неуже́ли вы э́то всерьёз?

surf [sə:f] прибо́й

surface ['sə:fis] пове́рхность

surfing ['sə:fiŋ] *спорт.* сёрфинг

surgeon ['sə:dʒn] 1) хиру́рг 2) вое́нный врач

surgery ['sə:dʒəri] 1) хирурги́я 2) приёмная *(хирурга)*

surname ['sə:neim] фами́лия

surpass [sə:'pɑ:s] превосходи́ть

surplus ['sə:pləs] 1. *n* изли́шек 2. *a* изли́шний

surprise [sə'praiz] 1. *v* 1) удивля́ть; be ~d удивля́ться 2) захвати́ть враспло́х 2. *n* 1) удивле́ние 2) неожи́данность; сюрпри́з; take smb. by ~ захвати́ть кого́-л. враспло́х

surrender [sə'rendə] 1. *n* сда́ча, капитуля́ция 2. *v* сдава́ть(ся); капитули́ровать

surround [sə'raund] окружа́ть; ~ings [-iŋz] *pl* 1) окре́стности 2) среда́, окруже́ние

survey 1. *n* ['sə:vei] 1) обозре́ние, осмо́тр 2) топографи́ческая съёмка 2. *v* [sə:'vei] 1) обозрева́ть 2) межева́ть, де́лать съёмку

survive [sə'vaiv] пережи́ть, вы́жить

survivor [sə'vaivə] уцеле́вший; оста́вшийся в живы́х

suspect 1. *v* [səs'pekt] подозрева́ть 2. *n* ['sʌspekt] подозрева́емый (челове́к)

suspend [səs'pend] 1) подве́шивать 2) приостана́вливать, отсро́чивать

suspenders [səs'pendəz] *амер.* подтя́жки

suspicion [səs'piʃn] подозре́ние

suspicious [səs'piʃəs] подозри́тельный

swallow I ['swɔləu] 1. *v* глота́ть, поглоща́ть 2. *n* глото́к; at a ~ одни́м глотко́м

swallow II ['swɔləu] ла́сточка

swam [swæm] *past от* swim

swamp [swɔmp] боло́то, топь

swan [swɔn] ле́бедь

swarm [swɔ:m] 1. *n* 1) рой 2) толпа́ 2. *v* 1) ро́иться 2) толпи́ться

sway [swei] кача́ть(ся); раска́чивать(ся)

swear [swɛə] (swore; sworn) 1) кля́сться, присяга́ть 2) руга́ться

sweat [swet] 1. *n* пот 2. *v* 1) поте́ть 2) эксплуати́ровать

sweater ['swetə] сви́тер

Swede [swi:d] швед

Swedish ['swi:diʃ] шве́дский

sweep [swi:p] 1. *v* (swept; swept) 1) нести́сь 2) мести́; вымета́ть 3) смета́ть 2. *n* взмах, разма́х

sweet [swi:t] 1. *a* 1) сла́д-

кий 2) ми́лый **2.** *n* 1) сла́д-
кое 2) *pl* конфе́ты, сла́дости

sweetheart ['swi:tha:t] 1)
возлю́бленный; -ая 2) доро-
го́й; -а́я *(как обраще́ние)*

swell [swel] (swelled;
swollen) распуха́ть, вздува́ть-
ся

swelling ['sweliŋ] вы́пук-
лость; о́пухоль

swept [swept] *past и p. p.
om* sweep 1

swift [swift] ско́рый, бы́ст-
рый

swim [swim] (swam; swum)
плыть, пла́вать; ~mer
['swimə] пловец; ~ming
['swimiŋ] пла́вание; ~ming
pool пла́вательный бассе́йн

swindle ['swindl] **1.** *n* об-
ма́н **2.** *v* обма́нывать, наду-
ва́ть

swing [swiŋ] **1.** *v* (swung;
swung) 1) кача́ть(ся) 2) разма́-
хивать **2.** *n* 1) разма́х 2)
кача́ние 3) каче́ли

Swiss [swis] **1.** *a* швейца́р-
ский **2.** *n* швейца́рец

switch [switʃ] **1.** *n* 1) прут,
хлыст 2) ж.-д. стре́лка 3) эл.
выключа́тель **2.** *v* переклю-
ча́ть; ~ off выключа́ть; ~ on
включа́ть

swollen ['swəulən] *p. p. om*
swell

sword [sɔ:d] меч; шпа́га;
са́бля

swore [swɔ:] *past om* swear

sworn [swɔ:n] *p. p. om*
swear

swum [swʌm] *p. p. om*
swim

swung [swʌŋ] *past и p. p.
om* swing 1

syllable ['siləbl] слог; *перен.* сло́во; not a ~ ни сло́ва

symbol ['simbəl] си́мвол,
знак

sympathize ['simpəθaiz]
сочу́вствовать

sympathy ['simpəθi] сочу́в-
ствие

symphony ['simfəni] сим-
фо́ния

symptom ['simptəm] при́-
знак, симпто́м

syringe ['sirindʒ] шприц;
спринцо́вка

system ['sistim] систе́ма;
строй

T

table ['teibl] 1) стол 2)
пи́ща, стол 3) табли́ца;
~cloth [-klɔ:θ] ска́терть

tacit ['tæsit] молчали́вый;
~ agreement молчали́вый
угово́р

tact [tækt] такт; ~ful
['tæktful] такти́чный; ~less
['tæktlis] беста́ктный

tag [tæg] ярлы́к

tail [teil] хвост

tailor ['teilə] портно́й

take [teik] (took; taken)
брать; взять; ~ off снима́ть;
~ out вынима́ть ◇ ~ care
(по)забо́титься; ~ care! осто-

ро́жнее!; ~ place случа́ться; ~n ['teɪkn] *p. p. om* take

tale [teɪl] 1) расска́з, по́весть 2): tell ~s спле́тничать

talent ['tælənt] тала́нт; ~ed [-ɪd] тала́нтливый

talk [tɔ:k] **1.** *v* говори́ть; разгова́ривать **2.** *n* разгово́р

tall [tɔ:l] высо́кий

tame [teɪm] **1.** *a* ручно́й **2.** *v* прируча́ть; укроща́ть

tangerine [tændʒə'ri:n] мандари́н *(плод)*

tangle ['tæŋgl] **1.** *n* сплете́ние; пу́таница **2.** *v* запу́тывать(ся)

tank [tæŋk] 1) бак; резервуа́р 2) танк

tap I [tæp] **1.** *v* (по)стуча́ть; (по)хло́пать *(по плечу)* **2.** *n* стук; посту́кивание

tap II [tæp] кран *(водопрово́дный и т. п.)*

tape [teɪp] 1) тесьма́ 2) телегра́фная ле́нта

tape recorder ['teɪprɪkɔ:də] магнитофо́н

tar [tɑ:] **1.** *n* смола́; дёготь **2.** *v* ма́зать дёгтем; смоли́ть

target ['tɑ:gɪt] мише́нь

task [tɑ:sk] зада́ние; зада́ча

taste [teɪst] **1.** *n* 1) вкус 2) скло́нность 2. *v* 1) про́бовать 2) име́ть (при)вкус

taught [tɔ:t] *past и p. p. om* teach

tax [tæks] **1.** *n* нало́г **2.** *v* облага́ть нало́гом

taxi ['tæksɪ] такси́

tea [ti:] чай

teach [ti:tʃ] (taught; taught) учи́ть, обуча́ть; ~er ['ti:tʃə] учи́тель; ~ing ['ti:tʃɪŋ] 1) обуче́ние 2) *(ча́ще pl)* уче́ние

team [ti:m] 1) упря́жка 2) *спорт.* кома́нда 3) брига́да рабо́чих 4) экипа́ж су́дна

teapot ['ti:pɔt] ча́йник *(для зава́рки)*

tear I [tɪə] слеза́

tear II [teə] **1.** *v* (tore; torn) рвать(ся); отрыва́ть(ся); раздира́ть **2.** *n* дыра́, проре́ха

tease [ti:z] **1.** *v* дразни́ть **2.** *n* зади́ра

teaspoon ['ti:spu:n] ча́йная ло́жка

technical ['teknɪkəl] техни́ческий

technique [tek'ni:k] те́хника

tedious ['ti:djəs] ску́чный; утоми́тельный

teem [ti:m] кише́ть

teenager ['ti:neɪdʒə] подро́сток, тине́йджер

teeth [ti:θ] *pl om* tooth

telegram ['telɪgræm] телегра́мма

telegraph ['telɪgrɑ:f] **1.** *n* телегра́ф **2.** *v* телеграфи́ровать

telephone ['telɪfəun] **1.** *n* телефо́н **2.** *v* звони́ть по телефо́ну

television ['telɪvɪʒn] телеви́дение

telex ['teleks] те́лекс

tell [tel] (told; told) 1)

сказа́ть; говори́ть; ~ him to come попроси́ его́ прийти́ 2) расска́зывать 3) (on) ска́зываться; his years are beginning to ~ on him его́ во́зраст начина́ет ска́зываться

temper ['tempə] 1) хара́ктер 2) настрое́ние; lose one's ~ вы́йти из себя́

temperate ['tempərit] возде́ржанный; уме́ренный

temperature ['tempritʃə] температу́ра

temple I ['templ] храм

temple II ['templ] висо́к

temporary ['tempərəri] вре́менный

tempt [tempt] искуша́ть, соблазня́ть

temptation [temp'teiʃn] искуше́ние, соблазн

ten [ten] де́сять

tenant ['tenənt] 1) аренда́тор 2) жи́тель

tend [tend] склоня́ться; ~ency ['tendənsi] накло́нность, тенде́нция

tender ['tendə] не́жный; чувстви́тельный

tennis ['tenis] те́ннис

tense [tens] *грам.* вре́мя

tension ['tenʃn] напряже́ние

tent [tent] пала́тка

tenth [tenθ] деся́тый

tepid ['tepid] теплова́тый

term [tə:m] 1) срок 2) семе́стр 3) те́рмин; выраже́ние 4) *pl* усло́вия 5) *pl* отноше́ния

terminal ['tə:minl] коне́чная ста́нция; air ~ аэровокза́л

terminate ['tə:mineit] конча́ть (ся)

termination [tə:mi'neiʃn] коне́ц; оконча́ние

terrace ['terəs] терра́са; усту́п

terrible ['terəbl] стра́шный, ужа́сный

terrify ['terifai] ужаса́ть

territory ['teritəri] террито́рия

terror ['terə] 1) у́жас 2) терро́р

test [test] **1.** *n* 1) испыта́ние; nuclear weapon ~ испыта́ние я́дерного ору́жия 2) про́ба **2.** *v* подверга́ть испыта́нию; испы́тывать

testify ['testifai] свиде́тельствовать

testimony ['testiməni] показа́ние; свиде́тельство

text [tekst] текст; ~book ['tekstbuk] уче́бник, руково́дство

textile ['tekstail] тексти́льный

than [ðæn] чем; не́жели

thank [θæŋk] **1.** *v* благодари́ть; ~ you!, ~s! спаси́бо! **2.** *n pl* благода́рность; ~s to благодаря́ *(чему-л.);* ~ful ['θæŋkful] благода́рный

that [ðæt] **1.** *pron* 1) (э)тот, (э)та, (э)то 2) кото́рый **2.** *conj* 1) что 2) чтобы; in order ~ для того́, чтобы

thaw [θɔ:] **1.** *v* та́ять **2.** *n* о́ттепель

the [ðɪ *перед гласным*, ðə *перед согласным*] 1. *грам. определённый* артикль 2. *adv* тем; ~ more ~ better чем больше, тем лучше

theatre ['θɪətə] театр

theft [θeft] кража

their, theirs [ðeə, ðeəz] их; свой

them [ðem] им; их

theme [θi:m] тема

themselves [ðəm'selvz] 1) себя; -ся 2) (они) сами

then [ðen] 1. *pron* 1) тогда 2) затем, потом 2. *conj* в таком случае; ~ I'll go в таком случае я уйду

theory ['θɪərɪ] теория

there [ðeə] 1) там 2) туда 3) здесь, тут 4): ~ is, ~ are есть, имеется; ~by ['ðeə'baɪ] тем самым; ~fore ['ðeəfɔ:] поэтому; следовательно; ~upon [ðeərə'rɒn] 1) после чего 2) на что

these [ði:z] эти

they [ðeɪ] они

thick [θɪk] 1) толстый; плотный 2) густой; ~ hair густые волосы

thief [θi:f] вор

thieves [θi:vz] *pl om* thief

thigh [θaɪ] бедро

thimble ['θɪmbl] напёрсток

thin [θɪn] 1) тонкий 2) худой 3) редкий; ~ hair редкие (жидкие) волосы

thing [θɪŋ] 1) вещь; предмет 2) дело, факт 3) *pl* вещи, принадлежности

think [θɪŋk] (thought;

thought) думать; ~er ['θɪŋkə] мыслитель

third [θə:d] третий

thirst [θə:st] 1. *n* жажда 2. *v* испытывать жажду; ~ for жаждать

thirsty [θə:stɪ]: be ~ хотеть пить

thirteen ['θə:'ti:n] тринадцать; ~th [-θ] тринадцатый

thirtieth ['θə:tɪɪθ] тридцатый

thirty ['θə:tɪ] тридцать

this [ðɪs] этот, эта, это

thorn [θɔ:n] шип; колючка; ~y ['θɔ:nɪ] колючий; *перен.* тернистый

thorough ['θʌrə] полный, совершённый; тщательный

thoroughfare ['θʌrəfeə]: no ~ проезд запрещён (*надпись*)

those [ðəuz] те

though [ðəu] 1. *conj* хотя; as ~ как будто бы 2. *adv* однако

thought I [θɔ:t] *past и p. p. om* think

thought II [θɔ:t] мысль; мышление; ~ful ['θɔ:tful] 1) задумчивый, погружённый в размышления 2) глубокий (*анализ и т.п.*) 3) заботливый, внимательный; ~less ['θɔ:tlɪs] 1) необдуманный 2) беспечный 2) эгоистичный

thousand ['θauzənd] тысяча

thrash [θræʃ] 1) молотить 2) бить

thread [θred] нить, нитка

threat [θret] угро́за; ~en [-n] угрожа́ть

three [θri:] три

thresh [θreʃ] *см.* thrash

threshold ['θreʃhəuld] поро́г

threw [θru:] *past om* throw

thrift [θrɪft] бережли́вость; ~y ['θrɪftɪ] 1) бережли́вый, эконо́мный 2) процвета́ющий

thrill [θrɪl] 1. *n* тре́пет, содрога́ние 2. *v* си́льно взволнова́ть(ся)

thriller ['θrɪlə] рома́н *или* фильм у́жасов

throat [θrəut] го́рло; гло́тка

throb [θrɔb] си́льно би́ться; ~bing ['θrɔbɪŋ] пульса́ция, бие́ние

throne [θrəun] трон

through [θru:] 1) че́рез; сквозь; see ~ a telescope ви́деть в телеско́п 2) посре́дством, благодаря́

throughout [θru:'aut] 1. *adv* повсю́ду, везде́; the epidemic spread ~ the country эпиде́мия распространи́лась по всей стране́ 2. *prep* в продолже́ние *(всего́ вре́мени)*; ~ the century на протяже́нии всего́ ве́ка

throw [θrəu] (threw; thrown) броса́ть, кида́ть; ~n ['θrəun] *p. p. om* throw

thrust [θrʌst] 1. *v* (thrust) 1) толка́ть 2) вонза́ть 2. *n* 1) толчо́к 2) уда́р; вы́пад

thumb [θʌm] большо́й па́лец *(руки́)*

thunder ['θʌndə] 1. *n* гром 2. *v* греме́ть; ~storm [-stɔ:m] гроза́

Thursday ['θə:zdɪ] четве́рг

thus [ðʌs] так, таки́м о́бразом

ticket ['tɪkɪt] 1) биле́т 2) ярлы́к

tickle ['tɪkl] щекота́ть

tide [taɪd] прили́в и отли́в

tidy ['taɪdɪ] 1. *a* аккура́тный, опря́тный 2. *v* прибира́ть

tie [taɪ] 1. *v* свя́зывать; привя́зывать 2. *n* 1) связь; *pl* перен. у́зы 2) га́лстук 3) *mex.* скре́па

tiger ['taɪgə] тигр

tight [taɪt] 1) туго́й; кре́пкий 2) те́сный; ~en ['taɪtn] натя́гивать(ся); ~s [-s] *pl* колго́тки

tile [taɪl] 1) черепи́ца 2) ка́фель

till [tɪl] 1. *prep* до 2. *conj* до тех пор пока́, пока́ не; I won't go to bed ~ you come я не ля́гу спать пока́ ты не придёшь

timber ['tɪmbə] строево́й лес

time [taɪm] 1. *n* 1) вре́мя 2) срок; in ~ во́время 3) раз 2. *v* 1) приуро́чить ко вре́мени 2) хронометри́ровать; ~table ['taɪmteɪbl] расписа́ние

timid ['tɪmɪd] ро́бкий, засте́нчивый

tin [tɪn] 1) о́лово 2) жесть 3) ба́нка *(консервов)*

tinkle ['tɪŋkl] звене́ть; позвя́кивать

tint [tɪnt] отте́нок, тон; кра́ска

tiny ['taɪnɪ] кро́шечный

tip I [tɪp] 1. *n* ко́нчик 2. *v*: ~ over, ~ up опроки́дывать

tip II [tɪp] 1. *n* 1) чаевы́е 2) намёк, сове́т 2. *v* дава́ть «на чай»

tiptoe ['tɪptəu]: on ~ на цы́почках

tire I ['taɪə] утомля́ть(ся); I am ~d я уста́л

tire II ['taɪə] ши́на

tiresome ['taɪəsəm] надое́дливый, ску́чный

tiring ['taɪərɪŋ] утоми́тельный

title ['taɪtl] 1) загла́вие, назва́ние 2) ти́тул; зва́ние

to [tu:, tu] 1) *(указывает направление)* к, в, на; he goes to school он хо́дит в шко́лу; come to me! подойди́те ко мне!; he has gone to a concert он пошёл на конце́рт 2) *соответствует русскому дательному падежу*: to my friend моему́ дру́гу 3) *(о времени)* до; from four to six от 4 до 6 4) *ставится при инфинитиве*: to be быть

toad [təud] жа́ба

toast I [təust] 1. *n* тост 2. *v* пить за чьё-л. здоро́вье

toast II [təust] 1. *n* подсу́шенный ло́мтик хле́ба; грено́к 2. *v* подсу́шивать *(хлеб)*

tobacco [tə'bækəu] таба́к

today [tə'deɪ] сего́дня

toe [təu] 1) па́лец ноги́ 2) носо́к *(чулка, башмака)*

together [tə'geðə] вме́сте

toil [tɔɪl] 1. *v* труди́ться 2. *n* (тяжёлый) труд

toilet ['tɔɪlɪt] 1. *n* 1) туале́т 2) *амер.* убо́рная 2. *a* туале́тный

token ['təukən] 1) знак 2) приме́та, при́знак

told [təuld] *past и p. p. от* tell

tolerable ['tɔlərəbl] сно́сный, допусти́мый

tolerant ['tɔlərənt] терпи́мый

tomato [tə'mɑ:təu] помидо́р

tomb [tu:m] моги́ла, гробни́ца

tomorrow [tə'mɔrəu] за́втра

ton [tʌn] то́нна

tone [təun] 1) тон 2) *мед.* то́нус

tongs [tɔŋz] *pl* щипцы́; кле́щи

tongue [tʌŋ] язы́к

tonight [tə'naɪt] сего́дня ве́чером, сего́дня но́чью

too [tu:] 1) та́кже, то́же; к тому́ же 2) сли́шком, чересчу́р

took [tuk] *past от* take

tool [tu:l] инструме́нт, ору́дие

tooth [tu:θ] зуб; ~ache ['tu:θeɪk] зубна́я боль; ~brush ['tu:θbrʌʃ] зубна́я щётка; ~paste [′tu:θpeɪst] зубная паста

top [tɔp] **1.** *n* 1) верх 2) вершина; макушка **2.** *a* верхний; высший

topic [′tɔpɪk] предмет, тема; ~al [-əl] злободневный

torch [tɔ:tʃ] факел

tore [tɔ:] *past om* tear II, 1

torment 1. *v* [tɔ:′ment] мучить **2.** *n* [′tɔ:ment] мука, мучение

torn [tɔ:n] *p.p. om* tear II, 1

torrent [′tɔrənt] поток

tortoise [′tɔ:təs] черепаха

torture [′tɔ:tʃə] **1.** *n* пытка **2.** *v* пытать

toss [tɔs] 1) качать(ся) 2) ворочаться 3) швырять

total [′təutl] **1.** *a* 1) весь 2) полный, абсолютный **2.** *n* общая сумма; итог

touch [tʌtʃ] **1.** *v* трогать; (при)касаться **2.** *n* 1) прикосновение 2) осязание; ~ing [′tʌtʃɪŋ] трогательный

tough [tʌf] 1) жёсткий 2) выносливый 3) упорный; упрямый

tour [tuə] **1.** *n* путешествие; турнé **2.** *v* путешествовать

toward(s) [tə′wɔ:d(z)] (по направлению) к

towel [′tauəl] полотенце

tower [′tauə] **1.** *n* башня **2.** *v* 1) (over) выситься (над) 2) выделяться

town [taun] город

toy [tɔɪ] игрушка

trace [treɪs] **1.** *n* след **2.** *v* 1) проследить 2) чертить

track [træk] **1.** *n* 1) след 2) ж.-д. колея 3) тропинка, дорога **2.** *v* выслеживать

tractor [′træktə] трактор

trade [treɪd] **1.** *n* 1) торговля 2) ремесло, профессия; ~ union профсоюз **2.** *v* торговать

tradition [trə′dɪʃn] 1) традиция 2) предание

traffic [′træfɪk] уличное движение; транспорт; ~ lights светофор

tragedy [′trædʒɪdɪ] трагедия

tragic [′trædʒɪk] трагический

trail [treɪl] **1.** *v* 1) волочить(ся), тащить(ся) 2) выслеживать **2.** *n* след; ~er [′treɪlə] трейлер, прицеп к автомобилю

train I [treɪn] 1) поезд 2) шлейф *(платья)* 3) свита

train II [treɪn] 1) обучать; воспитывать 2) тренировать(ся); ~ing [′treɪnɪŋ] 1) обучение 2) тренировка

traitor [′treɪtə] изменник, предатель

tram [træm] трамвай

tramp [træmp] **1.** *v* 1) бродить 2) громко топать **2.** *n* бродяга

trample [′træmpl] топтать

tranquil [′træŋkwɪl] спокойный; ~lity [træŋ′kwɪlɪtɪ] спокойствие

transaction [træn′zækʃn]

1) де́ло, сде́лка 2) веде́ние (дел) 3) *pl* труды́, протоко́лы (*общества*)

transfer 1. *v* [træns'fə:] 1) перемеща́ть; переноси́ть 2) передава́ть 2. *n* ['trænsfə:] 1) перено́с 2) переда́ча 3) перево́д

transform [træns'fɔ:m] превраща́ть

transit ['trænsɪt] транзи́т, перево́зка

transition [træn'sɪʒn] перехо́д

transitive ['trænsɪtɪv] *грам.* перехо́дный (*о глаголе*)

translate [træns'leɪt] переводи́ть(ся)

translation [træns'leɪʃn] перево́д

transmission [trænz'mɪʃn] переда́ча

transparent [træns'pɛərənt] прозра́чный

transplant [træns'plɑ:nt] переса́живать; ~ation [trænsplɑ:n'teɪʃn] транспланта́ция

transport 1. *n* ['trænspɔ:t] перево́зка; тра́нспорт 2. *v* [træns'pɔ:t] перевози́ть

trap [træp] западня́, лову́шка, капка́н; ~door ['træpdɔ:] люк

travel ['trævl] 1. *v* 1) путеше́ствовать 2) передвига́ться 2. *n* путеше́ствие; ~ler [-ə] путеше́ственник; ~ler's cheque тури́стский чек

traverse ['trævə:s] пересека́ть

tray [treɪ] подно́с

treacherous ['tretʃərəs] преда́тельский

treachery ['tretʃərɪ] преда́тельство, изме́на

tread [tred] (trod; trodden) ступа́ть; наступа́ть

treadle ['tredl] педа́ль

treason ['tri:zn] (госуда́рственная) изме́на

treasure ['treʒə] 1. *n* сокро́вище, клад 2. *v* цени́ть; дорожи́ть

treat [tri:t] 1) обраща́ться, обходи́ться 2) угоща́ть 3) лечи́ть

treatment ['tri:tmənt] 1) обхожде́ние 2) обрабо́тка 3) лече́ние

treaty ['tri:tɪ] догово́р

tree [tri:] де́рево

tremble ['trembl] дрожа́ть, трепета́ть

tremendous [trɪ'mendəs] огро́мный

trench [trentʃ] ров; око́п

trespass ['trespəs] преступа́ть, наруша́ть грани́цу (*владения*); ~ on злоупотребля́ть

trial ['traɪəl] 1. *n* 1) испыта́ние 2) суд, суде́бное разбира́тельство 2. *a* про́бный

triangle ['traɪæŋgl] треуго́льник

tribe [traɪb] пле́мя; род

tribute ['trɪbju:t] дань

trick [trɪk] 1) хи́трость, уло́вка 2) фо́кус, трюк

trifle ['traɪfl] пустя́к

trigger ['trɪgə] куро́к

trim [trɪm] 1. *a* подтя́нутый 2. *v* 1) подра́внивать, подстрига́ть 2) отде́лывать; украша́ть

trip [trɪp] 1) экску́рсия; пое́здка 2) пла́вание, рейс *(корабля́)*

triumph ['traɪəmf] 1. *n* торжество́ 2. *v* (вос)торжествова́ть; ~al [traɪ'ʌmfəl] триумфа́льный; ~ant [traɪ'ʌmfənt] 1) торжеству́ющий 2) победоно́сный

trod [trɔd] *past om* tread

trodden ['trɔdn] *p. p. om* tread

trolley ['trɔlɪ] вагоне́тка; ~bus [-bʌs] тролле́йбус

troops [tru:ps] *pl* войска́

trophy ['trəʊfɪ] трофе́й

tropic ['trɔpɪk] тро́пик; the ~s тро́пики; ~al [-əl] тропи́ческий

trot [trɔt] 1. *n* рысь, рыца́ 2. *v* бежа́ть ры́сью

trouble ['trʌbl] 1. *n* 1) беспоко́йство 2) забо́та, хло́поты 3) го́ре, беда́ 2. *v* беспоко́ить(ся); ~some [-səm] 1) тру́дный, неприя́тный 2) капри́зный *(о ребёнке)*

trousers ['trauzəz] *pl* брю́ки

truce [tru:s] 1) переми́рие 2) переды́шка; зати́шье

truck [trʌk] 1) грузови́к 2) ваго́н-платфо́рма

true [tru:] 1) и́стинный; пра́вильный 2) по́длинный 3) ве́рный, пре́данный

truly ['tru:lɪ]: yours ~

пре́данный вам *(в конце письма́)*

trumpet ['trʌmpɪt] *муз.* труба́

trunk [trʌŋk] 1) ствол 2) ту́ловище; ко́рпус 3) чемода́н; сунду́к 4) хо́бот

trust [trʌst] 1. *n* 1) дове́рие 2) трест 2. *v* 1) ве́рить 2) наде́яться, полага́ться; ~ee [trʌs'ti:] опеку́н; попечи́тель

truth [tru:θ] пра́вда, и́стина; ~ful ['tru:θful] правди́вый

try [traɪ] 1) попыта́ться, стара́ться 2) про́бовать, испы́тывать 3) суди́ть; ~ on примеря́ть *(пла́тье)*

tub [tʌb] 1) таз 2) ва́нна

tube [tju:b] 1) тру́бка 2) тю́бик 3): the ~ метрополите́н *(в Ло́ндоне)*

Tuesday ['tju:zdɪ] вто́рник

tulip ['tju:lɪp] тюльпа́н

tune [tju:n] 1. *n* мело́дия; out of ~ расстро́енный; фальши́вый 2. *n* настра́ивать

tunnel ['tʌnəl] тунне́ль

turf [tə:f] дёрн

Turk [tə:k] ту́рок

turkey ['tə:kɪ] индю́к; инди́шка

Turkish ['tə:kɪʃ] туре́цкий; ~ towel махро́вое полоте́нце

turn [tə:n] 1. *n* 1) верте́ть(ся); крути́ть(ся) 2) повора́чивать(ся) 3) де́латься, станови́ться; ~ pale побледне́ть; ~ off закрыва́ть *(кран)*; ~ on открыва́ть

(кран); включа́ть *(свет);* ~
out а) выключа́ть *(свет);* б)
ока́зываться 2. *n* 1) поворо́т
2) о́чередь 3) вито́к

turner ['tə:nə] то́карь

turnip ['tə:nɪp] ре́па

turpentine ['tə:pəntaɪn]
скипида́р

turquoise ['tə:kwɑ:z] 1. *n*
бирюза́ 2. *a* бирюзо́вый цвет

tuxedo [tʌk'si:dəu] *амер.*
смо́кинг

twelfth [twelfθ] двена́дца-
тый

twelve [twelv] двена́дцать

twentieth ['twentɪɪθ] двад-
ца́тый

twenty ['twentɪ] два́дцать

twice [twaɪs] два́жды; ~ as
вдво́е

twig [twɪg] вет(оч)ка; пру́-
тик

twilight ['twaɪlaɪt] су́мерки

twinkle ['twɪŋkl] 1) мер-
ца́ть; сверка́ть; мига́ть 2)
мелька́ть

twins [twɪnz] близнецы́

twist [twɪst] 1. *v* 1) кру-
ти́ть; скру́чивать(ся) 2) ис-
кажа́ть 2. *n* 1) искривле́ние;
изги́б 2) верёвка

twitter ['twɪtə] щебета́ть,
чири́кать

two [tu:] два

type [taɪp] 1. *n* 1) тип 2)
шрифт 2. *v* печа́тать на ма-
ши́нке; ~writer ['taɪpraɪtə]
пи́шущая маши́нка

typhoid ['taɪfɔɪd]: ~ fever
брюшно́й тиф

typical ['tɪpɪkəl] типи́чный

typist ['taɪpɪst] машини́ст-
ка

tyranny ['tɪrənɪ] тирани́я;
деспоти́зм

tyrant ['taɪərənt] тира́н

tyre ['taɪə] *см.* tire II

U

ugly ['ʌglɪ] некраси́вый;
отта́лкивающий

ultimate ['ʌltɪmɪt] оконча́-
тельный

umbrella [ʌm'brelə] зо́н-
тик

umpire ['ʌmpaɪə] посре́д-
ник, трете́йский судья́

un- [ʌn-] *приставка* не-;
без-

unable ['ʌn'eɪbl] неспосо́б-
ный; be ~ не быть в состоя́-
нии; I am ~ я не могу́

unanimous [ju:'nænɪməs]
единоду́шный, единогла́сный

unbutton [ʌn'bʌtn] расстёгивать

uncertainty [ʌn'sə:tntɪ] 1)
неопределённость; неизве́ст-
ность 2) неуве́ренность

uncle ['ʌŋkl] дя́дя

uncomfortable [ʌn'kʌm-
fətəbl] неудо́бный

uncommon [ʌn'kɔmən] нео-
быкнове́нный

unconscious [ʌn'kɔnʃəs] 1)
бессозна́тельный 2): be ~ of
не сознава́ть 3) нево́льный

undeniable [ʌndɪ'naɪəbl]
неоспори́мый, несомне́нный

under [ˈʌndə] 1) под 2) при; ~ modern conditions при современных условиях; ~ no circumstances ни при каких обстоятельствах 3) меньше (чем); ниже *(о стоимости)*; he is ~ fifty ему меньше 50

underclothes [ˈʌndəkləuðz] *pl* (нижнее) бельё

underestimate [ˈʌndərˈestimeit] недооценивать

undergo [ʌndəˈgəu] (underwent; undergone) подвергаться; испытывать; ~ne [ʌndəˈgɔn] *p. p. om* undergo

underground 1. *adv* [ʌndəˈgraund] под землёй 2. *a* [ˈʌndəgraund] 1) подземный 2) подпольный 3. *n* [ˈʌndəgraund]: the ~ метрополитен

underline [ʌndəˈlain] подчёркивать

undermine [ʌndəˈmain] подрывать, подкапывать

underneath [ʌndəˈniːθ] 1. *adv* внизу 2. *prep* под; from ~ из-под

understand [ʌndəˈstænd] (understood; understood) понимать

understood [ʌndəˈstud] *past и p. p. om* understand

undertake [ʌndəˈteik] (undertook; undertaken) 1) предпринимать 2) ручаться; ~n [-n] *p. p. om* undertake

undertaker [ˈʌndəteikəz] похоронное бюро

undertaking [ʌndəˈteikiŋ] 1) предприятие 2) обязательство

undertook [ʌndəˈtuk] *past om* undertake

underwear [ˈʌndəwɛə] нижнее бельё

underwent [ʌndəˈwent] *past om* undergo

undid [ʌnˈdid] *past om* undo

undo [ʌnˈduː] (undid; undone) развязывать; расстёгивать; ~ne [ʌnˈdʌn] *p. p. om* undo

undoubted [ʌnˈdautid] несомненный; ~ly [-li] несомненно

undress [ʌnˈdres] раздевать(ся)

uneasiness [ʌnˈiːzinis] 1) тревога 2) неловкость

uneasy [ʌnˈiːzi] 1) встревоженный 2) неловкий

unemployed [ˈʌnimˈplɔid] безработный

unemployment [ˈʌnimˈplɔimənt] безработица

unequal [ʌnˈiːkwəl] неравный

unexpected [ˈʌniksˈpektid] неожиданный

unfinished [ˈʌnˈfiniʃt] незаконченный

unfit [ˈʌnˈfit] негодный, неподходящий

unfortunate [ʌnˈfɔːtʃnit] 1) несчастный; несчастливый 2) неудачный; ~ly [-li] к несчастью

ungrateful [ʌnˈgreitful] неблагодарный

unhappy [ʌn'hæpɪ] несча́стный; несчастли́вый

unhealthy [ʌn'helθɪ] нездоро́вый

uniform [' juːnɪfɔːm] 1. *n* фо́рма, мунди́р 2. *a* единообра́зный; однородный

uninterrupted ['ʌnɪntə'rʌptɪd] непреры́вный

union ['juːnjən] 1) сою́з 2) объедине́ние

unit ['juːnɪt] 1) едини́ца 2) во́инская часть

unite [juː'naɪt] соединя́ть(ся); объединя́ть(ся)

unity ['juːnɪtɪ] 1) еди́нство 2) *мат.* едини́ца

universal [juːnɪ'vɜːsəl] универса́льный; всео́бщий

universe ['juːnɪvɜːs] мир, вселе́нная

university [juːnɪ'vɜːsɪtɪ] университе́т

unkind [ʌn'kaɪnd] злой, жесто́кий

unknown ['ʌn'nəun] неизве́стный

unless [ʌn'les] е́сли не; I won't go ~ the weather is fine я не пое́ду, е́сли не бу́дет хоро́шей пого́ды

unlike ['ʌn'laɪk] 1. *a* непохо́жий 2. *prep* в отли́чие от

unlimited [ʌn'lɪmɪtɪd] неограни́ченный

unload ['ʌn'ləud] 1) разгружа́ть(ся) 2) разряжа́ть *(оружие)*

unlock ['ʌn'lɔk] отпира́ть

unlucky [ʌn'lʌkɪ] несчастли́вый, неуда́чный

unmoved ['ʌn'muːvd] равноду́шный

unnatural [ʌn'nætʃrəl] неесте́ственный, противоесте́ственный

unnecessary [ʌn'nesɪsərɪ] нену́жный, изли́шний

unpleasant [ʌn'pleznt] неприя́тный

unprofitable [ʌn'prɔfɪtəbl] невы́годный; нерента́бельный

unreasonable [ʌn'riːzənəbl] неразу́мный, неблагоразу́мный

unrest ['ʌn'rest] беспоко́йство, волне́ние

unscrupulous [ʌn'skruːpjuləs] беспринци́пный, неразбо́рчивый в сре́дствах

unselfish ['ʌn'selfɪʃ] бескоры́стный; самоотве́рженный

unsteady ['ʌn'stedɪ] неусто́йчивый, нетвёрдый

until [ən'tɪl] 1. *prep* до 2. *conj* пока́ не

unusual ['ʌn'juːʒuəl] необыкнове́нный, необы́чный

unwelcome [ʌn'welkəm] 1) нежела́нный 2) неприя́тный

unwilling ['ʌn'wɪlɪŋ] несклонный, нерасположенный; I am ~ to refuse him я бы не хоте́л ему́ отказа́ть

unwise ['ʌn'waɪz] не(благо)разу́мный

unworthy [ʌn'wə:ðɪ] недостойный

up [ʌp] 1. *adv* наверх; вверх; up and down вверх и вниз; взад и вперёд 2. *prep* вверх

upbringing ['ʌpbrɪŋɪŋ] воспитание

upon [ə'pɔn] *см.* on 1

upper ['ʌpə] верхний; высший

upright 1) ['ʌpraɪt] прямой; вертикальный 2) ['ʌpraɪt] честный; справедливый

uproar ['ʌprɔ:] шум; волнение

uproot [ʌp'ru:t] вырывать с корнем; *перен.* искоренять

upset [ʌp'set] (upset; upset) 1) опрокидывать(ся) 2) огорчать; расстраивать

upside down [ʌpsaɪd'daun] вверх дном

upstairs [ʌp'steəz] 1. *adv* наверх; вверх (по лестнице) 2. *a* (находящийся) на верхнем этаже

up-to-date ['ʌptə'deɪt] современный; передовой; модный

upward ['ʌpwəd] направленный вверх; ~s [-z] вверх

urge [ə:dʒ] убеждать *(настойчиво);* ~ the horse понукать лошадь

urgent ['ə:dʒənt] срочный; важный; настоятельный

urn [ə:n] урна

us [ʌs] нам; нас

usage ['ju:zɪdʒ] 1) употребление 2) обычай

use 1. *n* [ju:s] 1) польза 2) пользование, употребление 2. *v* [ju:z] 1) употреблять, пользоваться 2) обращаться; ~ up использовать

used [ju:st]: he is ~ to он привык; he ~ to work at home раньше он работал дома

useful ['ju:sful] полезный; пригодный

useless ['ju:slɪs] бесполезный

usher ['ʌʃə] билетёр; капельдинер

usual ['ju:ʒuəl] обычный, обыкновенный; ~ly [-ɪ] обычно, обыкновенно

usurp [ju:'zə:p] узурпировать; ~er [-ə] узурпатор

utensil [ju:'tensɪl] утварь

utility [ju:'tɪlɪtɪ] 1) полезность; выгодность 2) *pl* удобства, коммунальные услуги

utilize ['ju:tɪlaɪz] использовать

utmost ['ʌtməust] 1. *a* крайний; предельный 2. *n* самое большое; do one's ~ делать всё, что в чьих-л. силах

utter I ['ʌtə] полный; крайний; ~ darkness кромешная тьма

utter II ['ʌtə] издавать (звуки); произносить; вымолвить

utterly ['ʌtəlɪ] совершенно

V

vacancy ['veɪkənsɪ] 1) пустота, пустóе прострáнство 2) вакáнсия

vacant ['veɪkənt] 1) пустóй 2) вакáнтный; свобóдный 3) рассéянный; бессмысленный (*взгляд*)

vacation [və'keɪʃn] 1) канúкулы 2) *амер.* óтпуск

vacuum cleaner ['vækju əm'kli:nə] пылесóс

vague [veɪg] смýтный, нея́сный; неопределённый

vain [veɪn] 1) тщéтный; in ~ напрáсно 2) пустóй; тщеслáвный; самодовóльный

valid ['vælɪd] 1) действúтельный, имéющий сúлу 2) вéский, обоснóванный

valley ['vælɪ] долúна

valuable ['væljuəbl] 1. *a* цéнный 2. *n pl* драгоцéнности

value ['vælju:] 1. *n* 1) цéнность 2) *эк.* стóимость 3) *мат.* величинá 2. *v* 1) оцéнивать 2) ценúть

valve [vælv] 1) клáпан 2) ствóрка 3) *радио* электрóнная лáмпа

van I [væn] 1) фургóн 2) багáжный вагóн

van II [væn] *см.* vanguard

vanguard ['væŋgɑ:d] авангáрд

vanish ['vænɪʃ] исчезáть

vanity ['vænɪtɪ] тщеслáвие

vanquish ['væŋkwɪʃ] побеждáть; преодолевáть

vapour ['veɪpə] 1) пар 2) пары́

variety [və'raɪətɪ] 1) разнообрáзие 2) разновúдность 3) варьетé

various ['vɛərɪəs] разлúчный; рáзный

varnish ['vɑ:nɪʃ] 1. *n* 1) лак 2) лоск 2. *v* лакировáть

vary ['vɛərɪ] 1) (из)меня́ться 2) разнообрáзить

vase [vɑ:z] вáза

vast [vɑ:st] обшúрный, громáдный

vault [vɔ:lt] свод

veal [vi:l] теля́тина

vegetable ['vedʒɪtəbl] 1. *a* растúтельный 2. *n* óвощ

vegetarian [vedʒə'tɛərɪən] 1. *n* вегетариáнец 2. *a* вегетариáнский

vegetation [vedʒə'teɪʃn] растúтельность

vehement ['vi:ɪmənt] стрáстный, нéистовый

vehicle ['vi:ɪkl] экипáж, повóзка

veil [veɪl] 1. *n* вуáль 2. *v* завуалúровать

vein [veɪn] 1) вéна 2) жúла; жúлка

velvet ['velvɪt] бáрхат

vengeance ['vendʒəns] месть, мщéние

ventilate ['ventɪleɪt] провéтривать, вентилúровать

venture ['ventʃə] рискнýть; отвáжиться

verb [vɜ:b] *грам.* глагóл

verbal [ˈvəːbəl] 1) у́стный 2) *грам.* отглаго́льный

verdict [ˈvəːdɪkt] пригово́р

verdure [ˈvəːdʒə] зе́лень

verge [vəːdʒ] 1. *n* грань; *перен.* край 2. *v*: ~ on грани́чить; быть на гра́ни

verify [ˈverɪfaɪ] проверя́ть

verse [vəːs] 1) стих (и́) 2) строфа́

vertical [ˈvəːtɪkəl] вертика́льный

very [ˈverɪ] 1. *adv* о́чень; весьма́ 2. *a* и́стинный, су́щий; the ~ (тот) са́мый

vessel [ˈvesl] 1) сосу́д 2) кора́бль; су́дно

vest [vest] *амер.* 1) жиле́т 2) ма́йка

vet [vet] *разг.* ветерина́р

veteran [ˈvetərən] 1) ветера́н 2) (бы́вший) уча́стник войны́

vex [veks] раздража́ть, серди́ть; ~ation [vekˈseɪʃn] доса́да, раздраже́ние

vibrate [vaɪˈbreɪt] вибри́ровать

vice [vaɪs] поро́к

vice- [vaɪs-] вице-

vicinity [vɪˈsɪnɪtɪ] 1) окре́стности 2) сосе́дство, бли́зость

vicious [ˈvɪʃəs] 1) поро́чный 2) зло́бный

victim [ˈvɪktɪm] же́ртва

victorious [vɪkˈtɔːrɪəs] победоно́сный

victory [ˈvɪktərɪ] побе́да

victuals [ˈvɪtlz] *pl* прови́зия, продово́льствие

video cassette [vɪdɪəukəˈset] видеокассе́та

videotape recorder [ˈvɪdɪəuteɪprɪˈkɔːdə] видеомагнитофо́н

view [vjuː] 1. *n* 1) вид 2) взгляд; point of ~ то́чка зре́ния 2. *v* 1) осма́тривать 2) рассма́тривать

vigilance [ˈvɪdʒɪləns] бди́тельность

vigorous [ˈvɪgərəs] си́льный, энерги́чный

vile [vaɪl] по́длый

village [ˈvɪlɪdʒ] дере́вня, село́; ~r [-ə] се́льский жи́тель

villain [ˈvɪlən] злоде́й, него́дя́й

vindicate [ˈvɪndɪkeɪt] опра́вдывать

vine [vaɪn] виногра́дная лоза́

vinegar [ˈvɪnɪgə] у́ксус

vineyard [ˈvɪnjəd] виногра́дник

violate [ˈvaɪəleɪt] 1) наруша́ть, попира́ть 2) наси́ловать

violence [ˈvaɪələns] 1) си́ла, неи́стовство 2) наси́лие

violent [ˈvaɪələnt] 1) си́льный, неи́стовый, бу́йный 2) наси́льственный

violet [ˈvaɪəlɪt] 1. *n* фиа́лка 2. *a* фиоле́товый

violin [vaɪəˈlɪn] скри́пка

viper [ˈvaɪpə] гадю́ка

virgin [ˈvəːdʒɪn] де́вственный

virtual [ˈvəːtʃuəl] действительный, фактический

virtue [ˈvəːtjuː] 1) добродетель 2) достоинство

virus [ˈvaɪərəs] вирус

visa [ˈviːzə] виза

visible [ˈvɪzəbl] 1) видимый 2) очевидный

vision [ˈvɪʒn] 1) зрение 2) видение

visit [ˈvɪzɪt] 1. *n* посещать 2. *n* визит, посещение; ~or [-ə] гость, посетитель

visual [ˈvɪzjuəl] 1) зрительный 2) наглядный

vital [ˈvaɪtl] 1) жизненный 2) насущный; важный

vivacious [vɪˈveɪʃəs] живой, оживлённый

vivid [ˈvɪvɪd] живой, яркий

vocabulary [vəˈkæbjulərɪ] словарь, запас слов

vocal [ˈvəukəl] 1) голосовой 2) вокальный

vocation [vəuˈkeɪʃn] призвание

vogue [vəug] мода; in ~ в моде

voice [vɔɪs] 1) голос 2) *грам.* залог

void [vɔɪd] 1) лишённый 2) *юр.* недействительный (*тж.* null and ~)

volcano [vɔlˈkeɪnəu] вулкан

volition [vəuˈlɪʃn] воля, хотение

volume [ˈvɔljum] 1) объём 2) том

voluntary [ˈvɔləntərɪ] добровольный

volunteer [vɔlənˈtɪə] 1. *n* доброволец 2. *v* вызваться (*что-л. сделать*)

vote [vəut] 1. *n* 1) голос (*на выборах*) 2) голосование 2. *v* голосовать; ~r [ˈvəutə] избиратель

vow [vau] 1. *n* обет; клятва 2. *v* давать обет; клясться

vowel [ˈvauəl] гласный (*звук*)

voyage [ˈvɔɪdʒ] путешествие (*по воде*); ~r [ˈvɔɪədʒə] путешественник (*по морю*)

vulgar [ˈvʌlgə] 1) вульгарный, пошлый 2) грубый

W

wade [weɪd] пробираться, идти с трудом

wag [wæg] махать; размахивать; качать

wage [weɪdʒ] 1) *pl* заработная плата (*рабочего*) 2): living ~ прожиточный минимум

waggon [ˈwægən] повозка; фургон; вагон-платформа

wail [weɪl] 1. *n* вопль; вой 2. *v* вопить; выть

waist [weɪst] талия; ~coat [ˈweɪskəut] жилет; ~line [ˈweɪstlaɪn] талия, линия талии

wait [weɪt] 1. *v* (for) ждать; ~ on прислуживать

197

2. *n:* lie in ~ for поджида́ть, подстерега́ть; ~er ['weɪtə] официа́нт

waiting list ['weɪtɪŋlɪst] спи́сок кандида́тов, спи́сок очередников

waiting room ['weɪtɪŋruːm] 1) зал ожида́ния 2) приёмная *(врача и т. п.)*

waitress ['weɪtrɪs] официа́нтка

waive [weɪv] отка́зываться *(от права, требования)*

wake [weɪk] (woke, waked) буди́ть; пробужда́ть(ся)

walk [wɔːk] **1.** *n* прогу́лка; go for a ~ идти́ гуля́ть **2.** *v* идти́ пешко́м; гуля́ть

wall [wɔːl] стена́

wallet ['wɔlɪt] бума́жник

wallow ['wɔləu] 1) валя́ться, ката́ться *(в чём-л.)* 2) погря́знуть

wall painting ['wɔːlpeɪntɪŋ] настённая жи́вопись

wallpaper ['wɔːlpeɪpə] обо́и

walnut ['wɔːlnʌt] гре́цкий оре́х

walrus ['wɔːlrəs] морж

wan [wɔn] 1) бле́дный, боле́зненный 2) ту́склый, сла́бый

wander ['wɔndə] 1) броди́ть; стра́нствовать 2) блужда́ть; ~er ['wɔndərə] стра́нник

wanderings ['wɔndərɪŋz] *pl* стра́нствия

wane [weɪn]: on the ~ в упа́дке, на ущербе

want [wɔnt] **1.** *n* 1) недо-

ста́ток; отсу́тствие 2) нужда́; be in ~ нужда́ться 3) *pl* потре́бности **2.** *v* 1) жела́ть, хоте́ть 2) нужда́ться

war [wɔː] **1.** *n* война́ **2.** *a* вое́нный

ward [wɔːd] 1) пала́та 2) (тюре́мная) ка́мера

warden ['wɔːdn] смотри́тель

wardrobe ['wɔːdrəub] платяно́й шкаф; гардеро́б

warehouse ['wɛəhaus] склад; пакга́уз

warfare ['wɔːfɛə] война́

warily ['wɛərɪlɪ] осторо́жно, осмотри́тельно

warlike ['wɔːlaɪk] войнст́венный

warm [wɔːm] **1.** *a* тёплый; *перен.* серде́чный; горя́чий **2.** *v* гре́ться

warmth [wɔːmθ] 1) тепло́; теплота́ 2) *перен.* серде́чность

warn [wɔːn] предупрежда́ть; предостерега́ть; ~ing ['wɔːnɪŋ] предупрежде́ние; предостереже́ние

warp [wɔːp] искривля́ться, коробиться, деформи́роваться 2) искажа́ть, извраща́ть

warrant ['wɔrənt] **1.** *n* 1) полномо́чие 2) о́рдер **2.** *v* гаранти́ровать

warranty ['wɔrəntɪ] разреше́ние, са́нкция

warrior ['wɔrɪə] во́ин.

warship ['wɔːʃɪp] вое́нный кора́бль

wartime ['wɔ:taɪm] воённое врéмя

wary ['wɛərɪ] остоѓрожный, осмотрѝтельный

was [wɔz, wəz] *past sing om* be

wash [wɔʃ] **1.** *v* 1) мыѓть(ся) 2) смывáть 3) стирáть (*бельё*) **2.** *n* стирка

washed-out [wɔʃt'aut] 1) линялый, полинявший 2) изможднный, обессилéнный

washed-up [wɔʃt'ʌp] кóнченый

washing machine ['wɔʃ ɪŋməʃi:n] стирáльная машѝна

washing-up [wɔʃɪŋ'ʌp] мытьё посуды

washstand ['wɔʃstænd] умывáльник

wasp [wɔsp] осá

waste I [weɪst] пустыня

waste II [weɪst] **1.** *n* 1) отбрóсы 2) излишняя трáта **2.** *v* трáтить; терять (*время*)

wasteful ['weɪstful] расточѝтельный

wasteland ['weɪstlənd] пустырь

wastepaper basket [weɪst 'peɪpə'ba:skɪt] корзѝна для бумáг

waste product ['weɪst prɔdʌkt] отхóды (производства)

watch I [wɔtʃ] **1.** *v* 1) следѝть, наблюдáть 2) сторожѝть **2.** *n* 1) бдѝтельность; be on the ~ остерегáться;

keep ~ сторожѝть 2) стрáжа, карауѓл 3) *мор.* вáхта

watch II [wɔtʃ] часы

watchful ['wɔtʃful] бдѝтельный

watchman ['wɔtʃmən] (ночнóй) стóрож

water ['wɔ:tə] **1.** *n* водá **2.** *v* поливáть; ~ biscuit галéта; ~colour [-kʌlə] акварéль; ~fall [-fɔ:l] водопáд

waterfront ['wɔ:təfrʌnt] порт, райóн пóрта; портóвая часть гóрода

watering can ['wɔ:tərɪŋ kæn] лéйка

watering place ['wɔ:tərɪŋ pleɪs] 1) водопóй 2) вóдный курóрт

waterline ['wɔ:təlaɪn] ватерлѝния

water main ['wɔ:təmeɪn] водопровóдная магистрáль

watermelon ['wɔ:təmelən] арбуз

water polo ['wɔ:təpəuləu] *спорт.* вóдное пóло, ватерпóло

waterproof ['wɔ:təpru:f] **1.** *a* непромокáемый **2.** *n* непромокáемый плащ

water skiing ['wɔ:təski:ɪŋ] *спорт.* вóдные лыжи

water supply ['wɔ:təsəplaɪ] водоснабжéние

watertight ['wɔ:tətaɪt] водонепроницáемый

watery ['wɔ:tərɪ] водянѝстый

wave [weɪv] **1.** *n* 1) волнá 2) взмах **2.** *v* 1) колыхáться, развева́ться 2) маха́ть 3) завива́ть(ся)

wavelength ['weɪvleŋθ] *радио* длина́ волны́

wax [wæks] 1. *n* воск 2. *a* восково́й

waxworks ['wækswɔːks] *pl* восковы́е фигу́ры

way [weɪ] 1) доро́га, путь 2) мане́ра, спо́соб ◇ ~ out вы́ход; by the ~ ме́жду про́чим; a long ~ off далеко́; get one's own ~ доби́ться своего́

we [wiː] мы

weak [wiːk] сла́бый; ~en ['wiːkən] 1) слабе́ть 2) ослабля́ть; ~ness ['wiːknɪs] сла́бость

wealth [welθ] бога́тство; ~y ['welθɪ] бога́тый

wean [wiːn] 1) отнима́ть от груди́ 2) (from, off) отуча́ть

weapon ['wepən] ору́жие

wear [wɛə] (wore; worn) носи́ть *(одежду)*; ~ out изна́шивать(ся)

weariness ['wɪərɪnɪs] уста́лость

weary ['wɪərɪ] 1. *a* 1) уста́лый 2) утоми́тельный 2. *v* 1) утомля́ть(ся) 2) уста́ть, потеря́ть терпе́ние

weasel ['wiːzəl] *зоол.* ла́ска

weather ['weðə] пого́да; ~ forecast прогно́з пого́ды; ~beaten [-biːtn] 1) обве́тренный 2) вида́вший ви́ды

weave [wiːv] (wove; woven)

1) ткать 2) плести́; ~r ['wiːvə] ткач

web [web] паути́на

we'd [wiːd] *разг.* 1) = we had 2) = we should, we would

wedding ['wedɪŋ] сва́дьба

wedge [wedʒ] 1. *n* клин 2. *v* вбива́ть клин

Wednesday ['wenzdɪ] среда́

weed [wiːd] 1. *n* сорня́к 2. *v* поло́ть

week [wiːk] неде́ля; ~day ['wiːkdeɪ] бу́дний день, бу́дни; ~end [wiːk'end] о́тдых (с суббо́ты до понеде́льника); ~ly ['wiːklɪ] 1. *a* еженеде́льный 2. *n* еженеде́льник 3. *adv* еженеде́льно

weep [wiːp] (wept; wept) пла́кать

weigh [weɪ] 1) ве́сить 2) взве́шивать(ся) 3) име́ть вес, значе́ние

weight [weɪt] 1) вес; 2) тя́жесть; груз 3) ги́ря 4) значе́ние

weight lifting ['weɪt'lɪftɪŋ] подня́тие тя́жестей; тяжёлая атле́тика

weighty ['weɪtɪ] ве́ский

weir [wɪə] плоти́на, запру́да

weird [wɪəd] стра́нный, необы́чный

welcome ['welkəm] 1. *n* приве́тствие; warm ~ раду́шный приём 2. *a* жела́нный 3. *v* 1) приве́тствовать 2) раду́шно встреча́ть 4. *int* добро́ пожа́ловать!

weld [weld] *тех.* сваривать металл

welfare ['welfeə] благополучие; ~ **state** система социальной защищённости

well I [wel] 1) колодец 2) родник

well II [wel] 1. *adv* хорошо; ~ **done!** прекрасно! 2. *a:* **be** ~ чувствовать себя хорошо 3. *int* ну?; ну что же?

we'll [wi:l] *разг.* = **we shall**; **we will**

wellbeing [wel'bi:ɪŋ] благополучие

wellbred [wel'bred] воспитанный, с хорошими манерами

well-known [wel'nəun] хорошо известный

well-off [wel'ɔf] богатый, состоятельный

well-read [wel'red] начитанный

well-to-do [welta'du:] состоятельный, зажиточный

went [went] *past om* **go**

wept [wept] *past и p. p. om* **weep**

were [wə:, wə] *past pl om* **be**

we're [wɪə] *разг.* = **we are**

weren't [wə:nt] *разг.* = **were not**

west [west] 1. *n* запад 2. *a* западный 3. *adv* на запад(е), к западу; ~**ern** ['westən] западный; ~**wards** ['westwədz] к западу, в западном направлении

wet [wet] 1. *a* 1) мокрый,

влажный 2) дождливый 2. *v* смачивать, увлажнять

wet blanket ['wetblæŋkit] *разг.* человек, отравляющий другим удовольствие, радость

whale [weɪl] кит; ~**bone** ['weɪlbəun] китовый ус

what [wɔt] что; какой; ~**ever** [wɔt'evə] всё что; что бы ни

wheat [wi:t] пшеница

wheel [wi:l] 1. *n* 1) колесо 2) руль, штурвал 2. *v* катить; везти; ~**barrow** ['wi:lbærəu] тачка; ~**chair** ['wi:ltʃeə] инвалидное кресло

when [wen] когда

whenever [wen'evə] всякий раз как; когда бы ни

where [wɛə] где; куда

whereas [wɛər'æz] 1) принимая во внимание 2) тогда как

wherever [wɛər'evə] где бы ни, куда бы ни

whether ['weðə] ли; или

which [witʃ] который, какой; ~ **of you?** кто из вас?

while [waɪl] 1. *conj* пока; в то время как 2. *n* время, промежуток времени; **for a** ~ на время

whim [wɪm] причуда; каприз

whimper ['wɪmpə] хныкать

whimsical ['wɪmzɪkəl] причудливый, прихотливый

whine [waɪn] 1. *n* визг 2. *v* скулить

whip [wɪp] 1. *n* кнут;

хлыст 2. *v* 1) хлестáть; сечь 2) взбивáть *(сливки, яйца)*

whip hand ['wɪphænd] власть, контрóль *(над ситуáцией)*

whirlwind ['wə:lwɪnd] вихрь

whiskers ['wɪskəz] *pl* 1) бакенбáрды 2) усы *(у живóтных)*

whisper ['wɪspə] 1. *v* шептáть 2. *n* шёпот

whistle ['wɪsl] 1. *n* 1) свист 2) свистóк 2. *v* 1) свистéть 2) давáть свистóк, гудóк

white [waɪt] 1. *a* 1) бéлый 2) седóй 2. *n* 1) белизнá 2) белóк

whitewash ['waɪtwɔʃ] 1. *n* побéлка 2. *v* белить

who [hu:] ктó; котóрый; ~ever [hu:'evə] кто бы ни; котóрый бы ни

whole [həʊl] 1. *a* весь; цéлый 2. *n* цéлое

wholemeal ['həʊlmi:l] из непросéянной муки

wholesale ['həʊlseɪl] 1. *n* оптóвая торгóвля 2. *a* оптóвый 3. *adv* óптом

wholesome ['həʊlsəm] полéзный, здорóвый, благотвóрный

whom [hu:m] когó, комý

whooping cough ['hu:pɪŋ kɔf] коклюш

whose [hu:z] чей

why [waɪ] 1. *adv* почемý 2. *int* да ведь

202

wicked ['wɪkɪd] 1) злой; плохóй 2) безнрáвственный

wide [waɪd] 1. *a* ширóкий; обширный 2. *adv* ширóко; ~n ['waɪdn] расширять(ся)

widow ['wɪdəʊ] вдовá; ~er [-ə] вдовéц

width [wɪdθ] ширинá

wife [waɪf] женá

wig [wɪg] парик

wild [waɪld] дикий; ~ flower полевóй цветóк

wilderness ['wɪldənɪs] пустыня; глушь

wilful ['wɪlful] 1) своевóльный, упрямый 2) преднамéренный; умышленный

will I [wɪl] 1) вóля; желáние; at ~ по желáнию 2) завещáние

will II [wɪl] (would) 1) *как вспомогат. глагóл служит для образовáния будущего врéмени 2-го и 3-го лицá ед. и мн. ч.*: he ~ do it он сдéлает это 2) *в I лице выражáет обещáние, намéрение*: I ~ help you я охóтно вам помогý

willing ['wɪlɪŋ]: he is ~ он соглáсен, он готóв (сдéлать чтó-л.); ~ly [-lɪ] охóтно

willow ['wɪləʊ] ива

willpower ['wɪlpaʊə] сила вóли

wilt [wɪlt] вянуть, поникáть

wily ['waɪlɪ] лукáвый, хитрый

win [wɪn] (won; won) 1)

выи́грывать 2) одержа́ть побе́ду

wince [wɪns] содрога́ться, мо́рщиться *(от боли)*

wind I [wɪnd] ве́тер

wind II [waɪnd] (wound; wound) 1) нама́тывать 2) заводи́ть *(часы, механизм)*; ~ up а) конча́ть; б) ула́дить, разреши́ть *(вопрос и т. п.)*

windfall ['wɪndfɔ:l] 1) па́данец 2) неожи́данная уда́ча *(особ. о деньгах)*

winding ['waɪndɪŋ] изви́листый

wind instrument ['wɪnd 'ɪnstrəmənt] духово́й инструме́нт

windmill ['wɪnmɪl] ветряна́я ме́льница

window ['wɪndəu] окно́; ~ dressing украше́ние, оформле́ние витри́н; ~pane [-peɪn] око́нное стекло́; ~sill [-sɪl] подоко́нник

windscreen ['wɪndskri:n] ветрово́е стекло́

windsurfing ['wɪndsə:fɪŋ] *спорт.* виндсёрфинг

windward ['wɪndwəd] с наве́тренной стороны́

wine [waɪn] вино́; ~glass бока́л; рю́мка

wing [wɪŋ] 1) крыло́ 2) фли́гель 3) *воен.* фланг 4): the ~s *театр.* кули́сы

wink [wɪŋk] **1.** *v* морга́ть, мига́ть; ~ at а) подми́гивать кому́-л.; б) смотре́ть сквозь па́льцы **2.** *n* морга́ние; мига́ние

winner ['wɪnə] победи́тель *(в соревновании)*

winter ['wɪntə] **1.** *n* зима́ **2.** *v* зимова́ть

wipe [waɪp] вытира́ть; осуша́ть; ~ out уничтожа́ть

wire [waɪə] *n* 1) про́волока; про́вод 2) телегра́мма **2.** *v* телеграфи́ровать; ~less [waɪəlɪs] **1.** *a* беспро́волочный **2.** *n* ра́дио

wire-tapping ['waɪətæpɪŋ] подслу́шивание телефо́нных разгово́ров

wiry ['waɪərɪ] жи́листый

wisdom ['wɪzdəm] му́дрость

wise [waɪz] 1) му́дрый 2) благоразу́мный

wisecrack ['waɪzkræk] *разг.* остроу́мный отве́т; остро́та

wish [wɪʃ] **1.** *v* жела́ть; I ~ he's come хоть бы он пришёл **2.** *v* жела́ние

wistful ['wɪstful] заду́мчиво-печа́льный

wit [wɪt] 1) ум; остроу́мие 2) остроу́мный челове́к, остря́к

witch [wɪtʃ] ве́дьма; ~craft ['wɪtʃkrɑːft] колдовство́; чёрная ма́гия

with [wɪð] 1) с, вме́сте с 2) *перев. твор. пад.*: ~ a knife ножо́м 3) от; tremble ~ fear дрожа́ть от стра́ха

withdraw [wɪð'drɔ:] (withdrew; withdrawn) отдёргивать; брать наза́д; ~al [-əl]

1) изъя́тие, удале́ние 2) ухо́д; ~n [-n] *p. p. om* withdraw

withdrew [wɪð'dru:] *past om* withdraw

wither ['wɪðə] вя́нуть, со́хнуть

withhold [wɪð'həuld] уде́рживать, не отдава́ть

within [wɪð'ɪn] 1) внутри́ 2) в преде́лах *(чего-л.)*

without [wɪð'aut] без

witness ['wɪtnɪs] **1.** *n* свиде́тель; очеви́дец; bear ~ to свиде́тельствовать **2.** *v* 1) быть свиде́телем 2) свиде́тельствовать 3) заверя́ть *(подпись, документ)*

witty ['wɪtɪ] остроу́мный

wives [waɪvz] *pl om* wife

wizard ['wɪzəd] колду́н; маг, волше́бник

wobble ['wɔbl] шата́ться; кача́ться; вихля́ться

wobbly ['wɔblɪ] ша́ткий

woe [wəu] го́ре; скорбь, несча́стье; ~begone ['wəubɪgɔn] го́рестный, удручённый

woke [wəuk] *past и p.p. om* wake

wolf [wulf] волк; ~hound ['wulfhaund] волкода́в

wolves [wulvz] *pl om* wolf

woman ['wumən] же́нщина

womb [wu:m] *анат.* ма́тка

women ['wɪmɪn] *pl om* woman

won [wʌn] *past и p. p. om* win

wonder ['wʌndə] **1.** *n* 1)

удивле́ние; it's a ~ удиви́тельно; no ~ неудиви́тельно 2) чу́до **2.** *v* удивля́ться; I ~ хоте́л бы я знать; ~ful [-ful] замеча́тельный, удиви́тельный

won't [wəunt] *разг.* = will not

woo [wu:] 1) уха́живать, волочи́ться 2) угова́ривать, ула́мывать

wood [wud] 1) лес 2) де́рево *(материал)* 3) дрова́

woodcutter ['wudkʌtə] дровосе́к

wooden ['wudn] деревя́нный

woodland ['wudlənd] леси́стая ме́стность

woodpecker ['wudpekə] дя́тел

woodpulp ['wudpʌlp] древе́сная ма́сса

wool [wul] шерсть; ~len ['wulən] шерстяно́й

word [wə:d] сло́во; ~ing ['wə:dɪŋ] реда́кция, фо́рма выраже́ния, формулиро́вка

word processor ['wə:d prəsəsə] текстово́й проце́ссор

wore [wɔ:] *past om* wear

work [wə:k] **1.** *n* 1) рабо́та; труд 2) произведе́ние **2.** *v* рабо́тать; труди́ться

workaday ['wə:kədeɪ] бу́дничный, се́рый; ску́чный

workbook ['wə:kbuk] сбо́рник упражне́ний; рабо́чая тетра́дь

workday ['wɔːkdeɪ] бу́дний день, рабо́чий день

worker ['wɔːkə] рабо́чий

works [wɔːks] заво́д

workshop ['wɔːkʃɔp] семина́р; симпо́зиум

workstudy ['wɔːkstʌdɪ] соверше́нствование техноло́гии произво́дства

world [wɔːld] 1. *n* мир; свет 2. *a* мирово́й; ~ly ['wɔːldlɪ] све́тский, мирско́й

worm [wɔːm] 1. *n* червь; глист; *перен.* ничто́жество 2. *v:* ~ out вы́ведать

worn [wɔːn] *p.p. om* wear; ~-out [wɔːn'aut] 1) изно́шенный 2) уста́лый

worried ['wʌrɪd] обеспоко́енный

worry ['wʌrɪ] 1. *v* беспоко́ить(ся) 2. *n* беспоко́йство, трево́га, забо́та

worse [wɔːs] 1. *a* ху́дший 2. *adv* ху́же

worsen ['wɔːsən] ухудша́ть

worship ['wɔːʃɪp] 1. *n* поклоне́ние 2. *v* боготвори́ть; поклоня́ться

worst [wɔːst] 1. *a* наиху́дший 2. *adv* ху́же всего́ 3. *n* са́мое плохо́е

worth [wɔːθ] 1. *n* 1) досто́инство 2) цена́ 2. *a* сто́ящий; be ~ сто́ить; ~less ['wɔːθlɪs] ничего́ не сто́ящий, дрянно́й; ~y ['wɔːðɪ] досто́йный

would [wud] *past om* will II

wound I [wuːnd] 1. *n* ра́на 2. *v* ра́нить

wound II [waund] *past и p.p. om* wind II

wounded ['wuːndɪd] ра́неный

wound-up [waund'ʌp] взви́нченный; взбудора́женный

wove [wəuv] *past om* weave; ~n [-n] *p. p. om* weave

wrangle ['ræŋgl] 1. *n* пререка́ния, до́лгие спо́ры 2. *v* пререка́ться, пуска́ться в до́лгие спо́ры

wrap [ræp] 1. *v* завёртывать; ~ oneself up ку́таться 2. *n* 1) шаль; плед 2) обёртка

wrapping(s) ['ræpɪŋ(z)] обёртка; обёрточная бума́га

wrath [rɔːθ] гнев, я́рость

wreath [riːθ] вено́к

wreck [rek] 1. *n* круше́ние 2. *v* 1) вы́звать круше́ние 2) ру́хнуть (*о пла́нах и т. п.*)

wreckage ['rekɪdʒ] обло́мки

wrestle ['resl] боро́ться

wretch [retʃ] 1) несча́стный; poor ~ бедня́га 2) негодя́й; ~ed ['retʃɪd] несча́стный; жа́лкий

wring [rɪŋ] (wrung; wrung) 1) скру́чивать 2) выжима́ть

wrinkle ['rɪŋkl] 1. *n* морщи́на 2. *v* мо́рщить(ся)

wrist [rɪst] запя́стье; ~watch ['rɪstwɔtʃ] ручны́е часы́

writ [rɪt] пове́стка, предписа́ние

write [raɪt] (wrote; written) писа́ть; ~ **down** запи́сывать

writer ['raɪtə] писа́тель

writing ['raɪtɪŋ]: in ~ в пи́сьменной фо́рме; ~ **pad** блокно́т

written ['rɪtn] *p. p. om* write

wrong [rɔŋ] 1. *a* непра́вильный; не тот; something is ~ что́-то не в поря́дке 2. *adv* непра́вильно 3. *n* несправедли́вость 4. *v* быть несправедли́вым (*к кому́-л.*), ~**doing** ['rɔŋdu:ɪŋ] просту́пок; правонаруше́ние; ~**ful** ['rɔŋful] 1) несправедли́вый 2) незако́нный

wrote [rout] *past om* write

wrought iron [rɔ:t'aɪən] ко́вкая мя́гкая сталь

wrung [rʌŋ] *past u p.p. om* wring

wry [raɪ] криво́й, ки́слый (*об улы́бке и т. п.*)

X

xenophobia [zenə'foubɪə] нелюбо́вь, неприя́знь к иностра́нцам

xerox ['zɪərɔks] ксе́рокс

x-rays ['eks'reɪs] 1. *n pl* рентге́новы лучи́ 2. *v* просве́чивать рентге́новыми луча́ми

xylophone ['zaɪləfoun] ксилофо́н

Y

yacht [jɔt] я́хта

yard I [ja:d] ярд

yard II [ja:d] двор

yawn [jɔ:n] 1. *v* зева́ть 2. *n* зево́та

year [jə:] год; ~**ly** ['jə:lɪ] 1. *a* ежего́дный 2. *adv* ежего́дно

yearning ['jə:nɪŋ] си́льное жела́ние; о́страя тоска́

yeast [ji:st] дро́жжи

yell [jel] 1. *n* пронзи́тельный крик 2. *v* крича́ть, вопи́ть

yellow ['jelou] 1) жёлтый 2) зави́стливый, ревни́вый 3) *разг.* трусли́вый

yes [jes] да; ~**man** ['jesmæn] подхали́м, подпева́ла

yesterday ['jestədɪ] вчера́

yet [jet] 1. *adv* ещё; вдоба́вок 2. *conj* одна́ко; несмотря́ на э́то; and ~ и всё же

yield [ji:ld] 1. *v* 1) уступа́ть, сдава́ться 2) приноси́ть (*урожа́й*); производи́ть 2. *n* 1) урожа́й 2) проду́кция

yoga ['jougə] йо́га

yoke [jouk] и́го, ярмо́

yolk [jouk] желто́к

you [ju:, ju] вы, ты

young [jʌŋ] молодо́й, ю́ный

youngster ['jʌŋstə] юноша, юне́ц

your, yours [jɔ:, jɔ:z] ваш, твой; ваши, твои

yourself, yourselves [jɔ:'self, jɔ:'selvz] 1) себя, -ся 2) (ты) сам; (вы) сами

youth [ju:θ] 1) молодость, юность 2) молодёжь 3) юноша; **~ful** ['ju:θful] юный, юношеский

Z

zeal [zi:l] усердие, рвение; **~ous** ['zeləs] усердный, ревностный

zebra crossing [zebrə 'krɔsɪŋ] пешеходный переход

zenith ['zenɪθ] зенит

zero ['zɪərəu] нуль; ничто; ~ **hour** час начала выступления, атаки и т. п.

zest [zest] «изюминка», интерес

zink [zɪŋk] **1.** n цинк **2.** a цинковый **3.** v оцинковывать

zip fastener ['zɪpfɑ:snə] застёжка-молния

zipper ['zɪpə] см. zip fastener

zodiac ['zəudɪæk] зодиак

zone [zəun] зона, пояс; полоса; район

zoo [zu:] зоопарк

zoology [zəu'ɔlədʒɪ] зоология

zoom [zu:m] 1) быстро передвигаться с нарастающим гулом 2) взмыть

СПИСОК ГЕОГРАФИЧЕСКИХ НАЗВАНИЙ
GEOGRAPHICAL NAMES

Accra [ə'krɑ:] Аккра

Addis Ababa ['ædɪs 'æbəbə] Аддис-Абеба

Afghanistan [æf'gænɪstæn] Афганистан

Africa ['æfrɪkə] Африка

Alabama [ælə'bæmə] Алабама

Aland Islands ['ɑ:lənd 'aɪləndz] Аландские о-ва

Alaska [ə'læskə] Аляска

Albania [æl'beɪnjə] Албания

Algeria [æl'dʒɪərɪə] Алжир (страна)

Algiers [æl'dʒɪəz] Алжир (город)

Alps, the [ælps] Альпы

Amazon ['æməzən] p. Амазонка

America [əmerɪkə] Америка

Amman [ə'mɑ:n] Амман

Amsterdam ['æmste'dæm] Амстердам

Angola [æŋ'gəulə] Ангола

Ankara ['æŋkərə] Анкара

Antarctic, the [ænt'ɑ:ktɪk] Антарктика

Apennines, the ['æpɪnaɪnz] Апеннины

Arctic ['ɑ:ktɪk] Арктика

Arctic Ocean ['ɑ:ktɪk'əuʃn] Северный Ледовитый океан

Argentina [ɑ:dʒən'ti:nə] Аргентина

Arizona [ærɪ'zəunə] Аризона

Arkansas ['ɑ:kənsɔ:] Арканзас (штат и город)

Asia ['eɪʃə] Азия

Athens ['æθɪnz] Афины

Atlantic Ocean [ət'læntɪk'əuʃn] Атлантический океан

Australia [ɔs'treɪljə] Австралия

Austria ['ɔstrɪə] Австрия

Bag(h)dad ['bægdæd] Багдад

Bahrain [bɑ'reɪn] Бахрейн

Balkans, the ['bɔ:lkənz] Балканы

Baltic Sea ['bɔltɪk'si:] Балтийское море

Bamako [bɑ:mɑ:'kəu] Бамако

Bangladesh ['bæŋglədeʃ] Бангладеш

Belgium ['beldʒəm] Бельгия

Belgrade [bel'greɪd] Белград

Benin [bə'ni:n] Бенин

Berlin [bə:'lın] Берли́н

Bern(e) [bə:n] Берн

Birmingham ['bə:mıŋəm] Би́рмингем

Bolivia [bə'lıvıə] Боли́вия

Bonn [bɔn] Бонн

Boston ['bɔstən] Бо́стон

Botswana [bɔ'tswɑ:nə] Ботсва́на

Brasilia [brə'zılıə] Брази́лиа (город)

Brazil [brə'zıl] Брази́лия (страна)

Brazzaville ['bræzəvıl] Браззави́ль

Brussels ['brʌslz] Брюссе́ль

Bucharest ['bju:kərest] Бухаре́ст

Budapest ['bju:də'pest] Будапе́шт

Buenos Aires ['bwenəs 'aıərız] Буэ́нос-А́йрес

Bulgaria [bʌl'geərıə] Болга́рия

Burkina Faso [bu(r)-kı'nɑ:fʌ'sɔ:] Буркина́ Фасо́

Burma ['bə:mə] Би́рма; см. Myanma

Cabo Verde ['kʌbə'və:də] Ка́бо-Ве́рде

Cairo ['kaıərəu] Каи́р

Calcutta [kæl'kʌtə] Калькутта

California [kælı'fɔ:njə] Калифо́рния

Cambodia [kəm'bəudıə] Камбо́джа

Cambridge ['keımbrıdʒ] Ке́мбридж

Cameroon [kæmə'ru:n] Камеру́н

Canada ['kænədə] Кана́да

Canberra ['kænbərə] Ка́нберра

Canterbury ['kæntəbərı] Ке́нтербери

Cape Town, Capetown ['keıptaun] Ке́йптаун

Carpathians, the [kɑ:'peıθjənz] Карпа́ты

Chad [tʃæd] Чад

Chicago [ʃı'kɑ:gəu] Чика́го

Chile ['tʃılı] Чи́ли

China ['tʃaınə] Кита́й

Clyde [klaıd] Клайд

Colombia [kə'lɔmbıə] Колу́мбия

Colombo [kə'lʌmbəu] Коло́мбо

Colorado [kɔlə'rɑ:dəu] Колора́до

Columbia [kə'lʌmbıə] Колу́мбия

Conakry ['kɔnəkrı] Ко́накри

Congo ['kɔŋgəu] Ко́нго

Connecticut [kə'netıkət] Конне́ктикут

Copenhagen ['kəupn'heıgən] Копенга́ген

Cordilleras, the [kɔ:dı'ljərəz] Кордилье́ры

Costa Rica ['kɔstə'ri:kə] Ко́ста-Ри́ка

Côte d'Ivoire ['kɔtdvu'ɑ:] Кот-д'Ивуа́р

Coventry ['kɔvəntrı] Ко́вентри

Crete [kri:t] Крит

Cuba ['kju:bə] Ку́ба

Cyprus ['saıprəs] Кипр

Czechoslovakia ['tʃekəsləu'vækıə] Чехослова́кия

Damascus [də'mɑːskəs] Дама́ск

Dardanelles [dɑːdə'nelz] Дарданéллы

Dar es Salaam, Daressalam ['dɑːressə'lɑːm] Да́р-эс-Сала́м

Delaware ['deləwɛə] Дéлавэр

Delhi ['delɪ] Дéли

Denmark ['denmɑːk] Да́ния

Detroit [də'trɔɪt] Детрóйт

Djakarta [dʒə'kɑːtə] Джака́рта

Dominican Republic [də'mɪnɪkənrɪ'pʌblɪk] Доминика́нская Респу́блика

Dover ['dəʊvə] Дувр

Dover, Strait of ['streɪtəv 'dəʊvə] Па-де-Кале́

Dublin ['dʌblɪn] Ду́блин

Ecuador [ekwə'dɔː] Эквадóр

Edinburgh ['edɪnbərə] Эдинбург

Egypt ['iːdʒɪpt] Еги́пет

El Salvador [el'sælvədɔː] Сальвадóр

England ['ɪŋglənd] Áнглия

English Channel ['ɪŋglɪʃ'tʃænl] Ла-Ма́нш

Equatorial Guinea [ekwə'tɔːrɪəlgɪnɪ] Экваториáльная Гвинéя

Erie, Lake ['leɪk'ɪərɪ] óзеро Эри

Ethiopia [iːθɪ'əʊpjə] Эфиóпия

Europe ['juərəp] Еврóпа

Everest ['evərest] Эверéст

Finland ['fɪnlənd] Финля́ндия

Florida ['flɔrɪdə] Флори́да

France [frɑːns] Фра́нция

Gabon [gə'bɔːŋ] Габóн

Gambia ['gæmbɪə] Гáмбия

Geneva [dʒɪ'niːvə] Женéва

Georgia I ['dʒɔːdʒjə] Джóрджия *(штат США)*

Georgia II ['dʒɔːdʒjə] Гру́зия

Germany ['dʒəːmənɪ] Герма́ния

Ghana ['gɑːnə] Гáна

Gibraltar [dʒɪ'brɔːltə] Гибралтáр

Glasgow ['glɑːsgəʊ] Глáзго

Great Britain ['greɪt 'brɪtən] Великобрита́ния

Greece [griːs] Грéция

Greenland ['griːnlənd] Гренлáндия

Greenwich ['grɪnɪdʒ] Гри́н(в)ич

Guatemala [gwætɪ'mɑːlə] Гватемáла

Guinea ['gɪnɪ] Гвинéя

Guinea-Bissau ['gɪnɪbɪ'sau] Гвинéя-Бисáу

Gulf Stream, the ['gʌlf 'striːm] Гольфстри́м

Guyana [gaɪ'ɑːnə] Гайáна

Hague, the [heɪg] Гаáга

Haiti ['heɪtɪ] Гаи́ти

Hanoi [hæ'nɔɪ] Ханóй

Havana [hə'vænə] Гавáна

Hawaii [hɑː'waiiː] Гавáйские островá

Helsinki ['helsɪŋkɪ] Хéльсинки

Himalaya(s), the [hɪmə
ˈleɪə(z)] Гималаи

Hiroshima [hɪˈrɔːʃɪmɑː]
Хироси́ма

Honduras [hɔnˈdjuərəs]
Гондура́с

Hong Kong [hɔŋˈkɔŋ] Гон-
ко́нг

Hungary [ˈhʌŋɡərɪ] Ве́нг-
рия

Huron, Lake [ˈleɪk
ˈhjuːərən] о́зеро Гуро́н

Iceland [ˈaɪslənd] Исла́н-
дия

Idaho [ˈaɪdəhəu] Айда́хо

Illinois [ɪlɪˈnɔɪ] Иллино́йс

India [ˈɪndjə] Йндия

Indiana [ɪndɪˈænə] Индиа́-
на

Indian Ocean [ˈɪndjən
ˈəuʃn] Инди́йский океа́н

Indonesia [ɪndəˈniːzjə] Ин-
доне́зия

Iowa [ˈaɪəuwə] Айова

Iran [ɪˈrɑːn] Ира́н

Iraq [ɪˈrɑːk] Ира́к

Ireland [ˈaɪələnd] Ирла́н-
дия

Israel [ˈɪzreɪəl] Изра́иль

Istanbul [ɪstænˈbuːl] Стам-
бу́л

Italy [ˈɪtəlɪ] Ита́лия

Jamaica [dʒəˈmeɪkə]
Яма́йка

Japan [dʒəˈpæn] Япо́ния

Jerusalem [dʒəˈruːsələm]
Иерусали́м

Jordan [ˈdʒɔːdn] Иорда́-
ния

Kabul [kəˈbuːl] Кабу́л

Kansas [ˈkænzəs] Ка́нзас

Kentucky [kənˈtʌkɪ] Кен-
ту́кки

Kenya [ˈkiːnjə] Ке́ния

Khart(o)um [kɑːˈtuːm]
Харту́м

Kiev [ˈkiːev] Ки́ев

Kinshasa [kɪnˈʃɑːsɑː] Кин-
ша́са

Klondike [ˈklɔndaɪk]
Клóндайк

Korea [kəˈrɪə] Коре́я

Kuwait [kuˈweɪt] Куве́йт

Laos [lauz] Лао́с

Latin America [ˈlætɪnə
ˈmerɪkə] Лати́нская Аме́рика

Lebanon [ˈlebənən] Лива́н

Lesotho [ləˈsəutəu] Лесо́то

Liberia [laɪˈbɪərɪə] Либе́-
рия

Libya [ˈlɪbɪə] Ли́вия

Liechtenstein [ˈlɪktənstaɪn]
Ли́хтенштейн

Lisbon [ˈlɪzbən]
Лис(с)або́н

Liverpool [ˈlɪvəpuːl] Ли́-
верпуль

London [ˈlʌndən] Ло́ндон

Los Angeles [lɔsˈændʒɪliːz]
Лос-Анджелес

Louisiana [luɪzɪˈænə] Лу-
изиа́на

Luxemburg [ˈlʌksəmbəːɡ]
Люксембу́рг

Madagaskar [mædəˈɡæskə]
Мадагаска́р

Madrid [məˈdrɪd] Мадри́д

Maine [meɪn] Мэн

Malawi [məˈlɑːwɪ] Мала́ви

Malaysia [məˈleɪzɪə] Ма-
ла́йзия

211

Maldives [ˈmɔːldɪvz] Мальди́вы

Mali [ˈmɑːliː] Мали́

Malta [ˈmɔːltə] Ма́льта

Manchester [ˈmæntʃɪstə] Ма́нчестер

Maryland [ˈmɛərɪlænd] Мэ́риленд

Massachusetts [mæsəˈtʃuːsets] Массачу́сетс

Mauritania [mɔːrɪˈteɪnjə] Маврита́ния

Mauritius [məˈrɪʃəs] Маври́кий

Mediterranean Sea [medɪtəˈreɪnjənˈsiː] Среди-зёмное мо́ре

Mexico [ˈmeksɪkəu] Мéк-сика

Mexico (City) [ˈmeksɪkəu (ˈsɪtɪ)] Мéхико

Minnesota [mɪnɪˈsəutə] Миннесóта

Mississippi [mɪsɪˈsɪpɪ] Миссиси́пи

Missouri [mɪˈzuərɪ] Миссу́ри

Monaco [ˈmɔnəkəu] Монáко

Mongolia [mɔnˈgəuljə] Монгóлия

Montana [mɔnˈtænə] Монтáна

Morocco [məˈrɔkəu] Марóкко

Moscow [ˈmɔskəu] Москвá

Mozambique [məuzəmˈbiːk] Мозамби́к

Myanma [ˈmjɑːnmə] Мья́нма

Namibia [nəˈmɪbjə] Нами́бия

Nanking [nænˈkɪŋ] Нанки́н

Nebraska [nɪˈbræskə] Небрáска

Nepal [nɪˈpɔːl] Непáл

Netherlands [ˈneðələndz] Нидерлáнды

Nevada [nəˈvɑːdə] Невáда

Newcastle [ˈnjuːkɑːsl] Ньюкáсл

New Hampshire [njuːˈhæmpʃɪə] Нью-Гéмпшир

New Jersey [njuːˈdʒɜːzɪ] Нью-Джéрси

New Mexico [njuːˈmeksɪkəu] Нью-Мéксико

New York [ˈnjuːˈjɔːk] Нью-Йóрк

New Zealand [njuːˈziːlənd] Нóвая Зелáндия

Nicaragua [nɪkəˈrægjuə] Никарáгуа

Niger [naɪdʒə] Ни́гер

Nigeria [naɪˈdʒɪərɪə] Нигéрия

Nile [naɪl] Нил

North Carolina [ˈnɔːθkærəˈlaɪnə] Сéверная Кароли́на

North Dakota [ˈnɔːθdəˈkəutə] Сéверная Дакóта

North Sea [ˈnɔːθˈsiː] Сéверное мо́ре

Norway [ˈnɔːweɪ] Норвéгия

Odessa [əuˈdesə] Одéсса

Ohio [əuˈhaɪəu] Орáйо

Oklahoma [əukləˈhəumə] Оклахóма

Oregon [ˈɔrɪgən] Орегóн

Oslo [ˈɔsləu] Óсло

Ottawa [ˈɔtəwə] Оттáва

Oxford [ˈɔksfəd] Óксфорд

212

Pacific Ocean [pə'sıfık 'əuʃən] Ти́хий океа́н

Pakistan [pɑ:kıs'tɑ:n] Пакиста́н

Palestine ['pælıstaın] Палести́на

Panama [pænə'mɑ:] Пана́ма

Paraguay ['pærəgwaı] Парагва́й

Paris ['pærıs] Пари́ж

Peking [pi:'kıŋ] Пеки́н

Pennsylvania [pensıl'veınjə] Пенсильва́ния

Persian Gulf ['pə:ʃən'gʌlf] Перси́дский зали́в

Peru [pə'ru:] Перу́

Philadelphia [fılə'delfjə] Филаде́льфия

Philippines ['fılıpi:nz] Филиппи́ны

Plymouth ['plıməθ] Пли́мут

Poland ['pəulənd] По́льша

Portsmouth ['pɔ:tsməθ] По́ртсмут

Portugal ['pɔ:tjugəl] Португа́лия

Prague [prɑ:g] Пра́га

Pretoria [prı'tɔ:rıə] Прето́рия

Pyongyang ['pjɔ:ŋ'jɑ:ŋ] Пхенья́н

Pyrenees, the [pırə'ni:z] Пирене́и

Quebec [kwı'bek] Квебе́к

Rangoon [ræŋ'gu:n] Рангу́н; см. Yangown

Republic of South Africa [rı'pʌblıkəvsauθ'æfrıkə] Ю́жно-Африка́нская Респу́блика

Reykjavik ['reıkjəvi:k] Ре́йкьявик

Rhode Island [rəud'aılənd] Род-А́йленд

Rio de Janeiro ['ri:əudədʒə'nıərəu] Ри́о-де-Жане́йро

Rocky Mountains ['rɔkı'mauntınz] Скали́стые го́ры

Rome [rəum] Рим

R(o)umania [ru:'meınjə] Румы́ния

Russia ['rʌʃə] Росси́я

Sahara [sə'hɑ:rə] Саха́ра

Saint Petersburg [seınt'pi:təzbə:g] Санкт-Петербу́рг

Sana(a) [sɑ:'nɑ:] Сана́

San Francisco [sænfrən'sıskəu] Сан-Франци́ско

Santiago [sæntı'ɑ:gəu] Сантья́го

Saudi Arabia ['saudıə'reıbjə] Сау́довская Ара́вия

Scotland ['skɔtlənd] Шотла́ндия

Senegal [senı'gɔ:l] Сенега́л

Seoul [səul] Сеу́л

Sevastopol [sə'vɑ:stəpəl] Севасто́поль

Shanghai [ʃæŋ'haı] Шанха́й

Sheffield ['ʃefi:ld] Ше́ффилд

Shetland Islands ['ʃetlənd'aıləndz] Шетла́ндские о-ва́

Sierra Leone [sı'erəlı'əun] Сье́рра-Лео́не

Singapore [sıŋgə'pɔ:] Сингапу́р

Sofia ['səufjə] Со́фия

213

Somalia [səu'mɑ:lɪə] Сомали́

South America ['sauθə'merɪkə] Ю́жная Аме́рика

South Carolina ['sauθkærə'laɪnə] Ю́жная Кароли́на

South Dakota ['sauθdə'kəutə] Ю́жная Дако́та

Spain [speɪn] Испа́ния

Sri Lanka [srɪ'læŋkə] Шри-Ла́нка

Stockholm ['stɔkhəum] Стокго́льм

Sudan, the [su:'dɑ:n] Суда́н

Suez Canal ['su:ɪzkə'næl] Суэ́цкий кана́л

Superior, Lake ['leɪksju:-'pɪərɪə] о́зеро Ве́рхнее

Swaziland ['swɑ:zɪlænd] Сва́зиленд

Sweden ['swi:dn] Шве́ция

Switzerland ['swɪtsələnd] Швейца́рия

Taiwan [taɪ'wæn] Тайва́нь

Tanganyika [tæŋgə'nji:kə] Танганьи́ка

Tanzania [tænzə'nɪə] Танза́ния

Teh(e)ran [tɪə'rɑ:n] Тегера́н

Tel Aviv ['telə'vi:v] Тель-Ави́в

Tennessee [tenə'si:] Теннесси́

Texas ['teksəs] Теха́с

Thailand ['taɪlænd] Таила́нд

Thames [temz] Те́мза

Tibet [tɪ'bet] Тибе́т

Tirana [tɪ'rɑ:nə] Тира́на

Togo ['təugəu] То́го

Tokyo ['təukjəu] То́кио

Tunisia [tju'nɪzɪə] Туни́с

Turkey ['tə:kɪ] Ту́рция

Uganda [ju'gændə] Уга́нда

Ulan Bator ['u:lɑ:n'bɑ:tɔ:] Ула́н-Ба́тор

United Kingdom of Great Britain and Northern Ireland [ju:'naɪtɪd'kɪŋdəməvgreɪt'brɪtənənd'nɔ:ðən'aɪələnd] Соединённое Короле́вство Великобрита́нии и Се́верной Ирла́ндии

United States of America [ju:'naɪtɪdsteɪtsəvə'merɪkə] Соединённые Шта́ты Аме́рики

Uruguay ['urugwaɪ] Уругва́й

Utah ['ju:tɑ:] Ю́та

Vatican ['vætɪkən] Ватика́н

Venezuela [venə'zwi:lə] Венесуэ́ла

Vermont [və:'mɔnt] Вермо́нт

Vienna [vɪ'enə] Ве́на

Vietnam ['vjet'næm] Вьетна́м

Virginia [və'dʒɪnjə] Вирги́ния

Volga ['vɔlgə] Во́лга

Volgograd [vɔlgə'græd] Волгогра́д

Wales [weɪlz] Уэ́льс

Warsaw ['wɔ:sɔ:] Варша́ва

Washington ['wɔʃɪŋtən] Вашингто́н

Wellington [ˈweliŋtən] Вéллингтон

West Virginia [ˈwestvə ˈdʒinjə] Зáпадная Виргúния

Winnipeg [ˈwinipeg] Вúннипег

Wisconsin [wisˈkɔnsin] Висконсин

Wyoming [waiˈəumiŋ] Вайóминг

Yangown [jæŋˈgəun] Янгóн

Yemen [ˈjemən] Йéмен

Yugoslavia [ˈjuːgəuˈslɑːvjə] Югослáвия

Zaire [zəˈiːrə] Заúр

Zambia [ˈzæmbiə] Зáмбия

Zimbabwe [zimˈbɑːbwi] Зимбáбве

RUSSIAN-ENGLISH
Dictionary

РУССКИЙ АЛФАВИТ
RUSSIAN ALPHABET

Аа	Ии	Рр	Шш
Бб	Йй	Сс	Щщ
Вв	Кк	Тт	Ъъ
Гг	Лл	Уу	Ыы
Дд	Мм	Фф	Ьь
Ее, Ёё	Нн	Хх	Ээ
Жж	Оо	Цц	Юю
Зз	Пп	Чч	Яя

A

a but; and; а то or (else); а
и́менно that is; na´mely

абажу́р la´mpshade

абза́ц pa´ragraph

абитурие́нт univérsity
éntrant

абон|еме́нт subscríption;
séason tícket; líbrary card
(*библиоте́чный*); ~е́нт
subscríber

або́рт abórtion

абрико́с ápricot

абсолю́тн|о útterly; ~ый
ábsolute; ~ый слух ábsolute
pitch

абстра́ктный ábstract

абсу́рд absúrdity

аванга́рд vánguard

ава́нс advánce; ~ом in
advánce

авантю́р|а advénture; ~и́ст
advénturer

ава́рия áccident (*несчастный случай*); crash (*круше-
ние*); *мор.* wreck

а́вгуст Áugust

авиаба́за air base

авиазаво́д áircraft works

авиакомпа́ния áirline

авиали́ния áirline

авиано́сец áircraft cárrier

авиапо́чта air mail

авиасъёмка air photó-
graphy

авиацио́нный air(-);
áircraft(-); aviátion(-)

авиа́ция aviátion, áircraft;
разве́дывательная ~ recón-
naissance áircraft; истреби́-
тельная ~ fíghter áircraft;
гражда́нская ~ cívil air
fleet

авитамино́з avitaminósis

аво́сь perháps; на ~ on the
off chance

австрали́|ец, ~йский Aus-
trálian

автобиогра́фия auto-
biógraphy

авто́бус bus; coach (*марш-
рутный, туристский*)

автовокза́л coach státion

авто́граф áutograph

автозаво́д áutomobile plant

автома́т 1) automátic
machíne 2) (*телефон*)
(públic) télephone 3) (*билет-
ный и т. п.*) slot machíne 4)
воен. tómmy gun; ~и́ческий
automátic; ~чик *воен.* tómmy
gúnner

автомоби́ль (mótor)car,

áutomobile; **áuto**; грузовой ~ **lórry**; **truck** (*амер.*)

автоно́м|ия autónomy; ~**ный** autónomous; ~**ная республика** autónomous repúblic

автопило́т automátic pílot

автопортре́т sélf-pórtrait

а́втор áuthor

авторита́рный authoritárian

авторите́т authórity; ~**ный** authóritative

а́втор|ский áuthor's; ~**ское пра́во** cópyright; ~**ство** áuthorship

автотра́нспорт mótor tránsport

аге́нт ágent; ~**ство** ágency; ~**у́ра** ágency; ágents

агит|а́тор propagándist, ágitator; ~**а́ция** propagánda; agitátion; ~**и́ровать** make propagánda, ágitate (for, against)

агитпу́нкт electioneering céntre

аго́ния ágony

агра́рный agrárian

агрега́т únit

агресси́вный aggréssive

агре́сс|ия aggréssion; ~**ор** aggréssor

агроно́м agrónomist; ~**и́че-ский** agronómic(al); ~**ия** agrónomy

ад hell

адвока́т láwyer; attórney (*амер.*); ~**у́ра** the bar

администр|ати́вный admínistrative; ~**а́тор** administrátor, mánager; ~**а́ция** administrátion

адмира́л ádmiral

а́дрес addréss; ~**а́т** addressée; ~**ный**: ~**ный стол** inquíry óffice; ~**ная кни́га** diréctory; ~**ова́ть** addréss; send (*направля́ть*)

аза́рт pássion, excítement; ~**ный** réckless, pássionate; ~**ная игра́** game of chance

а́збука álphabet

азербайджа́н|ец Azerbaiján|ian; ~**ский** Azerbaiján(ian)

азиа́тский Ásian; Asiátic

азо́т nítrogen

а́ист stork

айва́ quince

акаде́м|ик mémber of an Acádemy; academícian; ~**и́ческий** académic; ~**ия** Acádemy

аквала́нг *спорт.* áqualung

акваре́ль wátercolour

аккомпан|еме́нт accómpaniment; ~**и́ровать** accómpany

акко́рд *муз.* chord

аккредити́в létter of crédit

аккумуля́тор stórage báttery (cell), accúmulator

аккура́т|ность punctuálity, regulárity (*то́чность*); néatness, tídiness (*опря́тность*); ~**ный** púnctual, régular (*то́чный*); neat, tídy (*опря́тный*); consciéntious (*добросо́вестный*)

акроба́т ácrobat; ~**и́ческий** acrobátic

акт 1) act 2) (*докуме́нт, протоко́л*) deed

актёр áctor.

акти́в 1) áctive mémbers 2) *фин.* ássets; ~ность actívity; ~ный áctive

актри́са áctress

актуа́льный of présent ínterest; úrgent (*неотло́жный*)

аку́ла shark

аку́стика acoústic

акце́нт áccent

акционе́р sháreholder; ~ный: ~ное о́бщество jóint-stock cómpany

а́кция share

алба́нец Albánian

алба́нский Albánian

а́лгебра álgebra

алиме́нты álimony

алкого́ль álcohol

аллего́рия állegory

аллерги́я állergy

алле́я álley; ávenue

алло́! húlló!

алма́з díamond

алта́рь áltar

алфави́т álphabet; ~ный alphabétical

а́лчный gréedy, ávid

а́лый scárlet

альбо́м álbum; skétchbook (*для эскизов*)

альпини́ст mountainéer

алюми́ний alumínium

амба́р barn, gránary

амбулато́рия dispénsary

америка́н|ец, ~ский Ámerican

амни́стия ámnesty

а́мпула ámpoule

ампут|а́ция amputátion; ~и́ровать ámputate

амфитеа́тр *театр.* ámphitheatre, circle

ана́лиз análysis; ~и́ровать ánalyse

аналоги́чный análogous, párallel

анало́гия análogy

анана́с píneapple

анархи́зм ánarchism

ана́рхия ánarchy

ана́том anátomist; ~и́ровать disséct

анато́мия anátomy

анга́р hángar

а́нгел ángel

анги́на tonsillítis

англи́йский Énglish

англича́нин Énglishman

анекдо́т ánecdote, stóry

анке́та form, questionnáire

анне́ксия annexátion

аннули́ровать annúl, cáncel

анони́мный anónymous

анса́мбль 1) group; cómpany 2) (*архитекту́рный*) ensémble

анте́нна anténna, áerial

антибио́тики antibiótics

антивое́нный ánti-wár

антиква́рный: ~ магази́н antique-shop

антиправи́тельственный ánti-góvernment

антисанита́рный insánitary

антифаши́ст ánti-fáscist; ~ский ánti-fáscist

анти́чный antíque

анто́ним ántonym

антра́кт ínterlude

ао́рта aórta

апартеи́д apártheid

апати́чный apathétic

апа́тия ápathy

апелл|и́ровать appéal; ~я́ция appéal

апельси́н órange

аплоди́|ровать appláud; ~сме́нты appláuse (*ед. ч.*)

аппара́т apparátus

аппендици́т appendicítis

аппети́т áppetite; ~ный áppetizing

апре́ль Ápril

апте́ка chémist's (shop); drúgstore (*амер.*)

ара́б Árab; ~ский Arábian

арбитра́ж arbitrátion

арбу́з wátermelon

аргуме́нт árgument

аре́на aréna, ring; *перен.* scene, field

аре́нд|а lease; ~áтор ténant, léaseholder; ~ова́ть rent

аре́ст arrést; ~ова́ть, ~о́вывать arrést

аристокра́т áristocrat; ~и́ческий aristocrátic

арифме́тика aríthmetic

а́рия ária, air

а́рка arch

аркти́ческий árctic

а́рмия ármy

арм|яни́н, ~я́нский Arménian

арома́т pérfume; ~ный frágrant

арсена́л ársenal

арте́ль artél

арте́рия ártery

артилл|ери́йский artíl-

lery(-); ~е́рист artílleryman; ~е́рия artíllery

арти́ст áctor (*актёр*); sínger (*певец*); perfórmer (*музыкант, танцор и т. п.*); ~и́ческий artístic

а́рфа harp

археоло́гия archaeólogy

архи́в árchives (*мн. ч.*)

архипела́г archipélago

архите́кт|ор árchitect; ~у́ра árchitecture; ~у́рный archítectural

аскорби́нов|ый: ~ая кислота́ ascórbic ácid, vítamin C

аспе́кт áspect

аспира́нт postgráduate (stúdent); ~у́ра postgráduate course, reséarch schólarship

ассамбле́я assémbly; Генера́льная Ассамбле́я Géneral Assémbly

ассигнова́ть assígn; apprópriate

ассисте́нт assístant

ассортиме́нт seléction of goods

ассоциа́ция associátion

а́стма ásthma

астрона́вт ástronaut, spáceman

астроно́м astrónomer; ~ия astrónomy

асфа́льт asphált

ата́к|а attáck; ~ова́ть attáck; charge

атеи́ст átheist

атланти́ческий Atlántic

а́тлас *геогр.* átlas

атла́с sátin

атле́т áthlete; ~ика athlétics

атмосфер|а átmosphere (*тж. перен.*); ~ный atmosphéric; ~ное давле́ние atmosphéric préssure

áтом átom; ~ный atómic; ~ный вес atómic weight; ~ная бо́мба átom bomb; ~ная эне́ргия atómic énergy; ~ное ядро́ atómic núcleus; ~ное ору́жие atómic wéapons

атташе́ attaché

аттест|áт certíficate; ~ зре́лости schóol-leaving certíficate; ~ова́ть cértify; régister

аттракцио́н sídeshow (*в парках*); númber (*в цирке*)

аудито́рия 1) (*помеще́ние*) auditórium 2) (*слушатели*) áudience

аукцио́н áuction

аул aúl

афе́ра shády transáction

афи́ша póster; театра́льная ~ pláybill

африка́нский Áfrican

аэродро́м áerodrome

аэрозо́ль áerosol, spray

аэропо́рт áirport

аэроста́т (áir-)ballóon; загражде́ния ба́rrage ballóon

аэрофотосъёмка air photógraphy

Б

ба́ба *разг.* wóman ◇ снéжная ~ snówman

ба́бочка bútterfly; ночна́я ~ moth

ба́бушка grándmother; gránny (*разг.*)

бага́ж lúggage; bággage (*амер.*); сдава́ть ве́щи в ~ régister one's lúggage, have one's lúggage régistered

багро́вый deep red, crímson

бадминто́н bádminton

ба́за base; *перен.* básis

база́р márket; bazáar (*на Восто́ке; тж. благотвори́тельный и т. п.*)

бази́ровать base; ~ся (*на чём-л.*) base one's árguments upón

ба́зис básis

байда́рка canóe, káyak

бак tank, cístern; bóiler (*для белья́*)

бакале́йный: ~ магази́н grócery

бакале́я gróceries (*мн. ч.*)

баклажа́н éggplant; áubergine

бактерио|лог bacteriólogist; ~логи́ческий bacteriológical; ~ло́гия bacteriólogy

бакте́рия bactérium

бал ball

бала́нс bálance, bálance sheet

балери́на bállet dáncer

бале́т bállet

ба́лка beam

балко́н bálcony

балла́ст bállast; *перен.* lúmber (*ли́шнее*), dead weight

баллоти́ровать vote, ballot; ~ся stand for

баллотиро́вка vóting bállot

балова́ть spoil; ~ся (*шалить*) be náughty, be nóisy; не балу́йся! beháve yourself!, don't be náughty!

бальза́м balm, balsám

бана́н banána

ба́нда band; gang

бандеро́ль prínted mátter; ~ю by bóokpost

банди́т bándit; gángster (*амер.*); ~и́зм gángsterism

банк bank

ба́нка 1) (*стеклянная*) jar; (*жестяная*) tin; can (*амер.*) 2) *мед.* cúpping-glass

банке́т bánquet

банки́р bánker

банкро́тство bánkruptcy, insólvency; fáilure (*о фирме*)

бант bow

ба́ня báthhouse

бар bar

бараба́н 1) drum 2) *тех.* reel; ~ить drum

бара́к bárracks (*мн. ч.*), hut

бара́н ram; ~ина mútton

ба́ржа barge

баррика́да barricáde

барс snow léopard

барсу́к bádger

ба́рхат vélvet; ~ный vélvet

барье́р bárrier

бас bass

баскетбо́л básketball

баснсло́вный fábulous

ба́сня fáble

бассе́йн básin, réservoir (*водохранилище*); ~ для пла́вания swímming bath,

swímming pool; каменноу́гольный ~ cóalfield

бастова́ть strike, be on strike

батаре́йка *эл.* báttery

батаре́я 1) *воен.* báttery 2) rádiator

бато́н long loaf; bar

батра́к fármhand

башма́к shoe

ба́шня tówer; оруди́йная ~ gun túrret

бая́н *муз.* accórdion

бди́тельн|ость vígilance; ~ый vígilant

бег rún(ning); ~á ráces

бе́гать run

бегле́ц fúgitive

бе́глый 1) (*о чтении, речи*) flúent 2) (*убежавший*) rúnaway

бего́м at a run, rúnning

бе́гство flight

бегу́н *спорт.* rúnner

беда́ misfórtune; ~ в том, что... the tróuble is that...

бе́дн|ость póverty; ~отá *собир.* the poor; ~ый poor; ~я́га poor thing; ~я́к poor man; ~яки́ *собир.* poor péople

бедро́ thigh (*ляжка*); hip (*бок*)

бе́дствие disáster, calámity

бежа́ть run; flee (*убегать*)

бе́женец réfugee

без withóut; ~ пяти́ шесть five mínutes to six

безалкого́льный álcohol-free; soft

безбо́жник átheist

безболе́зненный páinless

безвку́сный tásteless; insípid

безво́дный wáterless; árid (*сухой*)

безвозвра́тный irrévocable

безвозду́шн|ый: ~ое простра́нство vácuum

безвозме́здн|о free (of charge), grátis; ~ый free; gratúitous, unpáid

безво́|лие wéakness of will; ~льный wéak-willed

безвре́дный hármless

безвы́ходный hópeless, désperate

безгра́мотн|ость illíteracy; ~ый illíterate

безграни́чный bóundless; *перен.* ínfinite

безда́рный wórthless, dull, ungífted (*о художнике и т. п.*); féeble, uninspíred, médiocre (*о произведении и т. п.*)

безде́йств|ие ináction; ~овать be out of órder (*о машине*); do nóthing, be ídle (*о человеке*)

безде́ль|е ídleness; ~ник ídler, lóafer; ~ничать ídle, loaf

бе́здна abýss

бездо́мн|ый hómeless; ~ая соба́ка stray dog

безду́шный héartless, cállous

безжа́лостный pítiless, mérciless; rúthless (*жестокий*)

безжи́зненный lífeless

беззабо́тный light-héarted, cárefree

беззаве́тный útter, sélfless

беззащи́тный defénceless, hélpless

безли́чный impérsonal

безмо́лвный tácit

безнадёжный hópeless

безнака́занно with impúnity

безнра́вственный immóral

безоби́дный ínnocent

безобра́з|ие 1) úgliness 2): ~! outrágeous!; ~ный 1) úgly 2) (*о поступке*) outrágeous

безоговоро́чн|ый uncondítional; ~ая капитуля́ция uncondítional surrénder

безопа́сн|ость sáfety; secúrity; ~ый safe

безору́жный unármed

безотве́тственный irrespónsible

безоши́бочный corréct, right

безрабо́т|ица unemplóyment; ~ный unemplóyed

безразли́чн|о it's all the same; ~ый indífferent

безразме́рный óne-size

безрассу́дный réckless, fóolhardy

безрезульта́тн|о in vain; ~ый inefféctual, fútile

безукори́зненный irrepróachable

безу́м|ие mádness; fólly; ~ный mad, crázy; ~ство *см.* безу́мие

безупре́чный irrepróachable

безусло́вно undóubtedly, cértainly; of course

безуспе́шн|о in vain; unsuccéssfully; ~ый unsuccéssful

безуча́стный indífferent

беле́ть 1) (*вдали*) gleam white 2) (*становиться белым*) whíten, becóme white

белизна́ whíteness

бели́ла zinc white (*цинковые*); white lead (*свинцовые*)

бе́лка squírrel

беллетри́стика fíction

бело́к 1) (*яйца́, глаза́*) the white 2) *хим.*, *биол.* prótein, álbumen

белору́с Byelorússian

белору́сский Byelorússian

белосне́жный snów-white

белу́га white stúrgeon

бе́лый white

бельги́|ец, ~йский Bélgian

бельё línen (*постельное*); únderwear (*нижнее*)

бензи́н 1) *хим.* bénzine 2) (*горючее*) pétrol; gásoline, gas (*амер.*)

бензоколо́нка pétrol státion, fílling státion, sérvice státion; gas státion (*амер.*)

бе́рег shore; coast; bank (*реки́*)

береги́сь! look out!; take care!; cáution! (*автомоби́ля и т. п.*)

береговой cóastal

бережли́вый económical, thrífty

берёза birch

бере́менн|ая prégnant; ~ость prégnancy

бере́т béret

бере́чь take care of (*заботиться*); guard (*хранить*); spare (*щадить*)

бесе́да conversátion, talk, chat

бесе́дка árbour, súmmer house

бесе́довать talk, chat

беси́ть enráge, mádden, infúriate

бескла́ссов|ый clássless; ~ое о́бщество clássless socíety

бесконе́чный ínfinite; éndless, intérminable (*длинный*)

бескоры́стный disínterested

беспа́мятный forgétful

беспарти́йный 1. *прил.* nonpárty **2.** *сущ.* nonpárty man

бесперспекти́вный hópeless

беспе́чн|ость cárelessness; ~ый cáreless, líght-héarted (*легкомысленный*)

беспла́тн|о grátis; free of charge; ~ый free

беспло́д|ие sterílity; ~ный stérile; bárren (*о почве*); *перен.* frúitless, fútile

бесповоро́тный irrévocable

беспоко́ить 1) (*волновать*) wórry 2) (*мешать, тревожить*) distúrb, tróuble; ~ся 1) (*волноваться*) wórry, be ánxious 2) (*утруждать себя*) bóther; не беспоко́йтесь! don't bóther!

беспоко́й|ный restless; а́нксиоус; ~ство 1) (*тревога*) anxiety, uneasiness 2) (*хлопоты*) trouble, worry

бесполе́зный useless

беспо́мощный helpless

беспоря́док disorder; confusion (*путаница*)

беспоса́дочный: ~ перелёт non-stop flight, direct flight

беспо́шлинный duty-free

беспоща́дный ruthless, merciless

беспра́вный deprived of rights

беспреде́льный boundless

беспреры́вный continuous; uninterrupted

беспреста́нный incessant

беспризо́рный 1. *прил.* homeless 2. *сущ.* waif, homeless child

беспристра́стный impartial

беспро́волочный wireless

беспросве́тный pitch-black; *перен.* hopeless

беспроце́нтный bearing no interest

бессвя́зный (*о речи*) incoherent

бессерде́чный heartless

бесси́|лие powerlessness; impotence; ~льный powerless; impotent

бессле́дно leaving no trace

бессме́ртн|ый immortal; ~ая сла́ва undying fame

бессмы́сл|енный absurd; ~ица nonsense

бессо́вестный unscrupulous

бессодержа́тельный empty; commonplace (*о человеке*)

бессозна́тельный unconscious; instinctive (*безотчётный*)

бессо́нн|ица insomnia; sleeplessness; ~ый sleepless

бесспо́рн|о certainly; ~ый indisputable

бессро́чный permanent

бесстра́стный impassive

бесстра́шный fearless, intrepid

бессты́дный shameless

беста́ктный tactless

бестолко́вый 1) stupid; muddle-headed 2) (*путаный*) confused

бесхара́ктерный weak

бесхозя́йственность mismanagement

бесцве́тный colourless

бесце́льный aimless

бесце́нный invaluable

бесце́нок: за ~ dirt cheap, for a song

бесчелове́чный inhuman

бесче́стный dishonourable

бесчи́сленный innumerable

бесчу́вственный (*жестокий*) callous

бесшу́мный noiseless

бето́н concrete

бе́шен|ство 1) fury 2) *мед.* hydrophobia; rabies; ~ый mad; *перен.* furious

библиоте́ка library; ~рь librarian

Би́блия Bible

бидо́н can

би́ение beat; thrób(bing), palpitátion

би́знес búsiness; ~мéн búsinessman

биле́т 1) tícket 2) (*докумeнт*) card; ~ный: ~ная кácca bóoking óffice

билья́рд bílliards

бино́кль ópera gláss(es); полевóй ~ field gláss(es)

бинт bándage; ~ова́ть bándage

биогра́фия biógraphy

био́|лог biólogist; ~логи́ческий biológical; ~ло́гия biólogy

би́ржа stock exchánge

бис encóre; на ~ as an encóre, by way of encóre

би́тва báttle

бить 1) beat 2) (*разбива́ть*) break 3) (*о часа́х*) strike ◊ ~ трево́гу sound the alárm

би́ться 1) (*боро́ться*) fight 2) (*о сéрдце*) beat 3) (*стара́ться*) strúggle

бич whip; *перен.* scourge

бла́го *сущ.* wélfare

благодари́ть thank

благода́рн|ость grátitude; не стóит ~ости don't méntion it; ~ый gráteful; thánkful

благодаря́ ówing to; thanks to

благополу́ч|ие wéllbeing; ~но well; прибы́ть ~но arríve sáfely; ~ный succéssful

благоприя́тный fávourable

благоразу́м|ие prúdence,

cómmon sense; ~ный prúdent, réasonable

благоро́д|ный nóble; génerous; ~ство generósity

благоскло́нный wéll-dispósed

благосостоя́ние prospérity, wéllbeing

благотвори́тельный cháritable

благоустро́енный cómfortable; equípped with módern convéniences

блаже́нство bliss

бланк form

бледне́ть turn pale

бле́дн|ость pállor; ~ый pale

блеск lústre; brílliance

блесну́ть flash

блесте́ть shine; glítter

блестя́щий brílliant; shíning

ближа́йш|ий the néarest; где здесь ~ая ста́нция метро́? where is the néarest métro státion?

бли́же néarer

близ near

бли́з|кий 1) near; close; ~кое расстоя́ние short dístance 2) (*о дрýге*) íntimate; ~ко near (by), close (to)

близнецы́ twins

близору́к|ий shórt-síghted; ~ость *мед.* myópia

бли́зость 1) proxímity 2) (*об отношéниях*) íntimacy

блин páncake

блиста́ть shine

блок I *тех.* block, púlley

блок II *полит.* bloc, coalítion

блокáда blockáde

блокнóт wríting-pad; nóte-book

блохá flea

блуждáть roam

блýзка blouse

блюдо dish

блюдце sáucer

боб bean

бобёр béaver

Бог God

богáт|ство ríches (*мн. ч.*), wealth; ~ый rich, wéalthy

богатырь 1) légendary héro; wárrior 2) (*силач*) Hércules, strápping féllow

богáч 1) rich man 2) *мн. собир.* the rich

богослужéние divíne sérvice

бóдр|ость chéerfulness; ~ствовать be awáke; sit up (*ночью*); ~ый brisk, chéerful

боевóй fíghting; mílitant

боеприпáсы ammunítion

боеспосóбный effícient

боéц fíghter, sóldier

божéственный divíne

бой fight, báttle

бóйкий lívely

бойкóт bóycott

бóйня sláughterhouse; *перен.* mássacre

бок side

бокáл góblet, glass

боковóй láteral, side

бóком sídeways

бокс bóxing; ~ёр bóxer, púgilist

болгáрин Bulgárian

бóлее more; ~ или мéнее more or less; ~ того more; тем ~ all the more; тем ~, что espécially as; не ~ не мéнее, как áctually

болéзненный 1) (*слабый*) délicate 2) (*причиняющий боль*) páinful

болéзнь íllness; diséase (*определённая*)

болéльщик fan

болéть 1) ache, hurt 2) (*хворать*) be ill

болеутоляющее páinkiller

болóто bog; swamp, marsh

болт|áть (*говорить*) chátter; ~ли́вый gárrulous

боль pain, ache

больни́ца hóspital

больни́чный hóspital; ~ лист médical certíficate

бóльно 1. *нареч.* bádly; páinfully; дéлать комý-л. ~ hurt smb. 2. *безл.* it is páinful, it hurts

больнóй 1. *сущ.* pátient, ínvalid 2. *прил.* sick; ill; diséased (*о печени и т.п.*); sore (*оцарапанный, стёртый*); ~ ребёнок sick child; он бóлен he is ill

бóльше 1. *прил.* bígger, lárger 2. *нареч.* more

большинствó majórity

большóй big, large; *перен.* great; ~ пáлец thumb (*на руке*); big toe (*на ноге*)

бóмба bomb

бомбарди́р|овáть bombárd; bomb *разг.*; ~óвка

bombárdment; ~óвщик bómber

бомб|ёжка *разг.* bómbing; ~и́ть *разг.* bomb

бомбоубéжище bomb-shélter.

бор|éц 1) (*сторонник*) chámpion 2) *спорт.* wréstler

бормотáть mútter

борода́ beard

борозда́ fúrrow

борона́ hárrow

боро́ться 1) fight, strúggle 2) *спорт.* wréstle

борт board; на ~ý on board; за ~óм óverboard

борьба́ 1) strúggle 2) *спорт.* wréstling

бос|ико́м bárefoot; ~о́й bárefóoted

босоно́жки (*обувь*) (ópen-toe) sándals

бота́н|ик bótanist; ~ика bótany; ~и́ческий botánical; ~и́ческий сад botánical gárdens (*мн. ч.*)

бо́тики high óvershoes

боти́нки boots, shoes

бо́чка bárrel

бо|я́знь fear; ~я́ться be afráid (of), fear

брак I márriage

брак II *тех.* spóilage; deféct (*изъян*)

брани́ть abúse, scold

брат bróther; ~ский fratérnal; ~ство bbrótherhood

брать take; ~ся 1) (*предпринимать*) undertáke 2) (*руками*) touch

бревно́ beam; log

бред delírium; ~ить rave, be delírious

брезгли́вость fastídiousness

брезéнт tarpáulin

брéмя búrden

бригáд|а brigáde

бриллиáнт, ~овый díamond

брита́нский British

бри́тва rázor; безопа́сная ~ sáfety rázor

бри́тый cléan-shaven

брить shave; ~ся shave; have a shave

бровь éyebrow

броди́ть I wánder; rámble

броди́ть II *хим.* fermént

бродя́|га tramp, vágabond; vágrant; hóbo (*амер.*); ~чий wándering, róving

брожéние 1) fermentátion 2) (*недовольство*) unrést

броневи́к ármoured car

брóнза 1) bronze 2) (*изделия*) brónzes (*мн. ч.*)

брониро́ванный ármoured

бронхи́т bronchítis

броня́ ármour

броса́ть 1) throw 2) (*покидать*) abándon 3) (*переставать*) give up, stop; ~ся throw onesélf; rush ◇ ~ся в глазá strike

бро́сить(ся) *см.* броса́ть(ся)

брошь broach

брошю́ра pámphlet, bóoklet

бру́сья párallel bars

брыз|гать splash; spátter; ~ги spláshes; sparks (*металла*)

брю́ки tróusers

брюне́тка brunétte; dárk-haired girl

брюшно́й abdóminal; ~ тиф týphoid féver

буди́льник alárm clock

буди́ть wake

бу́дка box, cábin, booth

бу́дни wéekday(s)

бу́дничный éveryday; *перен.* dull

бу́дто as if, as though

бу́дущ|ее the fúture; ~ий fúture; в ~ем году́ next year; ~ность fúture

бу́йвол búffalo

бу́й|ный víolent; ~ствовать rage, storm.

бу́кв|а létter; прописна́я ~ cápital létter; ~альный líteral; ~арь ABC

буке́т bóuquet, bunch of flówers

букинисти́ческий: ~ магази́н sécond-hand bóokshop

букси́р túg(boat)

була́вка pin; безопа́сная ~ sáfety pin

бу́л|ка loaf; ~очка roll; ~очная bákery

булы́жник cóbblestone

бульва́р bóulevard

бульдо́г búlldog

бульо́н clear soup, broth

бума́га páper

бума́жник wállet, pócketbook

бума́жный I páper

бума́жный II (*о материи*) cótton

бунт revólt; ríot; ~ова́ть revólt; ~овщи́к rébel

бура́н snówstorm

буре́ние drílling, bóring

буржу|ази́я bourgeoisíe; ~ази́ный bóurgeois

бури́ть bore; drill

бу́рный stórmy, víolent

бу́рый brown

бу́ря storm

бу́сы beads

бутербро́д sándwich

буто́н bud

буты́лка bóttle

бу́фер búffer

буфе́т 1) refréshment room; snack bar; búffet 2) (*шкаф*) sídeboard

буха́нка loaf

бухга́лт|ер bóokkeeper; accóuntant; ~ерия bóokkeeping

бу́хта bay

бушева́ть storm, rage

бы: кто бы э́то мог быть? who could that be?; вы бы присе́ли sit down, won't you?; я хоте́л бы I would like

быва́ть 1) (*находиться*) be 2) (*случаться*) háppen 3) (*посеща́ть*) vísit

бы́вший fórmer, late; ex-

бык bull

бы́стрый quick; rápid, fast

быт mode of life

бытие́ béing, exístence

бытов|о́й éveryday; ~ы́е усло́вия conditions

быть be

бюдже́т búdget

бюллете́|нь 1) búlletin;

избира́тельный ~ vóting pа́per 2) (больничный лист) dóctor's certíficate; быть на ~не be on a sick list

бюро́ óffice, buréau; спра́вочное ~ inquiry-óffice

бюрокра́т búreaucrat; ~и́ческий bureaucrátic, red tape; ~ия buréaucracy

бюст bust

бюстга́льтер brassière, bra

В

в 1) (указывает на местонахождение) in; at (подразумевает посещение); в ва́шем до́ме in your house; at your house (у вас); в теа́тре in the théatre (в здании театра); at the théatre (на представлении) 2) (в значении «вовнутрь») in, ínto; класть в я́щик put in a box; войти́ в дом go ínto a house 3) (указывает на направление) to, for; е́хать в Москву́ go to Móscow; уезжа́ть в Москву́ leave for Móscow 4) (указывает на время) in (о годе, месяце); at (о дне); at (о часе); в 1990 году́ in 1990; в ию́не in June; в сре́ду on Wédnesday; в три часа́ at three o'clock; в про́шлом году́, ме́сяце last year, month

ваго́н cárriage; car (амер.)

вагоновожа́тый tram dríver

ва́жничать put on airs, give onesélf airs

ва́жн|о it is impórtant; ~ость 1) impórtance 2) (надменность) pompósity; ~ый 1) impórtant 2) (надменный) pómpous

ва́за vase

вака́нсия vácancy

вакци́на váccine

вал I воен. rámpart

вал II тех. shaft

вал III (волна) wave

ва́ленки felt boots

вале́т knave

вали́ть throw down; ~ся fall (down)

валю́та cúrrency; конверти́руемая ~ hard cúrrency

валя́ться lie abóut

вам you

ва́ми (by, with) you

ва́нн|а bath; приня́ть ~у have a bath; ~ая báthroom

варёный boiled

варе́нье jam

вариа́нт vérsion; réading, váriant (текста)

вари́ть boil; cook (готовить)

вас you

василёк córnflower

ва́та cótton wool; cótton (амер.); wádding (для подкладки)

ваш your; yours

вбе|га́ть, ~жа́ть run in, come rúnning in

вбива́ть, **вби́ть** drive in

вблизи́ near

вброд: переходи́ть ~ ford

введéние introdúction

ввезти́ *см.* ввози́ть

вверх up, úpwards

вверху́ at the top

вверя́ть entrúst

ввести́ *см.* вводи́ть

ввиду́ in view (of); ~ того́, что since, as

вводи́ть bring in; introdúce

ввоз ímport; ~и́ть impórt

вглубь deep (into); ~ страны́ ínland

вгля́дываться look inténtly, peer ínto

вдалекé, вдали́ in the dístance

вдаль ínto the dístance

вдвóе dóuble the (*с существи́тельным*); twice as (*с прилага́тельным*)

вдвоём togéther

вдвойнé dóuble; twice

вдевáть, вдеть: ~ ни́тку в иго́лку thread a néedle

вдобáвок besídes

вдов|á wídow; ~éц wídower

вдóволь to one's heart's contént

вдогóнку in pursúit of; áfter

вдоль 1. *предлог* alóng 2. *нареч.* léngthways ◇ ~ и попéрёк far and wide

вдохнов|éние inspирátion; ~и́ть(ся) *см.* вдохновля́ть (ся); ~ля́ть inspíre; ~ля́ться becóme inspíred

вдохну́ть *см.* вдыха́ть

вдрéбезги (*разбить*) to píeces, ínto smitheréens

вдруг súddenly

вду́мчивый thóughtful

вдыхáть breathe in, inhále

вегетариáнец vegetárian

вéдома: без егó ~ without his consént

вéдомость régister; платёжная ~ páyroll

вéдомство depártment

ведрó pail

веду́щий léading

ведь but, why

вéер fan

вéжлив|ость cóurtesy, políteness; ~ый cóurteous, políte

вездé éverywhere

везéние luck

везти́ 1) *см.* вози́ть 2) *безл.* ему́ везёт he álways has luck, he is álways lúcky

век age (*эпоха*); céntury (*столетие*)

вéко éyelid

вéксель bill of exchánge; prómissory note (*амер.*)

велéть allów, permít

великáн gíant

вели́к|ий 1) great 2) (*только кратк. формы — слишком большой*) too big (for); сапоги́ ему́ ~и́ the boots are too big for him

великоду́ш|ие generósity, magnanímity; ~ный génerous, big-héarted, magnánimous

великолéпный spléndid, magníficent

вели́чественный majéstic

вели́чие májesty

величинá 1) size 2) *мат.* quántity, válue

велого́нка (bí)cycle race

велосипе́д (bí)cycle; ~и́ст cýclist

вельве́т córduroy; velvetéen

ве́на vein

венге́рский Hungárian

венгр Hungárian

венери́ческий venéreal

ве́ник broom, (straw) bésom

вено́к wreath

вентиля́|тор véntilator; fan; ~ция ventilátion

ве́ра faith; belief

ве́рба pússy wíllow

верблю́д cámel; drómedary (одногорбый)

верб|ова́ть recrúit; ~о́вка recrúitment

верёвка cord; rope (толстая); string (бечёвка)

ве́рить believe

ве́рн|о 1) (правильно) corréctly; right 2) (преданно) fáithfully; ~ость 1) (преданность) fáithfulness 2) (правильность) truth, corréctness

верну́ть (отдать обратно) give back; ~ся come back, retúrn

ве́рный 1) (правильный) corréct, right 2) (преданный) fáithful, true 3) (надёжный) sure

вероло́мный perfídious, tréacherous

вероя́тн|о próbably; I dare say; ~ость probabílity; ~ый próbable

ве́рсия vérsion

верте́ть turn; ~ся turn (round)

вертика́льный vértical

вертолёт hélicopter

ве́рующий relígious pérson

верфь dóckyard

верх 1) top 2) (высшая степень) height ◇ одержа́ть ~ preváil; ~ний úpper

верхо́вный supréme; Верхо́вный Сове́т Supréme Sóviet

верхо́м on hórseback; е́здить ~ ride

верши́на súmmit

вес weight

весели́ться have fun; make mérry

весёлый mérry, gay

весе́лье fun, mérrymaking

весе́нний spring(-)

ве́сить weigh

весло́ oar; scull

весн|а́ spring; ~о́й in spring

весну́шки fréckles

вести́ condúct, lead ◇ ~ дневни́к keep a díary; ~ войну́ wage war; ~ себя́ beháve; ~ хозя́йство keep house

вестибю́ль lóbby

вест|ь news; пропа́сть без ~и be míssing

весы́ scales; bálance (ед. ч.)

весь all

весьма́ híghly

ветвь branch, bough

ве́тер wind

ветера́н véteran

ветерина́р véterinary súrgeon

ве́тка branch ◇ железнодоро́жная ~ branch line

ве́то véto

ве́тхий old, rámshackle

ветчина́ ham

ве́чер évening; ~ом in the évening; сего́дня ~ом toníght; вчера́ ~ом last night

ве́чный etérnal

ве́шалка hállstand; peg (*крючок*); hánger, tab (*на одежде*); hánger (*плечики*)

ве́шать I 1) hang up 2) (*казнить*) hang

ве́шать II (*взвешивать*) weigh

вещество́ súbstance, mátter

ве́щи things, belóngings

вещь thing

ве́ялка wínnowing machíne

ве́ять I (*о ветре*) blow

ве́ять II (*зерно*) wínnow

взад: ~ и вперёд up and down, to and fro, back and forth

взаимн|ость reciprócity; ~ый mútual, recíprocal

взаимовы́годный mútually advantágeous

взаимо|де́йствие interáction; ~отноше́ния relátions, ínterrelátions; ~по́мощь mútual aid; ка́сса ~по́мощи mútual aid fund; ~понима́ние mútual understánding

взаймы́: брать ~ bórrow; дава́ть ~ lend

взаме́н in exchánge

взбеси́ть infúriate; ~ся go mad

взбешённый fúrious, enráged

взве́|сить, ~шивать weigh

взвод platóon

взволнова́ть ágitate, excíte; upsét (*расстроить*); move (*растрогать*)

взгляд 1) look; glance 2) (*мнение*) view

вздор nónsense

вздох deep breath; sigh (*как выражение чувства*); ~ну́ть draw, take a deep breath; sigh

вздра́гивать, вздро́гнуть start, give a start

вздыха́ть sigh

взлёт *ав.* tákeoff

взлете́ть fly up; *ав.* take off ◇ ~ на во́здух (*взорваться*) blow up

взлётн|ый: ~ая полоса́ táke-óff rúnway

взлома́ть break ópen

взмах stroke, flap

взма́х|ивать, ~ну́ть wave; flap (*крыльями*)

взмо́рье beach, séashore, séaside

взнос páyment; чле́нский ~ mémbership dues (*мн. ч.*); вступи́тельный ~ éntrance fee

взойти́ *см.* восходи́ть

взор look; gaze (*пристальный*)

взорва́ть(ся) *см.* взрыва́ть(ся)

взро́слый adúlt; grówn-úp (*разг.*)

взрыв explósion ◇ ~ сме́ха

burst of láughter; ~áть blow up; ~áться explóde, burst

взры́вчат|ый: ~ое вещество́ explósive

взя́тка bribe

взя́точник bríber

взять take; ~ себя́ в ру́ки take onesélf in hand, pull onesélf togéther; ~ся см. бра́ться

вид 1) (внешность) appéarance, look, air, áspect 2) (пейзаж) view 3) (разновидность) varíety 4) биол. spécies

ви́део|за́пись vídeotape recórding ; ~кассе́та vídeo cassétte; ~магнитофо́н vídeotape (recórder); ~фи́льм videofílm

ви́деть see

ви́дим|ость visibílity; ~ый vísible

ви́дн|о безл. 1) one can see; отсю́да всё ~ you can see éverything from here 2) (заметно) it is óbvious; ~ый 1) vísible 2) (выдающийся) próminent

ви́за vísa

визг squeal; yelp (собаки)

визжа́ть squeal; yelp (о собаке)

визи́т vísit; call

ви́лка fork

ви́лы pítchfork

виля́ть: ~ хвосто́м wag its tail

вина́ guilt, fault

винегре́т Rússian sálad

вини́тельный: ~ паде́ж accúsative case

вини́ть blame

вино́ wine

вино́вн|ик cúlprit; перен. cause; ~ый guílty

виногра́д grapes (мн. ч.); ~ник víneyard

виноде́л wínegrower; ~ие wine grówing

винт screw

винто́вка rífle

винтов|о́й: ~áя ле́стница winding stáircase

виолонче́ль 'céllo

виртуо́з éxpert; virtuóso

ви́рус vírus; ~ный: ~ное заболева́ние vírus diséase

ви́селица gállows

висе́ть hang

висо́к témple

високо́сный: ~ год leap year

витами́н vítamin

витри́на shop window; shówcase (музейная)

вить twist; ~ гнездо́ build a nest; ~ венки́ weave wreaths; ~ся 1) (о волосах) curl 2) (о реке, дороге) wind 3) (кружиться) dance; hóver (о птице)

вихрь whírlwind

вице-президе́нт vice-président

ви́шня 1) chérry 2) (дерево) chérry tree

вклад depósit; invéstment; перен. contribútion; ~чик depósitor; invéstor; ~ывать 1) put in; enclóse 2) (*деньги*) invést

включ|**áть** 1) inclúde 2) *эл., радио* switch on; ~**áться** join in; ~**éние** inclúsion; ~**úтельно** inclúsive; ~**úть(ся)** *см.* включáть(ся)

вкрáтце bríefly

вкрутýю: яйцó ~ hárd--boiled egg; сварúть яйцó ~ boil an egg hard

вкус taste; ~**ный** delícious, nice

влáга móisture

владé|**лец** ówner; ~**ние** posséssion; ~**ть** own, posséss; ~**ть собóй** have sélf-contról; ~**ть языкóм** know a lánguage

влáжн|**ость** móisture, humídity; **dámpness** (*сырость*); ~**ый** moist, húmid; damp (*сырой*)

влáст|**вовать** dóminate, rule (*óver*); ~**ный** impérious, despótic

власть 1) pówer; authórity 2) (*владычество*) rule

влéво to the left

влезáть, влезть get (*куда--л.*); climb (*на что-л.*)

влетáть, влетéть fly ínto

влечéние inclinátion

влечь: ~ за собóй invólve, entáil

вливáть pour in; ~**ся** flow ínto

влить(ся) *см.* вливáть(ся)

влия|**ние** ínfluence; ~**тельный** influéntial; ~**ть** ínfluence; have ínfluence

вложúть *см.* вклáдывать

влюб|**úться** *см.* влюбляться; ~**лённый** in love with; ~**ляться** fall in love with

вмéсте togéther ◇ ~ с тем at the same time

вместúмость capácity

вмести|**тельный** spácious; ~**ть** *см.* вмещáть

вмéсто instéad of

вмешáтельство interférence

вмешáться, вмéшиваться interfére

вмещáть contáin, hold

вмиг in the twínkling of an eye

внаём: сдавáть ~ let

внáчале at first

внé óutside, out of; ~ себя́ besíde onesélf

внедря́ть ínculcate; instíl; introdúce (*технику и т. п.*)

внезáпн|**о** súddenly; ~**ый** súdden

внестú *см.* вносúть

внéшн|**ий** 1) óutward, extérnal 2) (*о политике, торговле*) fóreign; ~**ость** extérior; appéarance (*человека*)

внештáтный non-sálaried; frée-lance; not pérmanent

вниз dówn(wards); ~ по лéстнице downstáirs

внизý belów; downstáirs (*в нижнем этажé*)

внимá|**ние** atténtion ◇ принимáть во ~ take ínto considerátion; ~**тельный** atténtive

вничью́: игрá ~ a draw

вновь agáin

237

вноси́ть 1) cárry in, bring in 2) (*пла́ту*) pay (in) ◇ ~ предложе́ние bring a mótion; ~ измене́ния make alterátions; ~ в спи́сок énter on a list

внук grándson

вну́тренн|ий 1) ínner; ínside 2) (*о поли́тике, торго́вле*) home(-); ~ости intéstines; ~ость inté́rior

внутри́ inside; in

внутрь in; ínto; ínside

вну́чка gránddaughter

внуш|а́ть inspíre (with); ~ мысль give *smb.* the idéa (of); put it ínto *smb.'s* head (that); ~е́ние suggéstion; inspirátion; ~и́ть *см.* внуша́ть

вня́тный distínct; áudible

вовлека́ть draw in

вовлече́ние dráwing in

вовле́чь *см.* вовлека́ть

во́время in time

во́все at all; ~ нет not at all

вовсю́ with all one's might

во-вторы́х sécondly

вода́ wáter; ~ из-под кра́на tap wáter

води́тель (*автомаши́ны*) dríver

води́ть 1) lead; condúct 2) (*автомоби́ль*) drive

во́дный wáter(-); aquátic (*о спо́рте*)

водоворо́т whírlpool; éddy

водока́чка wáter tówer (*ба́шня*)

водола́з díver

водонепроница́емый wátertight; wáterproof

водопа́д wáterfall

водопо́й wátering place

водопрово́д wáter pipe (*в до́ме*); с ~ом with wáter laid on; ~чик plúmber

водоро́д hýdrogen

во́доросль séaweed

водоснабже́ние wáter-supply

водохрани́лище réservoir

водяни́стый wátery

водяно́й wáter(-)

воева́ть make war (on); wage war (upón); be at war

военнообя́занный súbject to mílitary sérvice

военноплённый prísoner of war

вое́нно-промы́шленный: ~ ко́мплекс war índustry

вое́нн|ый 1. *прил.* war(-); mílitary; ~ая слу́жба mílitary sérvice; ~ая фо́рма mílitary úniform 2. *сущ.* mílitary man

вожа́тый léader

вождь léader; chíeftain

во́жжи reins

воз cart

возбуди́тель stímulus

возбуди́ть, возбужда́ть excíte; stímulate

возбужде́ние excítement

возбуждённый excíted

возвра́т retúrn

возврати́ть(ся) *см.* возвраща́ть(ся)

возвра́тный *грам.* refléxive

возвраща́|ть retúrn; ~а́ться retúrn, come back; ~е́ние retúrn

возвы́|сить, ~ша́ть raise;

~шéние elevation; éminence; plátform (*помост*)

возвы́шенн|ость height; **~ый** high, élevated; lófty, exálted (*о мыслях, чувствах*)

возглáв|ить, ~ля́ть be at the head of

во́зглас exclamátion; óutcry

воздв|игáть, ~и́гнуть eréct

воздéйств|ие influence; **~овать** influence

воздержá|ние absténtion (from); **~ться** *см.* воздéрживаться

воздéрживаться abstáin (from); refráin (from)

во́здух air

воздýшн|ый air(-); **~ое сообщéние** air tránsport

воззвáние proclamátion; appéal

вози́ть cárry (*груз*); drive, take (*кого-л. на автомобиле и т. п.*); draw (*тележку*)

вози́ться 1) be búsy with 2) (*резвиться*) romp

возлагáть lay (on); **~ надéжды** place one's hopes (on)

во́зле by, near

возложи́ть *см.* возлагáть

возлю́бленн|ая *сущ.* swéetheart, belóved; místress (*любовница*); **~ый** 1. *прил.* belóved 2. *сущ.* swéetheart, belóved; lóver (*любовник*)

возмéздие véngeance; retribútion

возме|сти́ть, ~щáть cómpensate; **~щéние** compensátion

возмóжн|о 1. *безл.* it is póssible **2.** *вводн. сл.* póssibly; perháps; óчень **~** véry líkely **3.** *нареч.* as... as póssible; **~ость** possibílity; opportúnity (*удобный случай*); **~ости** means; **~ый** póssible; líkely

возму|ти́тельный outrágeous; **~ти́ться, ~щáться** be indígnant; **~щéние** (*негодование*) indignátion; **~щённый** indígnant

вознагра|ди́ть, ~ждáть rewárd, récompense; **~ждéние** rewárd, récompense

возник|áть aríse; **~новéние** órigin, rise, beginning

возни́кнуть *см.* возникáть

возня́ 1) (*шум*) noise 2) (*хлопоты*) bóther

возобнов|и́ть *см.* возобновля́ть; **~лéние** renéwal; **~ля́ть** renéw; resúme

возра|жáть objéct; **~жéние** objéction; **~зи́ть** *см.* возражáть

во́зраст age

возро|ди́ть revíve; regénerate; **~ди́ться** revíve; **~ждáть(ся)** *см.* возроди́ть(ся); **~ждéние** revíval; эпóха Возрождéния Renáissance

во́ин wárrior, sóldier; **~ский** mílitary; **~ская обя́занность** mílitary dúty

вои́нственный wárlike; mártial

вой howl

войнá war

войскá troops

войти́ *см.* входи́ть

вокза́л (railway) státion

вокру́г (a)róund

вол ox, búllock

волды́рь blíster

волево́й stróng-willed

волейбо́л vólleyball

во́лей-нево́лей wílly-nílly

волк wolf

волна́ wave

волне́ние 1) (*душевное*) agitátion, emótion 2) (*народное*) unrést

волни́стый wávy

волнова́ть excíte (*возбуждать*); upsét, wórry (*беспокоить*); ~ся be excíted (*быть возбуждённым*); be upsét, wórry (*беспокоиться*)

волну́ющий excíting, thrílling

волокно́ fíbre, fílament

во́лос a hair; ~ы hair (*ед. ч.*)

во́лчий wólfish

волше́бник magícian

волше́бный mágic, enchánting

во́льный free

вол|я́ 1) will; си́ла ~и wíllpower 2) (*свобода*) fréedom

вон! get out!

вон|ь stench, stink; ~я́ть stink

вообра|жа́ть imágine, fáncy; ~же́ние imaginátion; ~зи́ть *см.* вообража́ть

вообще́ génerally, on the whole; ~ не at all; я его́ ~ не зна́ю I don't know him at all

воодушев|и́ть *см.* воодушевля́ть; ~ле́ние enthúsiasm; ~ля́ть inspíre

вооружа́ть arm; ~ся arm onesélf

воору́ж|е́ние ármament; ~ённый armed; ~ённое восста́ние armed rísing; ~и́ть(ся) *см.* вооружа́ть(ся)

во-пе́рвых in the first place

вопию́щ|ий crýing; ~ая несправедли́вость crýing injústice

вопло|ти́ть, ~ща́ть embódy

вопль cry, wail

вопреки́ in spite of, despíte, cóntrary to

вопро́с quéstion; ~и́тельный interrógative; ~и́тельный знак quéstion mark

вор thief

ворва́ться burst into

воробе́й spárrow

воров|а́ть steal; ~ство́ theft

во́рон ráven

воро́на crow

воро́нка fúnnel; cráter (*от снаряда*)

воро́та gate

вороти́|к, ~чо́к cóllar

ворча́ть grúmble; growl (*о собаке*)

ворчли́вый quérulous; grúmpy

восемна́дца|тый eightéenth; ~ть eightéen

во́семь eight; ~деся́т éighty; ~со́т eight húndred

воск wax

воскли|кнуть exclaím; ~ца́ние exclamátion; ~ца́-

тельный exclámatory; ~ца́-
тельный знак exclamátion
mark

воскресе́нье Súnday

воспале́ние inflammátion;
~ лёгких pneumónia

воспита́ние educátion;
úpbringing

воспи́танник púpil

воспи́танный wéll-bréd

воспита́ть, воспи́тывать
bring up; raise (*амер.*)

воспламен|и́ться, ~я́ться
be inflámed (*тж. перен.*);
catch fire (*загоре́ться*)

воспо́льзоваться use, make
use of; ~ слу́чаем seize the
opportúnity

воспомина́н|ие re-
colléction, remémbrance; ~ия
лит. reminíscences, mémoirs

воспре|ти́ть, ~ща́ть pro-
híbit, forbíd; ~ща́ться: кури́ть
~ща́ется! no smóking!

восприи́мчивый sus-
céptible; ~ня́ть grasp;
~я́тие percéption

воспроиз|вести́, ~води́ть
1) reprodúce 2) (*в па́мяти*)
recáll

воспря́нуть: ~ ду́хом cheer
up

восстава́ть rise; revólt,
rebél

восстана́вливать 1) restóre
2) (*си́лы, здоро́вье*) recóver
3) (*в па́мяти*) revíve one's
mémory of 4) (*кого́-л. про́-
тив*) put smb. agáinst

восста́ние revólt, in-
surréction, rebéllion

восстанов|и́ть *см.* восста-
на́вливать; ~ле́ние re-
storátion

восста́ть *см.* восстава́ть

восто́к east; Да́льний Вос-
то́к the Far East; Бли́жний
Восто́к the Near East;
Сре́дний Восто́к the Middle
East

восто́рг delight, enthúsiasm;
~а́ться be delighted, be
enthusiástic

восто́чный éastern, oriéntal

востре́бован|ие: до ~ия
poste restánte

восхити́|тельный de-
líghtful; delícious (*вку́сный*);
~ть *см.* восхища́ть

восхищ|а́ть delight;
enchánt; ~а́ться admíre;
~е́ние admirátion

восхо́д: ~ со́лнца súnrise

восхожде́ние ascént (of)

восьмидеся́тый éightieth

восьмо́й eighth

вот here; ~ он! here he is!;
~ э́тот this one; ~ хорошо́!
spléndid!; ~ как? réally?; ~ и
всё that's all

воткну́ть thrust in

вошь louse

вою́ющий belligerent

впада́ть fall into

впа́дина hóllow; глазна́я ~
eye sócket

впасть *см.* впада́ть

впервы́е for the first time;
я здесь ~ it's my first time
here

вперёд fórward

впереди in front of; befóre, ahéad (of)

впечатле́ние impréssion

вписа́ть, впи́сывать insért; énter (*в список*)

впита́ть, впи́тывать absórb; *перен.* imbíbe

вплотну́ю close (by)

вплоть до down to, up to

вполго́лоса in an úndertone, in a low voice; напева́ть ~ hum

вполне́ quite, pérfectly

впопыха́х in one's haste

впо́ру: быть ~ fit (*об одежде, обуви*)

впосле́дствии áfterwards, láter

впотьма́х in the dark

вправ|ить, ~ля́ть (*о кости*) set (a bone)

впра́во to the right

впредь in fúture

в продолже́ние dúring

впро́чем howéver; but

впры́с|кивание injéction; ~кивать, ~нуть injéct

впус|ка́ть, ~ти́ть let in

впусту́ю all for nóthing

враг énemy; *поэт.* foe

враж|да́ hostílity; ~де́бный hóstile

вра́жеский hóstile, énemy('s)

вразбро́д in disórder, hapházardly; rággedly (*недру́жно*)

вразре́з cóntrary (to)

врасплóх unawáres; by surpríse

врата́рь *спорт.* góalkeeper

врать lie, tell lies

врач dóctor

враче́бный médical

вращ|а́ть, ~а́ться revólve; turn; ~е́ние rotátion

вред harm, ínjury; dámage

вреди́тель *с.-х.* pest

вреди́ть harm, ínjure; dámage

вре́дный hármful, bad; unhéalthy (*нездоро́вый*)

вре́менн|о témporarily; ~ый témporary; provísional

вре́мя 1) time 2) *грам.* tense

вро́де like, such as

врождённый inhérent, inbórn

врозь apárt, séparately

вруч|а́ть hand (in), delíver; ~е́ние delívery; bestówal (*ордена и т. п.*); ~и́ть *см.* вруча́ть

врыва́ться *см.* ворва́ться

вряд ли scárcely; (be) unlíkely (to)

вса́дник ríder, hórseman

вса́сывать soak up, absórb

все all; éverybody

всё all; éverything; ~ равно́ it's all the same

всевозмо́жный várious, all kinds of

всегда́ álways

вселе́нная úniverse

всел|и́ть, ~я́ть instáll; move in; *перен.* inspíre

всеми́рный world(-); univérsal; Всеми́рный конгре́сс сторо́нников ми́ра World Peace Cóngress

всенаро́дный nátional, nátion-wide

всеббщ|ий général, univérsal; ~ee избира́тельное пра́во univérsal súffrage

всерьёз sériously, in éarnest

всесторо́нний thórough; comprehénsive; áll-róund

всё-таки yet, still, névertheléss

всеце́ло entírely

вска́кивать jump up

вска́пывать dig up

вскипа́ть, вскипе́ть boil up; *перен.* seethe

вскипяти́ть boil

вскользь cásually, by the way

вско́ре soon, in a short time

вскочи́ть *см.* вска́кивать

вскри́к|ивать, ~нуть cry out

вскрыва́ть 1) ópen 2) (*обнару́живать*) find out, discóver; expóse (*разоблача́ть*) 3) (*труп*) disséct, make a postmórtem examinátion

вскры́|тие *анат.* postmórtem, áutopsy; ~ть *см.* вскрыва́ть

вслед áfter

всле́дствие in cónsequence of, ówing to

вслух alóud

всма́триваться *см.* вгля́дываться

всмя́тку: яйцо́ ~ sóft-boiled

egg; свари́ть яйцо́ ~ boil an egg lightly

всоса́ть *см.* вса́сывать

вспаха́ть, вспа́хивать plough up

всплыва́ть, всплыть come to the súrface; emérge

вспомина́ть, вспо́мнить recolléct, remémber; recáll

вспомога́тельный auxíliary

вспыли́ть fire up, flare up, blaze up

вспы́льчив|ость irascíbility; ~ый hót-témpered

вспы́х|ивать, ~нуть flash; flare up; *перен.* burst out, break out

вспы́шка flare, flash; *перен.* óutburst, óutbreak

встава́ть get up; rise

встав|ить *см.* вставля́ть; ~ка 1) insértion 2) (*в пла́тье*) ínset

вставля́ть insért; put in

встать *см.* встава́ть

встрево́жить alárm; ~ся be alármed; take fright (*испуга́ться*)

встре́тить(ся) *см.* встреча́ть(ся)

встре́ч|а 1) méeting 2) (*приём*) recéption; ~а́ть 1) meet 2) (*принима́ть*) recéive; ~а́ть Но́вый год see the New Year in; ~а́ться meet; ~ный cóntrary; cóunter(-)

вступ|а́ть énter; ~ в па́ртию join the párty; ~и́тельный éntrance(-); introdúctory; ~и́тельный взнос éntrance fee; ~и́тельное сло́во ópening addréss; ~йть *см.* вступа́ть; ~ле́ние 1) (*куда-л.*) éntry 2) (*к чему-л.*) introdúction

всходи́ть 1) (*поднима́ть-ся*) ascénd; mount 2) (*о све-тилах*) rise 3) (*о семена́х*) sprout

всхо́ды shoots

всю́ду éverywhere

вся all

вся́кий 1. *прил.* ány; évery (*ка́ждый*) 2. *в знач. сущ.* ányone, éveryone

вся́ческий in évery way

вта́йне sécretly, in sécret

в тече́ние dúring; ~ неде́ли шёл дождь it rained for a week; ~ всего́ дня the whole day long

втор|га́ться, вто́ргнуться inváde; ~же́ние intrúsion (ínto); invásion (of)

втори́чно for the sécond time

вто́рник Túesday

второ́й sécond

второстепе́нный sécondary; mínor

в-тре́тьих thírdly

втро́е three times (as)

втроём the three of (us, you, them), all three

втя́гивать, втяну́ть 1) draw in 2) (*вовлека́ть*) invólve

вуа́ль veil

вуз (*вы́сшее уче́бное заве-де́ние*) hígher educátional ínstitute; univérsity, cóllege

вулка́н volcáno

вульга́рный vúlgar

вход éntrance; ~ воспреща́-ется! no admíttance!

входи́ть go in, come in, énter; войди́те! come in!; come! (*амер.*)

вчера́ yésterday; ~шний yésterday's; ~шний день yésterday

вче́тверо four times (as)

вчетверо́м the four of (us, you, them), all four

въезд 1) (*де́йствие*) éntry 2) (*ме́сто*) drive, éntrance

въезжа́ть, въе́хать 1) drive (in); ride in (*на велосипе́де, верхо́м на лоша́ди*) 2) (*в кварти́ру*) move (ínto)

вы you

выбира́ть 1) choose; seléct (*отбира́ть*) 2) (*голосова́ни-ем*) eléct

вы́бор choice; seléction (*отбор*)

вы́борный 1. *прил.* eléctive; vóting (*относящий-ся к вы́борам*) 2. *сущ.* délegate

вы́боры eléctions

выбра́сывать throw out; throw awáy

вы́брать *см.* выбира́ть

вы́бросить *см.* выбра́сы-вать

выбыва́ть, вы́быть leave

выва́ливать, вы́валить throw out; pour out

вы́везти *см.* вывози́ть

вы́вернуть *см.* вывора́чи-вать

вы́вернуться wríggle out

(of a difficulty); éxtricate onesélf

вы́весить см. вывешивать

вы́веска sign (board)

вы́вести см. выводи́ть

выве́шивать hang out

вы́винтить, вывинчивать unscréw

вы́вих *мед.* dislocátion; ~нуть díslocate

вы́вод 1) (*войск.*) evacuátion, remóval 2) (*за-ключение*) conclúsion; не спеши́те с ~ами don't rush to the conclúsions; ~и́ть 1) lead out 2) (*уничтожать*) extérminate; remóve (*пятно*) 3) (*делать заключение*) conclúde

вы́воз éxport; ~и́ть expórt

вывора́чивать (*наизнанку*) turn inside out

вы́гадать, выга́дывать gain; save

выгиба́ть bend

вы́гладить см. гла́дить 2)

вы́глядеть look

выгля́дывать, вы́глянуть look out

вы́гнать см. выгоня́ть

вы́гнуть см. выгибать

вы́говор 1) réprimand 2) (*произношение*) pronun-ciátion, áccent

вы́год|а prófit; advántage; ~ный prófitable; advantágeous

вы́гон pásture land

выгоня́ть drive awáy, turn out

выгружа́ть, вы́грузить unlóad

вы́грузка unlóading; dis-embarkátion (*с корабля*); de-tráining (*из вагона*)

выдава́ть, вы́дать 1) give out, distríbute 2) (*предавать*) give awáy, betráy

вы́дача 1) delívery; dis-tribútion 2) (*преступника*) extradítion

выдаю́щийся outstánding; (*о человеке тж.*) próminent

выдвига́ть, вы́двинуть put fórward; promóte (*на долж-ность, работу*)

выдвиже́ние 1) nominátion 2) (*по работе*) promótion

вы́делить см. выделя́ть

вы́делка 1) (*изготовле-ние*) manufácture 2) (*качест-во*) make, quálity

выде́лывать 1) make, manufácture; prodúce 2) (*об-рабатывать кожу*) dress léather

выделя́ть 1) (*отбирать*) pick out 2) (*отличать*) distínguish; síngle *smb.* out

вы́держ|анный 1) sélf-contrólled 2) (*сыр, табак и т. п.*) ripe, séasoned; ~ать см. выде́рживать; ~ать экза́-мен pass an examinátion

выде́рживать bear, endúre, stand

вы́держка I (*самооблада-ние*) sélf-contról, fírmness

вы́держка II (*из статьи, книги*) éxtract

вы́дох expirátion

вы́дохнуть breathe out

вы́дра ótter

ВЫД

вы́дум|ать *см.* выду́мывать; ~ка invéntion

выду́мывать invént; make up (*сочинять*)

вы́езд depárture

выезжа́ть, вы́ехать go awáy, leave; depárt

выжа́ть squeeze out; wring out (*бельё*)

выжива́ть survíve; stay alíve

выжима́ть *см.* выжать

вы́жить *см.* выжива́ть

вы́звать *см.* вызыва́ть

выздора́вливать, вы́здороветь get well, recóver

выздоровле́ние recóvery

вы́зов 1) call 2) (*на соревнова́ние*) chállenge

вызыва́ть 1) call 2) (*на соревнова́ние*) chállenge 3) (*возбужда́ть*) cause; ~ интере́с aróuse ínterest

вызыва́ющий provócative; defíant

вы́играть, выи́грывать win

вы́игрыш gain; prize; ~ный wínning; *перен.* advantágeous; ~ный заём lóttery loan; ~ная роль rewárding part

вы́йти *см.* выходи́ть 1) *и* 2)

выки́дывать throw out

вы́кидыш abórtion; miscárriage

вы́кинуть *см.* выки́дывать

выкла́дывать spread, lay out

выключа́тель switch

выключа́ть, вы́ключить

ВЫМ

turn out (*свет*); turn off (*газ, во́ду*)

вы́копать dig up; dig out (*отко́пать*)

вы́кормить 1) (*ребёнка*) bring up 2) (*дома́шних живо́тных*) rear; raise (*амер.*)

выкорчева́ть, выкорчёвывать stub (up); *перен.* root out; erádicate

вы́крик cry, shout

вы́кроить cut out

вы́кройка páttern

выкупа́ть bathe

вы́купить redéem; ránsom (*пле́нного*)

выку́ривать, вы́курить (*отку́да-л.*) smoke out

выла́вливать fish out

вы́лазка sálly

вылеза́ть, вы́лезти 1) get out (of) 2) *см.* выпада́ть 2)

вы́лет tákeoff; plane depárture

вылета́ть, вы́лететь fly out; *ав.* start

вылечивать, вы́лечить cure

вылива́ть, вы́лить pour out

вы́ловить *см.* выла́вливать

вы́ложить *см.* выкла́дывать

вым|ере́ть, ~ира́ть die out; becóme extínct (*о поро́де живо́тных*)

вымог|а́тельство extórtion; ~а́ть extórt

вы́мысел fíction, invéntion

вы́мыть wash; ~ посу́ду wash up

вы́мя údder

вы́нести см. **выноси́ть**

вынима́ть take out; extráct (*извлекáть*)

выноси́ть 1) take out, cárry out 2) (*терпеть*) endúre; не выношу́ eró! I can't bear (stand) him! ◇ ~ пригово́р séntence; ~ резолю́цию pass a resolútion; ~ реше́ние make a decísion

вынóслив|ость endúrance; ~ый tough; hárdy (*тж. о растениях*)

вы́нудить, **вынужда́ть** force, compél

вы́нужденный forced

вы́нуть см. **вынима́ть**

вы́пад attáck

выпада́ть, **вы́пасть** 1) fall 2) (*о волосах*) come out

выпека́ть, **вы́печь** bake

выпива́ть drink; take (*кофе, чай*)

вы́писать 1) write out 2) (*заказать*) órder

вы́писка 1) éxtract cútting 2) (*из больницы*) dischárge

выпи́сывать см. **вы́писать**

вы́пить см. **выпива́ть**

вы́плав|ить smelt; ~ка 1) smélting 2) (*металл*) smélted métal; ~лять smelt

вы́пл|ата páyment; ~атить, ~а́чивать pay (off)

выполне́ние 1) fulfilment 2) (*обязанностей и т. п.*) execútion

вы́полн|ить, ~я́ть cárry out, fulfil

вы́полоскать rinse out

вы́править, **выправля́ть** 1)

stráighten (out) 2) (*исправля́ть*) corréct

вы́пуклый 1) convéx 2) (*рельефный*) in relief 3) (*выступающий*) próminent; búlging (*о глазах*)

вы́пус|к 1) (*продукции*) óutput 2) (*журнала, денег*) íssue 3) (*часть издания*) prínting, edítion; ~ка́ть 1) (*на свободу*) reléase; let out (*из окна, двери и т. п.*) 2) (*издавать*) públish; íssue 3) (*пропускать*) omít

выпускни́к final-year stúdent; (*школьник*) léaver

выпускнóй final-year; léavers'

вы́пустить см. **выпуска́ть**

выпу́таться, **выпу́тываться** éxtricate onesélf; ~ из беды́ get onesélf out of a scrape

выраба́тывать, **вы́работать** 1) prodúce 2) (*план*) work out

вы́работка 1) manufácture; óutput (*продукция*) 2) (*составление*) elaborátion, dráwing up

выраж|а́ть expréss; ~е́ние expréssion ◇ ~е́ние лица́ expréssion

вырази́тельный expréssive

вы́разить см. **выража́ть**

выраста́ть, **вы́расти** grow

вы́растить, **выра́щивать** 1) (*детей*) bring up; raise (*амер.*) 2) (*растения*) grow, raise

вы́рвать см. **вырыва́ть** I

вы́рез|ать cut out; ~ка (*га-*

зетная) cútting, clípping; (*сорт мяса*) fillet

вы́ро|**диться**, ~жда́ться degénerate; ~жде́ние degenerátion

вы́ронить drop

вы́ругать scold; ~ся swear

выруча́ть, **вы́ручить** 1) help *smb.* out; save (*спасти*) 2) (*деньги*) gain

вырыва́ть I pull out; extráct (*зуб*); tear out (*страницу*); snatch out (*из рук*)

вырыва́ть II, **вы́рыть** dig; dig up

вы́садить(ся) см. выса́живать(ся)

вы́садка disembarkátion; lánding (*с судна*); detráinment (*с поезда*); ~ деса́нта lánding; descént

выса́живать, ~ся (*на берег*) land, disembárk

выселе́ние evíction

вы́сел|**ить**, ~**я́ть** evíct

вы́сказать(ся) см. выска́зывать(ся)

выска́зыва|**ние** opínion, sáying; ~ть, ~ться speak out; expréss an opínion

вы́скочить jump out; leap out

вы́скочка *разг.* úpstart

вы́слать см. высыла́ть

вы́следить trace, track

вы́слуг|**а**: за ~у лет for length of sérvice

вы́слушать, **выслу́шивать** 1) hear 2) *мед.* sound

высме́ивать rídicule, make fun (of)

высо́кий high; tall (*рослый*)

высокока́чественный high-quálity

высокоме́рный supercílious, pátronizing

высокоопла́чиваемый well-páid

высота́ height; áltitude

вы́сохнуть см. высыха́ть

вы́спаться have a good sleep; have *one's* sleep out

вы́ставить см. выставля́ть

вы́став|**ка** exhibítion; ~**ля́ть** 1) (*вперёд*) push fórward; advánce 2) (*напоказ*) exhíbit, displáy

вы́стрел shot; ~ить shoot, fire (a shot)

выступа́ть, **вы́ступить** 1) come fórward 2) (*с речью*) speak

выступле́ние 1) (*войск*) start; depárture 2) (*публичное*) (públic) appéarance; speech (*речь*); perfórmance (*на сцене*)

вы́сунуть put out, thrust out

высу́шивать, **вы́сушить** dry

вы́сш|**ий** higher; the híghest; the supréme; ~ сорт best quálity; ~**ая** матема́тика hígher mathemátics; ~**ее** образова́ние hígher educátion

высыла́ть 1) (*посылку и т. п.*) send 2) (*административно*) éxile, bánish

высыха́ть dry up

выта́скивать, вы́тащить 1) draw out 2) (*украсть*) steal

вытек|а́ть 1) (*из сосуда*) run out (of) 2) (*о реке*) have its source in 3) (*являться следствием*) fóllow; отсюда ~а́ет, что (hence) it fóllows that

вы́тереть *см.* вытира́ть

вы́тесн|ить, ~я́ть force smb. out; supplánt (*выжить*)

вы́течь *см.* вытека́ть 1)

вытира́ть wipe; dry (*досуха*)

выть howl

вытя́гивать, вы́тянуть 1) draw out; extráct 2) (*растя́гивать*) stretch, pull out

вы́учить 1) (*что-л.*) learn 2) (*кого-л.*) teach, train

выхлопн|о́й: ~ы́е га́зы exháust

вы́ход éxit; way out (*тж. перен.*); друго́го ~а не́ было there was no altérnative; ~и́ть 1) go out 2) (*о книге и т. п.*) come out 3) (*об окне́*) look out (on) ◇ ~и́ть из себя́ lose one's témper

выходно́й: ~ день day off

вы́цвести, выцвета́ть fade

вычёркивать, вы́черкнуть cross out, strike out, cáncel

вы́честь *см.* вычита́ть

вы́чет dedúction

вычисли́тельный cálculating, compúting

вы́числ|ить, ~я́ть cálculate

вы́чистить clean, pólish; brush (*щёткой*)

вычита́|ние *мат.* sub-

tráction; ~ть 1) dedúct 2) *мат.* subtráct

вы́ше 1. *прил.* hígher; táller (*ростом*) **2.** *нареч.* 1) hígher 2) (*раньше*) abóve; смотри́ ~ see abóve; как ска́зано ~ as státed abóve 3. *предлог* abóve; ~ нуля́ abóve zéro

вышеупомя́нутый abóve-méntioned

вышива́ть embróider

вы́шивка embróidery

вышина́ height

вы́шить *см.* вышива́ть

вы́яв|ить, ~ля́ть discóver; revéal

выясне́ние elucidátion, cléaring up

вы́ясн|ить, ~я́ть elúcidate; ascertáin, find out (*узнать*)

вьюга snówstorm

вяз elm

вяза́ние knítting

вяза́ть knit

вя́зкий sticky; víscous; swámpy (*топкий*)

вял|ость lángour; ~ый lánguid

вя́нуть wíther; fade, lose heart (*о человеке*)

Г

га́вань hárbour, port

гада́ть 1) (*предполагать*) guess; conjécture (*угады́вать*) 2) (*кому-л. на ка́ртах и т. п.*) tell fórtunes

гáд|**кий** vile; násty, hórrid; ~ость 1) trash, muck 2) (*подлость*) dírty trick

гадю́ка ádder; víper

газ *хим.* gas

газéта néwspaper

гáзовый gas; ~ завóд gás-works

газóн lawn, turf

газопровóд gásmain

гáйка nut; fémale screw

галантерéйный: ~ магази́н háberdashery

галерéя gállery

гáлка jáckdaw, daw

галóпом at a gállop

галóши galóshes; rúbbers

гáлстук tie

гáмма *муз.* scale; *перен.* gámut

гантéли dúmbbells

гарáж gárage

гаранти́ровать guarantée

гарáнтия guarantée

гардерóб 1) clóakroom 2) (*шкаф*) wárdrobe 3) (*одежда*) wárdrobe

гарди́ны cúrtains

гармóния hármony

гарнизóн gárrison

гарни́р gárnish; végetables

гарниту́р set; suit

гаси́ть extínguish, put out

гáснуть go out

гастрóли tour (*ед. ч.*); guéstperformance (*ед. ч.*)

гастронóм food store(s); food shop; delicatéssen (*амер.*)

гвозди́ка I (*цветок*) carnátion

гвозди́ка II (*пряность*) clove

гвоздь nail

где where

гдé-либо, гдé-нибудь, гдé--то sómewhere, ánywhere

генерáл géneral

генерáльный géneral; básic

гениáльн|**ый** of génius, great; ~ человéк génius; ~ труд the work of génius; ~ая идéя spléndid (brílliant) idéa

гéний génius

геóгр|**аф** geógrapher; ~афи́ческий geográphical; ~áфия geógraphy

геó|**лог** geólogist; ~логи́ческий geológical; ~лóгия geólogy; ~метри́ческий geométrical; ~мéтрия geómetry

герáнь geránium

герб arms; госудáрственный ~ State émblem

гермети́чески hermétically

геро|**и́зм** héroism; ~и́ня héroine; ~и́ческий heróic

герóй héro; Герóй Совéтского Сою́за Héro of the Sóviet Únion

ги́бель ruin; ~ный rúinous; fátal, disástrous

ги́бкий fléxible, súpple, pliánt

гигáнт gíant; ~ский gigántic

гигиéна hýgiena

гид guide

гидро|**плáн** *ав.* hýdroplane; ~стáнция wáterpower státion, hýdroeléctric státion

ги́льза (cártridge) case

гимн hymn; госуда́рственный ~ nátional ánthem

гимна́стика gymnástics

гипно́з 1) (сила) hýpnotism 2) (состояние) hypnósis

гипо́теза hypóthesis

ги́псовый pláster

ги́ря weight

гита́ра guitár

глава́ I head

глава́ II (в книге и т. п.) chápter

главнокома́ндующий Commánder-in-Chíef

гла́вн|ый chief, main; príncipal; ~ го́род cápital (столица) ◇ ~ым о́бразом máinly, móstly

глаго́л грам. verb

гла́дить 1) (ласкать) stroke, caréss 2) (белье) íron

гла́дкий smooth

глаз eye ◇ за ~а́ behínd smb.'s back; говори́ть с ~у на ~ have a prívate talk; ~но́й eye(-); ~но́й врач óculist

гла́нды tónsils

гла́сность ópenness; glásnost

гла́сный (звук) vówel

гли́на clay

глист intéstinal worm

глоба́льный glóbal

гло́бус globe

глота́ть swállow

гло́тк|а throat; во всю ~у at the top of one's voice

глото́к sip; gulp

гло́хнуть grow deaf

глуб|ина́ depth; ~о́кий deep; перен. тж. profóund; ~о́кая таре́лка soup plate; ~о́кая о́сень late áutumn

глуп|ость stupídity; nónsense (бессмыслица); ~ый fóolish; sílly; stúpid (тупой)

глух|о́й deaf ◇ ~о́е ме́сто óut-of-the-wáy place; ~онемо́й deaf mute; ~ота́ déafness

глушь wílderness; thícket (лесная)

глы́ба clod (земли́); block (льда)

гляде́ть look

гнать drive; chase, drive awáy (прогонять)

гнев ánger; ~ный ángry

гнездо́ nest

гнёт press; weight; перен. oppréssion; yoke (иго)

гни|е́ние rótting; decáy, corrúption; ~ло́й rótten; decáyed; ~ть rot; decáy

гной pus, mátter; ~ный púrulent; séptic; мед. súppurative

гну́сный vile, disgústing

гнуть, ~ся bend

говори́ть talk, speak; могли́ бы Вы ~ ме́дленнее? speak slówly, please

говя́дина beef

год year; про́шлый ~ last year; бу́дущий ~ next year; Но́вый ~ New Year's Day

годи́|ться do, be súitable;

это (никуда́) не ~тся! that won't do!

годи́чный ánnual

го́дный 1) fit 2) (*действи́тельный*) válid

годов|о́й ánnual; ~щи́на anniversary

гол goal; заби́ть ~ score a goal

голла́ндец Dútchman

голла́ндский Dutch

голов|а́ head; ~но́й: ~на́я боль héadache; ~но́й убо́р hat

го́лод húnger; starvátion; fámine (*бедствие*); ~а́ть starve

голо́д|ный húngry; я го́лоден I'm húngry; ~о́вка húnger strike

гололёд ícing; сего́дня ~ it's áwfully slíppery todáy

го́лос 1) voice 2) (*избира́тельный*) vote; ~ова́ние vóting; pólling; та́йное ~ова́ние bállot, sécret vóting; ~ова́ть vote

голубо́й light-blue

го́лубь pígeon, dove; ~ ми́ра the dove of peace

го́лый náked

го́льфы knée-length socks

гомеопа́т hómoeopath; ~ия homoeópathy

гоне́ние persecútion

го́нка haste, húrry; ~ вооруже́ний ármaments race

го́нки *спорт.* ráces

гонора́р páyment; fee; róyalties

гоня́ть drive; chase

гора́ móuntain

гора́здо much, far

горб hump, hunch; ~а́тый húmp-backed; ~и́ться stoop; ~у́н húnchback

горди́ться be proud of

го́рд|ость pride; ~ый proud

го́ре grief; ~ва́ть grieve

горе́лка búrner

горе́ть 1) burn; be on fire 2) (*блестеть*) spárkle

го́рец híghlander

го́речь bítterness

горизо́нт horízon; ~а́льный horizóntal

гори́стый móuntainous

го́рл|о throat; ~ышко (*буты́лки*) bóttleneck

гормо́н hórmone

горн *муз.* bugle

горнолы́жный: ~ спорт móuntain skiing

го́рн|ый 1) móuntain(ous) 2) (*о промышленности*) míning; ~я́к míner

го́род town; cíty; ~ско́й town(-); úrban; munícipal (*об учреждениях*)

горожа́нин tównsman, cíty dwéller

горо́х pea(s)

горсть hándful

горта́нь lárynx

горчи́|ца mústard; ~чник mústard pláster

горшо́к pot

го́рький bítter

горю́чее fuel

горя́чий hot; warm (*о при-*

ёме, встрече); árdent (*страстный*)

горячи́ться fly ínto a pássion

го́спиталь (military) hóspital

госпо́дств|о suprémacy; dominátion; ~овать dóminate; prevail (*преобладать*); ~ующий dóminant; prevailing (*преобладающий*)

гостеприи́мный hóspitable

гости́ница hotél; inn (*небольшая*)

гост|ь guest; vísitor; пойти́ в ~и pay a vísit; быть в ~я́х be on a vísit

госуда́рственный State

госуда́рство State

гото́в|ить prepáre, make réady; cook (*пищу*); ~иться get réady, prepáre; ~ый 1) réady 2) (*о платье*) réady-máde

грабёж róbbery

граби́тель róbber

гра́бить rob; plúnder

гра́бли rake (*ед. ч.*)

гра́вий grável

гравю́ра engráving, print; étching (*офорт*)

град hail

гра́дус degrée; ~ник thermómeter

гражд|ани́н cítizen; ~а́нский cívil; ~а́нство cítizenship; приня́ть ~а́нство be natúralized

грамза́пись (grámophone) recórding

грамм grám(me)

грамма́тика grámmar

гра́мот|а 1) réading and wríting 2) (*документ*) credéntials (*мн. ч.*); ~ность líteracy; ~ный líterate; éducated

грана́т pómegranate

грана́та grenáde

грани́т gránite

грани́|ца 1) (*государственная*) fróntier; bóundary 2) (*предел*) límit; ~чить (*с чем-л.*) bórder (upón); *перен.* verge

грань side; fácet

графа́ cólumn

гра́фик schédule

гра́фика dráwing; gráphic art

графи́н decánter

грацио́зный gráceful

гра́ция grace

грач rook

гребёнка, гре́бень comb

гребе́ц óarsman

гре́бля rówing

грёзы dáydreams

грек Greek

гре́лка hót-water bóttle; hót-water bag (*амер.*); eléctric pad (*электрическая*)

греме́ть ráttle, thúnder (*о громе*)

грести́ row

греть warm; ~ся warm onesélf

грех sin

гре́цкий: ~ оре́х wálnut

гре́ческий Greek

гречи́ха búckwheat

гриб múshroom

гри́ва mane

грим ма́ке-up

грима́с|а grimáce; ~ничать make fáces

грипп 'flu

гроб cóffin

гроза́ thúnderstorm, storm

грози́ть thréaten

гро́зный térrible (стра́шный); ménacing (угрожающий)

гром thúnder ◇ ~ аплодисментов storms of applause

грома́дный enórmous

гро́мк|ий loud; ~оговори́тель loud spéaker

громо́здкий búlky, unwíeldy

громоотво́д lightning condúctor

гроссме́йстер grand máster

гро́хот crash, rúmble; ~а́ть rúmble

груби́ть be rude

гру́б|ость rúdeness; rude remárk; ~ый coarse; rough; rude (неве́жливый)

гру́да heap, pile

грудно́й: ~ ребёнок ínfant in arms, báby

грудь breast; chest (грудна́я кле́тка); bósom (бюст)

груз load; cárgo (су́дна)

грузи́н Géorgian; ~ский Géorgian

грузи́ть load

гру́зный córpulent

грузови́к lórry; truck (аме́р.)

гру́зчик lóader (ж.-д.); stévedore (судово́й)

грунт 1) (по́чва) soil 2) (в жи́вописи) ground; ~ово́й: ~овы́е во́ды súbsoil wáters

гру́ппа group

грусти́ть be sad, be mélancholy

гру́стный sad

грусть sádness

гру́ша 1) pear 2) (де́рево) pear tree

грызть gnaw; níbble

грызу́н зоол. ródent

гряда́ 1) (végetable)bed 2) (гор) ridge

гря́дка см. гряда́ 1)

гря́зный dírty

грязь dirt; mud (сля́коть)

губа́ lip

губи́ть ruin

гу́бка sponge

губн|о́й: ~а́я пома́да lípstick

гуде́ть buzz; hoot

гудо́к hóoter; síren (фабри́чный); horn (автомоби́льный)

гул rúmble; hum (голосо́в)

гу́лкий hóllow, resóunding

гуля́нье (пра́зднество) públic mérrymaking

гуля́ть walk, go for a walk

гумани́зм húmanism

гуманита́рн|ый: ~ые нау́ки the humánities

гума́нный humáne

гу́сеница cáterpillar

густо́й thick; dense

гусь goose; ~ко́м in single file

гу́ща 1) (оса́док) sédiment; grounds (мн. ч.) (кофе́йная);

lees, dregs (*мн. ч.*) (*пивная*) 2) (*лёса*) thícket

Д

да I (*утвердительная частица*) yes

да II *союз* 1) (*соединительный*) and 2) (*противительный*) but

да III (*модальная частица*) (*пусть*): да здрáвствует! long live!

давá|ть 1) give; дáйте мне, пожáлуйста... give me, please 2) (*позволять*) let, allów *smb.* (to) ◇ ~ знать let *smb.* know; ~йте игрáть let's play; ~ дорóгу make way (for); ~ клятву swear

давить 1) press, squeeze 2) (*раздавить*) crush 3) (*угнетать*) oppréss

дáвка crush

давлéние préssure

дáвн|ий of long stánding, old; с ~их пор of old

давнó long agó; for a long time; for áges

дáже éven

дáлее fúrther; then (*затем*); и так ~ and so on, etc.

далёк|ий remóte; ~ое расстоя́ние a great dístance

далекó far awáy, a long way off

даль dístance

дальнéйший fúrther

дальновидный farséeing

дальнозóркий lóng-sighted

дáль|ность dístance; ~ше 1. *прил., нареч.* fárther, fúrther 2. *нареч.* (*затем*) then

дáма lády

дáнн|ые dáta, facts; ~ый gíven; в ~ый момéнт at the móment, at présent

дань tríbute

дар gift

дарить make a présent (of); give

дáром free of charge, for nóthing, grátis

дáта date

дáтельный: ~ падéж dátive (case)

дáт|ский Dánish; ~чáнин Dane

дать *см.* давáть

дáч|а súmmer cóttage; búngalow; на ~е in the cóuntry; ~ный subúrban

два two

двадцáтый twéntieth

двáдцать twénty

двáжды twice

двенáдцатый twelfth

двенáдцать twelve

дверь door

двéсти two húndred

двигáтель éngine; mótor

двигать, ~ся move

движéние móvement; уличное ~ tráffic

двóе two

двоетóчие cólon

двóйка two; low mark (*отмéтка*)

двойник dóuble

двойно́й double; twófold

двойня twins (*мн. ч.*)

двор yard

дворе́ц pálace

дво́рник jánitor, yárdman

дворяни́н nóble, nóbleman

дворя́нство nobílity, géntry

двою́родн|ый: ~ брат, ~ая сестра́ cóusin

дво́йкий dóuble

двули́чный dóuble-faced

двуру́шник dóuble-déaler; dóuble-crósser

двусмы́сленный ambíguous

двусторо́нний bilátéral; twó-wáy

двухко́мнатн|ый: ~ая кварти́ра twó-room flat

двухэта́жный twó-stórey(ed)

двуязы́чный bilíngual

деба́ты debáte

де́бри thickets; *перен.* lábyrinth

дебю́т début

дева́ть put; ~ся go; куда́ он де́лся? what has becóme of him?

деви́ца *разг.* girl

де́вочка (líttle) girl

де́вушка girl

девяно́сто nínety

девяно́стый nínetieth

девятна́д|цатый níneteenth; ~цать níneteen

девя́тый ninth

де́вять nine; ~со́т nine húndred

дёготь tar

деграда́ция degradátion

де́душка grándfather

дееприча́стие *грам.* gérund, advérbial párticiple

дежу́р|ить be on dúty; ~ный on dúty; *воен.* órderly

дезерти́р desérter

дезерти́ровать desért

дезинфе́кция disinféction

дезодора́нт deódorant; spray

де́йственный efféctive

де́йствие 1) deed, áction 2) (*влияние*) efféct 3) *театр.* act

действи́тельн|о réally, in fact; ~ость reálity; ~ый 1) áctual, real 2) (*о документе*) válid

де́йств|овать act; work; ~ующий in force; ~ующие ли́ца cháracters

дека́брь Decémber

дека́да décade

дека́н dean; ~а́т dean's óffice

деклара́ция declarátion

декорати́вный décorative; ornaméntal

декора́ция scénery, décor; the sets (*мн. ч.*)

декре́т decrée

де́лать do; make; ~ вы́вод draw a conclúsion; ~ся 1) (*становиться*) becóme 2) (*происходить*) háppen

делега́|т délegate, députy; ~ция delegátion

деле́ние division

деле́ц búsiness man

делика́тный 1) táctful 2) (*щекотливый*) délicate

дели́ть divíde; ~ся 1) be

divided 2) (*с кем-л.*) share (with)

де́ло 1) affáir, búsiness 2) (*поступок*) deed 3) (*цель, интересы*) cause; о́бщее ~ cómmon cause 4) *юр.* case 5) *канц.* file ◇ в чём ~? what's the mátter?; ~ в том the point is; как дела́? how are you?

делово́й búsiness(-); búsinesslike

де́льный efficient (*тк. о челове́ке*); práctical, sénsible (*тж. о предложе́нии*)

дельфи́н dólphin

демаго́г démagogue

демокра́т démocrat

демократи́ческий demo-crátic

демокра́тия demócracy

демонстр|а́ция demon-strátion; ~и́ровать démon-strate

де́нежный móney(-); fináncial; ~ перево́д móney órder

день day; че́рез ~ évery óther day

де́ньги móney

депре́ссия depréssion

депута́т députy

дёргать pull; jerk

дереве́нский rúral; rústic; víllage(-)

дере́вня the cóuntry; víllage (*посёлок*)

де́рево 1) tree 2) (*матери́ал*) wood

деревя́нный wóoden

держа́ва pówer

держа́ть hold; keep (*хра-

ни́ть*) ◇ ~ сло́во keep one's prómise; ~ экза́мен go in for an examinátion; ~ся 1) (*за что-л.*) hold on (to) 2) (*на чём-л.*) be suppórted by; пу́говица де́ржится на ни́точке the bútton is hánging by a thread ◇ ~ся вме́сте keep togéther; ~ся в стороне́ stand aside

де́рз|кий ínsolent; dáring (*сме́лый*); ~ость ínsolence

дёрнуть *см.* дёргать

деса́нт lánding; ~ный: ~ные войска́ lánding force

десе́рт dessért

десна́ gum

десятибо́рье *спорт.* dec-áthlon

десятидне́вный tén-day

десятиле́т|ие décade; ~ний tén-year

десяти́чный décimal

деся́ток ten

деся́тый tenth

де́сять ten

дета́ль détail; ~но in détail

детекти́в 1) (*произведе́ние*) detéctive stóry 2) (*сы́-щик*) detéctive

детёныш the young (of)

дет|и chíldren; ~ский child's; chíldren's; chíldish (*ребя́ческий*); ~ский сад núrsery school; kíndergarten; ~ский дом órphanage; ~ство chíldhood

дете́(ся) *см.* дева́ть(ся)

дефе́кт deféct

дефици́т shórtage

дешеве́ть fall in price;

become chéaper; go down;
~**и́зна** low prices (*мн. ч.*)

дёшево cheap

дешёвый cheap

де́ятель wórker; госуда́рственный ~ státesman; ~**ность** activity; ~**ный** áctive, energétic

джаз jazz

джéмпер júmper; púllover

джи́нсы jeans

джу́нгли júngle

диа́гноз diagnósis

диагона́ль diágonal

диале́кт díalect

диале́кт|ика dialéctics; ~**и́ческий** dialéctic(al)

диало́г díalogue

диапозити́в slide

диафра́гма díaphragm

дива́н sófa

диве́рсия sábotage; divérsion

диви́зия divísion

дие́т|а díet; ~**и́ческий** dietétic

диза́йн design

дизентери́я dýsentery

дика́рь sávage

ди́кий wild

дикта́нт dictátion

диктату́ра dictátorship

диктова́ть dictáte

ди́ктор annóuncer; bróadcaster

дилета́нт ámateur

дина́мика dynámics

динами́т dýnamite

динами́чный dynámic

дипло́м diplóma; degrée

диплома́т díplomat; ~**и́че-**

ский diplomátic; ~**ия** diplómacy

директи́ва diréctions, instrúctions (*мн. ч.*)

дире́ктор diréctor; mánager

дирижа́бль dírigible

дирижёр condúctor

диск disk, disc

дисквалифици́ровать disquálify

дискоте́ка discothéque

дискредити́ровать discrédit

дискримина́ция discriminátion

диску́ссия discússion

диспансе́р dispénsary

диспле́й displáy

ди́спут debáte

диссерта́ция thésis, dissertátion

диста́нция dístance

дисципли́н|а 1) díscipline 2) (*отрасль науки*) súbject; ~**и́рованный** well tráined, dísciplined

дитя́ child

дифтери́т diphthéria

дичь game

длина́ length

дли́нный long

дли́тельный prolónged, long

дли́ться last

для for; to; ~ чего́? what for?; ~ того́, чтобы in órder to

дневни́к díary

дневно́й day-; ~ спекта́кль matinée

днём in the dáytime

дно bóttom; вверх ~м úpside-dówn

до 1) (*раньше*) befóre 2) (*указывает на временной предел*) to, till, until 3) (*указывает на пространственный предел*) (up, down) to ◇ до свидáния goodbýe

добáв|ить *см.* добавля́ть; ~лéние addítion; súpplement; ~ля́ть add; ~очный addítional

добивáться seek; strive for

доби́ться achíeve, get; attáin

добр|о́ I 1) good 2) (*имущество*) próperty; things (*мн. ч.*)

добро́ II: ~ пожáловать! wélcome!

добро́во|лец voluntéer; ~льный vóluntary

добродéтель vírtue

добродýшный good--nátured

доброжелáтельный benévolent, kind

доброкáчественный 1) good-quálity 2) *мед.* benígn, nón-malígnant

добросóвестный consciéntious

доброта́ kíndness

добр|ый good; kind ◇ по ~ой вóле of one's own free will; ~ая половúна a good half; ~ое ýтро! good mórning!; ~ день! good áfternóon!; ~ вéчер! good évening!

добывáть, **добы́ть** 1) obtáin; get 2) (*полезные ископаемые*) extráct; mine

добы́ча 1) (*сырья*) extráction 2) (*добытое, захвáченное*) prey; bóoty; plúnder (*награбленное*)

довéр|енность (*written*) authorizátion; pówer of attórney; ~ие trust; cónfidence; ~ить *см.* доверя́ть; ~чивый trústing, confíding

довершéние: в ~ всего́ to crown all

доверя́ть 1) (*что-л.*) entrúst 2) (*кому-л.*) trust; confíde in (*секрет, тáйну*)

довести́ *см.* доводи́ть

до́вод réason, árgument

доводи́ть 1) lead (up to, to) 2) (*приводить к чему-л.*) bring, redúce (to)

довоéнный prewár

довóльно enóugh

довóльный sátisfied; pleased

догадáться *см.* догáдываться

догáд|ка guess; ~ливый quick-witted; ~ываться guess; suspéct (*подозревáть*)

до́гма dógma

догнáть *см.* догоня́ть

договáриваться come to an agréement, negotiáte

догово́р 1) agréement 2) *юр.* cóntract 3) *полит.* tréaty; ~и́ться *см.* договáриваться

догоня́ть overtáke

дождь rain; ~ идёт it's ráining

дожива́ть, дожи́ть live until; reach

до́за dose

доистори́ческий prehistóric

дои́ть milk

дойти́ *см.* доходи́ть

док dock

доказ|а́тельство proof; *юр.* évidence; ~а́ть, дока́зывать prove

до́кер dócker

докла́д lécture; repórt (*отчётный*); ~чик spéaker

докла́дывать 1) infórm; repórt 2) (*о ком-л.*) annóunce

до́ктор dóctor

докуме́нт dócument

документа́льный: ~ фильм documéntary

долг 1) (*обязанность*) dúty 2) (*обязательство*) debt

до́лгий long

долгожи́тель old man

долгоигра́ющ|ий: ~ая пласти́нка lóng-pláyer

долгосро́чный lóng-térm

долгота́ *геогр.* lóngitude

должни́к débtor

должно́ быть próbably

до́лжность post

до́лжный due; próper

доли́на válley

доложи́ть *см.* докла́дывать

доло́й! awáy with!, down with!

до́ля I (*судьба*) lot

до́ля II (*часть*) share

дом house (*здание*); home

(*домашний очаг*); ~ о́тдыха rest home

до́ма at home

дома́шний doméstic

домини́ровать dóminate, predóminate

до́мна blast fúrnace

домо́й home

домоуправле́ние house administrátion

донес|е́ние repórt; dispátch; ~ти́ *см.* доноси́ть

до́нор dónor

доно́с denunciátion; ~и́ть (*на кого-л.*) denóunce

допла́|та addítional páyment; éxtra páyment; ~ти́ть, ~чивать pay éxtra

дополн|е́ние cómplement; súpplement; ~и́тельно in addítion; ~и́тельный suppleméntary

дополн|и́ть, ~я́ть compléte

допра́шивать quéstion; intérrogate

допро́с interrogátion, cross-examinátion; ~и́ть *см.* допра́шивать

до́пус|к admíssion; ~ка́ть, ~ти́ть 1) admít 2) (*предполагать*) assúme

дореволюцио́нный prerevolútionary

доро́га 1) road; way 2) (*путешествие*) jóurney

дорог|о́ dear; (*о стоимости тж.*) expénsive; ~ови́зна high príces; high cost of líving; ~о́й dear; (*о стоимости тж.*) expénsive

дорожи́ть válue

доро́ж|ка path; ~ный тра́вельный(-)

доса́д|а annoyánce, vexátion; ~но: как ~но! what a núisance!; ~ный annóying

доска́ plank; board; кла́ссная ~ bláckboard; the board; ~ для объявле́ний nótice board

досло́вн|о líterally, word for word; ~ый líteral; verbátim

досро́чн|о pretérm, before the appóinted time; ~ый pretérm

достава́ть 1) (каса́ться чего́-л.) reach 2) (выни-ма́ть) take out 3) (добыва́ть) get

доста́в|ить см. доставля́ть; ~ка delívery; с ~кой на́ дом delívery to cústomer; ~ля́ть 1) (това́ры и т. п.) deliver 2) (причиня́ть) cause; give

доста́точн|о enóugh (по́сле прил.); sufficiently (пе́ред прил.); ~ умён cléver enóugh; sufficiently cléver; ~ый suf-ficient

доста́ть см. достава́ть

дост|ига́ть, ~и́гнуть reach; перен. achíeve; ~иже́ние achíevement

достове́рный reliable

досто́инств|о 1) dígnity; чу́вство со́бственного ~а sélf-respéct 2) (ка́чество) mérit, vírtue

досто́йный wórthy, de-sérving

достопримеча́тельности sights

достоя́ние próperty

до́ступ áccess

досту́пный accéssible; éasy

досу́г léisure

до́суха dry

до́сыта to one's heart's content

дота́ция súbsidy, grant

дотра́гиваться, дотро́нуть-ся touch

дохо́д retúrns (мн. ч.); íncome (регуля́рный)

доходи́ть 1) reach 2) (о су́мме и т.п.) amóunt

дохо́дный prófitable

доце́нт réader, séniour lécturer; assístant proféssor

дочь dáughter

дошко́льный preschóol

до́ярка mílkmaid

драгоце́нн|ости jéwelry; ~ость jéwel; ~ый précious

дразни́ть tease

дра́ка fight

дра́ма dráma; ~ти́ческий dramátic; ~ту́рг pláywright

дра́ться fight

древ|еси́на wood; wood pulp; ~е́сный wood(-); ~е́с-ный у́голь chárcoal

дре́в|ний áncient; ~ность antíquity

дрема́ть doze

дрему́чий thick, dense

дрессирова́ть train

дробь 1) (small) shot 2) мат. fráction

дрова́ fírewood (ед. ч.)

дрожа́ть trémble; shíver

дро́жжи yeast (ед. ч.)

дрозд thrush; чёрный ~ bláckbird

друг friend; ~ дрýга one anóther; each óther

другóй óther; anóther (*ещё один*)

дрýж|ба fríendship; ~еский, ~ественный fríendly

дружи́ть be friends

дрýжный (*единодушный*) unánimous

дряннóй wórthless

дря́хлый decrépit

дуб oak (tree)

дублёнка shéepskin (coat)

дубли́ровать únderstudy (*в театре*); ~ фильм dub

дугá arc

дýло múzzle

дýмать think

дуновéние breath, whiff

дуплó hóllow

дур|áк fool; ~нóй bad

дуть blow

дух 1) spírit 2) *разг.*: присýтствие ~a présence of mind; пáдать ~ом lose heart; поднимáть ~ raise the morále; собрáться с ~ом pluck up one's cóurage

духи́ scent, pérfume

духовéнство clérgy

духóвка óven

духóвный spíritual

духовóй: ~ инструмéнт wind ínstrument; ~ оркéстр brass bánd (*медных инструмéнтов*)

духотá (*жара*) súltriness; какáя ~! how stúffy it is!

душ shówer

душá soul

душéвный córdial, héartfelt

души́стый frágrant; swéet-scénted ◇ ~ горóшек sweet pea

души́ть strángle

дýшный stúffy, close

дуэ́т dúet

дым smoke; ~и́ть, ~и́ться smoke; ~охóд flue

ды́ня mélon

дыр|á hole; ~я́вый rágged

дыхá|ние breath; ~тельный respíratory; ~тельное гóрло wíndpipe

дышáть breathe

дья́вол dévil

дю́жина dózen

дю́на dune

дя́дя úncle

дя́тел wóodpecker

Е

Евáнгелие the Góspel

еврéй Jew; ~ский Jéwish

европé|ец, ~йский Európéan

егó I (*род., вин. п. от* он, онó) him; (*для неодушевл. предм.*) it

егó II *мест. притяж.* his; (*для неодушевл. предм.*) its

едá food; meal (*завтрак, обед, ужин*)

едвá hárdly, scárcely; ~ ли it is dóubtful (whéther, that)

единéние únity

едини́ца 1) únit 2) (*ци́фра, отме́тка*) a one

едини́чный síngle; ísolated

единогла́сный unánimous

единоли́чный indivídual; pérsonal

единомы́шленник adhérent, conféderate; sýmpathizer (*сочу́вствующий*)

единообра́зие unifórmity

еди́нствен|ый ónly; ~ в своём ро́де uníque; ~ое число́ *грам.* síngular

еди́нство únity

еди́ный uníted (*объединённый*); indivísible (*недели́мый*)

е́дкий cáustic; púngent (*о ды́ме*)

её I (*род., вин. п. от* она́) her; (*для неодушевл. предм.*) it

её II *мест. притяж.* her, hers; (*для неодушевл. предм.*) its

ёж hédgehog

ежеви́ка bláckberries; brámble

ежего́дн|ик yéarbook, ánnual; ~ый yéarly, ánnual

ежедне́вн|о, ~ый dáily

ежеме́сячный mónthly

еженеде́льн|ик wéekly; ~ый wéekly

езда́ ride, ríding; drive; dríving (*на маши́не*)

е́здить go; go by... (*на чём-л.*); drive (*на маши́не*); ride (*верхо́м*); trável (*путеше́ствовать*)

ездо́к ríder, hórseman

ей her, to her; (*для неодушевл. предм.*) to it

е́ле, е́ле-е́ле hárdly, scárcely

ёлка firtree; New Year's tree (*нового́дняя*)

ель firtree

ёмк|ий capácious; ~ость capácity; vólume

ему́ him, to him; (*для неодушевл. предм.*) to it

ено́т raccóon

е́ресь héresy; *перен. разг.* rúbbish

ёрзать fidget

ерунда́ nónsense

ёрш ruff

е́сли if; ~ бы не but for; ~ не if not, unléss; ~ то́лько províded

есте́ственный nátural

естествозна́ние nátural scíences

есть I eat

есть II 1) is 2) *безл.* there is, there are; *перев. тж. личн. фо́рмами гл.* have; у меня́ ~ I have

е́хать go; drive (*на маши́не*); ride (*верхо́м*)

ехи́дный cáustic; malícious, spíteful

ещё 1) (*всё ещё*) still; ~ не not yet 2) (*бо́льше*) some more; ~ лу́чше (холодне́е *и т. п.*) still bétter (cóoler, *etc.*); ~ раз once more

е́ю (by, with) her

Ж

жáба toad

жáбры gills

жáворонок (skýÝ)lark

жáдный gréedy, avaríous

жáжд│а thirst; испЫтывать ~у be thirsty; ~ать thirst, crave (for)

жакéт jácket

жалéть 1) (сожалеть) be sórry (for); píty 2) (щадить) spare 3) разг. (скупиться) grudge

жáлить sting

жáлкий pítiful, wrétched; míserable (ничтожный)

жáлко (кого-л.) píty smb., be sórry (for); ~! too bad; как ~! what a píty!

жáло sting

жáлоб│а compláint; ~ный pláintive

жáловаться compláin

жáлость píty

жаль см. жáлко; мне ~ егó I am sórry for him

жанр génre

жар 1) (зной) heat 2) (пыл) árdour 3) (повышенная температура) témperature, féver

жарá heat, hot wéather

жаргóн járgon; slang, cant

жáр│еный róasted; fried; ~ хлеб toast; ~ить roast, fry; toast (о хлебе)

жáркий 1) hot; перен. тж.

árdent 2) (бурный) héated; ~ спор héated árgument

жаркóе roast, sécond course

жаропонижáющее fébrifuge

жасмíн jéssamin(e)

жáтва hárvest

жать I 1) (давить) squeeze, press 2) (об обуви) pinch

жать II (рожь) reap

жгýчий búrning; ~ стыд búrning shame

ждать wait; expéct

же I союз but, and; он уезжáет, я же остаюсь he will go and I will stay here

же II усилительная частица: скорéй же be quick

же III означает тождество: такóй же the same

жевáтельн│ый: ~ая резíнка chéwing gum

жевáть chew

желá│ние wish, desíre; ~тельный desírable; ~ть wish, want; ~ю вам хорошó отдохнýть I hope you will have a good rest

желé jélly

железá gland

желéзная дорóга ráilway; ráilroad (амер.)

железнодорóжн│ик ráilwayman; ~ый ráilway(-); ráilroad(-) (амер.)

желéзный íron

желéзо íron; ~бетóн ferrocóncrete

жёлоб groove; gútter (*на крыше*)

желте́ть turn yéllow

желтизна́ yéllowness

желто́к yolk

жёлтый yéllow

желу́док stómach

желу́дочный gástric

жёлудь ácorn

жёлчный bílious; *перен.* jáundiced

жёлчь gall; *перен. тж.* bile

жема́нный míncing, affécted

жёмчуг pearl

жена́ wife

жена́тый márried

жени́ть, ~**ся** márry

жени́х fiancé

же́нский 1) féminine; fémale 2) (*для же́нщин*) wómen's 3) *грам.* féminine

же́нщина wóman

жердь pole

жеребёнок foal, colt

жеребе́ц stállion

жеребьёвка cásting of lots

жерло́ mouth; ~ **вулка́на** mouth of a volcáno

же́ртв|а 1) sácrifice 2) (*пострада́вший*) víctim; ~**овать** give; *перен.* sácrifice

жест gésture; ~**икули́ровать** gestículate

жёсткий 1) hard; tough (*о мя́се*) 2) (*негну́щийся; тж. перен.*) rígid

жесто́к|ий crúel; *перен.* sevére; ~**ость** crúelty; *перен.* sevérity

жесть tin

жечь burn

жив|о́й 1) líving, alíve 2) (*оживлённый*) lívely; (*о разгово́ре и т. п. тж.*) ánimated

живопи́сный picturésque

жи́вопись páinting

живо́т stómach

животново́дство stóck-raising

живо́тное ánimal

живу́чий hárdy; endúring

жи́дк|ий líquid; wátery (*водяни́стый*); weak (*о ча́е, ко́фе*); ~**ость** líquid

жи́зненный vítal

жизнера́достный chéerful

жизнь life

жи́ла vein; sínew (*сухожи́лие*)

жиле́т wáistcoat

жиле́ц lódger

жи́листый wíry; grístly (*о мя́се*)

жили́ще dwélling

жили́щно-строи́тельный: ~ **кооперати́в** (**ЖСК**) hóusing coóperative

жили́щный hóusing

жил|о́й: ~**а́я пло́щадь** líving space

жильё dwélling

жир fat; greese; ~**ный** gréasy; rich (*о пи́ще*); ~**ное пятно́** gréasy stain

жи́тель inhábitant; ~**ство:** ме́сто ~**ства** place of résidence, dómicile

жить live

жоке́й jóckey

жонглёр júggler

жре́бий lot, déstiny; бросáть (тянýть) ~ cast (draw) lots ◇ ~ брóшен the die is cast

жрец priest

жужжáть hum; buzz

жук béetle; bug; мáйский ~ cóckchafer

жýлик swíndler, crook

журáвль crane

журнáл 1) magazíne; jóurnal 2) (*книга записей*) régister; ~**ист** jóurnalist, néwspaperman

журч|áние múrmur, bábble, rípple; ~**áть** múrmur, bábble, rípple

жýткий uncánny; *разг.* ghástly

жюри júry

З

за 1) (*о местоположении*) behínd, beyónd (*позади*); acróss, óver (*по ту сторону*); out of (*вне*) 2) (*вслед, следом*) áfter; день за днём day áfter day 3) (*во имя кого-л., чего-л.; вместо; в течение; при указании цены*) for; за дéньги for móney 4) (*старше*) past; óver; ей ужé за 30 she is past thírty 5) (*во время*) at; за обéдом at dínner 6) (*раньше*) befóre; за недéлю до этого a week befóre ◇ за столóм at táble; за исключéнием with the excéption of

забáва amúsement

забавля́ть(ся) amúse (onesélf)

забáвный amúsing, fúnny

забаст|овáть go on strike; ~**овка** strike; ~**овочный**: ~**овочный комитéт** strike committee; ~**овщик** stríker

забвéние oblívion

забéг *спорт.* heat; предвари́тельный ~ tríal

заберéменеть becóme prégnant

забивáть 1) drive in (*гвоздь*); nail down (*ящик*) 2) (*затыкать, загораживать*) block up

забинтовáть bándage

забить *см.* забивáть; ~**ся** (*о сердце*) beat, thump

заблуди́ться lose one's way, get lost

заблужд|áться be mistáken; ~**éние** érror, mistáke

заболевáние diséase; íllness

заболéть fall ill (*о человеке*); ache, hurt (*о части тела*)

забóр fence

забóт|а care; anxíety (*беспокойство*); tróuble (*хлопоты*); ~**иться** take care of; ~**ливый** cáreful, thóughtful

забраковáть rejéct

забрáсывать, забросить 1) throw 2) (*переставать заниматься*) negléct

забывáть forgét

забы́|тый forgótten; ~**ть** *см.* забывáть

завáр|ивать, ~и́ть make

заведéние institútion; учéбное ~ educátional institútion, school

завéд|овать mánage; ~ующий mánager

завéрить см. заверя́ть

завернýть, завёртывать 1) wrap up 2) (кран и т. п.) turn off ◇ завернýть зá угол turn the córner

заверш|áть compléte; ~áющий conclúding; ~éние complétion; в ~éние всегó to crown all; ~и́ть см. заверши́ть

заверя́ть 1) assúre 2) (пóдпись) witness, cértify

завéс|а cúrtain; screen (дымовáя и т. п.); ~ить см. завéшивать

завести́ см. заводи́ть

завéт téstament; légacy; Вéтхий Завéт Old Téstament; Нóвый Завéт New Téstament

завéшивать cúrtain off; ~ окнó put up (wíndow) cúrtains

завещá|ние will; ~ть leave; bequéath

завивáть wave; curl

завúвка wave

завúдовать envy

завúс|еть depénd (on); ~имость depéndence

завúстливый énvious

зáвисть envy

завúть см. завивáть

завóд fáctory, works, plant, mill

заводи́ть 1) (кудá-л.) bring smb. to a place 2) (приобре-

тáть) acquíre; buy (покупáть) 3) (порядки и т. п.) estáblish 4) (часы и т. п.) wind up

заводн|óй: ~áя игрýшка mechánical toy

завоевá|ние cónquest; ~ть, завоёвывать 1) cónquer 2) (добиться) win

зáвтра tomórrow

зáвтрак bréakfast

зáвтракать (have) bréakfast

завязáть см. завя́зывать

завя́з|ка 1) string 2) (драмы) plot; ~ывать tie, bind ◇ ~ывать отношéния énter into relátions (with)

загáд|ка púzzle, ríddle; mýstery (тáйна); ~очный mystérious, enigmátic

загáр súnburn, tan

загúб 1) bend 2) разг. (преувеличéние) exaggerátion

заглáвие títle

заглуш|áть, ~и́ть drown (звук); suppréss (чýвства); still (боль)

загля́дывать, заглянýть 1) peep; look ínto 2) (заходить к комý-л.) call (on smb.)

загнивáть, загни́ть decáy, rot

зáго|вор plot; conspíracy; ~вóрщик conspírator

заголóвок súbtitle, héading; héadline (газéтный)

загорáть get brown, get súnburn; tan onesélf

загорáться catch fire; перен. burn (with)

загоре́лый súnburnt, tanned

загоре́ть *см.* загора́ть

загоре́ться *см.* загора́ться

загоро́дка fence

за́городн|ый cóuntry(-); suburban; ~ая прогу́лка cóuntry walk (*пешком*); trip to the cóuntry (*экскурсия*)

загот|а́вливать, ~о́вить 1) prepáre 2) (*запасать*) lay in, store up; ~о́вка stórage

загра|ди́ть, ~жда́ть block

за грани́цей, за грани́цу abróad

заграни́чный fóreign

загромо́ждение blócking up; *перен.* overlóading

загрязне́ние: ~ окружа́ющей среды́ pollútion of environment

загрязн|и́ть, ~я́ть soil

загс (отдел за́писей а́ктов гражда́нского состоя́ния) régistry óffice

зад behínd; buttocks, seat

задава́ть set (*урок, задачу*); ~ вопро́с put a quéstion; ask a quéstion

зада́ние task

зада́тки inclinátions

зада́ток depósit

зада́ть *см.* задава́ть

зада́ча próblem; task (*задание*)

задева́ть 1) be caught on (*зацепляться*); brush agáinst (*касаться*) 2) (*обидеть, оскорбить*) sting, hurt

задержа́ть, заде́рживать detáin; deláy (*отсрочить*); я

немно́го задержу́сь I'll be láter a bit

заде́ржка deláy

заде́ть *см.* задева́ть

за́дн|ий back; rear (*тех., воен.*); ~яя нога́ hind leg ◇ ~яя мысль méntal reservátion

задолжа́ть owe

задо́лженность debts (*мн. ч.*); liabílities (*мн. ч.*); arréars (*мн. ч.*)

задо́р (*пыл*) férvour; defíance; ~ный defíant, provócative

задохну́ться *см.* задыха́ться

заду́м|ать plan, inténd; ~аться becóme thóughtful; be deep in thought; ~чивый thóughtful

задуши́ть strángle

задыха́ться be súffocated; choke; be out of breath (*запыхаться*)

заём loan

зажа́ть *см.* зажима́ть

заже́чь *см.* зажига́ть

заживать heal; (*о ране тж.*) close

зажига́|лка lighter; ~ть set fire to; light

зажима́ть clutch (*в тисках, когтях*); grip, hold tight (*в руках*)

зажи́точный wéll-to-dó, prósperous; wéll-óff

зажи́ть I begín to live

зажи́ть II *см.* зажива́ть

заземле́ние earth

заи́грывать make up (to)

заика́ться stámmer

займствовать bórrow

заинтересо́в|анность ínterest; **~а́ть** ínterest, excíte curiósity

за́искивать cúrry fávour with

зайти́ см. заходи́ть

зака́з órder; **на ~** (made) to órder; **~а́ть** см. зака́зывать; **я хочу́ ~а́ть** I would like to make an órder; **~но́й: ~но́е письмо́** régistered létter; **~чик** cústomer; **~ывать** órder

закалённый témpered (*о стали*); hárdened (*о челове́ке*)

зака́лка tráining

зака́нчивать fínish

зака́пывать búry

зака́т (*со́лнца*) súnset; *перен.* declíne

закла́дывать I (*отдава́ть в зало́г*) pawn; mórtgage (*недви́жимость*)

закла́дывать II (*фунда́мент*) lay

закле́|ивать, ~ить paste, gum; seal up (*письмо́*)

заклейми́ть см. клейми́ть

заключ|а́ть conclúde; **~ соглаше́ние** conclúde an agréement; **~ в себе́** contáin; **~ в тюрьму́** impríson; **~е́ние** *в разн. знач.* conclúsion; тюре́мное **~е́ние** imprísonment; **~ённый** *сущ.* prísoner; **~и́тельный** final, conclúding; **~и́тельное сло́во** clósing words (*мн. ч.*); **~и́ть** см. заключа́ть

заколдо́ванный enchánted

заколо́|ть 1) sláughter (*живо́тное*); stab (*челове́ка*) 2) *безл.:* **у меня́ ~ло в боку́** I have a stitch in my side

зако́н law; **~ный** légal, legítimate

законода́тельный législative

законода́тельство legislátion

закономе́рный régular

законопрое́кт bill, draft law

зако́нчить см. зака́нчивать

закопа́ть см. зака́пывать

закреп|и́ть, ~ля́ть fásten; secúre; fix

закрича́ть cry (out), shout

закрыва́ть shut, close; когда́ **~а́ется** (*магази́н*)? when is the closing time?

закр|ы́тый closed ◇ **~ы́тое пла́тье** high-nécked dress; **~ы́ть** см. закрыва́ть

заку́пка púrchase

заку́р|ивать, ~и́ть light a cigarétte, pipe, *etc.*; **разреши́те закури́ть?** would you mind if I smoke?

закуси́ть have a bite

заку́с|ка snack; hors d'œuvre (*пе́ред обе́дом*); **~очная** snack bar

зал hall

зали́в bay, gulf

зал|ива́ть, ~и́ть 1) overflów, inundate 2) (*облива́ть*) pour óver

зало́г pledge; secúrity (*де́нежный*)

заложи́ть I, II см. закла́-
дывать I, II

зало́жник hóstage

залп vólley; dischárge (за-
ряд)

замáн|ивать, ~и́ть lure,
entíce

замаскировáть 1) mask,
disguíse 2) воен. cámouflage

замéдл|ить, ~я́ть slow
down

замéн|а 1) (действие)
substitútion 2) (то, что за-
меняет) súbstitute; ~и́ть,
~я́ть súbstitute (for)

замерзáть, замёрзнуть
freeze

замести́тель vice-; députy

замести́ть см. замещáть

замёт|ить см. замечáть;
~ка note; páragraph (в газете)

замéти|ый nóticeable; ~ая
рáзница a márked difference

замечáние 1) remárk,
observátion 2) (выговор)
réprimand

замечáтельный re-
márkable; spléndid (велико-
лепный)

замечáть 1) nótice 2) (делать замечáние) remárk,
obsérve

замешáтельство confúsion,
perpléxity

замещáть repláce; act for
(исполнять обязанности)

замúнка hitch; hesitátion

зáмок cástle

замóк lock; pádlock (висячий)

замолкáть, замóлкнуть см.
замолчáть

замолчáть becóme sílent

заморáживать freeze

заморóженный frózen

зáмуж: вы́йти ~ márry

зáмужем márried

замýчить tórture; wear out
(утомить); bore smb. to
death (надоесть)

зáмш|а suéde; chámois
léather; ~евый suéde

замыкáние: корóткое ~ эл.
short círcuit

зáмысел devíce, scheme;
design; inténtion (намерение)

замы́|слить, ~шля́ть con-
céive; plot

зáнавес cúrtain

занавéска cúrtain

занести́ см. заноси́ть

занимáтельный enter-
táining

занимáть I 1) óccupy 2)
(интересовать) entertáin

занимáть II (брать взай-
мы) bórrow

занимáться 1) do; óccupy
onesélf, be engáged in, atténd
to 2) (учиться) stúdy, learn

зáново all óver again

занóза splínter

заноси́ть 1) (приносить)
bring 2) (вписывать) put
(write) down; énter ◇ ~ снé-
гом cóver with snow

занóсчивый stuck-úp

занóсы (snow) drifts

заня́тие 1) occupátion 2)
(учебное) lésson; class

заня́тный amúsing

за́нято (*о телефоне*) engáged

занято́й búsy

за́нятость emplóyment

заня́ть I, II *см.* занима́ть I, II

заостр|и́ть, **~я́ть** shárpen; *перен.* émphasize

зао́чн|о (*об обучении*) by correspóndence; **~ый**: **~ое** обуче́ние correspóndence course

за́пад west; **~ный** west, wéstern

западня́ trap

запа́с stock, supplý; **~а́ть** store; provide for; **~а́ться** lay in ◇ **~а́ться** терпе́нием arm onesélf with pátience; **~но́й**, **~ный** spare; **~ный** вы́ход emérgency éxit; **~ти́(сь)** *см.* запаса́ть(ся)

за́пах smell

запере́ть, **запира́ть** lock (in, up)

записа́ть *см.* запи́сывать

запи́с|ка note; **~ки** 1) (*воспоминания*) notes; mémoirs 2) (*научного общества*) transáctions; **~но́й**: **~на́я** кни́жка nótebook

запи́сывать take down, write down; récord (*на плёнку*)

за́пись 1) registrátion 2) (*записанное*) éntry, récord

запла́та patch

заплати́ть pay

запове́дник reservátion; sánctuary

запо́лн|ить, **~я́ть** fill in

запомина́ть, **запо́мнить** remémber

запо́нка stud; cuff link (*на манжете*)

запо́р I bolt; на **~е** bólted

запо́р II *мед.* constipátion

заправ|и́ть, **~ля́ть** 1) (*еду*) séason, flávour, dress 2) (*горючим*) fill up, refúel

запра́вочн|ый: **~ая** ста́нция fílling státion

запре́т prohibítion

запре|ти́ть, **~ща́ть** forbíd, prohíbit

запреще́ние *см.* запре́т; **~** а́томного ору́жия ban on atómic wéapons

запро́с inquíry

запро́сы demánds; expectátions

за́пуск (*ракеты и т. п.*) láunching

запу́с|ка́ть, **~ти́ть** I (*ракету и т. п.*) launch

запу́с|ка́ть, **~ти́ть** II (*не заботиться*) negléct

запу́танный tángled; *перен.* íntricate, invólved

запу́тать(ся) *см.* запу́тывать(ся)

запу́тывать tángle; *перен.* múddle up; **~ся** entángle (onesélf)

запча́сти spare parts, spares

запя́стье wrist

запята́я cómma

зараб|а́тывать, **~о́тать** earn

зарабо́тная пла́та wáges (*мн. ч.*); sálary (*служащих*)

за́работок éarnings (*мн. ч.*)

зараж|а́ть inféct; **~е́ние** inféction; **~е́ние кро́ви** blood póisoning

зара́з|а inféction; **~и́тельный** inféctious; **~и́ть** *см.* заража́ть; **~и́ться** catch; **~ный** inféctious, contágious

зара́нее befórehand; in good time (*своевременно*)

за́рево glow

заре́зать kill; sláughter (*животное*)

заро́дыш émbryo; *перен.* germ

зарубе́жный fóreign

зарыва́ть, зары́ть búry

заря́ dawn; **вече́рняя ~** súnset, évening glow

заря́д charge; **~и́ть** *см.* заряжа́ть

заря́дка *спорт.* sétting-up éxercises

заряжа́ть charge; load (*ружьё*)

заса́да ámbush

засева́ть sow

засед|а́ние sítting; méeting; **~а́ть** sit

засе́ять *см.* засева́ть

заслу́га mérit

заслу́ж|енный 1) mérited, wéll-desérved 2) (*звание*) hónoured; **~ивать, ~и́ть** mérit, desérve; be wórthy (of)

засмея́ться laugh, burst out láughing

засну́ть *см.* засыпа́ть I

засори́ть, засоря́ть lítter

засо́хший dried; wíthered, dead (*о растениях*)

заста́ва 1) gate, town gate (way) 2) *воен.* óutpost; **пограни́чная ~** fróntier guards (*мн. ч.*)

застава́ть find, catch; **~ враспло́х** take, catch unawáres

заста́в|ить, ~ля́ть make, compél

заста́ть *см.* застава́ть

застёгивать, застегну́ть bútton (up), fásten

застёжка fástening; clasp

засте́нок tórture chámber

засте́нчивый shy; báshful

засто́й stagnátion; déadlock; depréssion

застрахова́ть insúre

застрели́ть shoot; **~ся** shoot onesélf; blow out one's brains (*разг.*)

заступ|а́ться, ~и́ться (за) intercéde; plead; stand up (for)

за́суха drought

засучи́ть: **~ рукава́** roll up one's sleeves

засыпа́ть I fall asléep

засыпа́ть II, засы́пать 1) (*яму*) fill up 2) (*покрывать*) cóver

зата́и́ть: **~ дыха́ние** hold one's breath; **~ оби́ду** bear a grudge

зата́пливать (*печку*) light a fire

затво́р|и́ть, ~я́ть shut, close

затева́ть undertáke; start

зате́м then; ~ что́бы in órder that

затемне́ние bláckout

затеря́ться be lost; *перен.* be forgótten

зате́я énterprise

зате́ять *см.* затева́ть

зати́шье calm

заткну́ть *см.* затыка́ть

затме́ние eclipse

зато́ but; ah, but

затону́ть sink

затопи́ть I *см.* зата́пливать

затопи́ть II, **затопля́ть** (*наводнить*) flood

зато́р block, jam

затормози́ть put on the brakes; *перен.* slow down

затра́гивать affect; *перен.* touch

затра́та expénditure

затро́нуть *см.* затра́гивать

затрудн|е́ние difficulty; ~и́тельный difficult; ~и́ть, ~я́ть tróuble, embárrass (*кого-л.*); put obstacles in the way (of)

за́тхлый músty, móuldy, stúffy

затыка́ть stop up ◇ ~ у́ши stop one's ears

заты́лок back of the head; nape (of the neck)

затя́|гивать, ~ну́ть 1) tíghten 2) (*срок*) deláy

захва́т séizure; usurpátion; ~и́ть *см.* захва́тывать; ~чик usúrper, aggréssor; ~ывать 1) (*завладеть*) seize; óccupy (*о территории*) 2) (*брать с собой*) take, bring

захлебну́ться choke

захло́пнуть slam

захо́д (*солнца*) súnset; ~и́ть 1) (*о солнце*) set 2) (*посещать*) drop in, call (on)

захоте́ть wish

зацеп|и́ть, ~ля́ть catch *smth.* (on)

зача́точный rudiméntary

зачём why (*почему*); what for (*для чего*); ~-то for some réason or óther

зачёркивать, **зачеркну́ть** cross out, strike out

зачёт test; examinátion; сдать ~ pass a test

зачи́нщик instigátor

зачи́слить, **зачисля́ть** inclúde; enlíst (*в армию*); take on the staff (*в штат*)

зашива́ть, **заши́ть** sew up; mend (*чинить*)

защи́т|а defénce; protéction; ~и́ть *см.* защища́ть; ~ник 1) protéctor, defénder 2) *юр.* bárrister, cóunsel (for the defénce) 3) (*в футболе*) fúllback

защища́ть defénd

заяви́ть *см.* заявля́ть

заявл|е́ние declarátion, státement; applicátion (*ходатайство*); ~я́ть decláre

за́яц hare

зва́ние rank, títle; почётное ~ hónorary títle; учёное ~ (académic) rank

звать 1) call; как вас зову́т? what's your name? 2) (*приглашать*) invíte

звезда́ star

звенеть ring; jíngle (*о ключах и т. п.*)

звено link

звер|ский brútal; **~ство** brutálity

зверь beast

звон rínging; **~ить** ring; **~ить по телефону** ring up, call up; call (*амер.*); **~кий** rínging, clear; **~ок** bell (*на двери*); ring (*звук*)

звук sound; **~овой** sound (-); **~овой барьер** sónic bárrier

звучать sound; ring

звучный resóunding, sonórous, rínging

здание búilding

здесь here

здороваться greet

здоровый héalthy; strong (*сильный*); whólesome (*полезный*); **он здоров** he is well

здоровье health; **как Ваше ~?** how are you?

здравоохранение health sérvices

здравствуй(те) how do you do; good mórning (áfternoon *и т. д.*)

здравый sénsible; sound

зевать, зевнуть yawn; **не зевай(те)!** look out!

зелёный green

зелень 1) (*растительность*) vérdure 2) (*овощи*) végetables (*мн. ч.*)

земельный land

землевладелец lándowner

земле|делец fármer; **~делие** ágriculture

землетрясение éarthquake

земля earth; land, próperty (*владение*); soil (*почва*); the world (*земной шар*)

земляк cóuntryman, compátriot

землянйка wild stráwberry

земной éarthly; **~ шар** the world

зенит: **в ~е славы** at the height of one's fame

зеркало lóoking glass, mírror

зерно grain; **кофе в зёрнах** cóffee beans

зерновые céreals

зернохранилище gránary

зигзаг zígzag

зима wínter

зимний wínter(-)

зимовать (spend the) wínter; *зоол.* hibernate

зимой in wínter

злаки céreals

злейший: **~ враг** worst énemy

злить írritate; **~ся** be ángry, be cross

зло 1. *сущ.* évil; harm (*вред*) 2. *нареч.* malíciously

злоба málice, ráncour

злобный malícious, ráncorous

злободневный: **~ вопрос** búrning quéstion

злодей villain

злодеяние crime

злой wícked; cross, bád-tempered (*сердитый*)

злокачественный malígnant

злопа́мятный unforgíving, ráncorous

злора́дный spíteful

злосло́вие scándal, malígnant góssip

зло́стный ill-nátured

злоупотребл|е́ние abúse; **~я́ть** abúse

змея́ snake; sérpent

знак sign; tóken (*символ*); **~** препина́ния punctuátion mark; **мя́гкий ~** soft sign; доро́жный **~** tráffic sign; **~** разли́чия badge of rank; insígnia

знако́м|ить introdúce; **~иться** 1) (*с чем-л.*) acquáint onesélf with; look ínto (*рассма́тривать*) 2) (*с кем-л.*) meet, make the acquáintance of; **~ство** acquáintance; knówledge (of) (*знание*)

знако́мый 1. *прил.* famíliar **2.** *сущ.* acquáintance

знамени́тый fámous, célebrated

знамено́сец stándard-bearer

зна́мя bánner

зна́ние knówledge

зна́тный nótable, distínguished

знато́к éxpert; connoisséur

знать know; **я его́ зна́ю** I have met him

значе́ние méaning, signíficance

зна́чит so, then

значи́тельный 1) (*важный*) impórtant 2) (*выразительный*) signíficant 3) (*довольно большой*) consíderable

зна́чить mean, sígnify

значо́к badge; mark (*пометка*)

зноби́ть: меня́ зноби́т I feel chílly

зной heat; **~ный** hot, súltry

зола́ áshes (*мн. ч.*)

зо́лот|о gold; **~о́й** gold; *перен.* gólden

зо́на zone; **~** о́тдыха recreátion área

зонд probe

зонт umbrélla; parasól (*от солнца*)

зоологи́ческий zoológical

зооло́гия zoólogy

зоопа́рк zoo; zoológical gárdens (*мн. ч.*)

зо́ркий lýnx-eyed; vígilant

зрачо́к púpil

зре́лище sight, spéctacle; (*театральное*) perfórmance

зре́л|ость matúrity; **~ый** mature

зре́ние éyesight

зреть rípen

зри́тель spectátor; ónlooker; *собир.* áudience; **~ный** vísual; óptical; **~ный зал** auditórium

зря all for nóthing, in vain

зуб tooth; **~но́й** tooth(-); déntal; **~на́я па́ста** tóothpaste; **~на́я щётка** tóothbrush; **~на́я боль** tóothache; **~но́й врач** déntist

зубочи́стка tóothpick

зубча́тый toothed

зуд itch

зы́бкий unstéady (*тж. перен.*)

зя́бкий sénsitive to cold, chílly

зя́бнуть feel cold; be chílly

зять són-in-law (*муж дочери*); bróther-in-law (*муж сестры*)

И

и *союз* and; и... и... both... and...; и тот и другой both

и́ва willow

игла́ néedle

иглоука́лывание acupúncture

игнори́ровать ignóre

и́го yoke

иго́лка *см.* игла́

игр|а́ 1) game 2) (*как действие*) play, pláying; **а́ктинг** (*на сцене*); **~а́ть** play; act (*на сцене*); **~о́к** pláyer; gámbler (*в азартные игры*); **~у́шка** toy, pláything

идеа́л idéal

идеали́ст idéalist

идеа́льный idéal

иде́йный ideológical; high-minded (*о человеке*)

идео́лог idéologist

идеоло́гия idéology

иде́я idéa

идио́ма ídiom

идио́т ídiot

и́дол ídol

ид|ти́ 1) go 2) (*быть к лицу*) suit; becóme; э́та шля́па вам **~ёт** this hat suits you

иждиве́н|ец depéndant;

~ие: быть на **~ии** у кого́-л. be suppórted by sómebody

из 1) (*откуда*) from; out of (*изнутри*) 2) (*при обозначении части от целого; о материале*) of; из чего́ э́то сде́лано? what is it made of?

изба́ cóttage, péasant's house

изба́вить(ся) *см.* избавля́ть(ся)

избавля́ть delíver, save *smb.* from; **~ся** get rid of, shake off

избало́ванный spoilt

избега́ть, избе́гнуть avóid

избежа́ние: во **~** to avóid

избива́ть beat; give a sevére béating, beat up

избира́|тель eléctor; vóter; **~тельный** eléctoral; **~тельный уча́сток** eléctoral área; **~ть** eléct

изби́ть *см.* избива́ть

и́збранный chósen, selécted; elécted (*выбранный*)

избра́ть *см.* избира́ть

избы́ток súrplus; abúndance; plénty (*изобилие*)

изверже́ние erúption

изве́ст|ие news; **~и́ть** *см.* извеща́ть

изве́стн|о: it is (well-)knówn; **~ость** reputátion ◇ (по)ста́вить в **~ость** infórm of; **~ый** 1) well-knówn; notórious (*с плохой стороны*) 2) (*некоторый*) a cértain

и́звесть lime

извещ|а́ть nótify, let *smb.*

---

know; ~éние notificátion; nótice; súmmons (*повестка*)

извин|éние excúse; apólogy; ~и́ть, ~я́ть excúse; ~я́ться apólogize, beg párdon

извлека́ть extráct; *перен.* deríve

извлечéние 1) (*действие*) extráction 2) (*выдержка*) éxtract

извлéчь *см.* извлека́ть

извнé from óutside

изворо́тливый resóurceful

извра|ти́ть, ~ща́ть distórt, misrepresént, misintérpret; ~щéние pervérsion; distórtion, misinterpretátion (*искажение*)

изги́б bend, curve

изгна́ние 1) bánishment 2) (*ссылка*) éxile

изгна́ть *см.* изгоня́ть

изголо́вье head of a bed; сидéть у ~я sit at the bédside (of)

изгоня́ть 1) bánish 2) (*ссылать*) éxile

и́згородь fence

изгото́вить, изготовля́ть make, manufácture

издава́ть 1) (*книги*) públish 2) (*звуки*) útter

издалека́, и́здали from afár

изда́ние 1) edítion 2) (*производство*) publicátion

изда́тель públisher; ~ство públishing house, públishers

изда́ть *см.* издава́ть

издевá|тельство móckery; ~ться mock (at), scoff (at)

издéл|ие árticle; próduct; ~ия wares; (manufáctured) goods

издéржки 1) expénses 2) *юр.* costs

из-за 1) (*по причине*) ówing to; becáuse of 2) (*откуда-л.*) from behínd

излага́ть state, set forth

излéч|ивать, ~и́ть cure

изли́ш|ек excéss, súrplus; ~ний supérfluous

излия́ние óutpouring

излож|éние accóunt; súmmary (*краткое*); exposítion, páraphrase (*школьное*); ~и́ть *см.* излага́ть

излучéние radiátion

измéна tréachery; unfáithfulness (*неверность*); *полит.* tréason

измéнение change; alterátion

измени́ть(ся) *см.* изменя́ть(ся)

измéнник tráitor

измéнчивый chángeable

изменя́ть 1) (*менять*) change, álter 2) (*чему-л., кому-л.*) betráy, be unfáithful to; ~ся change

измерéние 1) méasuring 2) *мат.* diménsion

измéр|ить, ~я́ть méasure

изму́ченный exháusted, worn out

измя́ть crúmple; rúmple (*платье и т. п.*)

изна́нка wrong side; revérse

изна́шивать, ~ся wear out

изнемｅｌогáть, ~óчь be exháusted

износи́ть(ся) см. изнáшивать(ся)

изнурéние exháustion

изнутри́ from withín

изоби́ｌлие abúndance; ~льный abúndant

изображｅｌáть represént; ~éние 1) (дéйствие) representátion, portráyal 2) (óбраз) pícture, ímage

изобрази́тельнｅｌый: ~ые иску́сства gráphic arts

изобрази́ть см. изображáть

изобрести́ см. изобретáть

изобретｅｌáтель invéntor; ~áть invént; ~éние invéntion

изолｅｌи́ровать ísolate; ~я́ция isolátion

изорвáть tear to píeces

из-под from benéath

израсхóдовать use (up); spend (дéньги)

и́зредка évery now and then, occásionally

изречéние máxim, sáying; ádage

изувéчить crípple

изумｅｌи́тельный wónderful, márvellous; ~и́ть см. изумля́ть; ~лéние amázement; ~ля́ть astónish, amáze

изумру́д émerald

изурóдовать disfígure, defórm

изучｅｌáть stúdy, learn; ~éние stúdy; ~и́ть см. изучáть

изъя́н flaw, deféct

изъяｅｌти́е withdráwal; без ~тия without exémption; ~ть withdráw; cónfiscate

изыскáние investigátion, reséarch

изы́сканный súbtle; éxquisite, refíned

изю́м ráisins (мн. ч.)

изя́щｅｌество grace; ~ный élegant

икｅｌáть, ~ну́ть híccup

икóна ícon

икрá I 1) (ры́бья) roe 2) (как кушанье) cáviar(e)

икрá II (ногú) calf

ил slime, silt

и́ли or; ~ же or else; ~ ... ~ ... éither... or...

иллю́зия illúsion

иллюстрáция illustrátion

им I (тв. п. от он) (by, with) him

им II (дат. п. от онú) them

имéние estáte

имени́ны name day

имени́тельный: ~ падéж nóminative (case)

и́менно just; a ~ námely

имéｅｌть have; ~ться перев. дéйств. формами глаг. have или оборóтами there is, there are; у меня́ ~ются вáши кни́ги I have your books

и́ми (by, with) them

имити́ровать ímitate

иммунитéт immúnity

императóр émperor

империалｅｌи́зм impérialism; ~исти́ческий imperialístic

и́мпорт ímport; ~и́ровать impórt

импровиза́ция improvisátion

и́мпульс ímpulse

иму́щество próperty

и́мя first name, chrístian name; given name (*амер.*); ~ суще́стви́тельное noun; ~ прилага́тельное ádjective

ина́че 1) (*по-другому*) differently, in a different way 2) (*в противном случае*) ótherwise, or else; так и́ли ~ one way or anóther

инвали́д dísabled wórker, sóldier

инвента́рь ínventory, stock

ингаля́ция inhalátion

инде́ец Américan Índian

инде́йка túrkey(-hen)

и́ндекс índex

индивидуа́льный indivídual

инди́|ец, ~йский Índian

индустриализ|а́ция industrializátion; ~и́ровать indústrialize

индустриа́льный indústrial

инду́стрия índustry

индю́к, индю́шка túrkey

и́ней hóarfrost, rime

инéрц|ия inértia; по ~ии mechánically

инжене́р enginéer

инициа́лы inítials

инициати́ва inítiative

инициати́вный full of inítiative

инициа́тор inítiator

инкуба́тор íncubator

иногда́ sómetimes

ино́й (an)óther

инопланетя́нин a béing from anóther plánet

иностра́н|ец fóreigner; ~ный fóreign

инсти́нкт ínstinct; ~и́вный instínctive

институ́т 1) ínstitute 2) (*учреждение, установление*) institútion

инстр|укти́ровать instrúct; brief; ~у́ктор instrúctor; ~у́кция instrúctions, diréctions (*мн. ч.*)

инструме́нт 1) tool 2) (*музыкальный*) ínstrument

инсу́льт cérebral thrombósis; stroke

интелле́кт íntellect

интеллиге́н|т an intelléctual; ~тный cúltured; éducated; ~ция intelléctuals; the intelligéntsia

интенси́вный inténsive; áctive

интерва́л ínterval

интерве́нция intervéntion

интервью́ ínterview

интере́с ínterest; ~ный ínteresting; ~ова́ться be ínterested in

интерна́т bóarding school

интернационали́зм internátionalism

интернациона́льный internátional

инти́мный íntimate

интона́ция intonátion

интри́га intrígue

интуи́ция intuítion

инфа́ркт córonary thrombósis; heart attáck

инфекцио́нный inféctious

инфе́кция inféction

инфинити́в infínitive

инфля́ция inflátion

информ|а́ция informátion; **~и́ровать** infórm

инциде́нт íncident

инъе́кция injéction

ипподро́м rácecourse

ирла́ндец Írishman

ирла́ндский Írish

ирони́ческий irónical

иро́ния irony; **зла́я ~** bíting irony

иск *юр.* suit, claim

искаж|а́ть pervért, distórt; **~е́ние** distórtion

исказѝть *см.* искажа́ть

искале́чить crípple

иска́ть look for, search

исключ|а́ть 1) expél 2) (*из спи́ска*) strike off; **~а́я** with the excéption of; **~е́ние** excéption; expúlsion (*отку́да-л.*); **в ви́де ~ения** as an excéption; **~и́тельно** exclúsively; **~и́тельный** excéptional; **~и́ть** *см.* исключа́ть

ископа́емые fóssils; **поле́зные ~** mínerals

искорен|и́ть, ~я́ть upróot; erádicate; extérminate (*уничто́жить*)

и́скоса sídeways, sídelong

и́скра spark; *перен.* gleam

и́скренн|ий sincére; **~e Ваш** sincérely yours; **~ость** sincérity

искрив|и́ть *см.* искривля́ть; **~ле́ние** distórtion; **~ля́ть** distórt

искуп|а́ть, ~и́ть: **~ вину́** atóne for one's guilt

иску́сный skílful

иску́сственный artifícial

иску́сство 1) art 2) (*уме́ние*) skill

искуш|а́ть tempt; **~е́ние** temptátion

исла́м Íslam

исла́ндец Ícelander

исла́ндский Icelándic

испа́нец Spániard

испа́нский Spánish

испар|е́ние 1) evaporátion 2) *мн.* fumes; **~и́ться, ~я́ться** eváporate; *перен.* vánish

испа́чкать soil

испе́чь bake

и́споведь conféssion

исподтишка́ on the sly, stéalthily

исполко́м (исполни́тельный комите́т) exécutive committee

исполн|е́ние exécution; fulfílment; **~ обя́занностей** perfórmance of one's dúties; **~и́тель** exécutor; perfórmer (*арти́ст*)

испо́лнить(ся) *см.* исполня́ть(ся)

исполня́ть 1) cárry out, éxecute, fulfíl; do (*долг*) 2) (*обеща́ние*) keep 3) play (*роль, музыка́льное произведе́ние*); sing (*петь*); **~ся** 1) (*о жела́ниях, предчувстви-*

ях) come true 2): ему испо́лнилось 30 лет he is thirty

испо́льзовать use, make use of

испо́р|тить spoil; ~ своё здоро́вье rúin one's health; ~ченный 1) spoiled 2) (о челове́ке) depráved

испра́в|ить(ся) см. исправля́ть(ся); ~ле́ние corréction; ~ля́ть corréct; rémedy; repair (чини́ть); ~ля́ться reform; ~ный in órder, in good repair

испу́г fright, fear; ~а́ть frighten; ~а́ться be frightened

испыта́|ние trial; test; перен. ordéal; ~ я́дерного ору́жия núclear wéapon test; ~ть см. испы́тывать

испы́тывать 1) feel; experience (пережива́ть) 2) (подверга́ть испыта́нию) test, try

иссле́дов|ание investigátion; research; ~атель investigator; explórer (путеше́ственник); ~ать examíne; investigate; explóre (страну́ и т. п.)

иссяка́ть, исся́кнуть dry up; be exhausted

истека́ть (о сро́ке) expire

исте́рика hysté́rics

истече́ние (сро́ка) expirátion

и́стин|а truth; ~ный true

исто́к source

исто́р|ик histó́rian; ~и́ческий histó́rical; histó́ric (име́ющий истори́ческое значе́ние); ~ия 1) history 2) (повествова́ние) stó́ry

исто́чник spring; перен. source, ó́rigin

истощ|а́ть exhaust; ~е́ние exhaustion; ~и́ть см. истоща́ть

истреб|и́тель ав. fighter; ~и́ть, ~ля́ть destroy

истяз|а́ние torture; ~а́ть tórture

исхо́д issue; result; outcome; ~ный initial; ~ное положе́ние point of departure

исхуда́лый emaciated

исчеза́ть disappear, vanish

исчезнове́ние disappearance

исче́знуть см. исчеза́ть

исче́рпать, исче́рпывать exhaust; вопро́с исче́рпан the question is settled

исче́рпывающий exhaustive

исчисле́ние calculation

ита́к so, and so

италья́н|ец, ~ский Italian

и т. д. (и так да́лее) etc., and so on

ито́г sum; total; перен. result ◇ в коне́чном ~е in the end; в ~е as a result

их I (род., вин. п. от они́) them

их II мест. притяж. their, theirs

иша́к ass

ище́йка bloodhound; police dog

июль July

июнь June

Й

йог yógi [ˈjəugi]
йод íodine

К

к 1) to; towárds, in the diréction of (*по направлению к*) 2) (*о времени*) by; abóut 3) (*по отношению к*) for, of, to; любóвь к мýзыке love of músic ◇ к обéду for dínner

кабáк pub

кабáн wild boar

кабачóк *бот.* végetable márrow

кáбель cáble

кабúна booth; cábin (*самолёта*)

кабинéт 1) stúdy, room; ~ врачá consúlting room 2) *полит.* cábinet

каблýк heel

кáверзный trícky; ~ вопрóс púzzling quéstion

кавкáзский Caucásian

кавы́чки quotátion marks, invérted cómmas

кáдка tub

кадр (*в кино*) still

кáдры personnél, staff (*ед. ч.*)

кáждый **1.** *прил.* évery, each; ~ день évery day; ~ из нас each of us **2.** *в знач. сущ.* éveryone

кáжется it seems

казáк Cóssack

казáрма bárracks (*мн. ч.*)

казáться seem

казáх, ~ский Kazákh

казначéй tréasurer; ~ство tréasury

казни́ть éxecute; put to death

казнь execútion; смéртная ~ cápital púnishment

как 1) (*вопросит.*) how; what 2) (*относит.*) as ◇ ~ бýдто as if; ~ бы то ни́ бы́ло at all evénts; ~..., так и... both... and...; ~ раз just, exáctly; ~ тóлько as soon as

как-нибудь 1) sómehow 2) (*когда-нибудь*) sometime

какóй what; which; ~ бы то ни́ бы́ло whatéver

какóй-либо, какóй-нибудь ány, some

какóй-то 1) some, a 2) (*похожий на*) a kind of

как-то 1) sómehow 2) (*однажды*) one day 3) (*а именно*) that is

калéка crípple

календáрь cálendar

кáлий potássium

калúтка wícketgate

калькуля́тор cálculator

кáльций cálcium

кáмбала flátfish, plaice

каменúстый stóny

каменноугóльный coal

кáменный stone-; ~ ýголь coal

кáменщик brícklayer

кáмень stone

ка́мера 1) cell; ~ хране́ния cĺóakroom 2) *кино, фото* cámera

ками́н fíreplace

кампа́ния campáign; избира́тельная ~ eléction campáign

кана́ва ditch; gútter (*сточная*)

кана́д|ец Canádian; ~ский Canádian

кана́л canál; ~иза́ция séwerage

кана́т rope

кандалы́ fétters

кандида́т cándidate; ~у́ра cándidature

кани́кулы hólidays; vacátion (*ед. ч.*); мы прие́хали на ~ we are here on hólidays

кану́н eve

канцеля́р|ия óffice; ~ский: ~ские принадле́жности státionery, óffice equípment

канцероге́нный carcinogénic

ка́нцлер cháncellor

ка́п|ать drip; ~елька drop

капита́л cápital; ~и́зм cápitalism; ~и́ст cápitalist; ~исти́ческий capitálist(ic)

капита́льн|ый fundaméntal; ~ая стена́ main wall; ~ ремо́нт májor repáirs

капита́н cáptain

капитуля́ция capitulátion

капка́н trap

ка́пля drop

капри́з whim; ~ный

caprícious, whímsical; náughty (*о ребёнке*)

ка́псула cápsule

капу́ста cábbage; цветна́я ~ cáuliflower

ка́ра púnishment

кара́бкаться climb, clámber

карава́н caraván; *мор.* cónvoy

кара́куль astrakhán

караме́ль cáramels

каранда́ш péncil

каранти́н quárantine

кара́сь crúcian carp

кара́|тельный púnitive; ~ть púnish

карате́ karáte

карау́л guard; почётный ~ guard of hónour; ~ить watch

кардиогра́мма cárdiogram

кардиоло́гия cardiólogy

каре́та coach, cárriage

ка́рий brown, házel

карикату́ра caricatúre

карка́с frámework

ка́рлик dwarf

карма́н pócket

карнава́л cárnival

карни́з córnice

карп carp

ка́рта 1) map 2) (*игра́льная*) card

карти́на pícture

карто́н cárdboard; ~ка cárdboard box

карто́фель potátoes (*мн. ч.*)

ка́рточка card; фотографи́ческая ~ phóto

карье́ра caréer

карьери́ст clímber, go-gétter

каса́|ться 1) touch 2) (*иметь отношение*) concérn; что ~ется меня́ as far as I am concérned

ка́ска helmet

ка́сса 1) cash desk; pay desk; till bóoking óffice (*билетная*); cash régister (*автоматическая*) 2) (*наличность*) cash

кассе́та cassétte

касси́р cashíer

ка́ста caste

касто́рка cástor oil

кастрю́ля sáucepan

катало́г cátalogue

ката́ние: фигу́рное ~ fígure skáting

катастро́фа catástrophe, disáster

ката́ть 1) (*кого-л. в автомобиле*) take *smb.* for a drive; ~ ребёнка в коля́ске wheel a báby in a pram 2) (*что-л.*) roll; wheel (*на колёсах*)

ката́ться go for a drive (*в автомобиле, экипаже*); ~ на ло́дке go rówing; ~ на конька́х skate; ~ на велосипе́де cýcle; ~ с гор tobóggan

катего́рия cátegory, class

ка́тер mótorboat

като́к *спорт.* skáting rink

като́лик Róman cátholic

католи́ческий Róman Cátholic

ка́торга pénal sérvitude, hard lábour

кату́шка reel; *тех.* bóbbin

каучу́к rúbber

кафе́ café; cóffee shop, tea shop

кафедра chair

кача́ть 1) rock; swing; shake; ~ голово́й shake one's head 2) (*насосом*) pump; ~ся 1) rock; swing 2) (*пошатываться*) stágger

каче́ли swing

ка́чественный high-quálity

ка́чество quálity

ка́ша pórridge

ка́ш|ель cough; ~лять cough

кашне́ scarf

кашта́н chéstnut

каю́та cábin

ка́яться repént

квадра́т square; ~ный square

квалифи|ка́ция qualificátion; ~ци́рованный skilled; quálified

кварта́л 1) (*города*) block 2) (*четверть года*) quárter

кварт|и́ра apártment; flat; ~пла́та rent

кве́рху up, úpwards

квита́нция recéipt

ке́гли skíttles

кедр cédar

кем by (with) whom; ~ ты хо́чешь быть? what do you want to be?

ке́пка cap

кера́мика cerámics

кероси́н kérosene, petróleum

кефи́р yóghurt

киберне́тика cybernétics

кива́ть, кивну́ть nod

кида́ть throw

кило́, килогра́мм kílogram(me)

киломе́тр kílometre

ки́лька sprat

кинжа́л dágger

кино́ cínema, píctures, móvies

кино|ка́мера móvie cámera; **~режиссёр** film diréctor; **~сту́дия** film stúdio; **~съёмки** shóoting; **~теа́тр** cínema; **~фильм** film; móvie

ки́нуть см. **кида́ть**

кио́ск stall, stand, booth

кипари́с cýpress

кипе́ть boil

кипя|ти́ть boil; **~ток** bóiling wáter; **~чёный** boiled

кирги́з, ~ский Kírghiz

кирпи́ч brick; **~ный** brick; **~ный заво́д** bríckyard

кисе́ль thin jélly

кислоро́д óxygen

кисл|ота́ ácid; **~о́тность** acídity

ки́слый sour

кисть 1) (*художника, маляра*) (páint) brush 2) (*украшение*) tássel 3) (*руки́*) hand ◇ **~ виногра́да** bunch of grapes

кит whale

кита́ец Chinése

кита́йский Chinése

кише́чн|ик bówels (*мн. ч.*), intéstines (*мн. ч.*); **~ый** intéstinal

кишка́ 1) *анат.* intéstine

2) (*для поли́вки*) hose, hósepipe

клавиату́ра kéyboard (*компью́тера и т. п.*)

кла́виша key

клад tréasure

кла́дбище cémetery

кладова́я stóreroom

кла́няться bow; greet (*приве́тствовать*)

кла́пан valve

класс 1) (*обще́ственный*) class 2) (*гру́ппа, разря́д*) class 3) (*шко́льная аудито́рия*) clássroom

кла́ссик clássic; **~а** the clássics

класси́ческий clássical

класть put, place; depósit (*де́ньги в банк*)

клева́ть peck, pick; bite, níbble (*о ры́бе*)

клё́вер clóver

клевета́ slánder, cálumny; líbel (*нака́зуемая зако́ном*); **~ть** slánder

клеёнка óilcloth

кле́ить glue; gum; paste (*мучны́м кле́ем*)

клей glue

клей|ми́ть brand; **~мо́** brand; trade mark (*фабри́чное*)

клён máple

кле́тка 1) cage 2) *биол.* cell 3) (*рису́нка*) check (*на мате́рии*); square (*на бума́ге*)

клещи́ píncers

кли́зма énema

кли́ка clíque

климат clímate

клин wedge

клиника clínic

клинок blade

кличка níckname

клоп bug, bédbug

клоун clown

клочок scrap

клуб club

клубника stráwberry

клубок ball

клумба flówerbed

клык tusk, fang; (*у человека*) cánine (tooth)

клюв beak

клюква cránberry

клюнуть *см.* клевать

ключ I key (*тж. муз.*)

ключ II (*источник*) spring

ключица cóllarbone

клюшка club

клякса blot

клясться swear, vow

клятва oath

книга book

книжный book(-); *перен.* líterary, bóokish

книзу dównwards

кнопка 1) (*на платье*) préss-stud; snap fástener (*амер.*) 2) (push) bútton 3) (*канцелярская*) dráwing pin; thúmbtack (*амер.*)

кнут whip

коалиция coalítion

кобура hólster

кобыла mare

коварный insídious, cráfty

ковать forge

ковёр cárpet; rug (*небольшой*)

ковш scoop; ládle (*для воды*)

ковырять pick (at)

когда when; ~ бы ни whenéver; ~-либо, ~-нибудь some day (*о будущем*); éver (*о прошлом; тж. в вопросит. предл.*); ~-то at one time, fórmerly

кого whom

коготь claw

код code

кодекс code

кое-где here and there

кое-как 1) (*небрежно*) ányhow 2) (*с трудом*) with dífficulty

кое-кто some (péople)

кое-что sómething

кожа 1) skin 2) (*материал*) léather; ~ный léather(-)

коз|а́, ~ёл goat ◇ ~ёл отпущения scápegoat

козлы tréstle (*ед. ч.*)

козни machinátions; intrígues

козырь trump

койка bed; *ж.-д., мор.* berth

кокетка coquéttish girl

кокс coke

коктейль cócktail

колбаса sáusage

колготки tights

колдун sórcerer; ~ья sórceress, witch

колеб|а́ние 1) oscillátion, vibrátion 2) (*нерешительность*) hesitátion; ~а́ться 1) óscillate 2) (*не решаться*) hésitate коле́но knee

колесо́ wheel

колея́ rut; *ж.-д.* track

коли́чество quántity

ко́лкость cáustic remárk

колле́га colléague

колле́гия board

коллекти́в   colléctive (bódy); group, the commúnity

коллекти́вный colléctive; ~ догово́р colléctive agréement

коллекционе́р colléctor

колле́кция colléction

коло́дец well

ко́ло|кол, ~ко́льчик bell

колони|а́льный colónial; ~за́ция colonizátion

коло́ния cólony

коло́нка 1) (*автозапра́вочная*) filling státion 2) (*столбе́ц*) cólumn

коло́нна cólumn, píllar

колори́тный cólourful, picturésque

ко́лос ear, spike

колоти́ть beat, thrash

коло́ть I prick

коло́ть II (*раска́лывать*) chop (*дрова́*); crack (*оре́хи*); break (*са́хар*)

колпа́к 1) cap 2) (*стекля́нный*) béll-glass

колхо́з kolkhóz, colléctive farm

колыбе́ль crádle

колье́ nécklace

кольцо́ ring; *тех. тж.* hoop

колю́ч|ий príckly, thórny; ~ая про́волока barbed wire

коля́ска 1) cárriage 2) (*де́тская*) pram, báby-carriage

кома́нда 1) (*прика́з*) command 2) (*отря́д*) detáchment 3) *мор.* crew 4) *спорт.* team

команди́р commánder

команди́р|овать send (on a míssion); ~о́вка míssion; búsiness trip

кома́нд|ный commánding; ~ование commánd; ~овать commánd; ~ующий commánder

кома́р mosquíto

комба́йн cómbine

комба́йнер   cómbine óperator

комбина́т: ~ бытово́го обслу́живания repáir céntre

комбина́ция 1) combinátion 2) (*бельё*) slip

комбинезо́н óveralls (*мн. ч.*)

комбини́ровать combíne

коме́дия cómedy

комендáнт commandánt

коме́та cómet

комиссио́нный: ~ магази́н sécond-hand shop

коми́ссия committee; commission

комите́т committee; исполни́тельный ~ *см.* исполко́м

коми́ческий cómic

коммента́рий cómmentary; explánatory note

комме́рческий commércial

комму́на cómmune

коммуна́льный cómmunal; munícipal

коммуни́зм cómmunism
коммута́тор switchboard
ко́мнат|а room; ~ный índoor; ~ная температу́ра índoor témperature; ~ная соба́ка hóuse-dog; láp-dog; ~ные и́гры índoor games
комо́д chest of dráwers
комо́к lump
компа́ния cómpany
ко́мпас cómpass
компенс|а́ция compensátion; ~и́ровать cómpensate
компете́нтный cómpetent
ко́мплекс cómplex
компле́кт set
комплє́кция (bódily) constitútion
комплиме́нт cómpliment
компози́тор compóser
компо́т stewed fruit
компромети́ровать cómpromise
компроми́сс cómpromise
компью́тер compúter
кому́ whom
комфо́рт cómfort
конве́йер convéyor
конве́рт énvelope
конверти́руемый эк. convértible
конво́й éscort; cónvoy (мор.)
конгре́сс cóngress
конди́терская conféctioner's (shop)
конду́ктор guard; condúctor
кон|е́ц end; в ~це́ ~цо́в áfter all

коне́чно of course
коне́чности extrémities
коне́чный final
конкре́тный cóncrete
конкур|е́нция competítion; ~и́ровать compéte
ко́нкурс competítion
конопля́ hemp
консервати́вный consérvative
консервато́рия consérvatoire, cónservatory
консе́рвы tinned food; canned goods (амер.)
конспе́кт súmmary
конспир|ати́вный sécret; ~а́ция conspíracy
констати́ровать state
конституцио́нный constitútional
конститу́ция constitútion
констру́к|тор desígner; ~ция desígn; constrúction
ко́нсул cónsul
ко́нсуль|ский cónsular; ~ство cónsulate
консульт|а́нт consúltant; ~а́ция consultátion; ~и́ровать consúlt
конта́кт cóntact
конте́йнер contáiner
конте́кст cóntext
контине́нт cóntinent, máinland; ~а́льный continéntal
конто́ра óffice
контраба́нда smúggling
контра́кт cóntract
контрибу́ция contribútion
контрол|ёр 1) inspéctor 2) ж.-д., театр. tícket colléctor;

tícket inspéctor; ~**ировать** check

контро́ль contról

контрразве́дка secúrity, sécret sérvice

конту́женный shéll--shocked

ко́нтур cóntours, óutline

конура́ kénnel

конфедера́ция confederátion

конферансье́ cómpere

конфере́нц-зал cónference hall

конфере́нция cónference

конфе́та sweet; cándy (*амер.*)

конфиденциа́льный confidéntial

конфиск|а́ция confiscátion; ~**ова́ть** cónfiscate

конфли́кт cónflict

конфронта́ция confrontátion

концентрацио́нный: ~ **ла́герь** concentrátion camp

концентри́ровать cóncentrate

конце́пция concéption

конце́рт cóncert

конце́ссия concéssion

конча́ть 1) finish, end 2) (*уче́бное заведе́ние*) gráduate (from); ~**ся** (come to an) end; expíre (*о сро́ке*)

ко́нчить(ся) *см.* конча́ть(ся)

конь 1) horse 2) *шахм.* knight

коньки́ skates

конькобе́жец skáter

конъюнкту́ра state of affáirs; situátion

коню́шня stáble

коопер|ати́в 1) coóperative society; жили́щно-строи́тельный ~ hóusing coóperative 2) (*магази́н*) coóp(erative); ~**а́ция** cooperátion

копа́ть dig

копе́йка cópeck

ко́пи mines, pits

копирова́льн|ый: ~**ая бума́га** cárbon páper

копи́ровать cópy

копи́ть save up

ко́пия cópy

копна́ rick, stack

ко́п|оть soot; ~**ти́ть** smoke

копчёный smoked

копы́то hoof

копьё spear

кора́ bark; **земна́я ~** crust

корабле|круше́ние shípwreck; ~**строе́ние** shípbuilding

кора́бль ship

коре́|ец, ~**йский** Koréan

корена́стый thicksét

коренно́й fundaméntal, rádical

ко́р|ень root; **вы́рвать с ~нем** tear up by the roots; *пе́ре-рен.* upróot, erádicate

корешо́к 1) *бот.* root 2) back (*кни́ги*); cóunterfoil, stub (*че́ка*)

корзи́н|а, ~**ка** básket; потреби́тельская ~ *эк.* consúmer goods básket

коридо́р córridor, pássage

кори́чневый brown

ко́рка crust (*хлеба*); peel (*плода*); rind (*сыра*)

корм фо́ддер

корма́ *мор.* stern, poop

корми́ть 1) feed; nurse (*грудью*) 2) (*содержать*) keep

корнепло́д root, túber

коро́бка box

коро́ва cow

короле́ва queen

коро́ль king

коро́на crown

коро́нка (*зуба*) crown

коро́ткий short

корпора́ция corporátion

корре́кт|ор próofreader; ~у́ра proofs (*мн. ч.*)

корреспонде́н|т correspóndent; ~ция correspóndence

корру́пция corrúption

корт (*те́ннис-*)court

ко́рчиться wríggle; writhe

ко́ршун kite

коры́стный mércenary

коры́то trough

корь measles

коря́вый rough; gnárled

коса́ I *с.-х.* scythe

коса́ II *геогр.* spit

коса́ III (*волос*) plait, tress, braid

ко́свенный indiréct

коси́лка mówer

коси́ть I *с.-х.* mow

коси́ть II: у неё глаз коси́т she has a cast in one eye (*слегка*); she squints (*сильно*)

косме́тика cosmétics

косми́ческий space; cósmic; ~ кора́бль spáceship; ~ полёт space flight

космодро́м cósmodrome

космона́вт cósmonaut, ástronaut

ко́смос space

ко́сность consérvatism; stagnátion

косну́ться *см.* каса́ться 1)

косо́й 1) slánting, oblíque 2): он ~ he squints

костёр bónfire

ко́сточка 1) bone 2) (*плода*) pip, seed, stone

косты́ль crutch

кость 1) bone 2) *мн.* (*игра́льные*) dice

костю́м cóstume, suit

косы́нка kérchief

кот tómcat

котёл bóiler

котело́к pot; kéttle (*амер.*)

коте́льная bóiler room

котёнок kítten

котле́та ríssole; méatball; hámburger (*амер.*)

кото́рый who (*о лю́дях*); which (*о живо́тных и неодушевлённых предме́тах*)

ко́фе cóffee

кофева́рка pércolator, exprésso

кофе́йник cóffeepot

кофемо́лка cóffee-mill

ко́фт|а, ~очка blouse

кочева́ть rove

коче́в|ник nómad; ~о́й nomádic

кочене́ть stíffen, grow numb

кочерга́ póker

кошелёк purse

ко́шка cat

кошма́р nightmare

кра́деный stólen

краево́й régional

кра́жа theft; búrglary (*со взло́мом*)

край 1) bórder, edge 2) (*ме́стность*) région; cóuntry

крайн|ий extréme ◇ по ~ей ме́ре at least; ~ость 1) extrémes; extrémity 2) (*необходи́мость*) emérgency

кран tap; fáucet (*амер.*); подъёмный ~ crane

крапи́ва néttle

кра́пинка spot

краса́в|ец hándsome man; ~ица béautiful wóman, béauty

краси́вый béautiful

кра́сить paint; dye (*мате́рию, во́лосы*)

кра́с|ка paint; dye (*для мате́рии, воло́с*); ~ки cólours

красне́ть 1) (*о лице́*) blush, rédden 2) (*о предме́тах*) turn red

красно|речи́вый éloquent; ~ре́чие éloquence

кра́сный red

красота́ béauty

красть steal; ~ся steal, creep

кра́ткий brief, concíse

кра́тко bríefly

кратко|вре́менный tránsitory, shórt-lived; ~сро́чный shórt-term

крах crash; fáilure (*ба́нка, предприя́тия*)

крахма́|л starch; ~лить starch; ~льный starched

кра́шеный páinted; dyed (*о мате́рии, волоса́х*)

креди́т crédit; ~ор créditor

кре́йсер crúiser

крем cream

кремато́рий crematórium

креме́нь flint

кре́пкий strong; ~ сон sound sleep

крепостн|о́й: ~о́е пра́во sérfdom

кре́пость *воен.* fórtress

кре́сло ármchair

крест cross

крести́ть baptíze

крестья́н|ин péasant; ~ство péasantry

креще́ние báptism

крив|изна́ cúrvature; ~о́й 1) curved, cróoked 2) *разг.* (*одногла́зый*) one-éyed

кри́зис crísis

крик cry, shout

кри́кнуть *см.* крича́ть

криминáльный críminal

криста́лл crýstal

крите́рий critérion

кри́тик|а críticism; ~овáть críticize

крити́ческий crítical

крича́ть cry, shout

кров shélter; остáться без ~а be withóut a roof óver one's head

крова́вый blóody

крова́ть bed; bédstead (*без*

постельных принадлежно-
стей)

крово|излия́ние há́emor-
rhage; ~обраще́ние circulá́tion
(of the blood); ~проли́тие
bló́odshed; ~тече́ние blé́eding;
há́emorrhage (мед.)

кровь blood

крои́ть cut out

кро́йка cúttíng (out)

кро́лик rá́bbit

кро́ме but, excé́pt, save; ~
того́ moreóver, besí́des

кропотли́вый pá́instaking,
labóríous

кросс cróss-cóuntry race

кроссво́рд cróssword
(pú́zzle)

кроссо́вки trá́ining shoes

крот mole

кро́ткий mild, gé́ntle

кро́шечный tíny

кроши́ть, ~ся crú́mble

кро́шка 1) crumb 2) (ма-
лютка) líttle one

круг cí́rcle; ~лый round ◇
~лый год all the year round;
~ово́й cí́rcular; ~ом (a)róund

кругосве́тн|ый: ~ое путе-
ше́ствие a vó́yage aróund the
world, cruise

кру́жево lace

кружи́ться turn, spin round

кру́жка mug

кружо́к cí́rcle

круи́з cruise

крупа́ groats (мн. ч.);
ма́нная ~ semolína

кру́пный 1) big 2) (важ-
ный) great

крут|о́й (о спуске) steep
◇ ~о́е яйцо́ há́rd-bóiled egg

круше́ние á́ccident, wreck

крыжо́вник gó́oseberry

крыла́тый wí́nged

крыло́ wing

крыльцо́ porch

кры́са rat

кры́ша roof

кры́шка lid, có́ver

крюк, крючо́к hook

ксе́рокс Xé́rox

кста́ти to the point; by the
way (между прочим); э́то
бы́ло бы ~ that would be very
convé́nient

кто who; ~ ни whoé́ver; ~-
-либо, ~-нибудь só́mebody;
á́nybody; ~-то só́meone,
só́mebody

куб cube

ку́бики bricks; blocks
(амер.)

ку́бок cup

кувши́н jug; pí́tcher (большой)

куда́ where (to); ~-нибудь,
~-то só́mewhere

ку́др|и locks; curls; ~я́вый
cú́rly

кузне́ц blá́cksmith

кузне́чик grá́sshopper

ку́зница forge

ку́зов bó́dy

ку́кла doll

кукуру́за maize; corn
(амер.)

куку́шка cú́ckoo

кула́к fist

кулина́ри́я có́okery, the
cú́linary art

кули́с|ы *театр.* wings; за ~ами behind the scenes

культ cult; ~ ли́чности personálity cult

культиви́ровать cúltivate

культу́р|а cúlture; ~ный cúltured

куми́р ídol

купа́|льник báthing suit; ~льный báthing; ~ние báthing; ~ть, ~ться bathe

купе́ *ж.-д.* compártment

купе́ц mérchant, trádesman

купи́ть buy; я хотéл бы ~ I would like to buy

куплéт cóuplet

кура́нты chime

кур|и́льщик smóker; ~и́ть smoke

ку́рица hen; chícken (*кушанье*)

курно́сый snub-nosed; túrned-up (*о носе*)

куро́к trígger, cock

куропа́тка pártridge

куро́рт health resórt

курс course; *перен.* pólicy; ~áнт stúdent

ку́рсы cóurses

ку́ртка jácket

курье́р cóurier; méssenger

куря́щ|ий *сущ.* smóker; вагóн для ~их smóking cárriage

куса́ть bite; sting (*о пчёлах, осах*)

кусóк bit, piece, mórsel; lump (*сахару*) ◇ ла́комый ~ títbit

куст bush; ~áрник shrúbbery

куста́|рный hándicraft, hóme-máde; ~ные прóмыслы arts and crafts; ~ные издéлия hándicraft wares; ~рь hándicraftsman

ку́таться wrap onesélf up

ку́хня kítchen

ку́ча 1) heap 2) (*множество*) heaps (*мн. ч.*)

куша́к belt

ку́шанье dish

ку́шать eat

кушéтка couch

Л

лабири́нт maze, lábyrinth

лаборатóрия labóratory

лави́на ávalanche

ла́вка I (*магазин*) shop; store (*амер.*)

ла́вка II (*скамья*) bench

лавр láurel

ла́герь camp

ла́дно all right, véry well; okáy (*амер.*)

ладóнь palm

ла́зать climb, clámber

ла́зер láser

ла́зить *см.* ла́зать

лай bark(ing)

ла́йнер líner; air líner

лак várnish, lácquer; pólish; ~ для ногтéй nail várnish

лакéй fóotman; *перен.* flúnkey; ~ский sérvile

лакирóванн|ый várnished, lácquered; ~ая кóжа pátent léather

ла́мп|а lamp; ~очка 1) эл. bulb 2) радио valve

ла́ндыш líly of the válley

ла́па paw

лапша́ nóodles (мн. ч.)

ларёк stall

ла́ск|а caréss; ~а́ть caréss; ~ово kíndly; ~овый afféctionate, kíndly

ласт flípper; спорт. swim fin

ла́сточка swállow

латви́йский Látvian

латы́ш Lett; Látvian; ~ский Léttish

лауреа́т láureate

ла́ять bark

лгать lie, tell lies

лгун líar

ле́бедь swan

лев líon

ле́вый 1) left 2) полит. léft-wing

лёгкий 1) (на вес) light 2) (нетрудный) éasy

лёгкое lung

легкомы́сленный frívolous, líght-mínded (о человеке); rash, cáreless (о поступке); irrespónsible (об отношении к чему-л.)

лёд ice

леденёц frúit-drop, lóllipop

ле́дник ícehouse; ícebox

ледни́к геол. glácier

ледоко́л ícebreaker

ледохо́д flóating of ice

ледяно́й ícy

лежа́ть lie

ле́звие blade

лезть climb

ле́йка wátering can, wátering pot (амер.)

лейкеми́я leukémia

лейкопла́стырь stícking pláster

лейкоци́т léucocyte

лейтена́нт lieuténant

лека́рство médicine, drug

лекси́ческий léxical

ле́ктор lécturer, réader

ле́кц|ия lécture; читать ~ии lécture, give léctures; слушать ~ии atténd léctures

лён flax

лени́вый lázy

лени́ться be lázy

ле́нта 1) ríbbon 2) тех. band; tape

ленты́й slúggard, lázybones

лень láziness

леопа́рд léopard

лепесто́к pétal

ле́пет bábble, múrmur

лепёшка scone

лепи́ть módel, mould, scúlpture

лес 1) wood; fórest (глухой) 2) (материал) tímber; lúmber (амер.)

леса́ (строительные) scáffolding

лесно́й 1) forest 2) (о материале, промышленности) tímber(-)

лесонасажде́ние afforestátion

ле́стница stáircase; stairs (мн. ч.); ládder (приставная)

ле́стный fláttering

лесть fláttery

лета́ть, лете́ть fly

ле́тний súmmer

лётный flýing

лет|о súmmer; ~ом in súmmer

летуч|ий: ~ая мышь bat

лётчик flíer, pílot, áviator

лече́бн|ица hóspital; ~ый cúrative; médical

леч|е́ние médical tréatment; ~и́ть treat; ~и́ться undergó (médical) tréatment; take cure (for)

лечь см. ложи́ться

лещ bream

лжец líar

лжи́вый lýing; false

ли whéther

ли́бо or; ~ ... ~ ... éither... or...

ли́вень héavy dównpour

ли́га league

ли́дер léader

лиза́ть lick

ликвид|а́ция liquidátion; ~и́ровать líquidate

ликёр liquéur

ликов|а́ние exultátion; tríumph; ~а́ть exúlt, tríumph

ли́лия líly

лило́вый púrple

лимо́н lémon

лине́йка rúler; slide rule (логарифми́ческая)

ли́ния line

линя́ть fade; run (в воде)

ли́па línden, lime (tree)

ли́п|кий stícky; ~нуть stick

лиса́, лиси́ца fox

лист leaf; sheet (бума́ги); ~ва́ fóliage

ли́ственн|ый léaf-bearing; ~ое де́рево fóliage tree; shade tree (амер.)

листо́вка léaflet

литерату́р|а líterature; ~ный líterary

лито́в|ец, ~ский Lithuánian

литр lítre

лить pour; shed (слёзы, кровь); ~ся flow, stream

лифт lift; élevator (амер.)

лихора́д|ка féver; ~очный féverish

лицеме́р|ие hypócrisy; ~ить be hypocrítical; play the hýpocrite; ~ный hypocrítical

лиц|о́ 1) face; ~о́м к ~у́ face to face; черты́ ~а́ féatures 2) (челове́к) pérson; де́йствующее ~ cháracter (в пье́се)

ли́чн|о pérsonally; ~ый pérsonal

лиша́ть depríve; ~ся lose

лиш|ённый depríved of; lácking; ~и́ть(ся) см. лиша́ть(ся)

ли́ш|ний supérfluous; unnécessary (нену́жный) ◇ бы́ло бы не ~не there would be no harm in

лишь ónly; ~ бы if ónly; ~ то́лько as soon as

лоб fórehead

лови́ть catch; ~ ры́бу fish

ло́вк|ий adróit; smart; ~ход (шаг) cléver move; ~ость adróitness

лову́шка trap

логи́ч|еский, ~ный lógical

лоджия lóggia

лодка boat

лодырь *разг.* ídler, lóafer

ложа *театр.* box

ложи́ться lie (down); ~ спать go to bed

ложка spoon

ло́жный false; mistáken (*ошибочный*)

ложь lie

ло́зунг slógan

ло́кон lock, curl

ло́коть élbow

лом I (*инструмент*) crów(bar)

лом II (*сломанные металлические предметы*) scrap

лома́ть, ~ся break

ло́мка bréaking

ломо́ть, ло́мтик slice

лопа́та shóvel, spade

лоп|а́ться, ~нуть burst

лопу́х búrdock

лосо́сь sálmon

лось elk

лотере́я lóttery

лото́ lótto

лохма́тый dishévelled; shággy (*о животных*)

лохмо́тья tátters, rags

ло́шадь horse

луг méadow

лу́жа púddle

лужа́йка lawn

лук I *бот.* ónion

лук II (*оружие*) bow

лука́вый sly, cúnning

луна́ moon

лу́нн|ый moon; lúnar; ~ая ночь móonlit night

лу́па mágnifying glass

луч ray; beam

луч|о́й 1) rádial 2) *физ.* radiátion ◇ ~ая боле́знь radiátion síckness

лучи́стый rádiant

лу́чше bétter

лу́чш|ий bétter; the best ◇ в ~ем слу́чае at best

лы́ж|а ski; ходи́ть на ~ах ski; во́дные ~и wáter skis; го́рные ~и móuntain skis

лы́ж|ник skíer; ~ня skí-track

лы́с|ина bald spot; ~ый bald

льви́н|ый líon's ◇ ~ая до́ля the líon's share

льго́т|а prívilege, advántage; ~ный fávourable; preferéntial (*о пошлинах*)

льди́на block of ice, ice floe

льня́н|о́й fláxen; línen (*о материи*); ~ое ма́сло línseed oil; ~ое полотно́ línen

льстец flátterer

льстить flátter

любе́зный kind, oblíging, políte

люби́м|ец fávourite, pet; ~ый fávourite

люби́тель 1) lóver 2) (*непрофессионал*) ámateur; ~ский ámateur

люби́ть love; like

любова́ться admíre

любо́вн|ик lóver; ~ица místress

любо́вь love

любозна́тельный cúrious, inquísitive

любо́й ány; ~ ценой at ány price

любопы́т|ный cúrious, inquísitive; ~ство curiósity

любящий lóving, afféctionate

люди péople

лю́дный crówded (*об улице и т. п.*)

люкс de lúxe; (*номер*) suite

лю́стра chandelíer

ляга́ть, ~ся kick

лягу́шка frog

М

мавзоле́й mausoléum

магази́н shop; store; продово́льственный ~ food store

магистра́ль main line

маги́ческий mágic(al)

магни́т mágnet; ~ный magnétic; ~ное по́ле magnetic field

магнитофо́н tape recórder

ма́зать spread; ~ ма́слом bútter

мазь óintment

май May; Пе́рвое ма́я the First of May, May Day

ма́йка T-shirt, fóotball shirt

майоне́з mayonnáise

майо́р májor

ма́йский May; May Day (*о празднике*)

мак póppy

макаро́ны macaróni

максима́льный máximum

мале́йший least; slíghtest

ма́ленький 1. *прил.* 1) líttle, small 2) (*незначи́тельный*) slight 2. *в знач. сущ* (the) báby, (the) child

мали́н|а ráspberry; ~овый 1) ráspberry 2) (*цвет*) crímson

ма́ло not much; ónly a few; not enóugh (*недоста́точно*) ◇ ~ того́ moreóver; ~ ли что! what abóut it?, what of it?

малокро́вие anáemia

малоле́тний young, júvenile, únder age; ~ престу́пник júvenile delínquent

малолитра́жный: ~ автомоби́ль mínicar

малонаселённый spársely populáted, thínly populáted

ма́ло-пома́лу grádually, líttle by líttle

малочи́сленный small (in númber), not númerous, scánty

ма́лый 1. *прил.* líttle; он ещё ~ ребёнок he is ónly a child 2. *сущ. разг.* chap, lad, féllow

малы́ш child, kíd(dy)

ма́льчик boy

маля́р hóuse-painter

маляри́я malária

ма́ма móther, mammá

мандари́н tangeríne

манёвр manóeuvre

манёвры *воен.* manóeuvres

мане́ра mánner, style

манже́та cuff

манифе́ст manifésto; ~а́ция demonstrátion

мара́ть soil, dírty

ма́рганец manganése

маргари́н margarine

маргари́тка dáisy

маринова́ть pickle; *перен.* shelve

ма́рка (póstage) stamp; фабри́чная ~ trade mark

марке́тинг márketing

ма́рля gauze

мармела́д fruit jéllies, mármalade

март March

марш march

ма́ршал márshal

маршировать march

маршру́т route; ítinerary

ма́ск|а mask; сбро́сить ~y throw off the mask; сорва́ть ~y unmásk

маскара́д másked ball, masqueráde

маск|ирова́ть mask; disguíse; *воен.* cámouflage; ~иро́вка disguíse; *воен.* cámouflage

ма́сл|ина, ~и́чный ólive

ма́сл|о bútter (*коровье*); oil (*растительное*) ◇ как по ~y swímmingly

ма́слян|ый óily, gréasy; ~ая кра́ска oil paint, oils

ма́сса 1) mass 2) (*мно́жество*) a lot of

масса́ж mássage

масси́в mássif; ~ный mássive

ма́ссов|ый mass(-); ~ое произво́дство mass prodúction

ма́ссы the másses

ма́стер 1) (*на заво́де*) fóreman; skilled wórkman 2)

(*знато́к*) éxpert, máster; ~ская wórkshop; ~ство skill

масшта́б scale

мат *шахм.* chéckmate

матема́тик mathematícian

матема́тика mathemátics

материа́л matérial

материали́|зм matérialism; ~сти́ческий materialíst(ic)

материа́льн|ый matérial; fináncial; ~ые усло́вия líving condítions

матери́к cóntinent; máinland

матери́н|ский matérnal; mótherly; ~ство matérnity

мате́рия 1) *филос.* mátter 2) (*ткань*) cloth, matérial, stuff

ма́тка 1) (*са́мка*) fémale; queen (*у пчёл*) 2) *анат.* úterus, womb

ма́товый mat; dull

матра́ц máttress

матро́с sáilor

матч *спорт.* match

мать móther

ма́фия máfia

мах|а́ть, ~ну́ть wave; flap (*кры́льями*)

ма́чеха stépmother

ма́чта mast

маши́на 1) machíne; éngine 2) *разг.* (*автомоби́ль*) car; áuto (*амер.*)

машина́льно mechánically

машини́ст éngine dríver

машини́стка týpist

маши́нка (*пи́шущая*) týpewriter; (*шве́йная*) séwing machine машиностроéние mech-ánical enginéering

маяк líghthouse

маятник péndulum

мгла mist, haze

мгновéн|ие ínstant, móment; ~ный instantáneous; mómentary

мéбель fúrniture; мягкая ~ uphólstered fúrniture

меблир|овáть fúrnish; ~óвка fúrnishing(s); (мебель) fúrniture

мёд hóney

медáль médal

медвéдь bear

медици́н|а médicine; ~ский médical; ~ская сестрá (trained) nurse; hóspital nurse

мéдл|енный slow; ~ить be slow, línger

мéдный cópper; brass (латунный)

медóвый hóney ◇ ~ мéсяц hóneymoon

медпýнкт first aid post

медýза médusa; jéllyfish

медь cópper

междомéтие грам. interjéction

мéжду 1) betwéen 2) (среди) amóng ◇ ~ прóчим by the way, by the by; ~ тем méanwhile; ~ тем как while

междугорóдный: ~ телефóн trúnk line

междунарóдный inter-nátional

межпланéтн|ый inter-plánetary; ~ая стáнция inter-plánetary státion

мел chalk

мелéть becóme shállow

мéлк|ий 1) (неглубокий) shállow; ~ая тарéлка dínner (flat) plate 2) (некрупный) small; перен. pétty; ~ая бур-жуази́я pétty bourgeoisíe

мелóдия mélody, tune

мéлочный pétty

мéлочь 1) trífle 2) (день-ги) (small) change

мель shállow; сесть на ~ run agróund

мельк|áть, ~нýть flash, gleam

мéльком in pássing; уви́-деть ~ catch a glimpse of

мéльни|к míller; ~ца mill

мемуáры mémoirs

мéна exchánge

мéнеджер mánager

мéнее less ◇ тем не ~ nevertheléss

мéньше 1. прил. smáller 2. нареч. less

меньшинствó minórity

мен́ю ménu, bill of fare

меня́ me

меня́ть change; ~ся 1) change 2) (обмениваться) exchánge

мéр|а méasure ◇ по мéнь-шей ~е at least; по ~е тогó как as; в ~у móderately

мéрзкий vile, lóathsome

мёрзнуть freeze

меридиáн merídian

мéрить 1) (измерять) méasure 2) (примерять) try on

мéрк|а méasure; снять ~у

с кого́-л. take sómebody's méasure

мéркнуть fade

мéрный méasured, régular

мероприя́тие méasure

мертвéц dead man

мёртвый dead

мерца́|ние shímmer, glímmer; ~ть glímmer

меси́ть knead

мести́ sweep

мéст|ость locálity, place; ~ый lócal; ~ый жи́тель inhábitant, dwéller; nátive

мéсто 1) place; spot (*истори́ческое, живопи́сное*) 2) (*свобо́дное простра́нство*) space; мест ско́лько уго́дно there is plénty of room 3) (*до́лжность*) post, job

местожи́тельство place of résidence

местоиме́ние *грам.* prónoun

местоположе́ние posítion, situátion; site

месть véngeance, revénge

мéсяц 1) month 2) (*луна́*) moon

мéсячный mónthly

металл métal; ~и́ческий metállic

металл|урги́ческий: ~ заво́д fóundry, works; ~у́ргия métallurgy

мета́ть throw, cast

мете́ль snówstorm

метео́р méteor

мéтить (*це́литься*) aim (at)

мéтка mark

мéтк|ий well-áimed; keen

(*о гла́зе*); *перен. тж.* póinted; ~ стрело́к good shot; ~ость márksmanship, áccuracy (*стрельбы́*)

метла́ broom

мéтод méthod

метр métre; méter (*амер.*)

мéтрика, метри́ческое свиде́тельство birth certíficate

метро́, метрополите́н únderground (ráilway); súbway (*амер.*); the Métro (*в Москве́*); tube (*в Ло́ндоне*)

мех fur

механ|иза́ция mechanizátion; ~изи́ровать méchanize; ~и́зм méchanism; machínery

механ|ик mechánic; ~ика mechánics; ~и́ческий mechánical

мехово́й fur

меч sword

мече́ть mósque

мечта́ dream; ~ть dream

меша́ть I (*разме́шивать*) stir, mix

меша́ть II 1) (*препя́тствовать*) prevént, hínder 2) (*беспоко́ить*) distúrb

мешо́к bag; sack (*большо́й*)

меща́н|ский Phílistine, nárrow-mínded; vúlgar; ~ство nárrow-míndedness; vulgárity; phílistinism

миг ínstant

мига́ть, мигну́ть blink

ми́гом in a flash, in a jíffy

мигра́ция migrátion

мизи́нец little finger

микро́б mícrobe

микроволно́вая печь mícrowave óven

микроско́п mícroscope

микрофо́н mícrophone; the mike (*разг.*)

ми́ксер míxer

милитар|и́зм mílitarism; ~**и́ст** mílitarist

мил|иционе́р milítiaman; ~**и́ция** milítia

миллиа́рд mílliard; bíllion (*амер.*)

миллиме́тр mílimetre

миллио́н míllion; ~**е́р** millionáire

милосе́рдие mércy, chárity

ми́лосты|ня alms; проси́ть ~**ню** beg

ми́лос|ть fávour; ~**ти про́сим!** wélcome!

ми́лый 1) nice; sweet 2) (*в обраще́нии*) dear

ми́ля mile

ми́мо by, past; пройти́ ~ pass by, go past

мимолётный pássing, тránsient

мимохо́дом on one's way

ми́на *воен.* mine

минаре́т mínaret

миндаль álmond

минера́л míneral; ~**ьный** míneral

минима́льный mínimum

министе́рство mínistry; depártment (*амер.*)

мини́стр mínister (for); sécretary

минова́ть pass; be óver; э́того не ~ it is inévitable

мину́вшее the past

ми́нус 1) mínus 2) (*недоста́ток*) dráwback

мину́та mínute

мину́ть *см.* минова́ть

мир I (*поко́й*) peace

мир II (*вселе́нная*) world; úniverse

мири́ть réconcile; ~**ся** 1) (*по́сле ссо́ры*) make it up 2) (*с чем-л.*) réconcile oneself to

ми́рн|ый péaceful; ~ догово́р peace tréaty; ~**ое сосуще́ствование** péaceful coexístence

мирово́й world(-)

миролюби́вый péaceable, péaceful; péace-loving

ми́ска básin, bowl

ми́ссия 1) (*поруче́ние*) commíssion 2) (*дипломати́ческая*) míssion

ми́тинг méeting

миф myth

мише́нь tárget

младе́н|ец ínfant; báby; ~**ческий** ínfantile; ~**чество** ínfancy

мла́дший yóunger (*бо́лее молодо́й*); са́мый ~ the yóungest

млекопита́ющее mámmal

мне me

мне́ние opínion

мни́мый imáginary

мни́тельный hypochóndriac; distrústful, suspícious (*подозри́тельный*)

мно́гие mány

мно́го much; plénty of, a lot of (*ско́лько уго́дно*)

многокра́тн|о repéatedly; ~ый repéated, fréquent

многоле́тний 1) of long stánding 2) *бот.* perénnial

многонациона́льный multinátional

многосторо́нний mány-sided, vérsatile

многоступе́нчатый múltistage

многочи́сленный númerous

мно́жественное число́ *грам.* plúral

мно́жество a númber of, mány; heaps of (*куча*)

мно́жить múltiply

мной, мно́ю (by, with) me

мобилиз|а́ция mobilizátion; ~ова́ть móbilize

моги́ла grave, tomb

могу́чий míghty, pówerful

могу́щество might, pówer

мо́д|а fáshion; по ~е fáshionable; быть в ~е be in fáshion

моде́ль módel

мо́дный fáshionable

мо́жет быть perháps, may be

мо́жно one can; one may (*разрешено*)

мозг brain

мозо́|листый hórny; ~ль corn; blíster (*волдырь*)

мой my, mine

мо́кнуть get wet

мокро́та spútum

мо́крый wet

мол pier, breakwater

молва́ rúmour

молдава́нин Moldávian

молда́вский Moldávian

моле́кул|а mólecule; ~я́рный molécular

моли́тва prayer

моли́ться pray (to)

мо́лния 1) líghtning 2) (*телегра́мма*) expréss méssage 3) (*застёжка*) zíp (fastener); zípper, slide fástener (*амер.*)

молодёжь youth, young péople

молоде́ц fine féllow, good sport; ~! brávo!, well dóne!, good for you!

молодо́й young

мо́лодость youth

молоко́ milk

мо́лот hámmer

молот|и́лка thréshing machine; ~и́ть thresh

молото́к hámmer

моло́ть grind

моло́чн|ая dáiry; ~ый milk (-)

мо́лч|а sílently; ~али́вый táciturn, quíet, sílent; ~а́ние sílence; ~а́ть be sílent, be quíet

моль moth

мольба́ prayer, entréaty

моме́нт móment; ~а́льно ínstantly; ~а́льный instantáneous

мона́рхия mónarchy

монасты́рь mónastery; (*же́нский*) núnnery, cónvent

мона́х monk; ~иня nun

монго́л Móngol

монго́льский Mongólian

моне́та coin

монитор *тех.* mónitor

монолитный mássive, united

монополистический monopolístic

монополия monópoly

монтаж 1) assémbling, móunting 2) (*в кино*) cútting

монтёр electrícian

монумент mónument; ~а́льный monuméntal

мопед móped

мораль móral

моральн|ый móral; ~ое состояние morále

мораторий moratórium

морг|а́ть, ~ну́ть blink; wink (*одним глазом*)

морда múzzle

море sea

морить extérminate; ~ го́лодом starve

морковь cárrot

мороженое ice cream

моро́з frost; ~ный fròsty

морск|ой sea(-); maríne; nával; ~а́я боле́знь séasickness; ~а́я ба́за nával base

морщина wrínkle

морщить ~ лоб knit one's brows, frown; ~ся wrínkle; frown; make fáces (*делать гримасы*)

моря́к séaman, sáilor

москвичи inhàbitants of Móscow, Múscovites

мост bridge

мостить pave

мостовая road

мотель motél

мотив 1) *муз.* tune 2) (*причина*) mótive

мотор éngine

мотороллер (mótor) scóoter

мотоцикл mótor cýcle, mótor bike

мотылёк bútterfly; ночной ~ moth

мох moss

мохер móhair

мохна́т|ый háiry, shággy; ~ое полоте́нце Túrkish tówel

моча́ úrine

моча́лка bast, fáceclòth; wáshclòth, wáshrag (*амер.*)

мочить wet; soak (*вымачивать*)

мочь be áble to; я могу́ I can

мошенник swíndler

мошка gnat

мощность pówer

мощный pówerful

мощь pówer; might

мрак dárkness, gloom

мрамор márble

мра́чный glóomy; *перен. тж.* sómbre

мстительный vindíctive

мстить 1) (*кому-л.*) revénge onesélf (upón) 2) (*за что-л.*) revénge onesélf (for)

мудрец sage

му́др|ость wísdom; ~ый wise

муж húsband

мужественный brave; courágeous; mánly

мужество cóurage

мужск|ой 1) (*мужского*

пола) male 2) (*для мужчин*) man's, men's; ~**ая** шля́па a man's hat 3) *грам.* másculine

мужчи́на man

му́за muse

музе́й muséum

му́зык|а músic; ~**а́льный** músical; ~**а́нт** musícian

му́ка tórment

мука́ flour

мулла́ múllah

мультипликацио́нный: ~ фильм (ánimated) cartóon(s)

мунди́р úniform

мундшту́к cigarétte hólder

мураве́й ant; ~**ник** ánthill

му́скул múscle

му́сор rúbbish; gárbage (*амер.*); ~**ный:** ~**ный я́щик** dústbin; gárbage-can (*амер.*)

мусульма́нин Móslem, Múslim

му́тный múddy, túrbid; ~ взгляд dull glance

му́ха fly

муче́ние 1) tórture 2) *разг.* (*беспокойство*) wórry, bóther

му́чить tormént, tórture; wórry (*беспокоить*)

мча́ться speed, tear alóng, húrry

мще́ние véngeance

мы we

мы́лить soap, láther

мы́ло soap; хозя́йственное ~ láundry soap; туале́тное ~ tóilet soap

мы́льн|ица sóapdish; ~**ый** soap(-); ~**ая пе́на** sóapsuds (*мн. ч.*), láther

мыс cape

мы́сленный 1) méntal 2) (*воображаемый*) imáginary

мысли́тель thínker

мысль thought

мыть wash; ~**ся** wash (onesélf)

мыча́ть low, béllow; moo (*разг.*)

мышело́вка móusetrap

мышле́ние way of thínking; mentálity

мы́шца múscle

мышь mouse

мю́зикл músical

мя́гкий soft; génial, mild (*о климате*); *перен.* géntle

мяс|ни́к bútcher; ~**но́й** meat

мя́со meat

мя́та mint

мяте́ж revólt; rebéllion; ~**ник** rébel; ~**ный** 1) rebéllious 2) (*бурный, неспокойный*) réstless, pássionate

мя́тный mint

мять rúmple; crúmple (*комкать*)

мяч ball

Н

на I 1) (*сверху, на поверхности; тж. указывает на местоположение*) on; на столе́ on the táble; го́род на Во́лге a town on the Vólga 2) (*указывает на местопребывание*) in; at; на ю́ге in the

South; **на Украи́не** in the Ukráine; **на заво́де** at the fáctory; **на конце́рте** at a cóncert 3) (*куда*) to; towárds (*в направле́нии*); **на се́вер** to the North; **на Кавка́з** to the Cáucasus; **дви́гаться на ого́нь** move towárds the fire 4) (*при обозначе́нии спо́соба передвиже́ния*) by; in; **е́хать на парохо́де** go by stéamer 5) (*во вре́мя, в тече́ние*) dúring; in (*при обозначе́нии го́да*); on (*при обозначе́нии дня*); **на кани́кулах** dúring the vacátion; **на деся́том году́** in one's tenth year; **на тре́тий день** on the third day 6) (*при обозначе́нии сро́ка*) for; **на два дня** for two days

на! II (*возьми́*) here you are!

набат alárm; **бить в ~** raise the alárm

набе́г raid

на́бережная embánkment, quay

набира́ть 1) gáther, colléct 2) *полигр.* set up 3) *воен.* recrúit ◇ **~ но́мер** (*по телефо́ну*) díal

наблюда́|тель obsérver; **~тельный** obsérvant; **~ть** 1) watch, obsérve 2) (*надзира́ть*) look áfter; **~е́ние** 1) observátion 2) (*надзор*) supervísion

набо́р 1) (*компле́кт*) set 2) (*уча́щихся*) admíssion, recéption 3) *воен.* lévy 4)

полигр. týpesetting; **сда́но в ~** at the prínters'

набо́рщик compósitor

набра́ть *см.* набира́ть

набро́сок sketch, rough draft

наве́ки for éver

наве́рн|о(е) 1) (*несомне́нно*) for cértain 2) (*вероя́тно*) próbably; véry líkely; **~яка́:** он **~яка́** придёт he is sure to come

наверста́ть, наверстывать make up for

наве́рх up, úpwards; upstáirs (*по ле́стнице*)

наверху́ abóve; upstáirs (*на ве́рхнем этаже́*)

навести́ *см.* наводи́ть

наве|сти́ть, ~ща́ть vísit, call on, go and see

наводи́ть (*направля́ть*) diréct; point (*ору́жие*) ◇ **~ на мысль** put it ínto one's head; **~ спра́вки** make inquíries

наводне́ние flood, inundátion

наво́з manúre

на́волочка píllowcase

навсегда́ for éver; for good; **раз ~** once and for all

навстре́чу towárds; **идти́ ~** *перен.* meet *smb.* halfwáy

на́вык skill, práctical knówledge; expérience (*о́пыт*)

навяза́ть, навя́зывать tie on; *перен.* impóse *smth.* (on), thrust *smth.* (on); press *smth.* (on)

нагибáть bend; ~ся stoop, bend

нáгл|ость ímpudence, ínsolence; ~ый ímpudent, ínsolent

нагля́дн|о cléarly, gráphically; ~ый: ~ый урóк óbject lésson; ~ые посóбия vísual aids

нагнýть(ся) см. нагибáть(ся)

наготóве réady, in réadiness

нагрá|да rewárd; decorátion (знак отличия); prize (школьная); ~дить, ~ждáть rewárd; décorate (орденом)

нагревáть, нагрéть warm, heat

нагру|жáть, ~зи́ть load; búrden (обременять)

нагрýзка load

над óver, abóve

надевáть put on

надéжда hope

надёжный relíable

надéть см. надевáть

надéяться hope; ~ на когó--л. relý upón smb.

надзóр supervísion

надлежáщий próper, due

надмéнный háughty, árrogant

на дня́х one of these days, in a day or two (о будущем); the óther day, a day or two agó (о прошлом)

нáдо it is nécessary; one must

нáдобность necéssity; need

надоедáть, надоéсть bore; bóther, tróuble (беспокоить); мне э́то надоéло I'm fed up with it

нáдпись inscríption

надувáть 1) puff up; infláte 2) разг. (обманывать) cheat

надувн|óй inflátable; ~áя лóдка rúbber inflátable boat

надýманный fár-fetched

надýть см. надувáть

наединé alóne, in prívate

наём hire; ~ный híred; ~ный труд wage lábour, híred lábour

нажáть, нажимáть press (on); push

назáд báck(wards); томý ~ agó

назвá|ние name; títle (книги); ~ть см. называ́ть

назлó out of spite; как ~ as ill luck would have it; ~ комý--л. to spite smb.

назнач|áть 1) (на должность и т. п.) appóint 2) (устанавливать) fix; ~éние 1) appóintment, nominátion 2) (цель) púrpose

назнáчить см. назначáть

назóйливый 1) impórtunate, tíresome 2) (неделикатный) intrúsive, púshing

называ́ть call, name; ~ся be called

наибóлее (the) most

наи́вн|ость naívety; simplícity; ~ый ingénuous, naíve

наизна́нку inside out, on the wrong side

наизу́сть by heart

наилу́чший best

на́искось obliquely, aslant; on the bias (*в кройке*)

найти́ *см.* находи́ть

наказ|а́ние punishment; penalty (*взыскание*); ~а́ть, наказывать punish

накану́не the day before; on the eve (of) (*перед каким-л. событием*)

накла́дывать lay, put *smth.* on

наклоне́ние *грам.* mood

наклони́ть(ся) *см.* наклоня́ть(ся)

наклонн|ость inclination; име́ть ~ к чему́-л. be inclined to smth., have a tendency to smth.; ~ый sloping, oblique, inclined

наклоня́ть bend, bow; ~ся bend over

наконе́ц at last, finally

накоп|и́ть accumulate; ~ле́ние accumulation

накорми́ть feed

накрыва́ть, накры́ть cover; ~ на стол lay the table

нала́|дить, ~живать arrange; put *smth.* right (*поправить*)

нале́во to (on) the left

налегке́ 1) (*без багажа*) with no luggage; light 2) (*в лёгком костюме*) lightly clad

налёт I raid

налёт II (*слой*) coating; ~ в го́рле *мед.* patch

налива́ть, нали́ть pour out

налицо́: быть ~ be present (*о человеке*); be available (*о предмете*)

нали́чие presence

нали́чн|ый : ~ые де́ньги cash (*ед. ч.*); плати́ть ~ыми pay in cash

нало́г tax

наложи́ть *см.* накла́дывать

нам us, to us

нама́зать put, spread; ~ хлеб ма́слом butter bread

намёк hint

намек|а́ть, ~ну́ть hint (at)

намерева́ться intend

наме́рение intention; purpose

наме́тить, намеча́ть 1) (*кандидатов*) nominate 2) (*план*) outline

на́ми (by, with) us

нанести́ *см.* наноси́ть

нанима́ть hire

наноси́ть 1) (*песок и т. п.*) drift 2) (*причинять*) inflict; ~ уще́рб cause damage

наня́ть *см.* нанима́ть

наоборо́т 1. *вводн. сл.* on the contrary 2. *нареч.* (*не так, как следует*) the wrong way

наобу́м at random

наотре́з flatly, categorically; отказа́ться ~ flatly refuse, refuse point-blank

напад|а́ть attack, assault;

~а́ющий *спорт.* fórward;
~е́ние attáck, assáult

напа́лм nápalm

напа́сть *см.* напада́ть

напева́ть hum

напе́вный melódious

напёрсток thímble

написа́ть 1) write 2) (*карти́ну*) paint

напи́|ток drink, béverage;
~ться 1) (*утоли́ть жа́жду*)
drink, quench one's thirst 2)
(*опьяне́ть*) get drunk

наплы́в ínflux, rush

напои́ть give *smb.*
sómething to drink

напока́з for show

напо́лн|ить, ~я́ть fill

наполови́ну half(-)

напомина́ть, напо́мнить
remínd

направ|ить(ся) *см.* направля́ть(ся); ~ле́ние
diréction; ~ля́ть 1) diréct 2)
(*посыла́ть*) send; ~ля́ться
go, be bound for

напра́во to (on) the right

напра́сн|о 1) (*зря*) in
vain; úselessly; for nóthing 2)
(*несправедли́во*) wróngfully;
~ый 1) (*бесполе́зный*) vain;
úseless 2) (*несправедли́вый*)
wróngful; unjúst

наприме́р for exámple

напрока́т on hire; брать ~
hire

напро́тив 1) ópposite 2)
(*наоборо́т*) on the cóntrary

напря|га́ть strain; ~же́ние
strain; ténsion; éffort (*уси-*

лие); ~жённый strained,
tense

напря́чь *см.* напряга́ть

наравне́ équally with

нараста́ть grow, incréase

нарва́ть I (*цвето́в, пло-
до́в*) pick

нарва́ть II *см.* нарыва́ть

наре́чие 1) díalect 2)
грам. ádverb

нарисова́ть draw

нарко́з anaesthésia

наркома́н drug áddict

нарко́тик narcótic, drug

наро́д péople; ~ность
nationálity; ~ный péople's,
nátional; ~ое хозя́йство
nátional ecónomy; ~ный суд
Péople's Court

наро́чно on púrpose;
púrposely for fun (*в шу́тку*)

нару́ж|ость appéarance;
~ый extérnal, extérior

нару́жу óutside; вы́йти ~
come out

нару́чн|ики hándcuffs;
~ый: ~ые часы́ wrístwatch
(*мн. ч.*)

наруш|а́ть break; infrínge,
víolate (*зако́н, пра́вило*);
distúrb (*тишину́*); ~е́ние
breach; infríngement, violátion
(*зако́нов, пра́вил*); distúrb-
ance (*тишины́*)

нару́шить *см.* наруша́ть

нарци́сс narcíssus

нары́в ábscess; ~а́ть féster;
gáther

наря́д dress, attíre;
~и́ть(ся) *см.* наряжа́ть(ся);
~ный smart

наряжа́ть, ~ся dress up

нас us

насади́ть, насажда́ть (im)plánt

насеко́мое ínsect

насел|е́ние populátion; ~ённый pópulated; ~и́ть см. населя́ть 1); ~я́ть 1) pópulate; séttle (поселя́ть) 2) (обита́ть) inhábit

наси́л|ие víolence; ~овать force; rape (же́нщину)

наси́льственн|ый fórcible; forced; ~ая смерть víolent death

наскво́зь through

наско́лько 1) (вопроси́т.) how much 2) (относи́т.) as far as

на́скоро hástily, húrriedly

наслажд|а́ться enjóy, take pléasure; ~е́ние enjóyment, delíght, pléasure

насле́д|ие légacy; ~ник heir; ~овать inhérit; ~ство inhéritance

насме́ш|ка móckery; ~ливый sarcástic, derísive

на́сморк cold

насо́с pump

наста́ивать insíst (on)

на́стежь wide ópen

насто́йчив|ость persístence; ~ый persístent; préssing

насто́лько so; ~ наско́лько as much as

насто́льн|ый: ~ая ла́мпа táble lamp

настоя́ть см. наста́ивать

настоя́щий 1) real 2) (о вре́мени) présent

настрое́ние mood

наступа́тельный offénsive

наступа́ть I (ного́й) tread on

наступа́|ть II fall; appróach; сро́ки ~ют the term is expíring

наступа́ть III воен. advánce, be on the offénsive

наступи́ть I, II см. наступа́ть I, II

наступле́ние I cóming, appróach

наступле́ние II воен. offénsive

насу́щный úrgent

насчёт as regárds, concérning

насчи́тывать, ~ся númber

насы́п|ать, ~ать 1) pour smth. into 2) (напо́лнить) fill

на́сыпь ж.-д. embánkment

ната́лкиваться 1) run agáinst 2) (встреча́ться) run acróss, meet with

на́тиск ónslaught

натолкну́ться см. ната́лкиваться

натоща́к on an émpty stómach

натюрмо́рт still life

натя́гивать, натяну́ть stretch; draw on

нау́ка scíence

научи́ть teach; ~ся learn

нау́чный scientífic

нау́шники ра́дио éarphones, héadphones

нахал impértinent (impudent) féllow

нахаль|ный impértinent, chéeky; ~ство impértinence, impudence, cheek

находить 1) find 2) (*считать*) consíder; ~ся be

наход|ка find; бюро ~ок lost próperty óffice

находчивый ingénious, resóurceful; quick-wítted; réady, quick (*об ответе и т. п.*)

национализ|ация nationalizátion; ~ировать nátionalize

национализм nátionalism

национальн|ость nationálity; ~ый nátional

нация nátion

начало 1) begínning 2) (*источник*) órigin; source

начальник chief, head; boss

начальн|ый: ~ая школа eleméntary school

начать, начинать begín

начинка filling

наш our, ours

наяву in one's wáking hours; сон ~ dáydream

не not; no, none (*никакой, никакие*)

небесный celéstial, héavenly

неблагодарный ungráteful; *перен.* thánkless

неблагоприятный unfávourable

неблагоразумный unréasonable

небо sky

нёбо pálate

небольшой small; short (*о расстоянии, сроке*)

небоскрёб skýscraper

небрежный négligent; cáreless

небывалый unprécedented

неважн|о 1. *безл.* it doesn't mátter, néver mind 2. *нареч.*: он себя ~ чувствует he doesn't feel véry well; ~ый (*плохой*) bad, poor

невежество ignorance

невежливый rude, impolíte

неверн|ый 1) wrong 2) (*изменивший*) unfáithful; false (*лживый*)

невероятный incrédible

невеста fiancée, bride

невестка dáughter-in-law (*жена сына*); síster-in-law (*жена брата*)

невиданный unprécedented, incrédible

невинн|ость ínnocence; ~ый ínnocent

невкусный unpálatable

невмешательство non-interférence, non-intervéntion

невнима|ние inatténtion; ~тельный inatténtive

невод seine, swéep-net

невозможный impóssible

невозмутимый impertúrbable

невольн|о invóluntarily; ~ый invóluntary

невооружённ|ый unármed ◇ ~ым глазом with the naked eye

невоспи́танный ill-bréd

невреди́мый unhármed, unínjured, safe; це́лый и ~ safe and sound

невы́годный unprófitable; unfávourable, disadvantágeous (*неблагоприятный*)

невыноси́мый unbéarable

невыполне́ние nón-execútion

невыполни́мый impóssible

негати́в *фото* négative

не́где there's no room; nówhere

негодова́|ние indignátion; ~ть be indígnant

него́дяй scóundrel

негр Négro

негра́мотн|ость illíteracy; ~ый illíterate

неда́вно lately, récently

недалеко́ not far awáy; ~ от not far from

незда́ром 1) (*не без основа́ния*) not without réason 2) (*не напрасно*) not in vain

недви́жимость real estáte; immóvables (*мн. ч.*)

недействи́тельный 1) inefféctive 2) *юр.* inválid

неде́ля week

недобросо́вестн|ость lack of consciéntiousness; ~ый unconsciéntious

недове́рие distrúst, mistrúst

недово́ль|ный displéased, disconténted, dissátisfied; ~ство dissatisfáction, discontént

недога́дливый slow(-wítted)

недо́лго not long; ~ ду́мая without stópping to think, as quick as thought

недооце́н|ивать, ~и́ть underéstimate

недопусти́мый inadmíssible

недоразуме́ние misundertánding

недосмо́тр óversight; по ~у by an óversight

недост|ава́ть *безл.* not have enóugh; lack; ~а́ток 1) lack; deficiency, shórtage 2) (*дефект*) deféct, shórtcoming

недоста́точно insufficiently; он ~ умён he is not cléver enóugh

недостижи́мый unattáinable, unachíevable

недосто́йный unwórthy

недосту́пный inaccéssible

недоум|ева́ть be perpléxed, be bewíldered; ~е́ние perpléxity, bewílderment

недочёт 1) (*нехватка*) shórtage; déficit (*денежный*) 2) (*в работе*) deféct

неесте́ственный 1) unnátural 2) (*притворный*) affécted

не́жн|ость ténderness; ~ый ténder; délicate (*о красках и т. п.*)

незабу́дка forgét-me-nót

незави́сим|ость indepéndence; ~ый indepéndent

незако́нный illícit, unláwful

незамени́мый irrepláceable, indispénsable

незаме́тный impercéptible; unnóticeable; insignificant (*незначи́тельный*)

не́зачем there is no need

незащищённый unprotécted, unshéltered

нездоро́вый unhéalthy; он нездоро́в he is ill

незнако́м|ый unfamíliar; ~ые лю́ди strángers

незна́ние ígnorance

незначи́тельный insignificant; unimpórtant

незре́лый unrípe; green; *перен. тж.* immatúre

неизбе́жный inévitable

неизве́стный unknówn

неизлечи́мый incúrable

неизме́нный 1) inváriable 2) (*постоя́нный*) cónstant

неизмери́мый imméasurable

нейскренний insincére

неисправи́мый incórrigible; *перен. тж.* hópeless

неисправн|ость disrepáir; ~ый out of órder

неиспы́танный (*непережи́тый*) nóvel

неистощи́мый, неисчерпа́емый inexháustible

нейтралите́т neutrálity

нейтра́льный neutral

нейтро́н *физ.* néutron

не́кий a cértain

не́когда I (*когда́-то*) once, at one time

не́когда II: мне ~ I have no time

не́который 1) a cértain 2) *мн. ч.* some

некраси́в|о not nice; ~ый úgly

некроло́г obítuary

некста́ти not to the point, irrélevant; táctless (*бестакт-но*)

не́кто sómebody, sómeone

не́куда nówhere

некульту́рный ígnorant, uncúltured

некуря́щ|ий *сущ.* non-smóker; ваго́н для ~их non-smóking cárriage, non-smóker

нелега́льный illégal; únderground (*подпо́льный*)

неле́пый absúrd

нело́вк|ий áwkward; ~о áwkwardly; э́то ~о it's áwkward

нельзя́ one can't, it is impóssible (*невозмо́жно*); it is prohíbited (*запреща́ется*)

нелюбо́вь dislíke

нема́ло much, a good deal, quite a number (lot); plénty of (*доста́точно*)

неме́дленн|о immédiately; ~ый immédiate

не́мец Gérman

неме́цкий Gérman

немно́го a little, some; a few; ~ ма́сла a little bútter; ~ са́хару some súgar; ~ люде́й a few péople

немо́й 1. *прил.* dumb 2. *сущ.* dumb man

ненави́деть hate

не́нависть hátred

ненадёжный unrelíable; insecúre

ненорма́льный 1) abnórmal 2) *(психически)* mad

ненýжный unnécessary

необдýманный hásty, rash

необитáемый uninhábited; ~ óстров désert ísland

необоснóванный gróundless

необрабóтанный 1) *(о земле)* uncúltivated, untílled 2) *(о материале)* raw

необразóванный unéducated

необходи́м|ость necéssity; ~ый nécessary, indispénsable, esséntial

необыкновéнный extraórdinary, remárkable

неограни́ченный unlímited; unrestrícted; ábsolute *(о власти)*

неоднокрáтн|о repéatedly; ~ый repéated

неодобрéние disappróval

неожи́данный unexpécted

неокóнченный unfínished

неопределённ|ость uncértainty; ~ый indéfinite, vague

неопровержи́мый incontrovértible

неóпытный inexpérienced

неоснователный unfóunded, gróundless

неостóрожн|ость incáutiousness, imprúdence; ~ый imprúdent, cáreless, incáutious

неотлóжн|ый úrgent; ~ая пóмощь first aid

неохóтно relúctantly, unwíllingly

непобеди́м|ость invincíbility; ~ый invíncible

неподви́жный immóvable, mótionless, still; fixed

неподходя́щий unsúitable, inapprópriate

непоколеби́мый unshákable, stéadfast

непóлный incompléte

непонимáние fáilure; (inabílity) to understánd

непоня́тный incompréhensible; strange

непослéдовательный inconsístent

непослýшный disobédient

непосрéдственный 1) diréct 2) *(естественный)* spontáneous

непостоя́нный chángeable; unstáble, incónstant *(о человéке)*

непохóжий unlíke, dífferent

непрáвда untrúth, lie; э́то ~ it is not true

непрáвильн|о wrong; ~ый 1) irrégular 2) *(неверный)* wrong, incorréct

непредви́денный unforeséen

непремéнно withóut fail; be sure to

непреодоли́мый insúperable; irresístible *(о желáнии и т. п.)*

непрерывный contínuous, unbróken, uninterrúpted

непригóдный unfít, úseless

неприе́млемый unaccéptable, unsúitable

неприкоснове́нность inviolabílity; дипломати́ческая ~ diplomátic immúnity

неприли́чный indécent

непримири́мый implácable, irréconcilable

непринуждённ|о at ease; ~ый nátural, éasy

непристу́пный inaccéssible; imprégnable (*о крепости*)

неприя́тель énemy; ~ский énemy

неприя́тн|ость unpléasantness; ~ости tróubles; ~ый unpléasant, disagréeable

непроизводи́тельный unprodúctive

непромока́емый wáterproof; ~ плащ ráincoat

непроница́емый impénetrable

непро́чный unstáble, not strong; flímsy

нера́в|енство inequálity; ~ный unéqual; ~ные ша́нсы long odds

неразбо́рчивый 1) (*в сре́дствах*) unscrúpulous 2) (*о по́черке*) illégible

неразви́тый undevéloped; báckward (*о ребёнке*)

неразгово́рчивый táciturn, réticent, uncommúnicative

неразлу́чный inséparable

неразреш|ённый 1) unsólved 2) (*недозво́ленный*)

forbídden, prohíbited; ~и́мый insóluble

неразры́вный indissóluble, inséparable

нераствори́мый *хим.* insóluble

нерв nerve; ~нича́ть wórry, be nérvous; ~ный nérvous

нереши́тельн|ость indecísion; irrésoluteness; ~ый 1) (*о челове́ке*) írrésolute, undecíded 2) (*об отве́те и т. п.*) half-héarted

неро́вный unéven

неря́шливый untídy

не́сколько 1. *числит.* a few; a little 2. *нареч.* (*в не́которой сте́пени*) sómewhat, ráther

нескро́мный immódest; indiscréet (*нетакти́чный*)

неслы́ханный unhéard of, incrédible

несмотря́ на in spite of, notwithstánding

несовершенноле́тний 1. *прил.* únder-age 2. *сущ. юр.* mínor

несоверше́нный impérfect

несовмести́мый incompátible (with)

несогла́сие disagréement, dífference of opínion

несозна́тельный 1) uncónscious; invóluntary (*непроизво́льный*) 2) (*неразу́мный*) irrespónsible

несокруши́мый indestrúctible; invíncible (*непобеди́мый*)

несомне́нн|о undóubtedly;

without doubt; **~ый** undóubted, évident, unmistákable

несостоя́тельный 1) insólvent; bánkrupt 2) (*о теории*) unténable

неспосо́бный incápable (of), unáble (to); dull (*об ученике*)

несправедли́в|ость injústice; **~ый** unjúst, unfáir

несравн|ённый, **~и́мый** incómparable

нести́ 1) cárry 2) (*терпеть*) bear

нести́сь 1) rush alóng 2) (*о курице*) lay eggs

несча́стный unfórtunate; **~ слу́чай** áccident

несча́сть|е misfórtune, disáster; **к ~ю** unfórtunately

нет 1) no 2) (*не имеется*) there is no, there are no

нетерпели́вый impátient

нетерпи́мый intólerant

неточный ináccurate

нетрудоспосо́бный disábled

неуве́ренн|ость uncértainty, díffidence; **~ый** díffident

неуда́ч|а fáilure; **потерпе́ть ~у** fail; **~ный** unsuccéssful

неудо́б|ный inconvénient; uncómfortable; **~ство** inconvénience

неудовлетвор|ённый dissátisfied; **~и́тельный** unsatisfáctory

неуже́ли réally

неукло́нный stéadfast

неуклю́жий clúmsy, áwkward

неуме́стный inapprópriate; póintless; irrélevant

неумоли́мый reléntless, inéxorable

неурожа́й bad hárvest, poor crop

неусто́йчивый unstéady

неутоли́мый insátiable

неутоми́мый indefátigable, untíring

нефтепрово́д (óil) pípeline

нефт|ь oil; **~яно́й** oil(-)

нехоро́ший bad

нехорошо́ 1. *нареч.* bádly 2. *безл.* that's too bad!

не́хотя unwíllingly, relúctantly

неча́янно accidéntally, uninténtionally

не́чего 1. *мест.* nóthing; **ему́ ~ чита́ть** he has nóthing to read 2. *безл.* (*бесполезно*) it's no use; **~ разгова́ривать** it's no use tálking

нече́стный dishónest

нече́тный odd

нечистопло́тный dírty; *перен.* unscrúpulous

не́что sómething

нея́вка ábsence, nonappéarance

нея́сный vague

ни néither, not; **ни... ни...** néither... nor...; **ни оди́н** none

ни́ва córnfield

нигде́ nówhere

ни́же 1. *прил.* lówer, shórter (*о росте*) 2. *нареч.*

315

lówer 3. *предлог* belów; *пе-рен.* benéath; ~ нуля́ belów zéro; ~ вся́кой кри́тики benéath contémpt

ни́жний únder; lówer; ~ эта́ж ground floor

низ lówest part; bóttom

ни́зкий 1) low 2) (*подлый*) base, mean

ни́зменность lówland

ни́зость méanness

ника́к by no means; ~о́й none; no; not ány

никогда́ néver

никто́ nóbody, no one

никуда́ nówhere

ниско́лько not at all, not a bit

ни́тка thread

нитра́т *хим.* nítrate

нить *см.* ни́тка

ничего́ nóthing; ~! néver mind!; it doesn't mátter!

ниче́й nóbody's

ничто́ nóthing

ничто́жный insigníficant; contémptible (*презренный*)

ничу́ть *см.* ниско́лько

ничья́ *спорт.* a draw

ни́ша niche

нищета́ póverty

ни́щий 1. *сущ.* béggar 2. *прил.* béggarly, póverty-strícken

но but

нова́тор ínnovator

нови́нка nóvelty

новичо́к new boy; *перен.* nóvice

нововведе́ние innovátion

нового́дний new year's

новорождённый néw-born

новосе́лье hóuse-warming

новостро́йка new búilding

но́вость news

но́вшество innovátion

но́вый new

нога́ foot (*ступня*); leg (*выше ступни*) ◇ идти́ в но́гу keep in step

но́готь nail; tóenail (*на ноге*)

нож knife

но́жницы scíssors

но́жны sheath (*ед. ч.*)

ноздря́ nóstril

ноль *см.* нуль

но́мер 1) númber 2) (*обуви и т. п.*) size 3) (*в гостинице*) room 4) (*программы*) ítem

нора́ hole, búrrow

норве́ж|ец, ~ский Norwégian

но́рма norm, rate; дневна́я ~ (*работы*) dáily work quóta

норма́льный nórmal

нос 1) nose 2) (*корабля*) bow

носи́лки strétcher (*ед. ч.*), lítter (*ед. ч.*)

носи́льщик pórter

носи́ть 1) cárry 2) (*одежду*) wear; ~ся 1) (*по воде*) drift 2) (*с кем-л., с чем-л.*) fuss óver, make a fuss abóut

носо́к 1) (*сапога, чулка*) toe 2) (*короткий чулок*) sock

но́та note

нота́риус nótary

но́т|ы músic (*ед. ч.*); игра́ть по ~ам play from músic; игра́ть без нот play by heart

ноч|ева́ть pass (spend) the night; ~лёг lódging for the night

ночни́к night-light

ночно́й night(-)

ночь night; ~ю in the night

но́ша búrden

ноя́брь Novémber

нра́в|иться please; он мне ~ится I like him

нра́вственность morálity; mórals

нра́вы mórals; ways

ну! well!

нужда́ need; ~ться 1) (в чём-л.) need, be in need of 2) (бедствовать) be véry poor

ну́жно it is nécessary; мне ~ I must, I have to

ну́жный nécessary

нуль nought, zéro

нумера́ция númbering

ну́трия nútria

ныр|ну́ть, ~я́ть dive

ню́хать smell

ня́нчить nurse; (ребёнка) look áfter; dándle (на руках)

ня́ня nurse

O

о(б) 1) (относительно) abóut, of; on (на тему); кни́га о жи́вописи a book on art 2) (при обозначении со-

прикоснове́ния, столкнове́ния) agáinst, on, upón; уда́риться о дверь hit agáinst the door

о́ба both

обва́л fall; collápse; ávalanche (снежный); ~иваться, ~и́ться fall

обвин|е́ние accusátion, charge; ~и́тель юр. prósecutor; ~и́тельный: ~и́тельный пригово́р vérdict of gúilty; ~и́ть см. обвиня́ть; ~я́емый accúsed; юр. deféndant; ~я́ть accúse (of); charge (with)

обгоня́ть overtáke; outstríp

обду́м|ать, ~ывать think smth. óver, consíder

о́бе both

обе́д dínner; ~ать dine, have dínner; ~енный: ~енный переры́в lunch time

обезбо́ливание anaesthésia

обезвре́|дить, ~живать rénder smth. hármless

обездо́ленный déstitute

обезопа́сить secúre (agáinst)

обезору́ж|ивать, ~ить disárm

обезья́на mónkey; ape (человекообразная)

оберега́ть protéct (from); guard (agáinst)

оберну́ться см. обора́чиваться

обеспе́чен|ие secúrity; guarantée; социа́льное ~ sócial secúrity; ~ный 1) províded with 2) *(состоя-тельный)* wéll-to-dó

обеспéчи|вать, ~ть 1) *(снабжать)* províde (with) 2) *(гарантировать)* secúre, ensúre

обессúлеть grow féeble; *разг.* be tíred out

обессмéртить immórtalize

обещá|ние prómise; ~ть prómise

обжéчься *см.* обжигáть(ся)

обжигáть 1) burn 2) *тех.* fire, bake; ~ся burn onesélf

обзóр súrvey, revíew

обивáть *(мебель)* uphólster; ~ желéзом bind with íron

обúвка 1) *(мебели)* uphólstering 2) *(материал)* uphólstery

обúда offénce; ínsult; ínjury

обúд|еть(ся) *см.* обижáть(ся); ~но! what a píty!; мне ~но I am offénded; ~ный offénsive; ~чивый tóuchy

обижáть offénd, hurt; ~ся take offénce, be offénded, be hurt

обúлие abúndance

обúльный abúndant, pléntiful

обитáть inhábit

обúть *см.* обивáть

облáва raid

облагáть *(налогами)* tax

обладá|ние posséssion; ~тель posséssor, ówner; ~ть posséss

óблако cloud

областнóй régional

óбласть région, dístrict; próvince *(тж. перен.)*

облáчный clóudy

облегч|áть facílitate; make *smth.* éasy (for); relíeve *(боль)*; ~éние relíef

облегчúть *см.* облегчáть

обледенéть be cóvered with ice

обле|тáть, ~тéть 1) fly round 2) *(о листьях)* fall

обливáть pour (óver); spill óver *(нечаянно)*

облигáция bond

óблик appéarance; cháracter *(характер)*

облúть *см.* обливáть

облич|áть, ~úть expóse; revéal

обложúть *см.* облагáть

облóжка cóver; (dúst) jácket *(суперобложка)*

облóм|ки wréckage *(ед. ч.);* ~ок frágment

обмáн fraud, decéption; ~уть *см.* обмáнывать; ~чивый decéptive; ~щик fraud, impóstor; ~ывать 1) decéive 2) *(подводить)* disappóint

обмáтывать wind round

обмéн exchánge; ~иваться exchánge

óбморок faint; пáдать в ~ faint

обмотáть *см.* обмáтывать

обмундировá|ние equípment; ~ть equíp

обнаглéть grow ímpudent (ínsolent)

обнадёжи|вать, ~ть raise hopes

обнажа́ть expóse; bare

обнаро́довать prómulgate, make públic

обнару́жи|вать 1) (*находи́ть*) discóver 2) (*выка́зывать*) displáy; ~ваться 1) (*оты́скиваться*) be found, turn up 2) (*выясня́ться*) appéar, turn out; ~ть(ся) *см.* обнару́живаться

обнима́ть embráce; put one's arms round

обнища́|ние impóverishment; ~ть becóme impóverished

обнов|и́ть, ~ля́ть renéw, rénovate

обня́ть *см.* обнима́ть

обобща́ть géneralize, súmmarize

обобществи́ть *см.* обобществля́ть

обобществ|ле́ние socializátion; ~лённый sócialized; ~ля́ть sócialize

обобщи́ть *см.* обобща́ть

обога|ти́ть, ~ща́ть enrích; ~ще́ние enríchment

обогна́ть *см.* обгоня́ть

обогрева́ть, обогре́ть warm

ободре́ние encóuragement

ободр|и́ть, ~я́ть encóurage

обо́з 1) string of carts (slédges) 2) *воен.* tránsport; train (*амер.*)

обозн|ача́ть 1) (*помеча́ть*) mark 2) (*зна́чить*) mean; sígnify; ~а́чить *см.* обознача́ть 1)

обозрева́тель revíewer, cómmentator

обозрева́ть (*осма́тривать*) survéy

обозре́ние revíew

обо́и wállpaper (*ед.ч.*)

обойти́ *см.* обходи́ть

обойти́сь *см.* обходи́ться

обокра́сть rob

оболо́чка cóver; сли́зистая ~ múcous mémbrane

оболь|сти́ть, ~ща́ть charm, fáscinate; sedúce (*соблазни́ть*)

обоня́ние sence of smell

обора́чиваться turn (round)

оборва́ть *см.* обрыва́ть

оборо́н|а defénce; ~и́тельный defénsive; ~я́ть defénd; ~я́ться defénd onesélf

оборо́т 1) turn; (*при враще́нии тж.*) revolútion 2): на ~е on the back of; смотри́ на ~е p.t.o. (please turn óver)

обору́дова|ние equípment; machínery (*маши́нное*); ~ть equíp, fit out

обоснов|а́ние básis, ground; ~а́ть base, ground; ~а́ться séttle down

обосно́вывать(ся) *см.* обосно́вать(ся)

обостр|е́ние (*ухудше́ние*) turn for the worse; ~и́ть(ся) *см.* обостря́ть(ся); ~я́ть make mátters worse, ággravate; ~я́ться becóme worse (*о боле́зни*); becóme strained (*об отноше́ниях*)

обраба́тыв|ать treat;

cúltivate *(землю)*; ~**ающий:** ~**ающая** промы́шленность manufácturing índustry

обрабо́т|**ать** см. обраба́тывать; ~**ка** tréatment; cultivátion *(земли́)*

обра́довать rejóice, make *smb.* háppy; ~**ся** be glad

о́браз 1) image 2) *(способ)* mánner; ~ жи́зни mode of life ◇ каки́м ~**ом?** how?; нико́им ~**ом** by no means

образе́ц módel; sámple, páttern, spécimen

образова́ние I formátion

образ|**ова́ние** II *(просвеще́ние)* educátion; дать ~ éducate; ~**о́ванный** (well) éducated

образова́ть**(ся)** см. образо́вывать**(ся)**

образо́вывать make, form; órganize *(организова́ть)*; ~**ся** be formed

образцо́вый módel, exémplary

обра́зчик spécimen; páttern *(материи)*

обрати́ть см. обраща́ть; ~**ся** см. обраща́ться 1)

обра́тн|**о** back; ~**ый** 1) *(противополо́жный)* revérse; ópposite 2): ~**ый** биле́т retúrn tícket; ~**ый** путь the way back

обраща́ть turn; ~ внима́ние nótice; pay atténtion (to); ~ чьё-л. внима́ние (на) draw sómebody's atténtion (to); не ~ внима́ния (на) not nótice; take no nótice (of), pay no atténtion (to);

disregárd; ignóre *(пренебрега́ть)*; ~ на себя́ внима́ние attráct atténtion (to onesélf) ◇ ~ в бе́гство put *smb.* to flight

обращ|**а́ться** 1) *(к кому--л.)* addréss; appéal; applý to *(с про́сьбой)* 2) *(с кем-л.)* treat; ~**е́ние** 1) *(к кому-л.)* addréss; appéal 2) *(с кем-л.)* tréatment

обре́з|**ать**, ~**а́ть** cut off; ~**аться** cut onesélf

обрека́ть, обре́чь condémn

обруче́ние betróthal

обру́ш|**иваться**, ~**иться** come down

обры́в précipice

обрыва́ть tear off; pick *(цветы́, плоды́)*

обры́згать sprínkle, splash

обслѐдова|**ние** inspéction; ~**ть** inspéct; invéstigate; exámine *(больно́го)*

обслу́жива|**ние** sérvice; ~**ть** atténd to, serve; supplý *(снабжа́ть)*

обстано́вка 1) *(ме́бель и т.п.)* fúrniture 2) *(положе́ние дела)* situátion 3) *(среда́)* átmosphere

обстоя́тельство círcumstance

обстре́л fire; shélling *(артиллери́йский)*; ~**ивать**, ~**я́ть** ópen fire (upón); shell *(артиллери́йским огнём)*

обсу|**ди́ть**, ~**жда́ть** discúss; ~**жде́ние** discússion

обтека́емый stréamlined

обува́ться put on one's shoes

о́бувь fóotwear; shoes, boots

обузда́ть, обу́здывать curb

обусло́вить 1) *(ограни́чить усло́вием)* stípulate (for) 2) *(быть причи́ной)* cause, call forth

обуч|а́ть teach, instrúct; ~е́ние instrúction; ~и́ть см. обуча́ть

обхо́д round; пойти́ в ~ go round

обходи́ть 1) *(вокру́г)* go round 2) *(распространя́ться)* spread 3) *(избега́ть)* avóid; ~ молча́нием pass óver in sílence 4) *(зако́н и т.п.)* eváde

обходи́ться 1) *(без чего́-л.)* mánage withóut 2) *(сто́ить)* cost, come to 3) *(обраща́ться)* treat

обши́рный exténsive, vast

обща́ться assóciate with, meet

общежи́тие hóstel

общеизве́стный well-knówn

общенаро́дный públic, nátional

обще́ние cóntact

обще́ственн|ик sócial (públic) wórker; ~ость públic, públic opínion; ~ый sócial, públic; ~ая рабо́та sócial work

о́бщество society

о́бщ|ий cómmon; géneral; для ~его по́льзования for géneral use; ничего́ ~его не

име́ет has nóthing to do with

общи́тельный sóciable

о́бщность commúnity

объедине́ние 1) *(сою́з)* únion 2) *(де́йствие)* unificátion

объединённый united; combíned

объедин|и́ть(ся) см. объединя́ть(ся); ~я́ть, ~я́ться uníte

объезжа́ть go round, skirt

объе́кт óbject; *воен.* objéctive

объекти́в lens, objéctive

объекти́вный objéctive

объём vólume

объе́хать см. объезжа́ть; ~ весь мир have been all óver the world

объяви́ть см. объявля́ть

объявл|е́ние 1) annóuncement; advértisement 2) *(де́йствие)* declarátion; ~я́ть decláre; annóunce

объясн|е́ние explanátion; ~и́ть(ся) см. объясня́ть(ся); ~я́ть expláin; ~я́ться expláin; have it out with *smb.* *(начистоту́)*

объя́тие embráce

обыгра́ть, обы́грывать beat *smb.;* кого́-л. на пять рубле́й win five rúbles of smb.

обыкнове́нн|о úsually, génerally; ~ый órdinary

о́быск search; ~а́ть см. обы́скивать

обы́скивать search

обы́ч|ай cústom; ~но

úsually; ~ный *см.* обыкновённый

обяза́нн|ость dúty; ~ый obliged; быть ~ым *(сделать что-л.)*; owe *smth. (чем-л.)*; я ему́ мно́гим обя́зан I owe smth. much

обяза́тель|но cértainly, without fail; ~ный compúlsory; ~ство obligátion

обяза́ть, обя́зывать oblíge; э́то ко мно́гому обя́зывает that puts one únder great obligátions

овёс oats *(мн.ч.)*

овла|дева́ть, ~де́ть 1) take posséssion of; seize 2) *(знаниями)* máster

о́вощи végetables

овощно́й végetable; ~ магази́н gréengrocer's, végetable shop

овра́г ravíne

овца́ sheep

овцево́дство shéep-breeding

овча́рка shéep-dog

оглавле́ние (táble of) cóntents

огласи́ть *см.* оглаша́ть

огла́ска publícity

оглаш|а́ть 1) annóunce 2) *(предавать огласке)* make *smth.* públic; ~е́ние: не подлежи́т ~е́нию not for publicátion

оглохну́ть becóme deaf

оглуш|а́ть, ~и́ть 1) déafen 2) *(ударом)* stun

огляде́ть examíne, look

óver; ~ся look round; look abóut *(ориентироваться)*

огля|дываться, ~ну́ться look back

о́гненный fíery

огнеопа́сный inflámmable

огнестре́льное ору́жие fire-arms *(мн.ч.)*

огнетуши́тель fire-extínguisher

огнеупо́рный fíreproof

огова́ривать, оговори́ть 1) *(обусловить)* stípulate (for) 2) *(оклеветать)* slánder

огово́рка reservátion

ого́нь 1) fire 2) *(свет)* light

огора́живать fence (in), enclóse

огоро́д kítchen gárden

огороди́ть *см.* огора́живать

огорч|а́ть distréss, pain, grieve; disappóint *(разочаровывать)*; ~е́ние grief, sórrow; к моему́ ~е́нию to my great disappóintment; ~и́ть *см.* огорча́ть

огра́б|ить rob; ~ле́ние róbbery; búrglary *(со взломом)*

огра́да fence; wall *(стена)*

огра|ди́ть, ~жда́ть protéct

ограни|че́ние limitátion; ~ченный 1) límited 2) *(неумный)* nárrow-mínded; ~чивать, ~чить límit, restríct

огро́мный huge, imménse

огуре́ц cúcumber

одарённый gífted, tálented

одева́ть dress; ~ся dress (onesélf)

оде́жда clothes *(мн.ч.)*

одеколо́н eau-de-Cológne

одержа́ть: ~ побе́ду gain a víctory

оде́ть(ся) *см.* одева́ть(ся)

одея́ло blánket; quilt *(стёганое)*

оди́н 1) one; ~ раз once; ~ и то́т же the same 2) *(в одино́честве)* alóne

одина́ков|о equally; ~ый idéntical, the same

оди́ннадца|тый eléventh; ~ть eléven

одино́|кий lónely, sólitary; single *(холостой)*; ~чество sólitude

одна́ *см.* оди́н

одна́жды once

одна́ко howéver, (and) yet

одно́ *см.* оди́н

одновреме́нн|о simultáneously; at the same time; ~ый simultáneous

однообра́з|ие monótony; ~ный monótonous

одноразовый: ~ шприц single-use sýringe

одноро́дный homogéneous, úniform

односторо́нний óne-síded

одноэта́жный one-stó-rey(ed)

одобре́ние appróval

одобр|ить, ~я́ть appróve (of)

одолева́ть, одоле́ть overcóme

одолж|е́ние fávour; ~и́ть *(дать взаймы)* lend

одурма́н|ить, ~ивать stúpefy

одуря́ющий: ~ за́пах héavy scent

одухотворённый inspíred

одушев|и́ться, ~ля́ться be inspíred by

ожесточ|а́ть hárden, embítter; ~е́ние víolence; bítterness; ~ённый fierce; bítter

ожива́ть come to life

оживи́ть *см.* оживля́ть

ожив|ле́ние 1) animátion 2) *(торговли, человека)* revíving; ~ённый ánimated; ~я́ть revíve; enlíven, bríghten up *(придавать бодрости)*

ожида́|ние expectátion; ~ть expéct

ожире́ние obésity

ожи́ть *см.* ожива́ть

ожо́г burn; scald *(кипятком, паром)*

озабо́ченный preóccupied; wórried

озагла́в|ить, ~ливать call, entítle

озелен|и́ть, ~я́ть plant vérdure

о́зеро lake

ози́мые winter crops

озлобле́ние embítterment; animósity *(враждебность)*

ознако́м|иться, ~ля́ться becóme acquáinted with; acquáint, familiarize onesélf with

ознаменова́ть 1) *(отме-*

323

тить) signify, mark 2) (*отпраздновать*) célebrate

означа́ть mean, sígnify

озно́б (fit of) shívering

озо́н ózone; ~**овый**: ~**овый слой** ózone láyer

озя́бнуть be cold

оказа́ть(ся) *см.* **оказывать(ся)**

оказывать rénder; ~**ся** 1) turn out, prove (to be) 2) (*очути́ться*) find onesélf

ока́нчивать fínish; ~**ся** end, términate

океа́н ócean

о́кись óxide

оккупа́ция occupátion; ~**и́ровать** óccupy

окла́д sálary

окле́ивать, ~**ить** paste; ~ **обо́ями** páper

окно́ wíndow

око́вы fétters

о́коло 1) near, by; next to (*ря́дом*) 2) (*приблизи́тельно*) abóut

оконча́ние 1) terminátion; end (*коне́ц*) 2) *грам.* énding 3) (*учёбы*) graduátion; ~**тельный** fínal

око́нчить(ся) *см.* **оканчивать(ся)**

око́п trench

о́корок ham, gámmon

окра́ина (*го́рода*) óutskirts (*мн.ч.*)

окра́ска 1) (*де́йствие*) cólouring; páinting; (*тка́ни, воло́с*) dýeing 2) (*цвет*) tint, cólour

окре́пнуть grow strong

окре́стность néighbourhood

о́круг dístrict; **избира́тельный** ~ eléctoral district, constítuency

округл|и́ть, ~**я́ть** round off

окруж|а́ть 1) surróund (by) 2) *воен.* encírcle; ~**е́ние** 1) envirónment 2) *воен.* encírclement 3) (*лю́ди*) co-mátes; ~**и́ть** *см.* **окружа́ть**

окру́жность circúmference

октя́брь Octóber

окун|а́ть dip, plunge; ~**а́ться** plunge; ~**у́ть(ся)** *см.* **окуна́ть(ся)**

о́кунь perch

оку́рок (*сигаре́ты*) (cígarette-) butt; (*сига́ры*) (cigár-) butt, cigár-stub

ола́дьи frítters

оле́нь deer; **се́верный** ~ réindeer

оли́вков|ый ólive; ~**ое ма́сло** ólive oil

олимпи́йск|ий: ~**ие и́гры** Olýmpic games

о́лово tin

омрач|а́ть cast a gloom óver; ~**а́ться** get dark; ~**и́ть(ся)** *см.* **омрача́ть(ся)**

о́мут whírlpool

он he; (*для неодушевл. предме́тов*) it

она́ she; (*для неодушевл. предме́тов*) it

ондатр|а músquash; ~**овый**: ~**овая шу́ба** músquash coat

онеме́ть grow dumb

они́ they

онко́лог éxpert in oncólogy

оно́ it

опа́здывать be late

опас|а́ться fear; ~е́ние fear

опа́сн|ость dánger; ~ый dángerous

о́пера ópera

опера́тор 1) óperator 2) *кино* cámeraman

опера́ция operátion

опере|ди́ть, ~жа́ть outstríp; be ahéad of, forestáll (*во времени*)

опере́ние plúmage

опере́тта operétta, músical (cómedy)

опери́ровать óperate

опеча́тка mísprint

опи́лки sáwdust (*ед.ч.*)

опира́ться lean agáinst

опис|а́ние descríption; ~а́ть *см.* опи́сывать

опи́сывать 1) describe 2) (*имущество*) distráin

о́пись list, invéntory

опла́|та páy(ment); ~ти́ть, ~чивать pay

оплеу́ха *разг.* slap in the face

опло́т stronghold

опло́шность cárelessness, slip, inadvértence

опозд|а́ние unpunctuálity; deláy (*задержка*); ~а́ть *см.* опа́здывать

опо́мниться come to one's sénses, colléct onesélf

опо́ра suppórt

опо́шл|ить, ~я́ть vúlgarize, debáse

оппози́ция opposítion

оппоне́нт oppónent

опра́ва rim; sétting (*камня*); frame (*очков*)

оправд|а́ние 1) justificátion; excúse 2) *юр.* acquíttal; ~а́ть(ся) *см.* опра́вдывать(ся)

опра́вдывать 1) excúse 2) *юр.* acquít; ~ся 1) excúse onesélf 2) (*сбываться*) prove true

определ|е́ние definítion; ~ённый définite; ~и́ть, ~я́ть define, detérmine

опро|верга́ть, ~ве́ргнуть refúte; ~верже́ние refutátion

опроки́дывать, опроки́нуть upsét, overtúrn; knock óver

опроме́тчивый rash, hásty

опро́с quéstioning; ~ обще́ственного мне́ния públic poll

опря́тный tídy, neat

о́птика óptics

опто́вый whólesale

опубликова́|ние publicátion; ~ть publish

опуска́ть 1) lówer; ~ го́лову hang the head 2) (*пропуска́ть*) omít, leave out; ~ся fall; sink (*погружаться*); *перен.* detériorate

опусте́ть become émpty, become desérted

опусти́ть(ся) *см.* опуска́ться

опустош|а́ть lay waste, dévastate; ~е́ние devastátion

опуха́ть, опу́хнуть swell (up)

о́пухоль swélling, túmour

о́пыт 1) expérience 2) *(про́ба)* expériment; ~ный 1) *(знающий)* expérienced 2) *(научный)* experiméntal

опя́ть agáin

ора́ва *разг.* mob, horde

ора́нжевый órange

ора́тор spéaker

о́рган órgan

орга́н *муз.* órgan

организ|а́тор órganizer; ~а́ция organizátion; Организа́ция Объединённых На́ций United Nátions Organizátion

органи́зм órganism; constitútion *(о здоровье)*

организ|ова́ть, ~о́вывать órganize

о́рден órder, decorátion; награди́ть ~ом décorate

орденоно́сец pérson décorated with an órder

орёл éagle

оре́х nut

оригина́льный oríginal

орке́стр órchestra; band *(духовой)*

ороси́ть, **ороша́ть** írrigate

ороше́ние irrigátion

ору́ди|е 1) ímplement; tool; ínstrument; ~я произво́дства means of prodúction 2) *воен.* gun

ору́жие wéapon; arms *(мн. ч.)*

орфогра́фия spélling

оса́ wasp

оса́да siege

осади́ть *см.* осажда́ть

оса́д|ки *(атмосферные)* precipitátions; ~ок sédiment

осажда́ть *воен.* besiege

оса́нка cárriage, béaring

осва́ивать máster; ~ся feel at home

осведоми́тель infórmer

осве́дом|иться, ~ля́ться make inquíries, inquíre

осве|ти́ть, ~ща́ть illúminate, light (up); *перен.* throw light upón; ~ще́ние 1) *(действие)* illuminátion; *перен.* elucidátion 2) *(свет)* light, lighting

освободи́тель líberator; ~ный líberating; emáncipatory

освобо|ди́ть, ~жда́ть (set) free, líberate, reléase; ~жде́ние reléase, liberátion

осво́ить(ся) *см.* осва́ивать(ся)

оседла́ть sáddle

осе́длый séttled

осёл ass, dónkey

осе́нний áutumn

о́сень áutumn; fall *(амер.)*; ~ю in áutumn

осётр stúrgeon

оси́на asp

оско́лок splínter, frágment

оскорби́ть *см.* оскорбля́ть

оскорб|ле́ние insúlt; ~ля́ть insúlt

ослабева́ть, **ослабе́ть** becóme weak

осла́бить, **ослабля́ть** 1) wéaken 2) *(уменьшить напряжение)* reláx

ослеп|и́тельный dázzling; ~и́ть *см.* ослепля́ть; ~ле́ние blíndness; ~ля́ть blind; *перен.* dázzle ослепнуть go blind, lose one's sight

осложн|ение complicátion; ~и́ть, ~я́ть cómplicate

ослы́шаться mishéar

осма́тривать inspéct, examíne; look at (картины); go óver (здание, завод и т.п.)

осме́ли|ваться, ~ться dare

осмо́тр inspéction, examinátion

осмотре́ть см. осма́тривать

осмотри́тельность cáution

осно́в|а base; básis; ~а́ние foundátion; перен. ground, réason; ~а́тель fóunder; ~а́тельный sólid; well-gróunded (обоснованный); ~а́ть см. осно́вывать; ~но́й príncipal; fundaméntal

осно́вывать found

осо́бенн|о espécially, particularly; in particular; ~ость peculiárity; в ~ости espécially, particularly; ~ый spécial; particular

осо́бый spécial; particular

о́спа smáll-pox

оспа́ривать contést, dispúte

остава́ться 1) stay; remáin 2) (быть оставленным) be left; ~ на второ́й год fail to get one's remóve

оста́в|ить, ~ля́ть leave; abándon (покинуть); ~ить в поко́е leave smb. alóne

остальн|о́е the rest; ~о́й the rest of; ~ы́е the óthers (о людях)

остана́вливать stop; ~ся

stop; stay at (в гостинице и т.п.); ни перед чем не ~ся stop at nóthing

остан|ови́ть(ся) см. остана́вливать(ся); ~о́вка stop

оста́ток remáinder, the rest; rémnant (о материале)

оста́ться см. остава́ться

остерега́ться be cáreful; bewáre (of), look out for

осторо́жн|ость cáution; cárefulness; ~ый cáutious, cáreful

острие́ point; edge (лезвия)

остри́ть joke, jest

о́стров ísland

острота́ (остроумное выражение) joke, witticism; wísecrack (амер.)

острота́ 1) (ножа) shárpness 2) (положения и т.п.) acúteness 3) (слуха, зрения) kéenness

остроу́м|ие wit; ~ный witty; ~ное изобрете́ние ingénious invéntion

о́стрый sharp; перен. тж. keen

остыва́ть, осты́ть get cold, cool (down)

осуди́ть см. осужда́ть

осужд|а́ть 1) (порицать) blame; criticize 2) (приговаривать) séntence; ~е́ние 1) (порицание) blame, cénsure, críticism 2) (приговор) convíction

осуществ|и́ть см. осуществля́ть; ~ле́ние realizátion;

~ля́ть cárry out; réalise; fulfil, accómplish

осыпа́ть, осы́пать strew with, cóver with; ~ся fall

ось áxis; *mex.* áxle

осяза́|ние sense of touch; ~тельный tángible; ~ть feel

от from; of; от Москвы́ from Móscow

отбива́ть 1) beat off *(неприятеля, атаку)*; retúrn *(мяч)* 2) *(отла́мывать)* break off

отбивна́я chop

отбира́ть 1) *(отнима́ть)* take awáy 2) *(выбира́ть)* choose, seléct; pick out

отби́ть *см.* отбива́ть

отбо́р seléction; ~ный seléct, picked

отбра́сывать, отбро́сить throw aside, rejéct

отбро́сы waste, réfuse; gárbage *(мусор)*

отбыва́ть, отбы́ть *(уехать, уйти)* depárt (from), leave ◇ ~ наказа́ние serve a séntence

отва́|га brávery, cóurage; ~жный féarless, courágeous

отва́р broth

отверга́ть, отве́ргнуть rejéct

отверну́ться *см.* отвора́чиваться

отве́рстие ópening, áperture, órifice

отвёртка scréwdriver

отве́с plúmmet

отве́сный vértical plumb; sheer *(о скале и т.п.)*

отвести́ *см.* отводи́ть

отве́т ánswer, replý; ~ить *см.* отвеча́ть

отве́тственн|ость responsíbility; ~ый respónsible; ~ый рабо́тник exécutive

отвеча́ть 1) ánswer, replý 2) *(за что-л.)* be respónsible for, ánswer for

отвлека́ть distráct, divért; ~ся *(от темы)* wánder from, digréss

отвлечённый ábstract

отвле́чь(ся) *см.* отвлека́ть(ся)

отводи́ть 1) lead, take; draw *smb.* aside *(в сторону)* 2) *(отверга́ть)* rejéct 3) *(помеще́ние, участок земли)* allót

отвора́чиваться turn awáy (from)

отвор|и́ть, ~я́ть ópen

отвра|ти́тельный disgústing; ~ще́ние disgúst

отвыка́ть, отвы́кнуть becóme unaccústomed to; ~ от куре́ния get out of (lose) the hábit of smóking

отвяза́ть, отвя́зывать untíe, unfásten; ~ся 1) get loose, come undóne 2) *разг. (отделя́ться)* get rid (of), shake off

отгада́ть *см.* отга́дывать

отга́д|ка ánswer, solútion; ~ывать guess

отгово́рка excúse, prétext

отдава́ть, отда́ть give; give back, retúrn *(возвраща́ть)*

отде́л depártment; ~е́ние

1) *(действие)* separátion 2) *(часть чего-л.)* séction; division; ~éние милиции lócal militia státion; ~ить *см.* отделя́ть

отде́лка *(украшение)* trímming

отде́льный séparate; individual

отделя́ть séparate

отдохну́ть *см.* отдыха́ть

о́тдых rest; ~а́ть rest

оте́ц fáther

оте́чественный nátive; home; Вели́кая Оте́чественная война́ the Great Patriótic War

оте́чество nátive land, мóther cóuntry, fátherland

о́тзыв opínion; recommendátion; reviéw *(рецензия)*; дать хоро́ший ~ speak well of

отзыва́ть recáll

отзыва́ться 1) *(о ком-л.)* speak 2) *(отвечать)* respónd

отзы́вчивый respónsive

отка́з refúsal; ~а́ть(ся) *см.* отка́зывать(ся)

отка́зывать 1) refúse; ~ываться 1) refúse, declíne 2) *(от)* give up

откла́дывать 1) *(в сторону)* lay asíde 2) *(про запас)* lay up 3) *(отсрочивать)* put off, deláy

óткли|к respónse; écho; ~ика́ться, ~и́кнуться respónd

отклоне́ние deviátion

отклон|и́ть, ~я́ть declíne, rejéct

откормленный fat, fátted

отко́с slope

открове́нн|ость fránkness; ~ый frank

открыва́лка *разг.* ópener

открыва́ть 1) ópen 2) *(делать открытие)* discóver 3) *(разоблачать)* expóse

откры́т|ие 1) ópening 2) *(научное)* discóvery; ~ка póstcard; ~ый ópen

откры́ть *см.* открыва́ть

отку́да where... from; ~-нибудь from sómewhere or óther

отку́пор|ивать, ~ить uncórk, ópen

откуси́ть, отку́сывать bite off

отли́в I ebb, low *(fálling)* tide

отли́в II *(оттенок)*: с кра́сным, зелёным ~ом shot with red, green

отлича́ть distínguish; ~ся 1) díffer from 2) *(выделяться)* distínguish onesélf (by) 3) *(характеризоваться чем-л.)* be remárkable for

отли́ч|ие distínction; знáки ~ия insígnia

отличи́ть *см.* отлича́ть; ~ся *см.* отлича́ться 2)

отли́чный *(превосходный)* éxcellent

отло́гий slóping

отложи́ть *см.* откла́дывать

о́тмель sándbank, shállow

отме́н|а abolítion *(упразднение)*; revocátion *(закона)*; ~и́ть, ~я́ть cáncel, abólish

отме́|тить, ~ча́ть mark, note

отнести *см.* относить; ~сь *см.* относиться 1)

отнимать 1) take awáy 2) *(ампутировать)* ámputate

относительно concérning, regárging

относительный rélative

относить cárry (awáy); ~ся 1) *(обращаться с кем-л.)* treat; хорошо ~ся like; плохо ~ся dislíke 2) *(иметь отношение)* concérn, applý to

отношён|ие 1) *(связь)* relátion; не иметь ~ия к чему́-л. have nóthing to do with 2) *(позиция)* áttitude 3) *(обращение)* tréatment

отнюдь: ~ не by no means; ánything but

отнять *см.* отнимать

отобрать *см.* отбирать

отовсюду from éverywhere

отодвигать, отодвинуть move asíde (back)

отождеств|ить, ~лять idéntify (with)

отозвать *см.* отзывать; ~ся *см.* отзываться

отойти *см.* отходить

отомстить revénge onesélf upón

отопление héating

оторвать(ся) *см.* отрывать(ся)

отослать *см.* отсылать

отпада|ть, отпасть fall off; вопрос ~ет the quéstion no lónger aríses

отпереть *см.* отпирать

отпечаток ímprint; ~ пальца fínger-print

отпирать ópen; unlóck *(ключом)*

отплатить repáy

отплывать, отплыть sail

отпор rebúff; дать ~ rebúff

отправитель sénder

отправ|ить(ся) *см.* отправлять(ся); ~ка dispátch; ~лёние 1) *(поезда и т.п.)* depárture 2) *(обязанностей)* perfórmance; ~лять send, dispátch; ~ляться set off, leave (for)

о́тпус|к hóliday(s), leave; vacátion; ~кáть, ~тить let go; set free

отрав|ить *см.* отравлять; ~лёние póisoning; ~лять póison

отраж|áть 1) *(о свете и т.п., тж. перен.)* refléct 2) *(отбивать)* repúlse, párry; ~éние 1) *(света и т.п., тж. перен.)* refléction 2) *(нападения)* repúlse, wárding off

отразить *см.* отражать

отрасль branch

отраст|ать, ~й grow

отрéз|ать, ~áть cut off

отре|кáться renóunce; ábdicate *(от престола)*; ~чéние renunciátion; abdicátion *(от престола)*

отречься *см.* отрекаться

отрица|ние deníal; ~тельный négative; ~ть dený

отрывать tear awáy (off, from); ~ся 1) come off 2) *(отвлекаться от чего-л.)* tear onesélf awáy (from)

отрывок frágment; *(из*

текста тж.) éxtract, pássage

отря́д detáchment

отсро́ч|ивать, ~и́ть postpóne, put off; ~ка postpónement

отстава́ть lag behínd; be slow *(о часах)*

отста́вка resignátion

отста́ивать defénd

отста́л|ость báckwardness; ~ый báckward

отста́ть *см.* отстава́ть

отстоя́ть *см.* отста́ивать

отступ|а́ть, ~и́ть retréat; *перен.* recóil; ~ле́ние retréat

отсу́тств|ие 1) ábsence 2) *(неимение)* lack (of); ~овать be ábsent

отсыла́ть send awáy (off)

отсю́да from here; *перен. (из этого)* hence

отта́лки|вать push awáy; ~вающий repúlsive

отте́нок shade

о́ттепель thaw

оттесн|и́ть, ~я́ть drive back

о́ттиск impréssion; print

оттого́ thérefore; ~ что becáuse

оттолкну́ть *см.* отта́лкивать

отту́да from here

отупе́ние stupefáction, stúpor

отходи́ть leave, go awáy from

отхо́ды *мн.* waste (próducts), scrap

отцве|сти́, ~та́ть cease

blóoming; fade *(увянуть)*; ро́зы ~ли́ the róses are óver

отча́сти pártly

отча́ян|ие despáir; ~ный désperate

отчего́ why

о́тчество patroný́mic

отчёт accóunt; repórt *(доклад)* ◇ отдава́ть себе́ ~ réalise

отчётливый distínct

о́тчим stépfather

отчита́ться, отчи́тываться give an accóunt

отше́льник hérmit; *перен.* reclúse

отъе́зд depárture

отыска́ть find

оты́скивать search for, look for

офице́р ófficer

официа́льный offícial

официа́нт wáiter; stéward *(на судне, самолёте)*

офо́рм|ить, ~ля́ть 1) *(придать форму)* put ínto shape 2) *(узаконить)* légalise

охвати́ть, охва́тывать embráce, compríse

охла|ди́ть, ~жда́ть cool down; ~жда́ться becóme cool

охо́та I húnting, shóoting

охо́та II *(желание)* inclinátion; desíre

охо́т|иться hunt, shoot; *перен.* run áfter; ~ник húnter

охо́тно willingly; gládly

охра́н|а 1) *(действие)* guárding 2) *(стража)* guard; ~я́ть guard

охри́пнуть becóme hoarse

оцён|ивать, ~и́ть éstimate; ~ка 1) evaluátion; estimátion 2) *(отметка)* mark

очáг 1) hearth; домáшний ~ home 2) *(рассадник)* céntre, hótbed

очаро|вáтельный chárming, fáscinating; ~овáть, ~обывáть charm, fáscinate

очеви́дец éyewitness

очеви́дно évidently, appárently *(как будто)*; óbviously *(несомненно)*

о́чень véry; véry much; ~ хо́лодно it's véry cold; я его́ ~ уважáю I respéct him véry much

очередн|о́й 1) the next in turn 2) *(обычный)* the úsual; ~о́е недоразумéние the úsual misunderstánding

о́чередь 1) turn 2) *(хвост)* queue, line

о́черк sketch; éssay

очи́стить, очищáть 1) clean, púrify 2) *см. чи́стить* 2)

очки́ spéctacles, glásses; *(защитные)* góggles

очко́ *спорт.* point, score

очнýться regáin cón-sciousness, come to onesélf

о́чн|ый: ~ая стáвка confrontátion

очути́ться find onesélf

ошиб|áться, ~и́ться make a mistáke; be mistáken; be wrong

оши́б|ка mistáke; érror *(заблуждение)*; по ~ке by mistáke

оши́бочно erróneously, by mistáke

оштрафовáть fine

о́щупью by touch

ощути́тельный percéptible, tángible

ощу|ти́ть, ~щáть feel; ~щéние féeling, sensátion

П

павильо́н paví lion

павли́н péacock

пáдать fall

падéж *грам.* case

падéние fall

пáдчерица stépdaughter

паёк rátion

пай share; вступи́тельный ~ initial shares *(мн. ч.)*; ~щик sháreholder

пакéт pácket, párcel; для вас ~ there's a létter for you

палáта 1) *(больничная)* ward 2) *(учреждение)* chám-ber; ~ о́бщин the House of Cómmons; ~ мер и весо́в Board of Weights and Méasures

палáтка 1) tent 2) *(ларёк)* booth, stall

палáч hángman; *перен.* bútcher

пáлец finger *(руки)*; toe *(ноги)*

пáлка stick

пало́мник pí lgrim

пáлуба deck

пáльма palm(-tree)

пальто́ (óver)coat

па́мятник mónument; memórial (*тж. перен.*)

па́мять 1) mémory; плоха́я ~ poor mémory 2) (*воспоминание*) recolléction, remémbrance

па́ника pánic

панихи́да fúneral sérvice

панора́ма panoráma

пансио́н 1) (*школа*) bóarding-school 2) (*гостиница*) bóarding-house

панте́ра pánther

па́па I (*отец*) papá, dáddy

па́па II (*глава католической церкви*) Pope

па́пка file

па́поротник fern

пар I steam

пар II *с.-х.* fállow

па́ра pair

пара́граф páragraph

пара́д paráde; *воен.* revíew; ~ный gála; ~ная дверь front door

парализова́ть páralyse

парали́ч parálysis

паралле́ль párallel

парапсихоло́гия parapsychólogy

парашю́т párachute; ~и́ст párachutist, párachute-jumper

па́рень féllow, chap

пари́ bet; держа́ть ~ (lay a) bet

пари́к wig

парикма́хер háirdresser; bárber; ~ская háirdressing salóon; the háirdresser's

(*разг.*); the bárber's (*мужская*)

парите́т párity

парк park

парке́т párquet

парла́мент párliament

парни́к fórcing-frame

па́рный mátching; twin(-), pair

парово́з stéam-engine

парово́й steam(-)

паро́ль pássword

паро́м férry(-boat)

парохо́д stéamer, (stéam) ship

па́рта desk

парте́р *театр.* pit; stalls (*мн. ч.*) (*передние ряды*)

партиза́н guerílla; ~ский guerílla(-); ~ская война́ guerílla wárfare

парти́йность Párty-membership

па́ртия 1) párty; член па́ртии mémber of the Párty, Párty-member 2) (*отряд*) detáchment; párty 3) (*товара*) batch, consígnment 4) (*в игре*) game 5) *муз.* part

партнёр pártner

па́рус sail

паруси́на cánvas; tarpáulin (*просмолённая*)

парфюме́рия perfúmery

па́сека ápiary

па́смурный dull, místy, clóudy; *перен.* glóomy, súllen

пасова́ть pass

па́спорт pássport

пассажи́р pássenger; ~ский pássenger(-)

пасси́вный pássive

па́ста paste; зубна́я ~ tóoth-paste

па́стбище pásture

пасти́, ~сь graze

пасту́х shépherd

пасть I *гл.* fall

пасть II *сущ.* jaws *(мн. ч.);* mouth

Па́сха Éaster

па́сынок stépson

пате́нт pátent, lícence

патрио́т pátriot; ~и́зм pátriotism; ~и́ческий patriótic

патро́н *воен.* cártridge

патру́ль patról

па́уза pause

пау́к spíder

паути́на cóbweb, spíder's web

паха́ть plough, till

па́хнуть smell

пацие́нт pátient

па́чка búndle; pack, pácket *(папиро́с)*

па́чкать soil, stain

па́шня árable

паште́т paste, pâté

пая́ть sólder

пев|е́ц ~и́ца sínger

педаго́г téacher; ~ика pedagógics; ~и́ческий pedagógical

педа́ль pédal

пейза́ж view, lándscape

пека́рня bákery

пелена́ть swáddle

пелёнка nápkin; díaper *(амер.)*

пельме́ни pelméni, meat dúmplings

пе́на foam

пе́ние sínging

пе́нка skin

пенсионе́р pénsioner

пе́нсия pénsion

пень trée-stump

пе́пел ash(es)

пе́пельница ásh-tray

пе́пельный áshy

пе́рвенство 1) priórity 2) *спорт.* chámpionship

первобы́тный prímitive

первокла́ссный fírst-rate

первоку́рсник fírst-year man (stúdent)

первонача́льный oríginal

первосо́ртный fírst-rate; best quálity *(о това́ре)*

пе́рвый first

перебе|га́ть, ~жа́ть cross, run acróss

перебива́ть *(прерыва́ть)* interrúpt

переби́ть I *см.* перебива́ть

переби́ть II 1) *(уничто́жить)* kill, extérminate 2) *(посу́ду и т.п.)* break

перебр|а́сывать, ~о́сить 1) throw *smth.* óver 2) *(войска́, гру́зы)* transfér

перева́л pass

перева́р|ивать, ~и́ть 1) overdó 2) *(о желу́дке)* digést

перевезти́ *см.* перевози́ть

переверну́ть, перевёртывать turn *smth.* óver

перевести́ *см.* переводи́ть

перево́д 1) *(в друго́е ме́сто)* tránsfer 2) *(на друго́й язы́к)* translátion; interpretátion *(у́стный)* 3) *(де-*

нежный) remíttance; почто́-
вый ~ póstal órder; **~и́ть** 1)
(в другое место) transfér,
move 2) *(на другой язык)*
transláte; intérpret *(устно)*
3) *(деньги)* remít; **~чик**
translátor; intérpreter *(устный)*

    перевози́ть transpórt

    перево́зка   tránsport,
transportátion

    переворо́т óverturn; revo-
lútion

    перевы́боры (re-)eléctions

    перевыполне́ние overful-
filment

    перевы́полн|ить,   **~я́ть**
excéed

    перевяза́ть *см.* **перевя́зы-
вать**

    перевя́з|ка 1) bándage 2)
(действие) dréssing; **~ывать**
1) *(верёвкой)* tie up 2) *(пе-
ребинто́вывать)*   bándage;
dress *(рану)*

    перегна́ть *см.* **перегоня́ть**

    перегово́ры   negotiátions;
воен. párley *(ед.ч.)*

    перегоня́ть outstríp; outrún

    перегоро́дка partítion

    перегру|жа́ть,   **~зи́ть**
overlóad

    перегру́зка overwórk

    перегр|ыза́ть, ~ы́зть gnaw
through

    пе́ред 1) *(у)* in front of 2)
(до) before; ~ обе́дом before
dínner

    перёд front

    передава́ть 1) pass; give;
hand *(вручать)* 2) *(по ра-*

дио) bróadcast 3) *(сооб-
щать)* tell

    переда́тчик *радио* trans-
mítter, transmítting set

    переда́ть *см.* **передава́ть**

    переда́ча 1) *(действие)*
tránsfer, hánding óver *(вруче-
ние)* 2) *(по радио)* bróadcast
3) *тех.* gear, transmíssion

    передвига́ть move; shift;
~ся move

    передвиже́н|ие móvement;
сре́дства   **~ия**   means of
communicátion

    передви́нуть(ся) *см.* **пере-
двига́ть(ся)**

    переде́л|ать   álter;   **~ка**
alterátion

    пере́дний front

    пере́дник ápron

    пере́дняя hall

    передова́я *(статья в газе-
те)* léader; editórial

    передово́й   advánced,
progréssive

    переду́мать change one's
mind

    переды́шка réspite

    перее́зд 1) pássage; cróss-
ing 2) *(на другое место)*
remóval

    пере|езжа́ть, ~е́хать 1)
(через что-л.) cross 2) *(на
другое место)* move

    пережива́ть   *(испыты-
вать)* go through, expérience

    пережи́ток survíval

    пережи́ть 1) *см.* **пережи-
ва́ть** 2) *(кого-л.)* survíve,
outlíve

переиз|бира́ть, ~бра́ть re-eléct

переизд|ава́ть republish; reprint; ~а́ние reprint; reissue; ~а́ть см. переиздава́ть

перейти́ см. переходи́ть

пе́рекись хим. peróxide; ~ водоро́да hýdrogen peróxide

перекла́дывать 1) shift, place sómewhere else 2) (на му́зыку) set to músic

перекли́чка róll-call

переключ|а́ть(ся), ~и́ть (ся) switch

перекрёстный: ~ допро́с cróss-examinátion; ~ ого́нь cróss-fire

перекрёсток cróss-roads; interséction, júnction

перекуси́ть разг. have a snack

перелёт 1) flight 2) (птиц) migrátion

пере|лета́ть, ~лете́ть fly óver, fly

перелива́ние: ~ кро́ви мед. transfúsion of blood

пере|лива́ть, ~ли́ть pour smth. (from... into...)

переложи́ть см. перекла́дывать

перело́м 1) (кости) frácture 2) (кризис) crísis 3) (поворо́тный пункт) túrning-point

переме́н|а 1) change 2) (в шко́ле) ínterval; ~и́ть, ~и́ться change

перемеша́ть mix; ~ся get míxed

переми́рие ármistice, truce

перенаселе́ние overpo-pulátion

перенести́ I, II см. переноси́ть I, II

переноси́ть I 1) (куда-л.) cárry, transfér 2) (откла́дывать) postpóne, put off

переноси́ть II (боль и т.п.) endúre, stand, bear

перено́сица bridge of the nose

перено́сн|ый: в ~ом смы́сле figuratively, in the figurative méaning

пере|одева́ться 1) change one's clothes 2) (с це́лью маскиро́вки) dress up (as); disguíse onesélf as; ~оде́тый disguíse; ~оде́ться см. переодева́ться

переосмысле́ние revalu-átion

переоце́н|ивать, ~и́ть overráte, overéstimate

перепа́лка разг. héated árgument

перепеча́тать reprínt; type

переписа́ть см. перепи́сывать

перепи́ска 1) (де́йствие) cópying; týping (на маши́нке) 2) (корреспонде́нция) correspóndence, létters

перепи́сывать 1) cópy; type (на маши́нке); rewríte (за́ново) 2) (составля́ть список) make a list (of); ~ся correspónd (with)

пе́репись (населе́ния) cénsus

переплести *см.* **переплетать**

переплёт bínding, (bóok-)cover

переплетать (*книгу*) bind

пере|плывать, ~**плы́ть** swim acróss; cross (*в лодке, на пароходе*)

переполненный overcrówded

переполо́х commótion

переправа 1) (*брод*) ford 2) (*временная*) témporary (flóating) bridge 3) (*на пароме, лодке*) férry

перепроизводство *эк.* overprodúction

перепры́г|ивать, ~**нуть** jump óver

перепутать entángle; confúse

перераст|ать, ~**и** devélop (into)

перере́з|ать, ~**ать** cut; cut off (*отрезать*)

переры́в ínterval, break

пересадить *см.* **пересаживать**

пересадка 1) (*растений*) transplantátion 2) *ж.-д.* transfér, change

пересаживать 1) (*растение*) transplánt 2) (*кого-л.*) make *smb.* change pláces; ~**ся** change seats (*на другое место*); change trains (*на другой поезд*)

пересекать cross

пересел|е́ние migrátion; ~**и́ться**, ~**я́ться** migráte; move (*на новую квартиру*)

пересе́сть *см.* **пересаживаться**

пересе́чь *см.* **пересекать**

пересказ narrátion, relátion

переслать *см.* **пересылать**

пересматривать, **пересмотре́ть** revíse, revíew, reconsíder (*решение*)

пересоли́ть oversált

переспе́лый overrípe

переспр|а́шивать, ~**оси́ть** ask agáin

перест|ава́ть, ~**а́ть** stop, cease

перестр|а́ивать, ~**о́ить** 1) reconstrúct 2) (*реорганизовать*) reórganize; ~**о́йка** 1) reconstrúction 2) (*реорганизация*) reorganizátion 3) *полит.* perestróika

пересылать send

переу́лок síde-street, bý-street

переутом|и́ться, ~**ля́ться** tire onesélf out

перехо́д 1) pássage; *воен.* march 2) (*превращение*) transítion; convérsion

переходи́ть 1) pass, cross, go óver 2) (*превращаться*) turn 3) (*в другие руки*) pass (to); change (hands)

перехо́дный 1) transítional 2) *грам.* tránsitive

пе́рец pépper

пе́речень list

переч|ёркивать, ~**еркну́ть** cross out

перечи́сл|ить, ~**я́ть** enúmerate

пе́речница pépper-box

перешаг|ивать, ~ну́ть step óver, cross

переше́ек ísthmus

пери́ла ráil(ing); bánisters *(лестницы)*

пери́од périod

перламу́тр móther-of-pearl

перо́ 1) *(птичье)* féather; plume *(поэт.)* 2) *(для письма)* pen

перочи́нный: ~ нож pénknife

пе́рсик peach

персона́ж cháracter

персона́л staff

перспекти́ва 1) perspéctive 2) *(виды на будущее)* óutlook

пе́рхоть dándruff

перча́тка glove

песе́ц pólar fox

пе́сня song

песо́к sand ◇ са́харный ~ gránulated súgar

пёстрый mótley, gay; *перен.* mixed

петля́ 1) loop 2) búttonhole *(для пуговицы)*; eye *(для крючка)* 3) *(в вязании)* stitch 4) *(окна, двери)* hinge

петру́шка *бот.* pársley

пету́х cock

петь sing

пехо́та ínfantry

печа́ль grief, sórrow; ~ный sad, móurnful

печа́тать print; ~ на маши́нке type; ~ся 1) *(быть в печати)* be in print 2) *(печатать свои произведения)* write for; appéar in

печа́ть I seal, stamp

печа́т|ь II 1) *(пресса)* press 2) *(печатание)* print; вы́йти из ~и come out, be públished 3) *(шрифт)* print, type

пе́чень líver

пече́нье bíscuit

печь I *сущ.* stove; óven *(духовая)*; *тех.* fúrnace

печь II *гл.* bake

пешехо́д pedéstrian

пе́шка *шахм.* pawn

пешко́м on foot

пеще́ра cave

пиани́|но (úpright) piáno; ~ст piánist

пи́во beer

пиджа́к coat

пижа́ма pyjámas *(мн.ч)*

пи́ки *карт.* spádes

пикни́к pícnic

пил|а́ saw; ~и́ть saw; *перен.* nag, péster

пило́т pílot

пилю́ля pill

пио́н péony

пионе́р pionéer

пионервожа́тый pionéer léader

пир feast

пиро́г pie; tart *(сладкий)*

пиро́жное cake

пирожо́к pátty

писа́тель wríter

писа́ть write

пистоле́т pístol

писчебума́жн|ый: ~ магази́н státioner's; ~ые принадле́жности státionary *(ед.ч.)*

пи́сьменн|ый wríting(-);

written; ~ стол wríting-table, desk; ~ая рабóта written work

письмó létter

питá|ние nóurishment; ~тельный nóurishing; ~ться live (on), feed (on)

питóмник núrsery (gárden)

пить drink

пи́шущ|ий: ~ая маши́нка týpe-writer

пи́ща food

пищáть squeak

пищеварéние digéstion

плáвание 1) *(вид спорта)* swímming 2) *(на судах)* navigátion; vóyage, trip *(путешествие)*

плáвать 1) swim; float *(на поверхности воды)* 2) *(на судах)* návigate, sail, cruise

плáвить melt, smelt; ~ся melt

плáвки swímming, báthing trunks

плакáт póster

плáкать weep, cry

плáмя flame

план plan

планёр glíder

планéта plánet

плани́ровать plan

плáно|вый planned; ~мéрный systemátic; planned

плáстик plástic

пласти́нка 1) plate 2) *(для проигрывания)* disk

пластмáсса plástic

плáстырь pláster

плáта páyment; fare *(за проезд)*

платёж páyment

плáтина plátinum

плати́ть pay; ~ налúчными pay in cash

платóк shawl; носовóй ~ hándkerchief

платфóрма 1) *(перрон)* plátform 2) *(вагон)* truck 3) *(полит. программа)* plátform

плáтье 1) *(женское)* dress, gown 2) *(одежда)* clothes *(мн. ч.)*, clóthing

плацкáрта *ж.-д.* resérved seat

плач wéeping; ~éвный lámentable

плащ ráincoat

плевáть spit

плед rug; plaid

плéмя tribe

племя́нн|ик néphew; ~ица niece

плен captívity; взять в ~ take *smb.* prísoner, cápture

плёнка film

плённ|ик, ~ый prísoner

плéнум plénum

плéсень mould

плеск splash; lápping *(волн)*

плести́ weave *(корзину, кружево)*; spin *(паутину)*

плести́сь drag alóng

плечó shóulder

плитá *(кухонная)* cóoking range; gás-stove *(газовая)*

пли́тка 1) slab; bar *(шоколада)* 2): электри́ческая ~ eléctric stove

пловéц swímmer

плод fruit

339

плодоро́дный fértile

плодотво́рный frúitful

пло́мб|а 1) seal 2) *(зубная)* stópping; filling *(амер.)*; поста́вить ~y stop a tooth; fill a tooth *(амер.)*

пло́ский 1) flat 2) *(пошлый)* banál

плот raft

плоти́на dam, dike

пло́тник cárpenter

пло́тн|ость dénsity; ~ый dense

пло́х|о bád(ly); not good; not well; он ~ себя́ чу́вствует he doesn't feel well; ~о́й bad

площа́дка 1) ground 2) *(для игр)* pláyground; (spórts-)ground *(спортивная)*; те́ннисная ~ ténnis-court 3) *(лестницы)* lánding 4) *(вагона)* plátform

пло́щадь 1) square 2) *мат.* área

плуг plough

плут cheat; ~ова́ть cheat

плыть *см.* пла́вать

плю́нуть *см.* плева́ть

плюс 1) *мат.* plus 2) *(преимущество)* advántage

пляж beach

пляса́ть dance

по 1) *(на):* идти́ по траве́ walk on the grass 2) *(вдоль)* alóng 3) *(посредством; согласно)* by; óver; по по́чте by post; по ра́дио óver the rádio; по распоряже́нию by órder 4) *(вследствие)* by; *(из-за)* through; по оши́бке by mistáke; по чьей-л. вине́

through smb.'s fault 5) *(при обозначении времени)* in, at, on; по ноча́м at nights; по вечера́м in the évenings; по суббо́там on Sáturdays 6) *(при разделении):* по́ два, по́ три two, three each 7) *(до)* to; up to; по по́яс (up) to one's waist

побе́г I *(бегство)* escápe, flight

побе́г II *(росток)* sprout, shoot

побе́д|а víctory; ~и́тель wínner, víctor; ~и́ть *см.* побежда́ть; ~оно́сный victórious

побежда́ть win; *(преодолевать)* cónquer

побере́жье sea coast

поби́ть beat

побледне́ть turn pale

побли́зости near

побо́и béating *(ед.ч.)*

побу|ди́ть, ~жда́ть impél

побужде́ние mótive, indúcement

побыва́ть be, vísit

по́вар cook

поведе́ние beháviour, cónduct

повели́тельный imperative, authóritative

пове́рить belíeve

поверну́ть(ся) *см.* повора́чивать(ся)

пове́рх óver

пове́рхностный superfícial

пове́рхность súrface

пове́сить hang

пове́стка nótice; súmmons

(в суд) ◇ ~ дня agénda, órder of the day

по́весть stóry

повида́ться see one anóther, meet

по-ви́димому appárently

пови́дло jam

пови́нов|а́ться obéy; submit (to); ~éние obédience; submíssion (to)

по́вод occásion; réason; по ~у in connéction with

повора́чивать, ~ся turn

поворо́т túrning *(дороги)*; bend *(реки́)*; *перен.* túrning--point

повре|ди́ть, ~жда́ть hurt; spoil *(машину и т.п.)*; ~жде́ние ínjury; dámage *(о вещах)*

повсю́ду éverywhere

повтор|е́ние repetítion; ~и́ть, ~я́ть repéat

повы́сить(ся) *см.* повыша́ть(ся)

повыш|а́ть raise; ~а́ться rise; ~е́ние rise

повя́зка bándage

погаси́ть put out, extínguish; ~ свет turn off the light

погиба́ть, **поги́бнуть** pérish

погло|ти́ть, ~ща́ть absórb

погово́рка sáying

пого́да wéather

пограни́чн|ик fróntier-guard; ~ый fróntier(-)

по́греб céllar

погребе́ние intérment, búrial

погрему́шка ráttle

погружа́ть plunge; ~ся sink, plunge (ínto)

погрузи́ть(ся) *см.* погружа́ть(ся)

погру́зка lóading

погуби́ть rúin

погуля́ть stroll, take a walk

под 1) únder 2) *(около)* near 3) *(накануне)* on the eve of 4) *(наподобие)* in imitátion 5) *(в сопровожде́нии)* to; петь ~ му́зыку sing to músic ◇ ~ дождём in the rain; ~ ве́чер towards évening; ~ у́тро towards mórning

подава́ть give; serve *(за столо́м)*; ~ заявле́ние hand in an applicátion

подав|и́ть *см.* подавля́ть; ~ле́ние suppréssion

пода́вленный depréssed, dispírited

подавля́ть suppréss

подари́ть give; présent smb. with

пода́рок présent, gift

пода́ть *см.* подава́ть

пода́ча *спорт.* sérvice, serve

подбира́ть 1) *(поднима́ть)* pick up 2) *(отбира́ть)* seléct 3) *(мело́дию)* play by ear

подбо́р seléction

подборо́док chin

подва́л 1) básement 2) *(по́греб)* céllar

подвезти́ *(попу́тно)* give a lift

подверга́ть expóse (to); ~ся

be expósed (to); udergó *(испытанию)*

подвер|гнуть(ся) *см.* подвергáть(ся); ~женный súbject (to)

подвести *см.* подводúть

пóдвиг éxploit, feat

подвижнóй móbile

подвúжный *(о человеке)* áctive, lívely

подвúнуть move; ~ся 1) *(вперёд)* advánce 2) *(посторонúться)* make room; ~ся блúже draw néarer

подводúть 1) lead *smb.* up to 2) *(ставить в неприятное положение)* let *smb.* down ◇ ~ итóг sum up

подвóдный súbmarine

подгот|áвливать prepáre; ~овúтельный prepáratory; ~óвить *см.* подготáвливать; ~óвка preparátion; *(обучение)* tráining

пóддан|ный súbject; ~ство cítizenship

поддéл|ать *см.* поддéлывать; ~ка fórgery *(документа)*; imitátion *(вещи)*; ~ывать forge; cóunterfeit *(деньги)*

поддержáть *см.* поддéрживать

поддéрж|ивать suppórt; ~ка suppórt

подéржанный sécond-hand

поджáри|вать, ~ть roast, fry

поджéчь, поджигáть set fire (to), set *smth.* on fire

поджóг árson

подзéмный únderground, subterránean; ~ перехóд súbway

подклáдка líning

подключ|áться, ~úться 1) *эл.* be connécted up 2) *разг. (стать участником)* get the hang of things

подкóв|а hórseshoe; ~áть, ~ывать shoe

подкóп undermíning

под|крáдываться, ~крáсться steal up to

подкýп bríbery; graft *(амер.)*

подкупáть bribe; graft *(амер.)*; *перен.* win óver

подлежáщее *грам.* súbject

подлéц scóundrel

подлúвка sauce; grávy *(мясная)*

пóдлинн|ик oríginal; ~ый génuine, authéntic

подлóг fórgery

подлóжный forged

пóдлый base

подмен|úть, ~ять súbstitute *smth.* (for)

подме|стú, ~тáть sweep

подмётка sole

подмúг|ивать, ~нýть wink (at)

под мышкой: нестú ~ cárry únder one's arm

поднимáть 1) raise 2) *(подбирать)* pick up; ~ся rise

поднóжие *(горы)* foot

поднóс tray

подня́ть(ся) *см.* поднимáть(ся)

подобн|о like; ~ый like, símilar ◇ ничего ~oro nóthing of the kind

подобра́ть *см.* подбира́ть

подо|грева́ть, ~гре́ть warm (up)

пододея́льник blánket cóver, slip

подозр|ева́ть suspéct; ~е́ние suspícion; ~и́тельный suspícious; fishy (*разг.*)

подойти́ *см.* подходи́ть

подоко́нник wíndow-sill

подо́лгу long; for hours

подорва́ть *см.* подрыва́ть

подоро́жник plántain

подохо́дный: ~ нало́г íncome-tax

подо́шва sole

подписа́ть(ся) *см.* подпи́сывать(ся)

подпи́с|ка subscríption; ~чик subscríber; ~ывать sign 2) (*на что-л.*) subscríbe

по́дпись sígnature

подража́|ние imitátion; ~ть ímitate

подразумева́ть implý, mean

подраст|а́ть, ~и́ grow up

подре́з|ать, ~ать cut, trim; prune

подро́бн|ость détail; ~ый détailed

подро́сток téenager, youth

подру́|га (girl-)friend; ~жи́ться make friends

под руку: идти́ ~ walk árm-in-árm (with); брать ~ take smb.'s arm

подры́в undermíning; ~а́ть undermíne

подря́д rúning, in succéssion; четы́ре дня ~ four days rúnning

подсве́чник cándlestick

подск|аза́ть, ~а́зывать prompt

подслу́ш(ив)ать overhéar (*невольно*); éavesdrop (*наро́чно*)

подсне́жник snówdrop

подсо́лнух súnflower

подстро́чный wórd-for-wórd translátion

подсуди́мый the deféndant

подсчёт calculátion; ~ голосо́в poll

подтвер|ди́ть, ~жда́ть confírm; corróborate; ~жде́ние confirmátion; corroborátion

подтя́жки bráces; suspénders (*амер.*)

поду́мать think

поду́шка píllow; cúshion (*дива́нная*)

подхали́м tóady

подхо́д appróach

подходи́ть 1) come up to, appróach 2) (*годиться*) do; suit (*кому-л.*)

подходя́щий súitable

подчёркивать, подчеркну́ть underlíne; *перен.* émphasize, lay stress on

подчин|е́ние submíssion; ~ённый subórdinate; ~и́ть(ся) *см.* подчиня́ть(ся); subdúe, subject; ~я́ться submít

подш|ива́ть, ~и́ть 1) (*юбку*) hem 2) (*к делу*) file

подъе́зд éntrance, porch, dóorway

подъезжа́ть drive up (to)

подъём 1) *(грузов и т.п.)* lífting 2) *(восхожде́ние)* ascént 3) *(ноги́)* ínstep 4) *(разви́тие)* devélopment 5) *(воодушевле́ние)* enthúsiasm, animátion

подъёмный: ~ кран crane

подъе́хать *см.* подъезжа́ть

по́езд train

пое́здка trip, excúrsion; tour *(гастро́льная)*

пое́сть have *smth.* to eat

пое́хать go

пожа́луйста please *(про́сьба)*; not at all!, here you are!, cértainly!, with pléasure! *(разреше́ние, согла́сие)*; have some... *(при угоще́нии)*

пожа́р fire; ~ный 1. *прил.* fire(-); ~ная кома́нда fire-brigade 2. *сущ.* fíreman

пожа́ть *см.* пожима́ть

пожела́ние wish

поже́ртвовать sácrifice

пожива́|ть: как ~ете? how are you?

пожи́зненный life(-)

пожило́й élderly

пожима́ть: ~ плеча́ми shrug one's shóulders; пожа́ть друг дру́гу ру́ки shake hands

позавчера́ the day befóre yésterday

позади́ behínd

позва́ть call

позво́л|ить, ~я́ть allów

позвони́ть ring; ring up *(по телефо́ну)*

позвоно́чник spine, báckbone

поздне́е láter

по́зд|ний, ~но late

поздоро́ваться greet

поздра́в|ить, ~ля́ть congrátulate; ~ кого́-л. с Но́вым го́дом wish smb. a háppy New Year; ~ля́ю вас с Но́вым го́дом a háppy New Year to you

по́зже láter (on)

пози́ция 1) posítion 2) *(отноше́ние)* áttitude

познако́миться acquáint onesélf with *(с чем-л.)*; meet, make the acquáintance of *(с кем-л.)*

позо́р disgráce; ~ный disgráceful

по́иски search (for), pursúit (of) *(ед. ч.)*

пои́ть give *smb.* to drink; wáter *(о скоте́)*

пойма́ть catch

пойти́ go

пока́ 1. *союз* 1) *(в то вре́мя как)* while 2) *(до тех пор пока́)* till 2. *нареч.* *(до сих пор)* so far; ~ всё ти́хо éverything is quíet so far; вы ~ порабо́тайте you work in the méantime

пока́з show

показа́ние *юр.* téstimony, évidence

показа́тель 1) índex 2) *мн.ч.* fígures; ~ный signíficant; módel *(образцо́вый)*

показ|а́ть show; ~а́ться 1) show oneself; come in sight 2) *безл.:* мне ~а́лось it seemed to me, I thought

показу́ха *разг.* window-dressing, show

пока́зывать *см.* показа́ть; ~ся *см.* показа́ться 1)

покида́ть, поки́нуть аbándon; leave *(уезжать)*

покло́н bow; переда́йте мой ~ (give) my cómpliments to; ~и́ться bow

поко́й rest, peace

поко́йник the decéased

поко́йный *(умерший)* late

поколе́ние generátion

поко́нчить put an end (to) ◇ ~ с собо́й commít suícide

покор|е́ние cónquest; ~и́ться *см.* покоря́ть(ся)

поко́рный obédient, submíssive

покоря́ть subdúe; cónquer *(завоёвывать)*; ~ся submít (to)

покрасне́ть *см.* красне́ть

покрови́тельствовать pátronize

покро́й cut

покрыв|а́ло veil; ~а́ть cóver; ~а́ться cóver onesélf; get cóvered

покры|ть(ся) *см.* покрыва́ть(ся); ~шка *(шины)* tíre-cover

покуп|а́тель cústomer; búyer *(оптовый)*; ~а́ть buy

поку́пк|а púrchase; де́лать ~и go shópping

покуш|а́ться attémpt; ~е́ние attémpt

пол I floor

пол II *биол.* sex

полага́|ть suppóse; assúme; guess *(амер.);* ~ться 1) *(рассчитывать)* relý (upón) 2) *безл.* ~ется one is suppósed (to); не ~ется you mustn't

полго́да six months

по́лдень noon

по́ле 1) field; ~ зре́ния field of vision 2) *мн.ч. (книги, тетради)* márgins 3) *мн.ч. (шляпы)* brim *(ед.ч.);* ~во́й field; ~вы́е цветы́ wild flówers

поле́зн|ый 1) úseful; good for; э́то ему́ бу́дет ~о it will do him good; it will be good for him 2) *(для здоровья)* héalthy, whólesome

поле́мика polémics; dispúte

поле́но log

полёт flight

полете́ть fly

по́лз|ать, ~ти́ creep, crawl

пол|ива́ть wáter; ~и́вка wátering

полиго́н firing ground

полигра́фия prínting índustry

поликли́ника outpátients clínic, polyclínic

полиня́ть *см.* линя́ть

полиомиели́т poliomyelítis

полиро́ванный pólished

поли́т|ика pólitics; pólicy *(линия поведения);* ~и́ческий political полить см. поливать

полицейский policeman

полиция police

полк régiment

полка shelf

полковник cólonel

полководец géneral

полковой regimental

полнолуние full moon

полномоч|ие authority; ~ный plenipotentiary

полностью fully, in full

полнота 1) plénitude (*обилие*); complèteness (*цельность*) 2) (*тучность*) córpulence

полночь midnight

полный 1) (*наполненный*) full 2) (*весь*) complète 3) (*совершенный*) ábsolute 4) (*о человеке*) stout, fat

поло *спорт.*: водное ~ wáter pólo

половина half

положение 1) situátion; position 2) (*социальное, общественное*) státus, stánding 3) (*устав*) regulátions (*мн.ч.*), státute; ~ о выборах státute of eléctions ◇ ~ дел state of affáirs

положительный 1) pósitive 2) (*об ответе*) affírmative 3) (*о человеке*) relíable

положить put; ~ся см. полагаться

полоса 1) stripe 2) (*узкий кусок*) strip 3) *геогр.* zone; ~тый striped

полоскать rinse; ~ горло gárgle

полотенце tówel

полотн|о 1) línen; cánvas (*картина*) 2) *ж.-д.* pérmanent way; ~яный línen

полоть weed

полтора one and a half; ~ста a húndred and fífty

полугодие hálf-yéar

полузащитник *спорт.* hálf-báck

полукруг sémicircle

полумрак dusk

полуостров península

полуфабрикат prepáred foods

полуфинал *спорт.* sémifinal

получ|ать recéive; ~аться (*выходить*) come out; ~ить(ся) см. получать(ся)

получка pay

полушарие hémisphere

полчаса half an hour

польз|а use; good, bénefit; ~оваться use, make use of (*использовать*); enjóy (*иметь*); ~оваться случаем take an opportúnity

польский Pólish

полюбить grow fond of; fall in love with (*влюбиться*)

полюс pole

поляк Pole

поляна glade

полярный pólar, árctic; ~ круг pólar círcle

помада: губная ~ lípstick

поместить(ся) см. помещать(ся)

помесь cróss-breed, hýbrid; *перен.* míxture

помéха híndrance; óbstacle (*препятствие*)

помешáтельство insánity; *перен.* craze

помешáть I (*размешать*) stir

помешáть II 1) (*препятствовать*) hínder 2) (*обеспокоить*) distúrb

помешáться go mad; ~ **на** be mad about

помещ|áть place; ~**áться** be sítuated; ~**éние** 1) (*жилое*) prémises (*мн. ч.*) 2) (*действие*) plácing

помéщик lándowner, lándlord

помидóр tomáto

помúловать párdon

помúмо 1) (*кроме*) apárt from 2) (*без ведома кого-л.*) without *smb.'s* knówledge

помирúть réconcile

пóмнить remémber; keep in mind

помогáть help

по-мóему 1) (*по моему мнению*) in my opínion 2) (*по моему желанию*) as I would have it

помóчь *см.* помогáть

помóщник assístant; help

пóмощь help; пéрвая ~ first aid

понедéльник Mónday

понемнóгу little by líttle, grádually

пониж|áть lówer, redúce; ~**áться** fall, sink; ~**éние** fall

понúзить(ся) *см.* понижáть(ся)

понимá|ние understánding; ~**ть** understánd

понóс diarrhóea

понóшенный worn, shábby

пóнчик dóugh-nut

понúтие idéa, nótion; *филос.* concéption

понúтный intélligible, clear

понúть *см.* понимáть

поочерёдно by turns

поощр|éние encóuragement; материáльное ~ fináncial incéntive, bónus; ~**úть, ~úть** encóurage

попадáть, попáсть 1) (*куда-л.*) get; catch (*на поезд и т.п.*); find onesélf in (*очутиться*) 2) (*в цель*) hit

поперёк acróss

попеременно in turn

пополáм in two, in half

пополýдни p. m., post merídiem

поправ|ить(ся) *см.* поправлять(ся); ~**ка** 1) corréction; améndment (*к закону*) 2) (*починка*) repáiring 3) (*о здоровье*) recóvery; ~**лять** 1) (*чинить*) repáir 2) (*ошибку*) corréct; ~**ляться** (*выздоравливать*) recóver

по-прéжнему as álways

попрóбовать try; taste (*на вкус*)

попугáй párrot

популúрный pópular

попýтно in pássing, on *one's* way

попýтчик féllow-tráveller

попытáться try, attémpt, endéavour

попы́тка attémpt, endéavour

пора́ 1. *сущ.* time; давно́ ~ it's high time; с каки́х пор? since when?; до сих пор hithertó *(о времени)*; so far, up to here *(о месте)* 2. *безл.* it is time

порабоще́ние enslávement; subjugátion

поража́ть 1) *(наносить удар)* strike; deféat *(неприятеля)* 2) *(удивлять)* amáze

пораже́ние deféat

порази́|тельный astóunding; extraórdinary *(удивительный)*; ~ть *см.* поража́ть

поре́зать cut; ~ся cut onesélf

порица́|ние blame, cénsure; ~ть repróach (with), cénsure (for)

по́ровну équally

поро́г thréshold

поро́ги *(на реке)* rápids

поро́да 1) breed 2) *геол.* rock

поро́к vice

поросёнок súcking-pig

по́рох (gún)powder

порошо́к pówder; стира́льный ~ detérgent

порт port

по́ртить spoil; ~ся be spoilt; decáy *(о зубах)*

портн|и́ха dréssmaker; ~о́й táilor

портре́т pórtrait

портсига́р cigarétte-case

португа́лец Portuguése

португа́льский Portuguése

портфе́ль bríef-case; bag

по-ру́сски (in) Rússian; напи́сано ~ written in Rússian; говори́ть ~ speak Rússian

поруч|а́ть charge with; entrúst with *(вверять)*; ~е́ние commíssion; méssage *(устное)*

по́ручень hándrail

поручи́ть *см.* поруча́ть

по́рци|я pórtion; hélping *(кушанья)*; dose *(лекарства)*; три ~и моро́женого three íces; две ~и сала́та sálad for two

по́рча dámage

поры́в 1) *(ветра)* gust 2) *(чувства)* fit; burst; ímpulse; ~истый impúlsive

поря́док órder

поря́дочный 1) *(честный)* décent 2) *(большой)* consíderable

посади́ть 1) *(растение)* plant 2) *(усадить)* seat, place

поса́дка 1) *(растений)* plánting 2) embarkátion *(на пароход)*; bóarding, entráining *(на поезд)* 3) *ав.* lánding

по-сво́ему in one's own way

посвя|ти́ть, ~ща́ть 1) devóte 2) *(произведение)* dédicate 3) *(в тайну и т.п.)* inítiate

посе́в sówing; ~но́й: ~на́я пло́щадь área únder crop; ~на́я кампа́ния sówing campáign

посе́вы crops

посели́ть séttle; ~ся séttle

посёлок small víllage; séttlement

посереди́не in the míddle

посети́|тель vísitor; ча́стый ~ fréquent vísitor; ~ть см. посеща́ть

посеща́|емость atténdance; ~ть 1) vísit 2) *(лекции и т.п.)* atténd

посеще́ние vísit; call

посе́ять sow

поскользну́ться slip

поско́льку 1) *(насколько)* so far as 2) *(так как)* so long as, since ◇ посто́льку ~ (in) so far as

посла́нец méssenger

посла́ние méssage

посла́нник énvoy, émissary

посла́ть см. посыла́ть

по́сле 1. *нареч.* láter (on); áfterwards 2. *предлог* áfter

после́дний last

после́дователь fóllower

после́довательный 1) *(логичный)* consístent 2) *(о порядке)* succéssive, consécutive

после́дствие cónsequence

послеза́втра the day áfter tomórrow

посло́вица próverb

послу́шный obédient

посме́ртный pósthumous

посмотре́ть look

посо́бие 1) grabt, relíef 2) *(учебник)* téxt-book

посо́л ambássador

посо́льство émbassy

поспева́ть I *(созревать)* rípen

поспева́ть II *(успевать)* be in time

поспе́ть I, II см. поспева́ть I, II

поспе́шность húrry, haste

посред|и́, ~и́не in the míddle (of)

посре́дник intermédiary

посре́дственный médiocre

посре́дством by means of

поссо́риться quárrel

поста́вить см. ста́вить

поста́в|ка supply(ing); ~ля́ть supply; ~щи́к supplíer

постанови́ть см. постановля́ть

постано́вка 1) *театр.* prodúction 2): ~ вопро́са formulátion of the quéstion 3): ~ го́лоса voice tráining

постановл|е́ние decrée; resolútion *(решение)*; *юр.* rúling; ~я́ть decrée; decíde *(решать)*

посте́ль bed; постели́ть ~ make the bed

постепе́нный grádual

посторони́ться make way, step aside

посторо́нн|ий 1. *сущ.* stránger, outsíder; ~им вход воспрещён no admíttance 2. *прил.* óutside; irrélevant; ~яя по́мощь outsíde aid; ~ие дела́ irrélevant mátters

постоя́н|ный cónstant; pérmanent *(неизменный)*; perpétual *(вечный)*; ~ство cónstancy

постри́чься have one's hair cut

349

построить build, constrúct

постройка búilding

поступ|áть, ~и́ть 1) act; do 2) (в школу, организацию и т.п.) énter; join

посту́пки (поведение) beháviour (ед.ч.)

посту́пок áct(ion)

посту́пь step

постуча́ть, ~ся knock (at)

посу́да plates and díshes; ча́йная ~ téa-things; фая́нсовая ~ cróckery; фарфóровая ~ chína; кýхонная ~ cóoking uténsils

посыла́ть send, dispátch; ~ по по́чте post; mail (амер.)

посы́лка 1) (действие) sénding 2) (почтовая) párcel

посыпа́ть, посыпа́ть sprínkle (сахаром и т.п.); strew (песком, гравием)

посяг|áть, ~нýть encróach (upón)

пот perspirátion, sweat

потасóвка разг. brawl, fight

потеплéние rise in témperature

потерпéвший сущ. víctim

потерпéть súffer

потёртый shábby

потéря loss; ~ врéмени waste of time

потеря́ть lose; ~ся be lost

потéть perspíre, sweat

потихóньку (тайком) stéalthily

потóк stream tórrent; flow

потолóк céiling

потóм áfterwards (после);

then (затем); láter on (позже)

потóмство postérity

потому́, ~-то that is why; ~ что becáuse

потопи́ть sink

потреб|и́тель consúmer; ~лéние consúmption; ~ля́ть consúme, use

потрéбность requírements (мн. ч.); demánd (спрос)

потрясéние shock

потуха́ть, потýхнуть go out

похвал|а́ praise; ~и́ть praise

похи́тить, похища́ть steal; kídnap (человека)

похóд campáign

похóдка walk

похождéние advénture

похóж|ий: ~ на like; он похóж на брáта he is like his bróther; э́то на негó ~e it's just like him; ~е на то, что бýдет дождь it looks like rain

похолодáние fall in témperature

похорони́ть búry

похорóнный fúneral(-)

пóхороны fúneral (ед.ч.)

похудéть grow thin

поцелова́ть kiss

поцелýй kiss

пóчва soil

почемý why

пóчерк hándwriting

почёт hónour; ~ный hónorary

по|чини́ть repáir; mend; ~чи́нка repáiring; repáirs (мн.ч.); ménding по́чка I *анат.* kídney

по́чка II *бот.* bud

по́чт|а 1) post 2) *(почто́-
вое отделе́ние)* póst-office 3)
(корреспонде́нция) mail;
~альо́н póstman; ~а́мт póst-
-office

почте́н|ие respéct; estéem;
~ный respéctable, hónour-
able

почти́ álmost

почти́тельный respéctful

почто́в|ый póst(al); ~
ящик létter-box; ~ая бума́га
nóte-paper; ~ые расхо́ды
póstage *(ед.ч.)*

пошатну́ть shake

по́шлина cústoms dúty

по́шл|ость banálity, cóm-
monplace; ~ый banál; vúlgar

пощад|а́ mércy; ~и́ть spare

пощёчина slap in the face

поэ́|зия póetry; ~ма póem

поэ́т póet; ~и́ческий
poétic(al)

поэ́тому thérefore, that's
why, cónsequently

появ|и́ться *см.* появля́ть-
ся; ~ле́ние appéarance;
~ля́ться appéar

по́яс 1) belt 2) *геогр.* zone

поясн|е́ние explanátion,
elucidátion; ~и́ть *см.* поясня́ть

поясни́ца loins

поясня́ть expláin, elúcidate

прабабка gréat-gránd-
mother

правд|а truth; э́то ~ that is
true; ~ивый trúthful

пра́вил|о rule; ~а у́лично-
го движе́ния driving reg-
ulátions, tráffic regulátions

пра́вильн|о corréctly; ~!
quite right!; э́то ~ that's right;
~ый 1) right; corréct 2)
*(симметри́чный, регуля́р-
ный)* régular

прави́тельст|венный gov-
ernmént(al); ~во góvern-
ment

пра́вить 1) *(страно́й)*
góvern, rule; reign *(о мона́р-
хе)* 2) drive *(лошадьми́, ма-
ши́ной)* 3) *(су́дном, я́хтой)*
steer

правле́ние 1) góvernment
2) *(учрежде́ния)* the mánagement, board (of diréctors)

пра́внук gréat-grándson

пра́в|о 1) right; ~ го́лоса
vote, súffrage 2) *(нау́ка)* law
3) *мн. ч. (свиде́тельство)*
lícence; води́тельские ~а́
dríver's lícence

правово́й légal

правонаруше́ние offénce

правописа́ние spélling,
orthógraphy

правосу́дие jústice

пра́вый 1) right 2) *полит.*
right-wing

пра́вящий rúling

пра́дед gréat-grándfather

пра́здн|ик hóliday; ~овать
célebrate

пра́здный ídle

пра́кт|ика práctice; ~ика́нт
trainée; ~и́ческий práctical

прах dust; áshes *(мн. ч.)*
(оста́нки)

пра́ч|ечная láundry; ~ка
láundress, wásherwoman

пребыва́ние sójourn; stay

превзойти́, превосходи́ть
outdó, surpáss

превосхо́дный spléndid,
éxcellent

превосхо́дство superiórity

превра|ти́ть(ся), ~ща́ть
(ся) turn (into)

превы́|сить, ~ша́ть excéed

прегра́да obstacle

прегра|ди́ть, ~жда́ть block
(up)

предава́ть betráy ◇ ~ суду́
sue; ~ся give onesélf up to,
indúlge (in)

пре́данн|ость devótion;
~ый devóted, fáithful

преда́тель tráitor; ~ский
tréacherous; ~ство tréachery;
tréason (измена)

преда́ть(ся) см. предава́ть(ся)

предвари́тельный prelíminary

предви́деть foresée, foreknów

предвы́борн|ый pre-eléction(-); ~ая кампа́ния
electionéering campáign

преде́л límit; положи́ть ~
(чему-л.) put a stop to

предисло́вие préface,
fóreword, introdúction

пре́дки fórefathers, áncestors

предлага́ть 1) óffer,
propóse 2) (советовать)
suggést

предло́г I (повод) excúse,
prétext

предло́г II грам. preposítion

предложе́ние I 1) óffer,
propósal, suggéstion; mótion
(на собрании) 2) эк. supplý;
спрос и ~ supplý and demánd

предложе́ние II грам.
séntence; гла́вное ~ príncipal
clause; придато́чное ~
subórdinate clause

предложи́ть см. предлага́ть

предло́жный: ~ паде́ж
prepositional case

предме́стье súburb

предме́т 1) óbject 2) (тема) súbject; ~ догово́ра
mátter

предназн|а́чать, ~а́чить
inténd (for)

пре́док fórefather, áncestor

предоста́в|ить, ~ля́ть 1)
(давать) give 2) (позволять) leave; ~ кого-л. самому́ себе́ leave one to onesélf

предосте|рега́ть, ~ре́чь
warn

предосторо́жность precáution

предотвра|ти́ть, ~ща́ть
prevént, avért, ward off

предохрани́тель тех.
sáfety devíce

предохран|и́ть, ~я́ть protéct (from, agáinst)

предписа́ние órder;
instrúctions (мн.ч.)

предписа́ть, предпи́сывать
órder

предполага́ть 1) *(намереваться)* inténd, propóse 2) *(думать)* suppóse

предполо|же́ние supposition, hypóthesis; ~жи́ть *см.* предполага́ть

предпосле́дний last but one

предпоч|е́сть, ~ита́ть prefér; ~те́ние préference

предприи́мчивый énterprising; resóurceful *(находчивый)*

предпринима́тель emplóyer, manufácturer; búsinessman

предпри|нима́ть, ~ня́ть undertáke

предприя́тие undertáking, énterprise; búsiness *(деловое);* совме́стное ~ joint vénture

предрасположе́ние predisposítion

предрассу́док préjudice

председа́тель cháirman *(собрания);* président *(правления и т.п.)*

пред|сказа́ть, ~ска́зывать foretéll; forecást *(погоду)*

представи́тель represéntative; ~ство representátion

предста́в|ить(ся) *см.* представля́ть(ся); ~ле́ние 1) *театр.* perfórmance 2) *(документов и т.п.)* presentátion 3) *(понятие)* idéa; ~ля́ть 1) *(предъявлять)* présent; prodúce 2) *(знакомить)* introdúce, présent *smb.* (to) 3): ~ля́ть

себе́ imágine 4): ~ля́ть собо́ю represént 5) *(доставлять)* óffer; э́то не ~ля́ет для меня́ интере́са it's of no ínterest to me; ~ля́ться 1) *(возникать)* aríse, presént itsélf 2) *(знакомиться)* introdúce onesélf

предсто|я́ть: мне ~и́т I shall have to; I am faced with; ~я́щий cóming, fórthcoming; impénding *(неминуемый)*

предубежде́ние préjudice

предупре|ди́ть, ~жда́ть 1) *(известить)* let *smb.* know; nótify 2) *(предостеречь)* warn 3) *(предотвратить)* prevént, avért 4) *(опередить)* forestáll; ~жде́ние 1) nótice 2) wárning 3) prevéntion

предусма́тривать, предусмотре́ть 1) foresée 2) *(обеспечивать)* províde for

предусмотри́тельный prúdent

предчу́вств|ие preséntiment; ~овать have a preséntiment

предше́ств|енник prédecessor; ~овать precéde

предъяв|и́тель béarer; ~и́ть, ~ля́ть prodúce; show *(показать);* ~ля́ть тре́бования make a demánd; ~и́те биле́ты! tíckets, please!

предыду́щий precéding

пре́жде befóre; fórmerly *(прежнее время*

пре́жний prévious; fórmer, ex- *(бывший)*

презервати́в cóndom

президе́нт président

прези́диум presídium

през|ира́ть despíse; ~е́ние contémpt; ~ре́нный déspicable, contémptible; ~ри́тельный contémptuous

преиму́щество advántage

прекра́сн|о éxcellently, spléndidly; ~! spléndid!; ~ый 1) (красивый) béautiful 2) (отличный) éxcellent, cápital, fine

прекра|ти́ть, ~ща́ть stop, cease; ~ще́ние cessátion

преле́стный чарминг chárming, delíghtful, lóvely

пре́лесть charm

премирова́ть awárd a prize; awárd a bónus

пре́мия bónus; prize; reward (награда)

премье́ра first night

премье́р-мини́стр prime mínister

пренебре|га́ть negléct, disregárd; ~же́ние 1) negléct (of); disregárd (of) (к обязанностям и т.п.) 2) (презрение) scorn, disdáin (for)

пренебре́чь см. пренебрега́ть

пре́ния debáte (ед. ч.)

преоблада́ть predóminate; preváil

преодолева́ть, преодоле́ть overcóme

преподава́|ние téaching; ~тель téacher; ~ть teach

препя́тств|ие óbstacle, impédiment; ~овать prevént

smb. from; hínder smb. (мешать)

прерва́ть, прерыва́ть break off; interrúpt (кого-л.)

пресле́дова|ние 1) (погоня) pursúit 2) (притеснение) persecútion; ~ть 1) (гнаться) pursúe, chase; перен. haunt 2) (притеснять) pérsecute

пресмыка́ющееся зоол. réptile

пре́сный 1) (о воде) fresh 2) (безвкусный) insípid

пресс press

пре́сса the press

пресс|-конфере́нция press cónference; ~-центр press céntre

прест|упле́ние crime; ~у́пник críminal

претендова́ть claim

прете́нзия claim

преуве|личе́ние exaggerátion; ~ли́чивать, ~ли́чить exággerate

при 1) (около) by, at, near 2) (в присутствии кого-л.) in the présence of; ~ мне in my présence 3) (во время, в эпоху) únder, in the time of 4) (при известных обстоятельствах) when 5) (с собой) with; abóut; ~ себе́ with (about, on) one

приба́в|ить add; ~ка 1) addition 2) (к зарплате) rise; raise (амер.); ~ля́ть см. приба́вить

прибега́ть I come rúnning

при|бега́ть II, **~бе́гнуть** resort to, have recourse to

прибежа́ть см. прибега́ть I

при|бива́ть, ~би́ть 1) *(гвоздя́ми)* fásten down, nail 2) *(к бе́регу и т.п.)* throw, wash *smth.* (ashóre)

приближ|а́ться appróach, come néarer; **~е́ние** appróach

приблизи́тельн|о appróximately; **~ый** appróximate

прибли́зиться см. приближа́ться

прибо́й surf

прибо́р 1) apparátus 2) desk set *(пи́сьменный)*; dínner-set *(столо́вый)*; tóilet set *(туале́тный)*

прибыва́ть 1) arríve 2) *(о воде́)* rise

при́быль prófit; **~ный** prófitable

прибы́|тие arríval; **~ть** см. прибыва́ть

привáл halt

приватиз|а́ция privatizátion; **~и́ровать** prívatize

привезти́ см. привози́ть

приве́рженец adhérent

привести́ см. приводи́ть

приве́т regárds *(мн.ч.)*, **~ливый** áffable, fríendly; **~ствие** gréeting; **~ствовать** 1) greet 2) *(одобря́ть)* wélcome

прив|ива́ть 1) *мед.* inóculate; **~** óспу váccinate 2) *бот.* engráft; **~и́вка** 1) *мед.* inoculátion; **~и́вка о́спы** vaccinátion 2) *бот.*

engráfting; **~и́ть** см. привива́ть

при́вкус taste, flávour

привлека́тельный attráctive

привлека́ть, привле́чь attráct, draw; **~** к суду́ prosecute

приводи́ть 1) *(куда́-л.)* bring 2) *(к чему́-л.)* lead (to), resúlt (in) 3) *(цита́ты, приме́ры)* cite 4) *(в отча́яние и т.п.)* drive *smb.* to; **~** в поря́док put in órder; **~** в исполне́ние cárry out; ímplement

приводне́ние splásh-down

привози́ть bring

при|выка́ть, ~вы́кнуть get accústomed (to), get used to; **~вы́чка** hábit

привя́занн|ость attáchment; **~ый: быть ~ым к кому́-л., чему́-л.** be fond of

при|вяза́ть, ~вя́зывать tie, fásten

пригла|си́ть, ~ша́ть invíte; **~ше́ние** invitátion

пригово́р séntence; **~и́ть** séntence, condémn

пригоди́ться come in hándy

при́город súburb; **~ный** súburban; **~ный по́езд** lócal train

пригото́в|ить(ся) см. приготовля́ть(ся); **~ле́ние** preparátion; **~ля́ть** 1) prepáre 2) *(пи́щу)* cook; **~ля́ться** prepáre (for)

придава́ть: ~ большо́е значéние attách great impórtance to

придýм|ать, ~ывать invént

приéз|д arríval; ~жáть arríve

приéзжий vísitor; guest; newcómer, (new) arríval

приём 1) recéption 2) *(способ)* méthod; ~ная *(у врача)* consúlting-room; wáiting-room

приёмник *радио* rádio

приёмный 1) *(усыновлённый)* adópted 2) *(день, час и т.п.)* recéption(-)

приéхать *см.* приезжáть

при|жáть, ~жимáть press; clasp *(к груди)*

приз prize

призвáние vocátion, inclinátion

призвáть *см.* призывáть

приземл|éние lánding; ~и́ться, ~я́ться land

признавáть admít; ~ся conféss; ~ся в любви́ decláre one's féelings

при́знак sign

признáние 1) *(чего-л.)* acknówledgement 2) *(в чём-л.)* conféssion; declarátion *(в любви)*

при́знанный acknówledged, récognized

признáть(ся) *см.* признавáть(ся)

призовóй prize(-)

при́зрак ghost

призы́в 1) appéal 2) *(лозунг)* slógan 3) *(в армию)*

cálling-up; ~áть 1) call 2) *(на военную службу)* call up

при́иск mine; золоты́е ~и góldfields

прийти́(сь) *см.* приходи́ть(ся)

прикáз órder, commánd; ~áние órder, commánd; ~áть, ~ывать órder, commánd

прикасáться touch

приклáд *(ружья)* butt

прикладнóй applíed

приключéн|ие advénture; ~ческий advénture; ~ческий фильм thríller

прикомандировáть attách

прикосн|овéние touch; ~у́ться *см.* прикасáться

прикреп|и́ть, ~ля́ть fásten; attách; я к вам ~лён I have been sent to you for help

при|крывáть, ~кры́ть cóver; shield *(защищать)*

прилáвок cóunter

прилагáтельное *грам.* ádjective

прилагáть 1) applý 2) *(к письму)* enclóse

прилéжный díligent

приле|тáть, ~тéть arríve

прили́в 1) flow; high tide; *перен.* surge 2) *(крови)* rush

прили́ч|ие décency; ~ный décent; respéctable

приложéние 1) *(к журналу и т.п.)* súpplement 2) *(к письму и т.п.)* enclósure; ~и́ть *см.* прилагáть

примáнка bait

примен|éние applicátion;

use; ~ѝть, ~я́ть applý, use, emplóy

примѐр exámple

примѐрить см. примеря́ть

примѐрка fítting

примѐрный 1) *(образцо́вый)* exémplary 2) *(приблизи́тельный)* appróximate

примеря́ть try on

прѝмесь admíxture; с ~ю mixed with

примеча́ние cómment; fóotnote *(сноска)*

примире́ние reconciliátion

примир|и́ться, ~я́ться réconcile

примкну́ть join

примыка́ть 1) см. примкну́ть 2) *(грани́чить)* bórder (on); adjóin

принад|лежа́ть belóng (to); ~ле́жности accéssories, things; посте́льные ~ле́жности bédding *(ед. ч.)*

принести́ см. приноси́ть

принима́ть 1) take 2) *(посети́теля)* recéive 3) *(зако́н, резолю́цию)* pass 4) *(в каку́ю-л. организа́цию и т.п.)* accépt 5) *(приобрета́ть)* assúme

приноси́ть bring ◇ ~ по́льзу be of use

принуди́тельный forced, compúlsory

прину́|дить, ~жда́ть force

прѝнцип prínciple; ~иа́льно on prínciple; ~иа́льный of prínciple

прин|я́тие *(зако́на, резо-*

люции) pássing (of); ~я́ть см. принима́ть

приобре|сти́, ~та́ть 1) acquíre 2) *(купи́ть)* buy

припа́док fit, attáck; paróxysm

припа́сы supplíes

припѐв refráin

приписа́ть, припи́сывать *(что-л. кому́-л.)* áttribute, ascríbe

припомина́ть, припо́мнить recáll

припра́ва séasoning, flávouring

приро́д|а náture; ~ный 1) nátural 2) *(врождённый)* inbórn

прирѐст growth, íncrease

прируч|а́ть, ~и́ть tame

присва́ивать см. присво́ить

присв|ое́ние appropriátion; ~о́ить 1) apprópriate 2) *(зва́ние и т.п.)* confér upón

приседа́ть, присѐсть *(на ко́рточки)* squat

присла́ть см. присыла́ть

прислон|и́ться, ~я́ться lean (agáinst)

прислу́ш|аться, ~иваться lísten

присоедин|е́ние 1) addítion *(чего́-л.)*; jóining *(кого́-л.)* 2) эл. connéction; ~и́ть (ся) см. присоединя́ть(ся); ~я́ть 1) add, join 2) эл. connéct; ~я́ться join

приспосо́б|ить см. приспособля́ть; ~ле́ние *(устрой-*

ство) devíce; gádget *(разг.)*;
~ля́ть adápt

приставáть 1) *(к берегу)*
put in 2) *(надоедáть)* pésced,
vex

приста́вка *грам.* préfix

при́стальный stéady, fixed

при́стань pier, quay; wharf
(товáрная)

приста́ть *см.* приставáть

пристрáстие bent, wéak-
ness (for); *(необъекти́вное)*
bías; относи́ться с ~м be
préjudiced agáinst *(враждéб-
но)*; show partiálity for *(доб-
рожелáтельно)*

пристрáстный pártial;
bíassed; préjudiced *(предвзя́-
тый)*

при́ступ *(припáдок)* fit,
attáck

приступ|áть, ~и́ть *(к дé-
лу)* set to

прису|ди́ть, ~жда́ть 1)
condémn; adjúdge 2) *(прé-
мию, стéпень)* awárd; confér
(on)

прису́тств|ие présence;
~овать be présent

присылáть send

прися́га oath

притвор|и́ться, ~я́ться pre-
ténd, feign

притесн|éние oppréssion,
restríction; ~я́ть oppréss, deal
hárdly

прито́к 1) *(рекú)* tríbutary
2) *(подъём)* surge

прито́м besídes, moreóver

притя́гивать attráct

притяже́ние: земно́е ~
grávity

притяну́ть *см.* притя́гивать

приуч|а́ть, ~и́ть train,
accústom

прихо́д 1) arríval 2) *бухг.*
recéipts *(мн. ч.)*

приходи́ть come

приходи́ться *безл.:* мне
(ему́) пришло́сь I (he) had
to

прицéп tráiler

причáл|ивать, ~ить moor

причáстие *грам.* párticiple

причём: ~ тут я? what
have I to do with it?

причеса́ть(ся) *см.* причё-
сывать(ся)

причёс|ка hair style; hair-
do *(разг.)*; ~ывать do smb.'s
hair; ~ываться do one's hair;
have one's hair done *(у па-
рикмáхера)*

причи́на cause; reason *(основáние)*; побуди́тельная ~
mótive

причин|и́ть, ~я́ть cause,
do

при|шивáть, ~ши́ть sew
(on)

прищеми́ть pinch

прищéпка clóthes peg

прию́т shélter, réfuge; *(дé-
тский)* órphanage

прия́тель friend, pal,
cróny; ~ский friendly,
ámicable

прия́тный pléasant, agré-
able

про abóut; ~ себя́ to onesélf

про́ба 1) *(дéйствие)* tríal,

test 2) *(образчик)* sámple 3) *(клеймо)* háll-mark

пробе́г run

про|бега́ть, ~бежа́ть run (by)

пробе́л gap

пробива́ть break through, pierce

пробира́ться make one's way

пробить *см.* пробива́ть

про́бка 1) cork; stópper *(стеклянная)* 2) *(затор уличного движения)* tráffic jam

пробле́ма próblem

про́блеск gleam

про́бовать try; taste *(на вкус)*

пробо́р párting; косо́й ~ side párting; прямо́й ~ míddle párting

пробра́ться *см.* пробира́ться

пробы́ть stay

прова́л *(неудача)* fáilure; ~и́ться 1) *(упасть)* fall, come down 2) *(потерпеть неудачу)* fail

прове́р|ить *см.* проверя́ть; ~ка 1) verificátion; examinnátion *(документов, знаний и т. п.)* 2) *(контроль)* check-up; ~я́ть check, vérify

провести́ *см.* проводи́ть II

прове́три|вать, ~ть air, véntilate

прови́зия provísions *(мн. ч.)*

провини́ться be guílty (of)

про́вод wire

проводи́ть I *см.* провожа́ть

проводи́ть II 1): ~ доро́гу build a road; ~ электри́чество instáll eléctrical equípment 2) *(работу и т. п.)* condúct 3) *(осуществлять)* cárry out

проводни́к 1) guide 2) *(в поезде)* guard 3) *физ.* condúctor

провожа́ть accómpany; see *smb.* off

прово́з tránsport

провозгла|си́ть, ~ша́ть procláim

провока́ция provocátion

про́волока wire

прогл|а́тывать, ~оти́ть swállow

прогна́ть *см.* прогоня́ть

прогно́з wéather fórecast; *мед.* prognósis

проголода́ться be (feel) húngry

прогоня́ть drive awáy

програ́мма prógramme

програ́мм|и́рование prógramming; ~и́ровать prógramme; ~и́ст prógrammer

прогре́сс prógress; ~и́вный progréssive

прогу́л ábsence from work; absénteeism

прогу́лка walk

продава́ть sell; ~ся be for sale

продав|е́ц séller; sálesman, shóp-assistant *(в магазине)*; ~щи́ца shóp-girl; shóp-assistant продáж|а sale; ~ный *(подкупный)* corrúpt

продáть *см.* продавáть

продвигáться advánce

продвижéние adváncement

продвúнуться *см.* продвигáться

продл|éние prolongátion; ~ёнка *разг.* exténded-day class; ~úть prolóng

продлúться last

продовóльств|енный food (-); ~ие food; provísions *(мн. ч.)*

продолж|áть contínue; ~áйте go on!; ~éние continuátion; séquel *(романа);* ~éние слéдует to be contínued

продолжúтельность durátion

продолжúть *см.* продолжáть

продýкт próduct

продуктúвный prodúctive

продуктóвый: ~ магазúн grócery

продýкция prodúction, óutput

проéзд pássage; ~ воспрещён! no thóroughfare!

проезднóй: ~ билéт (séason) tícket

проéздом while pássing through, on one's way (to)

проезжáть pass (by, through); go (past, by)

проéкт próject, design; ~ резолю́ции draft resolútion; ~úровать make design (for)

проéхать *см.* проезжáть

прожéктор séarchlight

прожива́ть 1) *(жить)* live, resíde 2) *(тратить)* spend

прóза prose

прóзвище níckname

прозра́чный transpárent

проигра́ть *см.* проигрывать

проúгрыватель récord-player; phónograph

проúгрывать lose

проúгрыш lósses *(мн. ч.)*

произведéн|ие work; úзбранные ~ия selécted works

произвестú *см.* производúть

производúтельность prodúctivity

производúть 1) prodúce 2) *(выполнять)* make, éxecute

производственник prodúction wórker

производствен|ый 1) процéсс prócess of prodúction; ~ план prodúction plan; ~ые отношéния prodúction relátions

произвóдство 1) prodúction 2) *разг. (фабрика, завод)* fáctory, works, plant

произвóл árbitrary rule; ~ьный árbitrary; unfóunded

произн|естú, ~осúть pronóunce; ~ речь make a speech; ~ошéние pronunciátion

про|изойтú, ~исходúть 1) *(случиться)* háppen, take place 2) *(откуда-л.)* come (from) 3) *(из-за чего-л.)* be the resúlt of

происхождéние órigin

происшéствие íncident; evént *(событие)*

пройти́ *см.* проходи́ть

прокáт *тех.* 1) rólling 2) *(изделие)* rolled métal

прокла́дывать make, build; ~ путь build a road; *перен.* pave the way (for)

прокл|инáть, ~я́сть curse; ~я́тие curse

прокуро́р públic prósecutor

пролетариáт proletáriat(e)

пролетáр|ий proletárian; ~ский proletárian

проли́в strait

пролива́ть, проли́ть 1) spill 2) *(кровь, слёзы)* shed

проложи́ть *см.* прокла́дывать

прóмах miss *(при стрельбе)*; *перен.* slip; blúnder *(грубая ошибка)*

промедлéние deláy

промежу́ток 1) ínterval 2) *(между досками, в двери и т. п.)* gap

промёрзлый frózen

промокáтельн|ый: ~ая бумáга blótting-paper

промокáть, промо́кнуть get wet through

промолчáть say nóthing, maintáin sílence

промочи́ть: ~ нóги get one's feet wet

промтовáрный: ~ магази́н depártment store

промтовáры manufáctured goods, consúmer goods

промчáться *(мимо)* dart by, rush by

про́мысел trade, craft

промы́шленн|ость índustry; ~ый indústrial

пронзи́тельный píercing

проника́ть, прони́кнуть pénetrate

проница́тельный pénetrating

пропагáнд|а propagánda; ~и́ровать propagándize

пропадáть, пропáсть be lost; disappéar *(исчезать)*

прóпасть precípice, abýss

прописáть(ся) *см.* прописывать(ся)

пропи́с|ка registrátion; ~ывать 1) *(лекарство)* prescríbe 2) *(регистрировать)* régister; ~ываться régister

прóпуск 1) *(документ)* pass 2) *(пустое место)* blank, gap 3) *(в тексте)* omíssion; cut

пропус|кáть, ~ти́ть 1) *(дать пройти)* let smb. pass 2) *(выпускать)* omít, leave out 3) *(занятия, случай)* miss

проры́в break; ~áть break (through)

просвещ|áть enlíghten; ~éние enlíghtment; educátion *(образование)*

проси́ть ask

прослáв|иться *см.* прославля́ться; ~ленный fámous; ~ля́ться becóme fámous

проследи́ть trace

просма́тривать *(книгу)* go through

просмо́тр su̇rvey; prėview *(картины, пьесы)*

просмотре́ть 1) см. просма́тривать 2) *(не заме́тить)* overlȯok 3) *(пьесу)* see

просну́ться см. просыпа́ться

про́со mi̇llet

проспа́ть 1) overslėep 2) *(пропусти́ть)* miss

просро́чи|ть: ~л биле́т my ti̇cket has expi̇red; он ~л па́спорт his pȧssport has run out; она́ ~ла о́тпуск she overstȧyed her leave

простира́ться stretch, reach (to)

проститу́тка prosti̇tute; call girl; *(у́личная)* strėetwalker

прости́ть см. проща́ть; ~ся см. проща́ться

просто́й si̇mple; ėasy *(лёгкий)*; ȯrdinary, cȯmmon *(обыкнове́нный)*

простоква́ша sour milk

просто́р space, room; ~ный spȧcious

простота́ simpli̇city

простра́н|ный dėtailed; elȧborate *(об объясне́нии, извине́нии)*; ~ство space

просту́д|а cold, chill; ~и́ться catch cold

простыня́ sheet

просыпа́ться wake up

про́сьба requėst

проте́з artificial limb

протека́ть 1) flow, run 2)

(проса́чиваться) leak 3) *(о вре́мени)* elȧpse

проте́ст prȯtest; ~ова́ть protest

про́тив 1) agȧinst 2) *(напро́тив)* ȯpposite

проти́вень ȯven-pan

проти́вник oppȯnent; ėnemy *(враг)*

проти́вный disgu̇sting; objėctionable *(неприя́тный)*

противоа́томн|ый ȧnti-nu̇clear; ~ая защи́та ȧnti-nu̇clear defence

противога́з gȧs-mask

противоде́йствие counter-ȧction; opposi̇tion

противополо́жн|ость cȯntrast; ~ый ȯpposite

противопоста́в|ить, ~ля́ть oppȯse

противораке́тн|ый ȧnti-mi̇ssile; ~ая защи́та ȧnti-mi̇ssile defence

противоре́ч|ие contradi̇ction; ~ить contradi̇ct

противостоя́ть oppȯse; resi̇st

проткну́ть см. протыка́ть

протоко́л mi̇nutes *(мн. ч.)*; prȯtocol

прото́чн|ый: ~ая вода́ ru̇nning wȧter

протыка́ть pierce

протя́гивать, протяну́ть stretch (out), extėnd

проучи́ть give *smb.* a lėsson

профессиона́льный profėssional

профе́ссия proféssion; trade *(ремесло)*

профе́ссор proféssor

профилакто́рий preventórium

про́филь prófile

профориента́ция vocátional gúidance

профсою́з trade únion; ~ный tráde-union; ~ный биле́т tráde-union card

прохла́д|а cóolness; ~ный cool

прохо́д pássage; ~ закры́т! no thóroughfare!; ~и́ть go, pass

прохо́жий pásser-by

процвет|а́ние prospérity; ~а́ть prósper

проце́нт percéntage; per cent

проце́сс prócess; суде́бный ~ trial

проце́ссия procéssion

проче́сть, прочита́ть read

про́чный *(крепкий)* strong, sólid; *перен.* lásting

прочь awáy; ру́ки ~! hands off!; ~ отсю́да! get out!

проше́дш|ее the past; ~ий past; ~ее вре́мя *грам.* past tense

прошлого́дний last year's

про́шл|ое the past; ~ый the last *(последний)*

проща́|й!, ~йте! goodbýe!; ~льный párting, farewéll; ~ние párting

проща́ть forgíve

проща́ться take leave (of), say goodbýe (to)

проще́ние forgíveness, párdon

прояви́тель devéloper

прояв|и́ть *см.* проявля́ть; ~ле́ние 1) manifestátion 2) *фото* devélopment; ~ля́ть 1) show, displáy 2) *фото* devélop

пруд pond

пружи́на spring

пры́г|ать, ~нуть jump

прыжо́к jump

прядь lock

пря́жа yarn

пря́жка búckle

пря́м|о straight; ~о́й 1) straight 2) *(непосредственный)* diréct

пря́ник gíngerbread; медо́вый ~ hóney-cake

пря́ности spíces

прясть spin

пря́тать hide; concéal; ~ся hide (onesélf)

псевдони́м pséudonym, *(литературный)* pén-name

психи́ческий méntal, psýchical

психоло́гия psychólogy

пти́ца bird; дома́шняя ~ póultry

птицево́дство póultry-breeding

птицефа́брика póultry farm

ПТУ (профессиона́льно-техни́ческое учи́лище) (vocátional) téchnical school/cóllege

пу́блика públic; áudience *(зрители)*

публикова́ть públish

публи́чный públic

пуга́ть fríghten

пугли́вый tímorous, tímid

пу́говица bútton

пу́др|а pówder; ~еница cómpact; ~ить pówder

пузырёк *(буты́лочка)* bóttle (for médicine, scent)

пузы́рь 1) *(мы́льный и т.п.)* búbble 2) *анат.* bládder 3) *(волды́рь)* blíster

пулемёт machíne-gun

пульс pulse; ~и́ровать pulsáte

пу́ля búllet

пункт 1) póint 2) *(организацио́нный центр)* státion 3) *(пара́граф)* ítem; clause

пурга́ snówstorm

пуска́ть, пусти́ть 1) *(отпусти́ть)* let smb. go; set smb. free 2) *(впуска́ть)* let smb. in

пусто́|й émpty; *(о разгово́ре тж.)* ídle; ~та́ 1) émptiness 2) *физ.* vácuum

пусты́нный desérted; uninhábited *(безлю́дный)*

пусты́ня désert

пусты́рь waste land; émpty lot *(в го́роде)*

пусть *перево́дится через* let + *inf.*; ~ он придёт let him come

пустя́к trífle

пу́та|ница múddle; ~ть confúse

путёвка pass; vóucher; órder; у меня́ ~ в санато́рий

I have a pass to the sanatórium

путеводи́тель guíde(-book)

путепрово́д óverpass; únderpass; bridge

путеше́ст|венник tráveller; ~вие jóurney; ~вовать trável

пут|ь road, way; по ~и́ on the way

пух down

пу́хнуть swell

пуши́стый flúffy

пу́шка gun, cánnon

пушни́на furs *(мн. ч.)*

пчел|á bee; ~ово́дство bée-keeping

пшени́ца wheat

пшено́ míllet

пыл árdour

пыла́ть blaze, be in flames

пылесо́с vácuum cléaner

пы́лкий árdent

пыль dust; ~ный dústy

пыта́ть tórture

пыта́ться attémpt, try

пы́тка tórture

пы́шный 1) respléndent; magníficent 2) *(о расти́тельности)* luxúriant, rich

пье́са play

пьяне́ть get drunk

пьян|и́ца drúnkard; ~ство drúnkenness; ~ый drunk

пюре́ mash; карто́фельное ~ máshed potátoes

пя́теро five

пятибо́рье pentáthlon

пятидеся́тый fíftieth

пятиконе́чный pentágonal

пятиле́тка five-year plan

пятиле́тний five-year

пя́титься back
пя́тка heel
пятна́дца|тый fiftéenth;
~ть fiftéen
пятни́стый spótted; spótty
пя́тница Fríday
пятно́ spot; *перен. тж.*
stáin
пя́тый fifth
пять five
пятьдеся́т fifty
пятьсо́т five húndred

Р

раб slave
рабо́т|а work; ~ать work;
~ник, ~ница wórker; дома́ш-
няя ~ница sérvant, maid; help
(*амер.*)
работоспосо́бность capác-
ity for work
рабо́ч|ий 1. *сущ.* wórker 2.
прил. wórking; ~ класс
wórking class; ~ день wórking
hours
ра́бство slávery, sérvitude,
bóndage
ра́венство equálity
равни́на plain
равно́: всё ~ all the same
равнове́сие bálance, equi-
líbrium
равноду́ш|ие indífference;
~ный indífferent; dísinterested
(*амер.*)
равноме́рный régular; éven
равнопра́вие equálity (of
rights)

ра́вный équal
равня́ться 1) be équal,
amóunt to 2) *воен.* dress
рад glad; я рад I am glad
ра́ди for the sake of; ~ ко-
го́-л. for smb.'s sake
радиа́ция radiátion
ра́дио rádio; передава́ть по
~ bróadcast
радиоакти́вн|ость rádio-
actívity; ~ый radioáctive;
~ые вещества́ radioáctive
matérials
ра́дио|веща́ние bróad-
casting; ~люби́тель rádio
ámateur, rádio ham; ~переда́-
ча bróadcast; ~приёмник
rádio(set); ~ста́нция
bróadcasting státion; ~уста-
но́вка rádio
ради́ст wíreless óperator;
мор. télegraphist
ра́диус rádius
ра́д|овать gládden; ~оваться
ся be glad; rejóice; ~остный
jóyful; ~ость joy
ра́дуга ráinbow
ра́душный córdial, héarty
раз I 1) time; ещё ~ once
more 2) (*при счёте*) one
раз II 1. *нареч.* (*однажды*)
once 2. *союз:* ~ так if that's
the case
разба́в|ить, ~ля́ть dilúte
разбе́г: прыжо́к с ~a
rúnning jump
разбе|га́ться, ~жа́ться run
off; scátter (*в разные стороны*)
разбива́ть 1) break 2) *воен.* deféat; ~ся break

разбира́тельство investigátion

разбира́ть 1) (*на части*) take apárt 2) (*расследовать*) look ínto; invéstigate 3) (*стараться понять*) try to make out; ~ся understánd

разби́тый bróken

разби́ть(ся) *см.* разбива́ть(ся)

разбогате́ть get rich

разбо́й róbbery; ~ник róbber, bándit

разбо́р análysis

разбо́рчивый 1) (*о почерке*) légible 2) (*требовательный*) fastídious

разбра́сывать, разброса́ть throw *smth.* abóut, scátter

разбуди́ть wake; wake up; *перен.* awáken, aróuse

разва́л collápse, decáy; disorganizátion; rúining; ~ивать (*работу и т. п.*) disórganize; wreck; ~иваться collápse; go to píeces; ~ины rúins; ~и́ть(ся) *см.* разва́ливать(ся)

ра́зве réally; ~ он прие́хал? oh, has he come? has he come then?; ~ вы не зна́ете? d'you mean to say you háven't heard?

развева́ться flútter, fly

разведе́ние bréeding (*животных*); cultivátion (*растений*)

разве́д|ка 1) *геол.* prospécting 2) *воен.* intélligence; reconnaissance; ~чик 1) scout 2) *воен.* intélligence ófficer

3) (*агент*) sécret sérvice man

разверну́ть, развёртывать unfóld; unwráp; *перен.* devélop

развести́ *см.* разводи́ть

развести́сь *см.* разводи́ться

развива́ть, ~ся devélop

развива́ющ|ийся; ~иеся стра́ны devéloping cóuntries

разви́тие devélopment

развито́й 1)(*физически*) well-devéloped, well-grówn 2) (*умственно*) intélligent

разви́ть(ся) *см.* развива́ть(ся)

развле|ка́ть entertáin, amúse; ~ка́ться amúse onesélf; ~че́ние amúsement

развле́чь(ся) *см.* развлека́ть(ся)

разво́д divórce

разводи́ть breed (*животных, птиц*); cúltivate, grow (*растения*)

разводи́ться divórce

развра́т deprávity; ~ить *см.* развраща́ть; ~ный depráved

развраща́ть corrúpt

развяза́ть *см.* развя́зывать

развя́зка dénouement (*в романе, пьесе*); óutcome (*дела*)

развя́зный free and éasy

развя́зывать undó

разгада́ть, разга́дывать solve

разга́р clímax; highest point; в ~е in full swing

разгла|си́ть, ~ша́ть 1)

(распространить) spread abróad 2) *(тайну)* give awáy

разговáривать talk, speak

разговóр conversátion; ~ник phrásebook; ~ный collóquial; ~чивый tálkative

разгоня́ть drive awáy, dispérse

разгорячи́ться get excíted

разграниче́ние demarcátion

разгрóм rout; crúshing deféat; ~и́ть smash

разгру|жáть, ~зи́ть unlóad

разгрýзка unlóading

раздавáть distríbute, give out

раздавáться *(о звуках)* resóund

раздави́ть crush

раздáть *см.* раздавáть

раздáться *см.* раздавáться

раздевáлка clóakroom

раздевáть undréss; ~ся undréss; take off one's things

раздéл, ~éние divísion; ~и́ть, ~я́ть 1) divíde; séparate 2) *(участь, мнение)* share

раздéть(ся) *см.* раздевáть(ся)

раздóр díscord, díssénsion

раздраж|áть írritate; ~éние irritátion; ~и́тельный írritable, iráscible

раздувáть *(преувеличивать)* exággerate

раздýмать change one's mind

раздýмье 1) meditátion, thóughtful mood 2) *(колебание)* hesitátion

раздýть *см.* раздувáть

разжéчь, разжигáть kíndle; *перен.* infláme

разлагáться decompóse

разлáд díscord

разли́в *(реки)* flood

разл|ивáть, ~и́ть 1) *(проливать)* spill 2) *(наливать)* pour out

различáть distínguish; ~ся díffer from

различ|ие 1) *(отличительный признак)* distínction 2) *(неодинаковость)* dífference; ~и́ть *см.* различáть; ~ный 1) *(неодинаковый)* dífferent 2) *(разнообразный)* divérse, várious

разлож|éние *(упадок)* decáy; ~и́ться *см.* разлагáться

разлý|ка separátion, párting; ~чáть, ~чáться part; ~чи́ть(ся) *см.* разлучáть(ся)

разлюб|и́ть: онá егó ~и́ла she doesn't love him any more

размáх *(деятельности и т. п.)* range, scope; ~ивать swing; brándish; ~ивать рукáми gestículate

размéн|ивать, ~я́ть *(деньги)* change

размéр size

разме|сти́ть, ~щáть place

размнож|áться breed, múltiply; ~éние 1) mánifolding 2) *биол.* reprodúction

размышл|éние refléction; ~я́ть refléct, think; méditate

разнести́ *см.* разноси́ть

ра́зница difference; dispárity (*неравенство*)

разнови́дность sort, variety

разногла́сие disagréement

разнообра́з|ие variety, divérsity; ~ный várious, váried

разноро́дный héterogéneous

разноси́ть delíver (*письма*); spread (*распространять*)

разносторо́нний vérsatile

разноцве́тный of different cólours

ра́зный 1) (*неодина́ковый*) different 2) (*непарный*) odd 3) (*разнообразный*) divérse, várious

разоблач|а́ть expóse, unmásk; ~éние expósure; ~и́ть *см.* разоблача́ть

разобра́ть(ся) *см.* разбира́ть(ся)

разогна́ть *см.* разгоня́ть

разогрева́ть, **разогре́ть** warm up

разозли́ть make *smb.* ángry; ~ся get ángry

разойти́сь *см.* расходи́ться

разорва́ть(ся) *см.* разрыва́ть(ся)

разор|е́ние 1) rúin 2) (*страны и т. п.*) devastá-tion; ~и́ть(ся) *см.* разоря́ть(ся)

разоруж|е́ние disárma-ment; ~и́ть(ся) disárm

разоря́ть 1) destróy 2) (*кого́-л.*) rúin; ~ся be rúined

разосла́ть sent out, distríbute

разочар|ова́ние disap-póintment; ~о́ванный disap-póinted; ~ова́ть, ~о́вывать disappóint; disillúsion

разраб|а́тывать, ~о́тать 1) (*вопрос и т. п.*) work out 2) (*недра*) explóit

разража́ться, разрази́ться break out

разре́з cut; ~а́ть, ~а́ть cut

разреш|а́ть 1) (*позволя́ть*) allów, permít 2) (*реша́ть*) solve (*пробле́му*); decíde (*вопрос*); ~е́ние 1) (*позволе́ние*) permíssion 2) (*вопроса*) solútion; ~и́ть *см.* разреша́ть

разро́зненн|ый: ~ые тома́ odd númbers; ~ые уси́лия uncoórdinated éfforts

разру́ха rúin, devastátion; disorganizátion

разруш|а́ть destróy; ~е́ние destrúction

разру́шить *см.* разруша́ть

разры́в rúpture; ~а́ть 1) tear 2) (*порыва́ть*) break off; ~а́ться 1) break; tear (*о мате́рии*) 2) (*взрыва́ться*) explóde

разрыда́ться burst ínto tears

разря́д I (*катего́рия*) cátegory; sort

разря́д II эл. dischárge

разря́дка détente

ра́зум mind, intélligence

разуме́ется of course; само́ собо́й ~ it goes withóut sáying

разу́мный réasonable

разу́ч|ивать, **~и́ть** stúdy; **~и́ться** forgét

разъедин|и́ть, **~я́ть** 1) эл. cut off 2) (разделить) séparate

разъе́зд 1) (отъезд) depárture 2) ж.-д. pássing track

разъясн|е́ние elucidátion; explanátion (толкование); **~и́ть, ~я́ть** elúcidate

разыска́ть find

разы́скивать look (for)

рай páradise

райо́н, **~ный** dístrict

рак I cráyfish

рак II мед. cáncer

раке́та 1) rócket; míssile; косми́ческая ~ space rócket 2) (судно) hýdrofoil

раке́та-носи́тель cárrier rócket

раке́тка (теннисная) rácket

ра́ковина 1) shell 2) (водопроводная) sink

ра́ма frame

ра́на wound

ра́нен|ый **1.** прил. wóunded **2.** сущ. wóunded man; **~ые** the wóunded

ра́нить wound

ра́нний éarly

ра́но éarly

ра́ньше éarlier; fórmerly (когда-то)

рапи́ра foil

ра́порт repórt

ра́са race

раска́иваться repént

раскалённый red-hót

раска́я|ние repéntance; **~ться** см. раска́иваться

раскладу́шка разг. cámp-bed

раскла́н|иваться, **~яться** bow; greet

раско́л split

раскра́|сить, **~шивать** paint, cólour

раскрепо|сти́ть, **~ща́ть** líberate; **~ще́ние** emancipátion

раскритикова́ть críticize sevérely

раскр|ыва́ть, **~ы́ть** ópen; uncóver (обнажать); перен. revéal

раскуп|а́ть, **~и́ть** buy up, buy all

раскупор|ивать, **~ить** uncórk, ópen

раскуси́ть 1) bite through 2) разг. (понять) see through

раску́сывать см. раскуси́ть 1)

ра́совый rácial

распа́д disintegrátion, bréak-up

распак|ова́ть, **~о́вывать** unpáck

распа́рывать unríp, rip ópen

распахну́ть ópen wide, throw ópen

распашо́нка báby's vest

распеча́тать ópen, unséal

расписа́ние tímetable, schédule

расписа́ться см. распи́сываться

распи́с|ка recéipt; ~ываться sign

распла́каться burst ínto tears

распла́|та páyment; *перен.* atónement; ~ти́ться, ~чива́ться (с) pay (off), séttle accóunts (with)

расплеска́ть spill, splash abóut

располага́ть 1) *(размещать)* arránge; place 2) *(настраивать)* dispóse *smb.* (to) 3) *(иметь в своём распоряжении)* have at one's dispósal; ~ся séttle down

расположе́ние 1) *(размещение)* arrángement 2) *(местоположение)* situátion 3) *(настроение)* mood; inclinátion *(склонность)*

расположи́ть *см.* располага́ть 1) *и* 2); ~ся *см.* располага́ться

распоря|ди́ться, ~жа́ться give órders (of) *(чем-л.)*; ~же́ние 1) *(приказ)* órder, instrúction 2) *(указ)* decrée

распра́в|а reprísals *(мн. ч.)*; учини́ть ~у mete out púnishment

распределе́ние distribútion; ~и́ть, ~я́ть distribute

распрода́жа sale

распростран|е́ние spréading, circulátion; ~ённый wídespread; ~и́ть, ~я́ть spread

распуска́ть 1) *(организацию, войска́)* dissólve, dismíss, disbánd 2) *(паруса, знамёна)* unfúrl 3) *(распро-*

странять) spread 4) *(баловать)* let *smb.* get out of hand; ~ся 1) *(о цветах)* ópen 2) *(о детях и т. п.)* get out of hand

распусти́ть(ся) *см.* распуска́ть(ся)

распу́т|ать, ~ывать disentángle

распу́щенность *(о нравах)* immorálity, deprávity

рассади́ть, расса́живать 1) *(по местам)* seat 2) *(врозь)* séparate 3) *(растения)* plant out

рассве́т dawn

рассе́ивать dispérse; drive awáy; ~ся dispérse; clear awáy

рассерди́ть make *smb.* ángry, ánger; ~ся get ángry

рассе́янный ábsent-mínded, abstrácted

рассе́ять(ся) *см.* рассе́ивать(ся)

расска́з 1) stóry, tale 2) *(жанр)* short stóry; ~а́ть, ~ывать tell, reláte

расследов|ание investigátion; ~ать invéstigate

рассма́тривать, рассмотре́ть exámine; consider *(дело)*

расспра́шивать, расспроси́ть quéstion, make inquíries

рассро́чк|а: в ~у by instálments

расстава́ться part (with)

расста́в|ить, ~ля́ть place, arránge

расста́ться см. расстава́ться

расстёгивать, расстегну́ть unbútton, undó; unhóok (*крючок*)

расстоя́ние dístance

расстра́ивать upsét; ~ся be upsét

расстре́л shóoting; ~ивать, ~я́ть shoot

расстро́ить(ся) см. расстра́ивать(ся)

расстыко́вка (*в космосе*) undócking

рассуди́ть 1) judge 2) (*обдумать*) consíder

рассу́док réason

рассужд|а́ть réason; árgue (*в споре*); ~е́ние réasoning

рассчита́ть см. рассчи́тывать 1) *и* 4); ~ся см. рассчи́тываться

рассчи́тывать 1) cálculate, count up 2) (*на кого-л.*) count on 3) (*предполагать*) inténd; mean 4) (*увольнять*) dismíss; ~ся settle accóunts (with)

рассы́п|ать, ~а́ть scátter, spill

растая́ть thaw

раство́р *хим.* solútion; ~и́мый sóluble; ~и́мый ко́фе instant cóffee; ~и́ться *хим.* dissólve

расте́ние plant

растере́ть см. растира́ть

растеря́нн|ость confúsion; ~ый confúsed, embárrassed

растеря́ть lose; ~ся lose one's head

расти́ grow

растира́ть rub; mássage (*тело*)

расти́тельность vegetátion

растор|га́ть, расто́ргнуть cáncel, annúl; ~же́ние cancellátion; annúlment

растра́т|а embézzlement; ~ить embézzle; ~чик embézzler

растро́гать move, touch

растя́|гивать 1) stretch, strain 2) (*продлить*) prolóng; ~же́ние *нервов связок мед.* stráined lígaments; ~ну́ть см. растя́гивать

расхи́|тить, ~ща́ть misapprópriate; embézzle (*деньги*)

расхо́д expénditure, óutlay

расходи́ться 1) leave, go home (*с собрания, вечера и т. п.*); dispérse 2) (*о линиях*) divérge 3) (*расставаться*) part, séparate 4) (*о тучах*) be dispérsed 5) (*о мнениях*) differ 6) (*распродаваться*) be sold out

расхо́довать spend

расхо́ды expénses

расхожде́ние divérgence, discrépancy

расхохота́ться burst out láughing

расцвести́ см. расцвета́ть

расцве́т bloom; *перен.* héyday; в ~е сил in the prime of life; ~а́ть bloom, blóssom

расцве́тка cólour scheme

расце́н|ивать, ~и́ть 1) éstimate, válue 2) (*квалифи-*

цировать) intérpret; как вы ~ивáете э́то? what do you make of that?; ~ка valuátion

расчесáть *см.* **расчёсывать**

расчёска comb

расчёсывать comb

расчёт 1) calculátion 2): производи́ть ~ с кем-л. séttle accóunts with smb.; ~ливый cálculating, prúdent

расшире́ние exténsion, expánsion

расши́р|ить, ~я́ть wíden, bróaden; *перен.* exténd

расшифр|овáть, ~о́вывать decípher

расщепле́ние splítting

ратификáция ratificátion

рáунд *спорт.* round

рационализáция rationalizátion

рациона́льный rátional

рвáный torn; lácerated

рвать 1) *(на части)* tear 2) *(собирать цветы, ягоды и т. п.)* pick 3) *(выдёргивать)* upróot

рвáться I tear; break

рвáться II *(стреми́ться)* long to; ~ в бой be éager for the báttle

рве́ние férvour, árdour

рвóта vómiting

реабилит|áция rehabilitátion; ~и́ровать rehabílitate

реаги́ровать reáct; respónd *(отзываться)*

реакцио́нный reáctionary

реáкция reáction

реализáция sale

реали́зм réalism

реáльн|ость reálity; ~ный real; prácticable *(осуществи́мый)*

реанимáция reanimátion

ребёнок child

ребрó rib

ребя́|та chíldren; ~ческий chíldish

рёв roar; howl *(вой)*

ревáнш revénge

реве́ть roar; béllow *(о быке)*; howl *(выть)*; cry *(плáкать)*

ревизио́нн|ый: ~ая коми́ссия inspéction commíttee

реви́зия inspéction

ревизовáть inspéct, exámine

ревмати́зм rhéumatism

ревн|и́вый jéalous; ~овáть be jéalous (of)

ре́вностный jéalous

ре́вность jéalousy

револьве́р revólver

революционе́р revolútionary

революцио́нный revolútionary

револю́ция revolútion

ре́гби rúgby

регио́н région

региона́льный régional

регистр|атýра régistry óffice; ~áция registrátion; ~и́ровать régister

регла́мент *(на собрании и т. п.)* time límit

регул|и́ровать régulate; ~я́рный régular

редакти́ровать édit

редак|тор editor; **~цио́н-**
ный editórial; **~ция** 1)
editórial óffice; *(коллектив)*
the éditors *(мн. ч.)* 2) *(про-*
цесс) éditing 3) *(формули-*
ровка) wórding; vérsion *(ва-*
риант)

реди́ска rádish

ре́д|кий 1) rare; uncóm-
mon *(необычный)* 2) thin *(о*
волосах); sparse *(о лесе)*;
~ко séldom; я его́ **~ко ви́жу** I
don't óften see him; **~кость**
rárity

ре́дька rádish

режи́м regíme; *(работы)*
schédule

режиссёр diréctor, prodú-
cer

ре́зать 1) cut 2) sláughter
(скот); kill *(птицу)*

резе́рв resérve

рези́на rúbber

рези́нка 1) *(для стира-*
ния) eráser, rúbber 2) *(тесь-*
ма) elástic 3) *(подвязка)*
suspénder; gárter *(круглая)*

рези́новый rúbber

ре́зкий sharp, harsh;
abrúpt *(внезапный)*

резолю́ция resolútion

результа́т resúlt, óutcome

рейд 1. *воен.* raid 2. *мор.*
roads *(мн. ч.)*, róadstead

рейс trip, pássage

река́ ríver

реквизи́|ровать requisítion;
~ция requisítion

рекла́м|а advértisement;
publícity *(как мероприя-*
тие); **~и́ровать** ádvertise

рекоменд|а́тельный: **~а́-**
тельное письмо́ létter of
introdúction; credéntials *(мн.*
ч.)*; **~а́ция** recommendátion,
~ова́ть recomménd

реконстру́кция recon-
strúction

реко́рд récord

рекордсме́н chámpion

рели́гия relígion

рельс rail

реме́нь strap, thong; belt
(пояс)

реме́сленник cráftsman

ремесло́ trade, hándicraft

ремо́нт repáir; **~и́ровать**
repáir

рента́бельность profit-
abílity

рентге́н X-rays; **~овский**
X-ray; **~овский сни́мок**
rádiograph; **~овский кабине́т**
X-ray room

ре́па túrnip

репертуа́р répertoire

репети́ция rehéarsal

репорт|а́ж repórt; **~ёр**
repórter

репре́ссия repression

репроду́ктор loud spéaker

репроду́кция reprodúction

репута́ция reputátion

ресни́ца éyelash

респу́блик|а repúblic; **~а́н-**
ский repúblican

рессо́ра spring

рестора́н réstaurant

ресу́рсы resóurce *(ед. ч.)*

референт assístant

рефо́рма refórm

реце́нзия revíew; *(на руко́пись)* opínion

реце́пт récipe; *мед.* prescríption

ре́чка (small) ríver

речно́й ríver(-)

речь speech ◇ ча́сти ре́чи parts of speech

реша́ть decíde; solve *(зада́чу)*; ~**ся** make up one's mind, decíde

реша́ющий decísive

реше́ние 1) decísion 2) *(зада́чи и т. п.)* solútion

решётка gráting

реши́|мость, ~**тельность** resolútion; ~**тельный** decísive; **резолю́т** *(твёрдый)*; ~**ть(ся)** *см.* реша́ть(ся)

ржа́веть rust

ржа́вчина rust

ржано́й rye(-)

ржать neigh

ринг *спорт.* ring

рис rice

риск risk; ~**ну́ть**, ~**ова́ть** risk

рисов|а́ние dráwing; ~**а́ть** draw

рису́нок dráwing

ритм rhythm

ритми́ческ|ий rhýthmical; ~**ая гимна́стика** aeróbics

ри́фма rhyme

ро́бкий tímid, shy

ро́бот róbot

ров ditch

рове́сник: мы ~**и** we are of the same age

ро́вн|о *(то́чно)* exáctly; sharp *(о вре́мени)*; ~ **в два**

часа́ at two o'clock sharp; ~**ый** éven

рог horn

род 1) fámily 2) *грам.* génder 3) *(вид)* sort, kind

роддо́м *(роди́льный дом)* matérnity hóspital

ро́дин|а nátive land, móther cóuntry; любо́вь к ~**е** love of one's cóuntry, pátriotism

роди́тели párents

роди́тельный: ~ **паде́ж** posséssive (case)

роди́ть have a báby; give birth (to); ~**ся** be born

родн|о́й 1) *(находя́щийся в родстве́)* own; ~ **брат** bróther; ~**ая сестра́** síster 2) *(отече́ственный)* nátive; ~ **язы́к** móther tongue 3) *ласк.* own; ~ **мой** my dárling, my own; ~**ые** rélatives; one's péople

ро́дственник rélative

родство́ relátionship

ро́ды delívery, chíldbirth *(ед. ч.)*

рожа́ть *см.* роди́ть

рожд|а́емость bírthrate; ~**а́ться** *см.* роди́ться; ~**е́ние** birth; день ~**е́ния** bírthday; ме́сто ~**е́ния** bírthplace

Рождество́ Chrístmas

рожь rye

ро́за rose

ро́знь díscord

ро́зовый pink; róse-coloured

ро́зыгрыш draw

рой swarm

ро́лики róller skates

роль part, role

рома́н nóvel

рома́нс románce; song

рома́шка dáisy; *мед.* cámomile

роня́ть drop, let fall

ро́п|от múrmur; **~та́ть** grúmble

роса́ dew

роско́шный luxúrious

ро́скошь lúxury

ро́слый tall, well-grówn

ро́спись páinting

ро́спуск dismíssal

росси́йский Rússian

рост 1) *(процесс)* growth 2) *(вышина)* height

рот mouth

ро́та cómpany

ро́ща grove

роя́ль grand piáno

ртуть mércury

руба́шка shirt *(мужская)*; chemíse *(женская)*; ночна́я ~ níghtdress *(женская)*

рубе́ж bóundary, bórder (line)

руби́н rúby

руби́ть chop; fell *(деревья)*

рубль róuble

ру́брика héading; *(раздел)* cólumn

ру́гань, руга́тельство abúse, bad lánguage

руга́ть scold, abúse; crítisise *(в печати)*; **~ся** 1) swear 2) *(ссориться)* quárrel

руда́ ore

рудни́к mine

ружьё rífle, gun

рука́ hand; arm *(от кисти до плеча)* ◇ де́лать что-л. на ско́рую ру́ку dash smth. off, do smth. hástily

рука́в 1) sleeve 2) *(реки́)* arm

руковод|и́тель léader, head; **~и́ть** lead; diréct *(управля́ть)*

руково́дство guídance, léadership; supervísion

руководя́щий léading

рукоде́лие néedlework, fáncy-work

ру́копись mánuscript; týpescript

рукоплеск|а́ние appláuse; **~а́ть** appláud

рукопожа́тие hándshake

руль rúdder, helm; wheel *(автомоби́ля)*

румы́н Románian

румы́нский Románian

румя́н|ец flush; **~ый** rósy

ру́пор spéaking-trumpet, mégaphone

руса́лка mérmaid

ру́сло bed

ру́сский Rússian

ру́сый light brown

рути́на routíne; stagnátion

руча́ться vouch for, ánswer for *(за кого-л.)*; guarantée *(за что-л.)*

руче́й stream

ру́чка 1) *(рукоятка)* hándle 2) *(для письма)* pen

ручно́й 1) hand(-) 2) *(о зве́ре)* tame

ры́б|а fish; **~а́к** físherman;

~ий fish (-); ~ий жир cód-
-liver oil; ~ный fish (-)

рывóк jerk; *перен.* spurt

рыдáние sóbbing

рыдáть sob

рыжий red, áuburn

рыло snout; mug *(разг.)*

рынок márket; мировóй ~
world márket

рысью at a trot

рыть dig

рыхлый crúmbly, fríable;
(о человеке) flábby

рыцарь knight

рычáг léver

рычáть growl

рэкет rácket

рюкзáк knápsack

рюмка wíneglass

рябина 1) *(ягода)* rówan,
áshberry 2) *(дерево)* rówan-
-tree

рябóй *(от оспы)*
póckmarked

ряд 1) row, line 2) *(серия)*
séries; цéлый ~ a séries (of)
3) *воен.* file

рядовóй 1. *прил.* órdinary
2. *сущ. воен.* prívate

рядом near, close by

С

с 1) with; and; с детьми
with the chíldren; с большим
интерéсом with great ínterest;
брат с сестрóй ушли bróther
and síster went awáy 2) *(откуда)* from; *(прочь тж.)* off;

приéхать с Кавкáза come
from the Cáucasus; сбрóсить
со столá throw off the táble
3) *(с неопределённого мо-
мента)* since; from

сáбля sword

сад gárden

садиться sit down

садóвник gárdener

садóводство hórticulture,
gárdening

садóвый: ~ учáсток gárden
plot; dácha

сáжа soot

сажáть 1) seat 2) *(поме-
щать)* put 3) *(о растениях)*
plant

салáт sálad; *(растение)*
léttuce

сáло fat; grease *(амер.)*;
lard *(свиное)*

салфéтка nápkin; бумáж-
ная ~ páper nápkin

салют salúte

сам mysélf *(1 л.)*, yoursélf
(2 л.), himsélf, hersélf, itsélf
(3 л.)

самéц male

сáми oursélves *(1 л.)*, your-
sélves *(2 л.)*, themsélves *(3
л.)*

сáмка fémale

самовáр sámovar

самовóльный withóut per-
míssion

самодéятельность ámateur
perfórmances *(мн. ч.)*

самодовóльный sélfsátis-
fied, complácent

самозащита sélf-defénce

самолёт áeroplane, áircraft; plane

само|люби́вый tóuchy, proud; ~лю́бие sélf-respéct

самомне́ние concéit

самонаде́янный concéited, cock-súre

самооблада́ние self-cóntrol

самооборо́на self-defénce

самообразова́ние sélf-educátion

самообслу́живан|ие sélf-service; магази́н ~ия sélf-service shop

самоопределе́ние sélf-determinátion

самоотве́рженн|ость sélf-lessness; ~ый sélfless

самопоже́ртвование self-sácrifice

саморо́док ore; núgget; *перен.* nátural génius; a nátural

самостоя́тель|ость indepéndence; ~ый indepéndent

самотёк drift

самоуби́йство súicide

самоуве́ренный self-cónfident; búmptious

самоуправле́ние self-góvernment

самоучи́тель mánual; téach-yoursélf book

самочу́вствие: как ва́ше ~? how do you feel?

са́м|ый 1) the véry; тот же ~ the same 2) *(для образова́ния превосх. ст.)* the most ◇ ты в ~ом де́ле так ду́маешь? do you réally believe

that?; на ~ом де́ле as a mátter of fact

санато́рий sanatórium

са́ни sleigh *(ед. ч.)*

санита́р male nurse, hóspital atténdant; ~ный sánitary

са́нки tobóggan *(ед. ч.)*

санкциони́ровать sánction

са́нкция sánction

сантехника sánitary equipment

сантиме́тр céntimetre

сапёр sápper

сапо́г boot, tóp-boot

сапо́жник shóe-maker

сара́й shed

саранча́ lócust

сарде́льки sáusages

сарди́ны sárdines

сати́н satéen

сати́ра sátire

са́уна sáuna

са́хар súgar; ~ница súgar-básin; ~ный súgar; ~ный песо́к gránulated súgar

сбега́ться, сбежа́ться run (to)

сберега́тельн|ый: ~ банк sávings bank; ~ая кни́жка sávings book

сбере|га́ть save; ~же́ния sávings

сбере́чь *см.* сберега́ть

сближа́ть, сбли́зить bring togéther

сбо́ку from the side; at the side

сбор 1) colléction; yield *(урожая);* ~ виногра́да víntage 2) *воен.* múster 3) *(встреча)* gáthering, méeting; быть в ~e be assémbled; все в ~e? are we all here? 4) *эк.* dues; fee; lévy

сборник colléction; seléction; ~ **стихов** a colléction of vérses

сбрасывать, **сбросить** throw off

сбываться come true

сбыт sale, márket

сбыться *см.* **сбываться**

свадьба wédding

сваливать throw; knock down; fell *(дерево)*; ~ **вину на другого** shift the blame on to sómebody élse's shóulders; ~ **работу на другого** leave the work to sómebody else; ~**ся** fall down; break down, fall ill *(заболевать)*

свалить(ся) *см.* **сваливать(ся)**

сварить 1) cook 2) *тех.* weld

сварка wélding

свая pile

сведение informátion

сведущий infórmed; expérienced

свежезамороженный quick -frózen

свеж|есть fréshness; ~**ий** fresh

свёкла béet(root); **сахарная ~** súgar beet

свёкор fáther-in-law

свекровь móther-in-law

свергать, **свергнуть** throw down; overthrów

свержение óverthrow

сверкать, **сверкнуть** spárkle, glítter; flash *(о молнии)*

сверлить bore, drill, pérforate

сверло bórer, drill

свернуть 1) *см.* **свёртывать** 2) *(в сторону)* turn

свёрт|ок búndle; ~**ывать** 1) *(в рулон, трубку)* roll up 2) *(сокращать)* curtáil

сверх *(над)* óver 2) *(в добавление)* in addítion to, óver and abóve 3) *(превосходя)* beyónd

сверху from abóve

сверхурочный óvertime

сверчок crícket

свести(сь) *см.* **сводить(ся)**

свет I light

свет II *(мир)* wórld

светил|о lúminary; небéсные ~**a** héavenly bódies

светить, ~**ся** shine

светлый light, bright; clear *(ясный)*

светофор tráffic lights *(мн. ч.)*

свеча, **свечка** cándle

свидан|ие appóintment, ínterview; *(влюблённых)* réndezvous; date *(разг.)* ◇ **до ~ия!** goodbýe!

свидетель wítness; ~**ство** 1) *(показание)* évidence 2) *(документ)* certíficate, lícence; ~**ствовать** bear wítness

свинец lead

свинина pork

свиноводство píg-bréeding

свинцовый léad(en)

свинья pig; *(разг. тж.)* swine

свирепый fierce

свист whistle

свистать, свистеть whistle

свисток whistle

свитер sweater

свобод|а freedom; liberty; **~ный** free

свод domed ceiling, vault

сводить 1) take; take down *(вниз)*; bring together *(вместе)* 2) *(к чему-л.)* reduce to; **~ся** come to

сводка summary, report; **~ погоды** weather report

своевременн|о in time; **~ый** opportune, well-timed

свой my, his, her, its; our, your, their *(мн. ч.)*

свойст|венный characteristic (of); **~во** property *(предметов)*; quality *(людей)*

свысока condescendingly

свыше 1. *нареч.* from above 2. *предлог* over

связать, связывать tie; bind; *перен.* connect

связь 1) tie; bond; *перен.* connection 2) *(железнодорожная, телеграфная и т. п.)* communication

священник priest

священный sacred

сгибать, ~ся bend

сговорчивый compliant, amenable

сгорать, сгореть burn out; be consumed (by)

сгущёнка *разг.* condensed milk

сгущённый thickened; condensed

сдавать 1) hand in, give; let *(помещение)*; register *(багаж)*; check *(амер.)* 2) *(карты)* deal 3) *(крепость)* surrender 4): **~ экзамен** pass an examination; **~ся** surrender, capitulate

сдать(ся) *см.* сдавать(ся)

сдача 1) *воен.* surrender 2) *(деньги)* change

сделать *см.* делать

сделка deal, bargain

сдельный piece-work

сдержанный reserved, reticent *(в речах)*; self-controlled *(спокойный)*

сдержать, сдерживать 1) restrain, hold back *(кого-л.)*; restrain, suppress *(чувства)* 2) *(слово, обещание)* keep

сеанс *(в кино)* show

себестоимость cost price

себя myself, yourself, himself, herself, itself; ourselves, yourselves, themselves *(мн. ч.)*; oneself *(безл. в ед. ч.)*

сев sowing

север north; **~ный** north(en)

северо-восток north-east

северо-запад north-west

сегодня today; **~шний** today's

седеть become grey; turn grey *(о волосах)*

седина grey hair

седло́ sáddle

седо́й gréy (-haired)

седьмо́й séventh

сезо́н séason

сейча́с 1) *(теперь)* now 2) *(скоро)* in a minute

секре́т sécret

секрета́рь sécretary

секре́тный sécret

се́ктор 1) *мат.* séctor 2) *(отдел)* depártment 3): госуда́рственный ~ státe-ówned séctor

секу́нда sécond

секундоме́р stópwatch

се́кция séction

селёдка hérring

селезёнка spleen

село́ víllage

се́льск|ий rúral, víllage; ~ое хозя́йство ágriculture

сельскохозя́йственный agricúltural

сельсове́т (се́льский сове́т) víllage Sóviet

семафо́р sígnal

семе́й|ный fámily (-); ~ство fámily

семена́ seeds

семе́стр term

семидеся́тый séventieth

семина́р séminar

семна́дцатый seventéenth

семь séven; ~деся́т séventy; ~со́т séven húndred

семья́ fámily

се́мя seed

се́но hay; ~ва́л háyloft; ~ко́с háymaking; ~коси́лка mówing machine

сентя́брь Septémber

се́ра súlphur

се́рвиз set

се́рвис sérvice

серде́чный 1) córdial; héarty 2) *мед.* heart(-)

серди́тый ángry, cross

серди́ться be ángry

се́рдце heart; ~бие́ние palpitátion

серебро́ sílver

сере́бряный sílver

середи́на míddle

сержа́нт sérgeant

се́рия séries; part *(фильма)*

серп síckle; ~ и мо́лот hámmer and síckle

сертифика́т certíficate

сёрфинг *спорт.* súrfing

се́рый grey

серьга́ éarring

серьёзный sérious, éarnest

се́ссия séssion; экзаменацио́нная ~ examinátions *(мн. ч.)*

сестра́ síster

сесть *см.* сади́ться

се́тка, сеть net

се́ялка séeder; drill

се́ять sow

сжа́литься take píty (on)

сжа́тый 1) compréssed 2) *(об изложении)* concíse

сжать I *см.* сжима́ть

сжать II *см.* жать II

сжечь, сжига́ть burn

сжима́ть press; squeeze; clench *(зубы, ру́ки)*

сза́ди from behínd; behind *(позади)*

сига́ра cigár

сигаре́та cigarette

сигна́л signal

сигнализа́ция 1) signalling 2) *(приспособление)* alárm sýstem

сиде́лка (sick-)nurse

сиде́нье seat

сиде́ть 1) sit 2) *(о платье)* fit

си́л|а strength; force; *mex.* power; вооружённые ~ы armed fórces

си́лос silage

си́льн|ый strong; pówerful *(мощный)*; ~ое жела́ние inténse desíre

си́мвол sýmbol

симпати́чный nice

симпа́тия líking

симпто́м sýmptom

синте́т|ика synthétics *(мн. ч.)*; ~и́ческий synthétic

симф|они́ческий symphónic; ~о́ния sýmphony

си́ний blue

синхро́нный: ~ перево́д simultáneous translátion

синя́к bruise

сире́нь lílac

сирота́ órphan

систе́ма sýstem; ~ти́ческий systemátic

си́тец cótton print

сия́ние rádiance; се́верное ~ Auróra Boreális

сия́ть shine; *перен.* be rádiant (with)

сказа́ть say; tell *(что-л., кому-л.)*

сказа́ться *см.* ска́зываться

ска́зка stóry; волше́бная ~ fáiry-tale

сказу́емое *грам.* prédicate

ска́зываться tell on; го́ды начина́ют ~ на нём his years are beginning to tell on him

скака́ть 1) jump, leap 2) *(на коне)* gállop

скала́ rock

скам|е́йка, ~ья́ bench

сканда́л row, scéne; ~ить make a row

скарлати́на scárlet féver

ска́терть táblecloth

ска́чки ráces

скачо́к jump, leap

сква́жина 1) *(замочная)* kéyhole 2) *(буровая)* drill hole

сквер (públic) gárden; square

скве́рный bad, násty

сквозня́к draught

сквозь through

скворе́ц stárling

скеле́т skéleton

ски́дка díscount, rebáte

скипида́р túrpentine

склад wárehouse, store; *воен.* dépôt

скла́дка fold, pleat; *(на брюках)* crease

складно́й fólding, collápsible

скла́дывать 1) fold 2) *(убирать)* put awáy 3) *мат.* add (up), sum up; ~ся turn out *(об обстановке)*; devélop, be formed *(о характере, мнении)*

склé|ивать, ~ить paste together

склон slope

склонéние *грам.* declénsion

склони́ть(ся) *см.* склоня́ть(ся)

склóн|ный inclíned; ~я́ть 1) inclíne 2) *грам.* declíne; ~я́ться be inclíned

скóбка brácket

сковорóда, сковорóдка frýing pan

скользи́ть slide, slip

скóльзкий slíppery

скóлько how mány; how much

скончáться die, pass awáy

скорбь grief, sórrow

скорлупá shell

скóр|о 1) *(вскоре)* soon 2) *(быстро)* quíckly; ~овáрка préssure cóoker; ~ость speed; ~ый 1) *(быстрый)* quick, fast; ~ая пóмощь first aid 2) *(по времени)* near

скот cáttle; ~овóдство cáttle-breeding

скрип créaking *(двери, пола)*

скрипáч víolinist

скрипéть creak

скри́пка violín

скрóмн|ость módesty; ~ый módest

скрывáть hide, concéal

скры́тный réticent

скры́тый sécret; *физ.* látent

скрыть *см.* скрывáть

скря́га míser

скýдный scánty, poor

скýка bóredom

скулá chéekbone

скýльпт|ор scúlptor; ~ýра scúlpture

скупóй *прил.* stíngy; mean

скучáть be bored; ~ по комý-л. miss smb.

скýчный bóring, dull

слаби́тельное láxative, purge

слáб|ость wéakness; ~ый weak, féeble; ~ое здорóвье délicate health

слáва fame, glóry

слáвный 1) glórious, fámous 2) *разг. (хороший)* nice

славяни́н Slav

славя́нский Slavónic

слáд|кий sweet; ~ости sweet things, sweets

слайд slide

слáлом *спорт.* slálom

слéва to the left

слегкá slíghtly

след trace, track; fóot-print *(ноги́)*

следи́ть 1) watch, spy, fóllow 2) *(присматривать)* look áfter

слéдователь examíning mágistrate; invéstigator

слéдовательно cónsequently, thérefore

слéдовать fóllow

слéдствие 1) cónsequence 2) *(судебное)* judícial investigátion, ínquest

слéдующий fóllowing, next

слезá tear

слезáть, слезть come down;

dismóunt (*с лошади*); get off, alight (from) (*с трамвая*)

слеп|óй 1. *прил.* blind **2.** *сущ.* blind man; **~отá** blíndness

слéсарь lócksmith

слёт (*собрание*) rálly

слúва 1) plum **2)** (*дерево*) plúm tree

сливáться merge

слúв|ки cream; **~очный:** ~очное мáсло bútter

слизь slime; *физиол.* múcus

слúться *см.* сливáться

слúшком too (much), óver(-)

слияние blénding, mérging

словáрь díctionary; vocábulary (*запас слов*)

слóвно as if, as though

слóво word; **~сочетáние** combinátion of words, word combinátion

слог 1) sýllable **2)** (*стиль*) style

слоёный: ~ пирóг fláky pástry

сложéние 1) *мат.* addítion **2)** (*тéла*) constitútion; build

сложúть(ся) *см.* склáдывать(ся)

слóжный 1) complicáted **2)** (*составной*) cómpound

слой láyer; *геол.* strátum

сломáть, ~ся break

слон élephant; **~óвый:** ~óвая кость ívory

слугá sérvant

слýжащий employée

слýжба sérvice; work, job

служéбный official

служúть 1) serve **2)** (*рабо-тать*) work ◊ ~ примéром be an exámple

слух 1) héaring; ear (*музыкальный*); игрáть по ~у play by ear **2)** (*молва*) rúmour

слýчай 1) case **2)** (*возмóжность*) occásion, chance **3)** (*случáйность*) chance **4)** (*происшéствие*) evént, íncident

случáйн|о accidéntally, by chance; ~ встрéтиться háppen to meet; ~ость chance; ~ый accidéntal, chance, cásual

случ|áться, ~úться take place, háppen; occúr

слýш|атель lístener, héarer; stúdent; **~ать 1)** lísten (to); ~аю! (*по телефóну*) hulló! **2)** (*лéкции*) atténd; ~аться obéy

слýшать hear

слюнá salíva

слякоть slush, mire

смáз|ать, ~ывать (*маслом*) oil

смéл|ость cóurage, audácity; bóldness; ~ый courágeous, dáring, bold

смéн|а 1) change **2)** (*на заводе*) shift **3)** *воен.* relíef; ~úть, ~úть **1)** change **2)** *воен.* relíeve

смеркáться grow dark

смертéльный mórtal; déadly; fátal (*о ране*)

смерть death

смерч whírlwind; wáterspout (*водяной*)

смесь míxture

сме́та éstimate

смета́на sour cream

сметь dare

смех láughter

смеша́ть, сме́шивать mix

смешно́й fúnny; ridículous *(смехотворный)*

смеще́ние remóval; displácement

смея́ться laugh; ~ над кем-л. mock at smb., make fun of smb.

смире́н|ие humílity, méekness; ~ный húmble, meek

смирн|о 1) quíetly 2) *воен.* ~! atténtion!; ~ый quiet

смола́ résin; tar *(жидкая)*

сморка́ться blow one's nose

сморо́дина cúrrant

сморщ|енный wrínkled; ~иться wrínkle

смотр inspéction

смотре́ть 1) look 2) *(за кем-л., чем-л.)* look áfter

смочь *см.* мочь

сму́глый dark, swárthy

сму|ти́ть, ~ща́ть confúse, embárrass; ~щённый confúsed; embárrassed

смыва́ть wash off; wash awáy *(сносить)*

смысл sense; méaning *(значение)*

смыть *см.* смыва́ть

смычо́к bow

смягч|а́ть, ~и́ть sóften; exténuate *(вину)*

смяте́ние confúsion, dismáy

смять rúmple; crúmple *(скомкать)*

снаб|ди́ть, ~жа́ть supplý with; províde with; ~же́ние supplý

снару́жи on the óutside; from the óutside *(с наружной стороны)*

снаря́д shell

снаря|ди́ть, ~жа́ть equíp; ~же́ние equípment

снасть *мор.* rope; ~и rígging 2): рыболо́вная ~ fishing táckle

снача́ла at first

снег snow; ~ идёт it's snówing

снеги́рь búllfinch

снегопа́д snówfall

снегу́рочка Snów-máiden

снежи́нка snówflake

снести́ *см.* сноси́ть

сниж|а́ть redúce; lówer; ~е́ние décrease; redúction; cut *(о ценах)*

сни́зить *см.* снижа́ть

сни́зу from belów

снима́ть 1) take off 2) *(фотографировать)* phótograph; ~ся have one's phótograph táken, be phótographed

сни́мок phótograph

снисходи́тельный condescénding, indúlgent

сни́ться dream

сно́ва agáin

сноп sheaf

сноси́ть 1) *(дом)* pull down 2) *(терпеть)* bear, put

up with; **~ся** get in touch (with); commúnicate (with)

снóска fóotnote

снóсн|о not bad; **~ый** tólerable, fáirly good (*неплохой*)

снотвóрн|ый sopórific; **~ое** sléeping pill

сношéния íntercourse (*ед. ч.*); déalings; relátions

снять(ся) *см.* снимáть(ся)

со *см.* с

соáвтор co-áuthor

собá|ка dog; **~чий** dog ◇ **~чий хóлод** béastly cold

собесéдник interlócutor, compánion

собирáть 1) gáther; colléct 2) (*машину*) assémble; **~ся** 1) (*вместе*) gáther, meet 2) (*намереваться*) be góing to (+ *inf.*)

соблáзн temptátion; **~ительный** témpting; **~ить, ~ять** tempt; sedúce (*обольщать*)

соблю|дáть, ~сти (*правила*) obsérve; **~ тишину́** keep sílence

соболéзнование condólence; **вы́разить своё ~** expréss one's sýmpathy

сóболь sáble

собóр cathédral

собрáние 1) méeting 2) (*коллекция*) colléction; **пóлное ~ сочинéний** compléte works (of)

сóбранный precíse, áccurate (*о человеке*)

собрáть(ся) *см.* собирáть(ся)

сóбственник ówner, propríetor

сóбственн|ость próperty; **~ый** own; **и́мя ~ое** próper name

собы́тие evént

совá owl

совершáть 1) do 2) (*преступление*) commít; **~ оши́бку** make a mistáke; **~ посáдку** make a lánding (*о самолёте*)

совершéнно quite, ábsolutely

совершеннолéтний adúlt; of age

совершéн|ный 1) (*идеáльный*) pérfect 2) (*абсолю́тный*) ábsolute; **~ство** perféction; **~ствовать** perféct; impróve

совершить *см.* совершáть

сóвесть cónscience

совéт I (*орган государственной власти*) Sóviet; Верхóвный Совéт Supréme Sóviet; Совéт нарóдных депутáтов Sóviet of People's Députies

совéт II (*административный орган*) cóuncil; Совéт Министров Cóuncil of Ministers

совéт III (*наставление*) advíce

совéтник advíser, cóunsellor

совéтовать advíse; **~ся** consúlt

совéтский Sóviet

совеща|ние cónference; ~тельный consúltative; ~тельный голос delíberative voice

совещаться confér, consúlt

совладéлец joint ówner

совме|стимость compatibílity; ~стить combíne (with)

совмéстный joint, combíned

совмещ|áть см. совместить

совóк (для мусора) dústpan

совпад|áть coincíde; tálly (соответствовать); ~éние coíncidence

совпáсть см. совпадáть

современ|ик contémporary; ~ый contémporary; módern (соответствующий эпохе)

совсéм quite

совхóз sovkhóz, state farm

соглáс|ие 1) consént 2) (мир) accórd 3): в ~ии in accórdance with; ~иться см. соглашáться

соглáсно accórding to

соглáсный (звук) cónsonant

соглас|овáть, ~óвывать coórdinate, adjúst

соглаш|áться consént (на что-л.); agrée (с кем-л.); ~éние agréement; understánding

согнýть(ся) см. сгибáть(ся)

согревáть, согрéть warm; ~ся get warm

сóд|а sóda; ~овая: ~овая водá sóda-water

содéйств|ие assístance; ~овать assíst; ~овать успéху contríbute to the success

содерж|áние 1) máintenance 2) (содержимое) conténts (мн. ч.); ~áть 1) (заключáть в себе) contáin 2) (семью) support, maintáin

сóевый sóya-bean

соедин|éние 1) (действие) jóining; júnction 2) (сочетание) combinátion; ~йть(ся), ~йть(ся) uníte

сожалé|ние regrét; píty (жалость); ~ть regrét; píty, be sórry for

сожжéние búrning; cremátion (трупа)

созвáниваться get in touch by phone

созвáть см. созывáть

созвéздие constellátion

созвонйться см. созвáниваться

созвýчие accórd

созд|авáть creáte; ~áние 1) (действие) creátion 2) (существо) creáture; ~áтель creátor; fóunder (основатель); ~áть см. создавáть

сознавáть be cónscious (of); réalize; ~ся admít, conféss

сознáние cónsciousness

сознáть(ся) см. сознавáть(ся)

созревáть, созрéть rípen

созыв convocátion; ~áть call; convóke (съезд и т. п.)

сойтú см. сходúть; ~ с

рельсов be deráiled; ~сь см. сходиться

сок juice; sap *(растений)*; ~овыжима́лка squéezer; júicer

со́кол fálcon

сокра|ти́ть, ~ща́ть 1) *(сделать короче)* shórten; abrídge *(книгу)* 2) *(расходы)* redúce 3) *(уволить)* dismíss; ~ще́ние 1) shórtening; abbreviátion 2) *(книги)* abrídgement 3) *(расходов, штатов)* redúction; ~щён-ный brief, short, concíse; abbréviated *(о слове)*

сокро́вище tréasure

сокруш|а́ть smash; ~а́ться be distréssed; ~и́тельный crúshing; stággering

сокруши́ть см. сокруша́ть

солга́ть lie, tell lies

солда́т sóldier

солёный salt; sálted *(посоленный)*; sálty *(на вкус)*

соле́нья píckles, sálted food(s)

солида́рность solidárity

соли́дный sérious; consíderable *(значительный)*

соли́ст, соли́стка sóloist

соли́ть salt; píckle *(огурцы и т. п.)*

со́лнечный súnny, sun(-); ~ свет súnlight, súnshine; ~ луч súnbeam

со́лнце sun

соловей níghtingale

соло́м|а straw; ~енный straw; ~инка straw

соло́нка sáltcellar

соль salt

со́льный sólo

сом shéatfish

сомн|ева́ться doubt; ~е́ние doubt; ~и́тельный dóubtful; dúbious *(подозрительный)*

сон sleep; dream *(сновиде-ние)*; ~ный sléepy

сообра́ж|а́ть 1) *(пони-мать)* understánd 2) *(разду-мывать)* consíder; ~е́ние 1) considerátion 2) *(понимание)* understánding 3) *(причина)* réason

сообра|зи́тельный quick--wítted; ~зи́ть см. сообра-жа́ть; я не ~зи́л I didn't think

сообща́ togéther

сообщ|а́ть repórt, com-múnicate, infórm; ~е́ние 1) *(известие)* repórt, com-municátion, informátion, státement 2) *(связь)* com-municátion; плохо́е ~е́ние poor connéction; прямо́е ~е́ние through sérvice; ~и́ть см. сообща́ть

сообщник accómplice, pártner

сооруж|а́ть eréct; ~е́ние building, strúcture, constrúc-tion

соотве́тств|енно accórd-ingly; in accórdance with; ~енный correspónding; ~ие accórdance, confórmity; compliance ~овать correspónd (to)

соотéчественник compát-riot; cóuntryman

соотноше́ние correlátion

сопе́рни|к rival; ~чество rivalry

сопоста́в|ить, ~ля́ть compáre (to, with)

сопри|каса́ться come into cóntact; ~коснове́ние cóntact

сопровожда́|ть accómpany; ~е́ние accómpaniment

сопротивл|е́ние resístance; oppositíon; ~я́ться resíst

cop lítter; dust, rúbbish; swéepings (мн. ч.)

сорва́ть(ся)см. срыва́ть(ся)

соревнова́|ние competítion; ~ться compéte

сори́ть lítter

сорн|ый lítter; ~я́к weed

со́рок fórty

соро́ка mágpie

сороково́й fórtieth

соро́чка shirt (мужска́я); chemíse (же́нская)

сорт sort, kind (разновидность); quálity, grade (ка́чество), ~ирова́ть sort

соса́ть suck

сосе́д néighbour; ~ний néighbouring; next

сосиска sáusage

со́ска cómforter, báby's dúmmy; teat, nípple (на буты́лочку)

соск|а́кивать, ~очи́ть jump off; come off (отделя́ться)

соску́читься 1) (по кому-л., по чему-л.) miss 2) (почу́вствовать ску́ку) get bored (with); grow wéary (of)

сослага́тельный: ~ое наклоне́ние subjúnctive mood

сосла́ть см. ссыла́ть; ~ся см. ссыла́ться

сосна́ pínetree

сосо́к nípple

сосредото́чить cóncentrate

соста́в 1) composítion; strúcture 2) (коллекти́в люде́й) staff; ~ить, ~ля́ть compóse; ~но́й cómpound; компоне́нт

состоя́|ние 1) condítion; state 2) (бога́тство) fórtune

состоя́ть 1) (быть) be 2) (заключа́ться) consíst (of, in); ~ся take place

сострада́ние compássion

состяз|а́ние cóntest, competítion; ~а́ться compéte

сосу́д véssel

сосу́лька ícicle

сосуществова́ние coexístence

сосчита́ть count

со́т|ка разг. húndredth part; уча́сток земли́ в шесть ~ок a plot of six húndredth parts

со́тня a húndred

сотру́дни|к 1) colláborator 2) (служа́щий) employée; ~ичать colláborate (with); ~ичество cooperátion

сотрясе́ние: ~ мо́зга concússion of the brain

со́ты hóneycomb

со́тый húndredth

со́ус sauce; grávy (мясно́й); dréssing (к сала́ту и т. п.)

соуча́ст|ие participátion;

~ник par**í**cipant; acc**ó**mplice *(сообщник)*

соф**á** sófa

с**ó**хнуть dry

сохран|**é**ние preserv**á**tion; ~**ú**ть(ся) *см.* сохран**я**ть(ся);

~**я**ть keep; pres**é**rve; ret**á**in; ~**я**ться surv**í**ve

социал**и**зм s**ó**cialism

социал**и**ст s**ó**cialist

социалист**и**ческий s**ó**cialist

соци**а**льный s**ó**cial

социо|лог soci**ó**logist ~л**ó**гия soci**ó**logy

сочет**а**|ние combin**á**tion; ~ть(ся) go (with), comb**í**ne

сочин|**é**ние work; composi**í**tion; ~**и**ть, ~**á**ть 1) write *(написать)*, comp**ó**se *(музыку)* 2) *(выдумать)* inv**é**nt, make up

с**ó**чный j**ú**icy; rich *(о красках и т. п.)*

сочу́вств|ие s**ý**mpathy; ~овать s**ý**mpathize (with)

сощ**у**риться screw up one's eyes

со**ю**з I *(государство)* **Ú**nion; Сов**é**тский Со**ю**з S**ó**viet **Ú**nion

со**ю**з II *(объединение)* alli**á**nce, **ú**nion

со**ю**з III *грам.* conj**ú**nction

со**ю**зник all**ý**

со**ю**зный I *(относящийся к Советскому Союзу)* **Ú**nion(-), of the **Ú**nion

со**ю**зный II all**í**ed

с**ó**я soya bean

СП *(совместное предприятие)* joint **é**nterprise

спад 1) *эк.* slump, rec**é**ssion 2) *(воды, жары)* ab**á**tement; ~**á**ть 1) fall down 2) *(о воде, жаре)* ab**á**te

спазм spasm

сп**á**льный: ~ ваг**ó**н sleeping car

сп**á**льня b**é**droom

сп**á**ржа asp**á**ragus

спас**á**тель r**é**scuer, lifesaver

спас**á**тельн|ый: ~ п**ó**яс life belt; ~ая л**ó**дка lifeboat; ~ая п**á**ртия r**é**scue p**á**rty; ~ая экспед**и**ция r**é**scue p**á**rty

спас**á**ть save, r**é**scue; ~ся esc**á**pe

спас**é**ние r**é**scue; *перен.* salv**á**tion

спас**и**бо! thank you!, thanks!

спаст**и**(сь) *см.* спас**á**ть(ся)

спать sleep; лож**и**ться ~ go to bed

спект**á**кль perf**ó**rmance, play

спекул|**и**ровать sp**é**culate; ~**я**нт sp**é**culator, profit**é**er; ~**я**ция specul**á**tion, profit**é**ering

сп**é**лый ripe

сперв**á** at first

сп**é**реди in front of; in front *(впереди)*

сп**é**ртый close, st**ú**ffy

спеть I sing

спеть II *(зреть)* r**í**pen

специал**и**ст sp**é**cialist, **é**xpert

специ**а**льн|ость speci**á**lity; ~ый sp**é**cial

спецк**ó**р *(с**ó**бственный*

корреспондéнт) spécial correspóndent

спецодéжда óveralls (мн. ч.)

спеши́ть húrry; be fast (о часах)

спéшка húrry, haste

спéшн|о hástily; úrgently; ~ый úrgent, préssing

спидóметр speedómeter

спина́ back

спи́нка (стула) back

спи́ннинг spínning rod (снасть)

спинной spínal; ~ мозг spínal cord

спира́ль spíral

спирт álcohol; ~нóй: ~ные напи́тки spírits, alcohólic drinks

списа́ть см. спи́сывать

спи́сок list, roll, récord

спи́сывать cópy

спи́ца 1) (вязальная) knítting néedle 2) (колеса́) spoke

спи́чка match

сплав 1) (леса) float 2) (металлов) álloy

спла́чивать(ся) rálly, uníte

сплести́, сплета́ть interláce; weave (корзину)

сплета́ться, сплести́сь interláce

сплéтня góssip

сплоти́ть(ся) см. спла́чивать(ся)

сплочённ|ость solidárity; ~ый united; sérried (о строе)

сплошн|ой unbróken, contínuous, sólid, compáct (о

массе) ◇ ~а́я вы́думка sheer invéntion

спокой|ный quíet; calm; ~ствие cálmness, tranquíllity

спола́скивать rinse

сполз|а́ть, ~ти́ 1) slip down 2) разг. (с трудом спуска́ться) scrámble down

сполна́ complétely, in full

сполосну́ть см. спола́скивать

спор árgument, dispúte; discússion (обсуждение)

спор|ить árgue, dispúte; ~ный quéstionable, debátable; ~ный пункт point at íssue

спорт sport; ~и́вный spórting; ~и́вная площа́дка sports ground

спортсмéн spórtsman

спóсоб way, méthod; ~ употреблéния how to use; таки́м ~ом in this way

спосóбн|ость ability; tálent (талант); ~ый 1) (одарённый) áble; cléver; gífted 2) (на что-л.) cápable of

спосóбствовать fúrther, assíst; promóte

споткну́ться, спотыка́ться stúmble (óver)

спохвати́ться recolléct; bethínk onesélf

спра́ва to the right

справедли́в|ость jústice; ~ый just; fair (разг.); э́то ~о that's fair

спра́виться см. справля́ться

спра́вка 1) informátion;

référence 2) *(документ)* certíficate

справля́ться 1) *(осведом-ляться)* ask (abóut); make inquíries; look it up *(по кни-ге)* 2) *(с чем-л.)* mánage, cope with

спра́вочник réference book, hándbook, diréctory

спра́шивать ask

спрос demánd ◇ без ~а without permíssion

спроси́ть *см.* спра́шивать

спря|га́ть *грам.* cónjugate; ~же́ние *грам.* conjugátion

спря́тать 1) *(скрыть)* hide 2) *(убрать)* put awáy

спуск 1) *(с горы)* descént 2) *(самолёта)* lánding 3) *(откос)* slope

спуска́ть 1) *(вниз)* lówer; ~ куро́к pull the trígger 2) *(судно на воду)* launch; ~ся go down, descénd

спусти́ть(ся) *см.* спуска́ть(ся)

спустя́ áfter

спу́тник 1) compánion 2) *астр.* sátellite; spútnik *(искусственный)*; запусти́ть ~ launch a sátellite, a spútnik

спя́чка hibernátion

сравне́ние compárison

сра́вн|ивать compáre; ~и́тельно compáratively

сравни́ть *см.* сра́внивать

сраж|а́ться fight; ~е́ние báttle

срази́ться *см.* сража́ться

сра́зу at once

сраст|а́ться, ~и́сь grow togéther; knit *(о костях)*

среда́ I *(окружение)* surróundings *(мн. ч.)*; envíronment

среда́ II *(день недели)* Wédnesday

среди́ amóng

средиземномо́рский Mediterránean

сре́дн|ий áverage; míddle *(находящийся посередине)*; ~ие века́ the Míddle Áges

сре́дство means; rémedy *(мед.)*

срез|а́ть, ~а́ть cut off

срисова́ть, срисо́вывать cópy

срок 1) *(назначенное время)* term, date 2) *(промежуток времени)* périod

сро́чн|о quíckly *(быстро)*; úrgently *(спешно)*; ~ый úrgent; ~ый зака́з rush órder

срыва́ть 1) *(цветок)* pick 2) *(сдёргивать)* tear off 3) *(портить)* spoil, rúin; ~ся 1) *(падать)* fall 2) *(с цепи и т. п.)* break loose 3) *(не удаваться)* fail, miscárry

сса́дина scratch; abrásion

ссо́р|а quárrel; ~иться quárrel (with)

ссу́да loan; advánce

ссыла́ть éxile

ссыла́ться refér to

ссы́лка I *(изгнание)* éxile

ссы́лка II *(сноска)* réference

стаб|илиза́тор stábilizer; ~и́льный stáble

ста́вить 1) put; place; set 2) (*пьесу*) stage, prodúce, put on 3) (*условия*) lay down

ста́вка 1) (*зарплата*) rate 2) (*в игре*) stake 3) *воен.* héadquarters

ста́вня shútter

стагна́ция stagnátion

стадио́н stádium

ста́дия stage

ста́до herd; flock (*овец, коз*)

стаж length of sérvice; ~ёр probátioner; ~ирова́ться work on probátion

стака́н glass

сталелите́йный: ~ заво́д stéelworks; ~ цех stéelplant

ста́лкиваться collíde with, run ínto; *перен.* come acróss

сталь steel; ~но́й steel

стаме́ска chísel

стан I (*фигура*) fígure

стан II *тех.* mill

станда́рт stándard

станкострои́тельный: ~ заво́д machíne-tool plant

станови́ться 1) (*занимать место*) stand; станови́сь! *воен.* fall in! 2) (*делаться*) becóme, get

стано́к bench; lathe (*токарный*)

ста́нция státion; телефо́нная ~ télephone exchánge

стара́|ние éffort; díligence (*усердие*); ~тельный díligent, páinstaking; ~ться try; endéavour

старе́ть grow old

стари́|к old man; ~нный

а́ncient; old (*давнишний*); old-fáshioned (*старомодный*)

ста́роста (*группы, класса*) léader

ста́рость old age

старт start; на ~! on your marks!; ~ёр stárter; ~ова́ть start

стару́ха old wóman

ста́рший 1) (*по годам*) ólder; óldest, éldest 2) (*по положению*) sénior

старшина́ *воен.* sérgeant májor

ста́рый old

стати́ст *театр.* súper, éxtra

стати́ст|ика statístics; ~и́ческий statístic (al)

ста́тный státely

ста́туя státue

стать *см.* станови́ться

статья́ árticle

ста́чка strike

ста́я flock (*птиц*), shoal (*рыб*); pack (*собак, волков*)

ствол 1) (*дерева*) trunk 2) (*оружия*) bárrel

сте́бель stem

стёган|ый quílted; ~ое одея́ло quilt

стека́ть flow down, tríckle down; ~ся (*о людях*) gáther

стекл|о́ glass; ~я́нный glass

стели́ть spread; ~ посте́ль make a bed

стелла́ж shélving; shelves

сте́лька ínner sole

стена́ wall

стенд stand

стен│ка *(мебель)* fúrniture séctions; ~**ной** wall

стеногра́мма shórthand récord

сте́пень degrée

степь steppes

стере́ть *см.* стира́ть I

стере́чь guard, watch

сте́ржень pívot

стесня́ть embárrass; ~**ся** feel embárrassed, be (feel) shy

стече́ние: ~ обстоя́тельств coíncidence

стиль style

сти́мул stímulus, incéntive

стипе́ндия schólarship

стира́льн│ый wáshing; ~ **порошо́к** détergent; wáshing pówder; ~**ая маши́на** wáshing machíne

стира́ть I wipe off

стира́ть II *(бельё)* wash

сти́рка *(белья́)* wáshing

сти́с│кивать, ~**нуть** squéeze; clench *(зубы)*

стихи́ póetry *(ед. ч.),* póems

стихи́йный eleméntal; spontáneous *(самопроизвольный)*

стихи́│я élement ◇ быть в свое́й ~**и** be in one's élement

стихотворе́ние póem

сто húndred

стог stack

сто́и│мость cost; *эк.* válue; ~**ть 1)** cost **2)** *(заслуживать)* desérve, be wórthy (of)

сто́йка *(бара)* bar, cóunter

сто́йкий firm, stéady

стол 1) táble **2)** *(питание)* board

столб píllar

столбе́ц cólumn

столбня́к 1) *мед.* tétanus **2)** *перен.* stúpor

столе́тие céntury

столи́│ца cápital; ~**чный** cápital

столкнове́ние collísion

столкну́ться *см.* ста́лкиваться

столо́вая 1) *(в квартире)* díning room **2)** *(общественная)* cafetéria

сто́лько so mány, so much; ~ **ско́лько** as much as

столя́р jóiner

стон moan, groan; ~**а́ть** moan, groan

стопа́ *(ноги́)* foot

стопроце́нтный húndred per cent

стоп-сигна́л bráke-light

сто́рож guard; wátchman *(ночно́й);* cáretaker *(при до́ме);* ~**и́ть** guard; watch óver; keep watch (óver)

сторон│а́ 1) side **2)** *(в спо́ре)* párty **3)** *(местность)* place ◇ с друго́й ~**ы́** on the óther hand

сторо́нник adhérent, suppórter; ádvocate; ~**и ми́ра** suppórters of peace, defénders of peace

стоя́нка *(автомаши́н)* párking lot; ~ **такси́** táxi rank; *амер.* cab rank, cábstand

стоя́ть 1) stand **2)** *(нахо-*

диться) be ◇ ~ за *(защищать)* be for

страда|ние súffering; **~тельный:** ~ залог *грам.* pássive voice; **~ть** súffer

стража guard, watch

страна cóuntry

страница page

странный strange, odd

странствовать wánder

страстн|ой: **~ая** неделя *церк.* Hóly Week

страстный pássionate

страсть pássion

стратегия strátegy

страус óstrich; **~овый** óstrich

страх fear; на свой ~ at one's risk

страхова|ние insúrance; социальное ~ sócial insúrance; **~ть** insúre

страхов|ка insúrance, guárantee; **~ой** insúrance

страшный térrible, dréadful

стрекоза drágonfly

стрела árrow

стрелка 1) néedle *(компаса)*; hand *(часов)* 2) *ж.-д.* ráilway point; switch

стрелок shot; márksman

стрелочник *ж.-д.* switchman

стрельба shóoting

стрелять shoot

стремглав héadlong

стремительный impétuous

стрем|иться (к) strive (for); long for *(страстно*

желать); **~ление** téndency; aspirátion

стремя stírrup

стремянка stép-ladder

стресс stress

стриженый short *(о волосах)*; shorn *(об овцах)*

стрижка 1) *(волос)* háircut 2) *(овец)* shéaring

стриптиз strip-tease

стричь 1) cut 2) *(овец)* shear; **~ся** have one's hair cut

строгать plane

строг|ий strict *(требовательный)*; sevére *(суровый)*; **~ость** strictness; sevérity

строевой I: ~ лес tímber

строев|ой II *воен.:* **~ые** учения drill; **~ой** офицер cómbatant ófficer

стро|ение 1) *(постройка)* building, construction 2) *(структура)* strúcture; **~итель** búilder; **~ительный** building; **~ительство** constrúction

строить build, constrúct

строй 1) sýstem, órder; социалистический ~ sócialist sýstem 2) *воен.* órder

стройка building, constrúction

стройный 1) slénder, slim 2) *(о пении)* harmónious

строка line

строч|ить 1) *(шить)* stitch 2) *разг. (писать)* scríbble

строчка *см.* строка

строчн|ой: **~ая** буква small létter

структура strúcture

струна́ string

стру́нный stringed

стру́сить quail

струя́ stream, jet; cúrrent (*воздуха*)

стря́пать cook

стря́х|ивать, ~нуть shake off

студе́нт stúdent

сту́день áspic

сту́дия stúdio

стук knock; tap (*тихий*);
~нуть *см.* стуча́ть

стул chair

ступе́нь (*стадия*) stage

ступе́нька step

ступня́ foot

стуча́ть knock; bang (*по столу*); ~ся knock; ~ся в дверь knock at the door

стыд shame; ~и́ться be ashámed; ~ли́вый shámefaced

стык joint; ~ова́ться join; dock

стыко́вка dócking

стюарде́сса (air) stéwardess

стя́гивать, стяну́ть 1) draw together; tie up (*верёвкой*) 2) (*войска*) gáther

суббо́та Sáturday

субси́дия súbsidy

субтро́пики the subtrópics

субъе́кт 1) *грам.* súbject 2) *разг.* (*о человеке*) indivídual; ~и́вный subjéctive

сувени́р sóuvenir, kéepsake

суверените́т sóvereignty

сувере́нный sóvereign

сугро́б snów-drift

суд 1) court (of law, of jústice) 2) (*процесс*) tŕal

судья́к zánder

суди́ть judge; *юр.* try; ~ся (*за что-л.*) be tried (for)

су́дно ship, véssel

су́доро|га cramps (*мн. ч.*);
~жный convúlsive

судо|строе́ние shipbuilding; ~хо́дный návigable;
~хо́дство navigátion

судьба́ fate, déstiny

судья́ judge

суеве́р|ие superstítion;
~ный superstítious

суе|та́ fuss; ~ти́ться fuss;
~тли́вый fússy, réstless

сужде́ние júdgement, opínion (*мнение*)

сук branch

су́ка bitch

сук|но́ cloth; ~о́нный cloth

сумасше́дший 1. *прил.* mad 2. *сущ.* mádman, lúnatic

сумато́ха bústle

сумбу́рный múddled, confúsed

су́мерки twilight (*ед. ч.*)

суме́ть be able (to), succéed in

су́мка bag; pouch;
(hánd)bag (*дамская*)

су́мма sum

су́мр|ак dusk; ~ачный glóomy

сунду́к trunk, chest

суп soup

суперобло́жка dust jácket

супру́г húsband

супру́га wife

сургу́ч séaling wax

суро́вый sevére, austére, stern; rígorous (о климате)

суррога́т súbstitute

суста́в joint

су́тки day (and night)

суту́л|иться stoop; ~ый róund-shouldered

суть éssence; ~ де́ла main point

суфлёр prómpter

су́ффикс грам. súffix

суха́рь piece of toast; rusk (сладкий)

сухожи́лие téndon

сухо́й dry; curt (об отве́те, отка́зе, покло́не)

су́ша (dry) land

суш|ёный dried; ~и́ть dry

су́шка drýing

суще́ственный esséntial

существи́тельное грам. noun

существ|о́ 1) béing, créature 2) (су́щность) éssence, gist; по ~у́ as a mátter of fact

существов|а́ние existence; ~а́ть exíst

су́щность éssence

сфе́ра sphere

схвати́ть, схва́тывать seize, grasp, catch

схе́ма scheme

сходи́ть 1) descénd, go down; get off (слеза́ть) 2) (о ко́же, о кра́ске и т. п.) come off 3) (за кого́-л.) pass as; ~ся 1) meet 2) (собира́ться) gáther

схо́дство likeness, resémblance

сце́н|а 1) теа́тр. stage 2) (явле́ние) scene 3) (сканда́л) scene; устро́ить ~у make a scene; ~а́рий scená́rio, script; ~ари́ст scená́rio wrí́ter, script wrí́ter

сцепле́ние 1) физ. cohé́sion 2) тех. cóupling

счастли́вый háppy; fórtunate, lúcky (уда́чный)

сча́стье 1) há́ppiness 2) (уда́ча) luck

счёт 1) calculá́tion 2) бухг. accóunt 3) (за това́р) bill 4) муз. bar, mé́asure ◇ приня́ть на свой ~ take smth. to heart; ~ный accóunt

счетово́д bookké́eper, accóuntant

счётчик mé́ter

счита́ть 1) count 2) (полага́ть) consí́der; ~ся 1) réckon with 2) (слыть) be consí́dered, pass for

сшить 1) (пла́тье) make; have a dress made (у портни́хи) 2) (вме́сте) sew togéther

съеда́ть eat, eat up

съёжи|ваться, ~ться shrí́vel, shrink

съезд cóngress; ~ па́ртии Párty Cóngress

съезжа́ться assémble

съёмка súrvey; shóoting (фи́льма)

съестн|о́й: ~ы́е припа́сы fóodstuffs; éatables

съесть см. съеда́ть

съе́хаться *см.* **съезжа́ться**

сы́воротка 1) *(молочная* ~ whey) 2) *мед.* sérum

сыгра́ть play

сын son

сы́пать pour, strew; scátter *(остро́тами, слова́ми)*

сыпь rash

сыр cheese

сыро́й 1) *(влажный)* damp 2) *(неварёный, необрабо́танный)* raw

сы́рость dámpness

сырьё raw matérial

сы́т|ный nóurishing; ~ обе́д héarty meal; ~ость satíety; ~ый sátisfied; он сыт he has had enóugh

сы́щик detéctive

сюда́ here

сюже́т 1) súbject, tópic 2) *(рома́на)* plot

сюрпри́з surpríse

сюрту́к frock cóat

Т

та that

таба́к tobácco

табле́тка pill

табли́ца táble; ~ умноже́ния multiplicátion táble

табло́ indicátor board; scóreboard

табу́н drove (of hórses)

табуре́тка stool

таджи́к Tadjík

таджи́кский Tadjík

таёжный taigá

таз I básin; pan *(для варе́нья)*

таз II *анат.* pélvis

таи́нственный mystérious

тайга́ taigá

тайко́м sécretly

тайм half; périod

тайн|а sécret; mýstery; ~о sécretly, in sécret; ~ый sécret

так so; like that; ~ как as, since

та́кже álso; too; éither *(в отрица́т. предложе́ниях)*

так|о́й such; ~и́м о́бразом thus; thérefore

та́кса I fixed price

та́кса II *(соба́ка)* dáchshund

такси́ táxi; ~ст táxi-driver

такт I tact

такт II *муз.* time *(ритм);* в ~ in time

та́кт|ика táctics; ~и́ческий táctic(al)

такти́чный táctful

тала́нт tálent; gift; ~ливо finely *(прекра́сно);* ~ливый tálented; gífted

та́лия waist

тало́н cóupon

та́лый mélted; ~ снег mélted snow, slush

там there

тамо́ж|енный cústoms; ~ня cústoms

та́нго tángo

та́нец dance

танк tank

та́нкер tánker

танц|ева́ть dance; ~о́вщик, ~о́вщица (bállet) dáncer

та́почки slíppers *(домашние)*; gym shoes *(спортивные)*

та́ра contáiner; *(мягкая)* pácking

тарака́н cóckroach

тарато́рить *разг.* chátter ráttle on

тара́щить *разг.* stare

таре́лка plate

тари́ф táriff

таска́ть 1) cárry; pull, drag 2) *разг. (воровать)* steal

тасова́ть shúffle *(карты)*

тата́р|ин Tá(r)tar; ~ский Tá(r)tar

тафта́ táffeta

тахта́ óttoman, sófa

та́чка wheelbárrow

тащи́ть *см.* таска́ть 1)

та́ять 1) melt; thaw *(о льде, снеге)* 2) *(чахнуть)* waste awáy

тверде́ть hárden

тверди́ть reíterate, say óver and óver agáin

твёрд|о fírmly; ~ость solídity, hárdness; *перен.* fírmness; ~ый hard; *перен.* firm

твой your, yours

творе́|ние creátion, work; ~ц creátor

твори́тельный: ~ паде́ж the instruméntal

твори́ть creáte; ~ся go on, take place; что тут твори́тся? what is góing on here?

тво́ро́г curds *(мн. ч.)*, cóttage cheese

творче|ский creátive;

~ство creátion; work *(произведения)*

те those

т. е. *см.* то есть

теа́тр théatre; ~а́льный theátrical

тебе́ you

тебя́ you

тёзка námesake

текст text; words *(мн. ч.) (к музыке)*

тексти́ль téxtile; ~ный téxtile

теку́щий cúrrent

телеви́|дение télevision, TV; ~зор télevision set; TV set *(разг.)*

теле́га cart

телегра́мма télegram, wíre; cáble *(каблограмма)*

телегра́ф télegraph; ~и́ровать télegraph, wíre; cáble *(по кабелю)*; ~ный télegraph; ~ный бланк télegraph form

теле́жка hándcart

те́лекс télex

телемо́ст space bridge

телёнок calf

телепа́тия telépathy

телеско́п télescope

теле́сный córporal

телесту́дия TV stúdio

телета́йп téletype

телефо́н télephone

телефо́н-автома́т 1) públic télephone 2) *(будка)* call box

телефони́стка télephone óperator

телефо́нн|ый télephone; ~ая кни́га télephone diréctory

телецéнтр TV céntre

тёлка héifer

тéло bódy; ~сложéние build, frame; ~храни́тель bódyguard

теля́тина veal

тем I *(тв. п. от тот)* by this, with this; ~ врéменем méanwhile

тем II *(дат. п. от те)* them

тем III 1. *союз* the; чем ..., ~ ... the... the...; чем бóльше, ~ лýчше the more the bétter 2. *употр. как нареч. в сочетаниях:* ~ лýчше so much the bétter; ~ хýже so much the worse; ~ бóлее *(что)* espécially (as); ~ не мéнее nevertheléss

тéма 1) súbject, tópic 2) *муз.* theme

тембр tímbre

темн|éть get (grow) dark; ~отá dárk(ness)

тёмн|ый 1) dark 2) *(неясный)* obscúre; vague 3) *(подозрительный)* suspícious; dúbious; ~ая ли́чность suspícious pérson; ~ое дéло dúbious affáir

темп pace; témpo

темперáмент témperament

температýра témperature

тенденцио́зный tendéntious; bías(s)ed

тендéнция téndency *(склонность)*

теневóй shády; ~ кабинéт shádow cábinet

тéннис ténnis; ~и́ст, ~и́стка ténnis-player; ~ный ténnis

тень shade *(место)*; shádow *(чья-л.)*

теорéма théorem

теорéтик théorist

теорети́ческий theorétical

теóрия théory

тепéрь now, at présent

теплéть get warm

тепли́ца gréenhouse

теплó warmth; ~вóй thérmal; ~тá heat; *перен.* warmth

теплохóд mótor ship

теплоцентрáль héating plant

тёплый warm

терап|éвт physícian; ~и́я therapéutics; thérapy *(метод лечения)*

терéть rub, grate *(измельчать)*

терзáть *(мучить)* tormént

тёрка gráter

тéрмин term

терминáл *вчт.* términal

термóметр thermómeter

тéрмос thérmos (flask)

термоя́дерный thermonúclear

терни́стый thórny

терп|ели́вый pátient; ~éние pátience

терпéть endúre, bear; tólerate *(допускать)*

террáса térrace; verándah; porch *(амер.)*

территориáльный territórial

террито́рия térritory

терро́р térror; **~и́зм** térrorism; **~и́ст** térrorist

теря́ть lose; waste (*напрасно тратить*)

теря́ться be lost (*тж. перен.*)

тесёмка tape; braid (*отделка*)

теснот|а́ nárrowness; crush (*давка*); **в ~е́, да не в оби́де** *погов.* ≈ the more the mérrier

те́сный 1) cramped; tight; nárrow (*о помещении, улице*) 2) (*близкий*) close, íntimate

тест test

те́сто dough

тесть fáther-in-law

тесьма́ braid; tape

те́терев bláckcock

тётка aunt

тетра́дь nótebook; éxercise book (*школьная*)

тётя aunt

тефте́ли (small) méatballs

те́хн|ик technícian; **~ика** techníques, téchnics (*мн. ч.*); **~икум** júnior téchnical cóllege; **~и́ческий** téchnical

тече́ние 1) (*о времени*) course 2) (*ток, струя*) cúrrent, stream 3) (*направление*) trend, téndency

течь 1) flow; run 2) (*протекать*) leak

тёща móther-in-law

тигр tíger

ти́на slime

тип type; **~и́чный** týpical; **~ово́й** stándard, módel

типогра́ф|ия prínter's; **~ский** typográphical

тир shóoting gállery

тира́ж 1) circulátion; príntrun 2) (*займа*) dráwing

тире́ dash

тиски́ vice (*ед. ч.*); *перен.* grip

ти́тры (*перед началом фильма*) crédit títles

ти́тул títle

тиф týphus

ти́хий quíet, calm; low (*о голосе*)

тихоокеа́нский Pacífic

ти́ше! sílence!; sh!

тишина́ calm, quíet; sílence

ткань 1) fábric, cloth 2) *биол.* tíssue

ткать weave

ткачи́ха wéaver

тлеть 1) (*гнить*) rot, decáy 2) (*гореть*) smóulder

то I that

то II *союз* then, ótherwise; **то... то...** now... now...

тобо́ю (by, with) you

това́р wares, goods (*мн. ч.*)

това́рищ cómrade; mate, féllow

това́рищество (*объединение*) cómpany

това́рный: **~ по́езд** goods train; freight train (*амер.*)

товарове́д éxpert on mérchandise

товарооборо́т commódity circulátion

тогда́ 1. *нареч.* then 2. *союз:* **~ как** whereás, while

400

тó есть that is

тождéственный idéntical

тождество idéntity

тóже álso, too; я ~ so do I; nor do I; он лю́бит му́зыку. — Я ~ he loves músic. — So do I; он не ку́рит. — Я ~ he doesn't smoke. — Néither do I

ток 1) эл. cúrrent 2) с.-х. thréshing-floor

тóкарь túrner

толк 1) (смысл) sense 2) (польза) use, good

толк|áть, ~ну́ть push

толковáние interpretátion

толковáть 1) intérpret 2) разг. (разговаривать) talk

толкотня́ crush

толóчь pound

толп|á crowd; ~и́ться crowd

толстéть grow stout (fat)

тóлстый 1) thick 2) (о человеке) fat, stout

толчóк push; shock (при землетрясении); перен. ímpetus

толщинá thíckness

тóлько ónly; ~ что just

том vólume

томáтный tomáto; ~ сок tomáto juice; ~ cóус tomáto sauce

томи́ться lánguish, pine

тон tone ◇ хорóший ~ good style

тóнк|ий 1) (о фигуре) slénder, slim 2) (утончённый) délicate, súbtle 3) (о слухе и т. п.) keen

тóнна ton

тоннéль см. туннéль

тону́ть drown; sink (о предмете)

тóпать stamp

топи́ть I (печи) heat

топи́ть II (жиры, воск) melt

топи́ть III (утопить) drown; sink (судно)

топлён|ый: ~ое мáсло clárified bútter

тóпливо fúel

тóполь póplar

топóр axe

тóпот stamp

топтáть trámple (on)

торг|овáть trade; deal in; ~óвец mérchant, trádesman; ~óвля trade; cómmerce; ~óвый tráding, commércial; ~óвый центр súpermarket

торжéственный sólemn

торжествó 1) (победа) tríumph 2) (праздник) celebrátions (мн. ч.)

тóрмоз brake; ~и́ть put the brake on; перен. hínder, hámper

торопи́ть húrry, hásten; ~ся be in a húrry

торпéда torpédo

торт cake

торф peat

торчáть stick out (наружу); stick up (вверх)

торшéр stándard lamp

тоск|á mélancholy (грусть); bóredom (скука); ~ по lónging (for); ~ли́вый lónely (одинокий); mélancholy (грустный); dull,

bóring *(скучный)*; ~**овáть** pine (for), be sick at heart; ~**овáть по кому́-л.** long for smb.

тост toast

тот that

тóтчас immédiately, at once

точи́ть shárpen

тóчка 1) point 2) *(знак)* dot 3) *(знак препинания)* full stop ◇ ~ **зрéния** point of view

тóчн|о exáctly; ~**ость** áccuracy; precísion; ~**ый** exáct; áccurate

точь-в-тóчь *разг.* exáctly, precísely

тошн|и́ть feel sick; **меня́** ~**и́т** I feel sick; ~**отá** síckness, náusea

травá grass

трави́ть *(преследовать)* pérsecute

трáвля húnting; persecútion

трáвма ínjury

трагéдия trágedy

трáктор tráctor

трамвáй tram; stréetcar *(амер.)*

трамплѝн springboard

транзи́стор *(радио-приёмник)* transístor

трансконтинентáльный transcontinéntal

трансля́ция bróadcast

трáнспорт tránsport

траншéя trench

трáсса route, line

трáт|а expénditure; waste *(напрасная)*; ~**ить** spend; waste *(напрасно)*

трáур móurning; ~**ный** fúneral

трéбов|ание demánd; ~**а-тельный** demánding; ~**ать** 1) demánd 2) *(нуждаться)* require; ~**аться** need, be required

тревó|га alárm; anxíety *(беспокойство)*; ~**жить** alárm *(пугать)*; distúrb, tróuble *(беспокоить)*; ~**жный** unéasy; alárming, distúrbing

трéзв|ость 1) sobríety 2) *(разумность)* sóberness; ~**ый** sóber

трек *спорт.* track

тренажёр tráiner, símulator

трéние fríction

тренировáть train; ~**ся** be in tráining

трениро́вка tráining

трéпет trémor, trémbling; ~**áть** trémble

треск crash, crack

трескá cod

трéснуть crack, burst *(лопнуть)*

трест trust

трéтий third

треть one third

треуго́льн|ик tríangle; ~**ый** thrée-córnered, triángular

трéфы *карт.* clubs

трёхэтáжный thrée-stóreyed

трещáть crack

трéщина crack; cleft *(в земле)*

три three

трибу́на tríbune

тридца́тый thírtieth

три́дцать thírty

три́жды three times

трико́ kníckers *(мн. ч.) (панталоны)*; tights *(мн. ч.) (театральное)*

трикота́ж knítted wear, jérsey

трина́дца|тый thírteenth; **~ть** thírteen

три́ста three húndred

триу́мф tríumph

тро́гательный tóuching

тро́гать touch; *перен.* move, touch

тро́гаться start, move; **~ в путь** set out

тро́е three

тройно́й tríple

тролле́йбус trólleybus

тро́нуть *см.* трогать; **~ся** *см.* трогаться

тро́пики trópics

тропи́нка path

тропи́ческий trópical

тростни́к reed; **са́харный ~** súgarcane

трость cane; wálking stick

тротуа́р pávement; sídewalk *(амер.)*

трофе́й tróphy

труба́ 1) pipe *(tube)* 2) chímney *(дымовая)*; (smóke)stack, fúnnel *(на пароходе, паровозе)* 3) *муз.* trúmpet

тру́бка pipe

трубопрово́д pípeline

трубочи́ст chímneysweep

труд lábour, work; **~и́ться** work; toil

тру́дный dífficult

трудово́й wórking

трудолюби́вый hárd-wórking

трудоспосо́бный áble-bódied; fit for work

трудя́щийся wórker

труп corpse

тру́ппа cómpany, troupe

трус cóward

тру́сить be afráid (of), be shy (of)

трусли́вый cówardly

тру́сость cówardice

трусы́ shorts

трущо́бы shems

трюк trick

трюм *мор.* hold

тря́пка rag

тря́ска sháking, jólting

тряс|ти́ shake; jolt *(в маши́не и т. п.)*; **~ти́сь** shake; shíver

туале́т 1) *(одежда)* dress 2) *(уборная)* lávatory

туберкулёз tuberculósis

ту́го 1) tíght(ly) 2) *(с трудо́м)* with dífficulty

туда́ there

туз *карт.* ace

тузе́м|ец nátive; **~ный** nátive, indígenous

ту́ловище trunk, bódy; tórso

тулу́п shéepskin coat

тума́н mist, fog

тунне́ль túnnel

тупи́к blind álley ◇ поста́вить в ~ embárrass, disconcért; nonplús; стать в ~

be in a quandary; be
nonplússed

тупóй 1) *(о ноже и т. п.)*
blunt; ~ ýгол obtúse ángle 2)
(о человеке) stúpid, dull

тур round

турбáза tóurist hóstel

турбúна túrbine

турéцкий Túrkish

туризм tóurism

турúст tóurist

туркмéнский Túrkmen

турнúр tóurnament

тýрок Turk

тýсклый dim, dull

тут here; кто ~? who is
here?

тýф|ля shoe; домáшние
~ли slíppers

тýх|лый rótten, bad; ~нуть
go bad

тýча cloud

тушёный stewed

тушúть put out, extínguish;
blow out *(задувать)*; switch
off *(электричество)*; turn
off *(газ)*

тщáтельный cáreful,
thórough

тщеслáв|ие vánity; ~ный
vain

тщéтно in vain

ты you

тыква púmpkin

тыл rear

тысяча thóusand

тьма dárk(ness)

тюбик tube

тюк bale

тюлéнь seal

тюль tulle

тюльпáн túlip

тюрéмный príson

тюрьмá príson

тягостный páinful, distréss-
ing

тяжелó: с ним ~ рабóтать
he is not véry éasy to work
with; мне ~ егó вúдеть it
grieves me to see him; éсли
вам не бýдет ~ if it isn't too
much tróuble (for you)

тяжёлый 1) héavy 2) *(мучительный)* sad, páinful 3)
(трудный) hard; difficult
*(тж. о человеке, характе-
ре)*

тяжесть weight; búrden
(бремя)

тяжкий grave, sérious;
páinful *(мучительный)*

тянýть pull, draw; ~ся 1)
stretch 2) *(длиться)* last

У

у 1) *(около, возле)* at, by,
near 2) *(при, вместе)* with;
at *smb.'s* place *(в доме)* 3): у
меня *(есть)* I have ◇ у влáсти in pówer; у нас в странé
in our cóuntry

убегáть run away, make off

убедú|тельный convíncing;
~ть(ся) *см.* убеждáть(ся)

убежáть *см.* убегáть

убежд|áть persuáde,
convínce; ~áться be convínced;
~éние convíction, belíef

убе́жище réfuge; shélter (*укрытие*)

убива́ть kill; múrder

уби́й|ство múrder; assassinátion (*предательское*); ~ца múrderer; assássin (*наёмный*)

убира́ть 1) take awáy (*прочь*); put awáy (*прятать*) 2) (*комнату*) tídy; décorate (*украшать*) 3) (*урожай*) hárvest, bring in

уби́ть см. убива́ть

убо́рка 1) с.-х. hárvesting 2): ~ ко́мнаты dóing a room

убо́рная 1) lávatory; tóilet (*амер.*) 2) *театр.* dréssing-room

убо́рочн|ый: ~ая кампа́ния hárvest campáign

убо́рщица chárwoman

убра́ть см. убира́ть

убыва́ть decréase; subsíde (*о воде*)

убы́т|ок loss; возмести́ть ~ки pay dámages

убы́ть см. убыва́ть

уваж|а́емый respécted, dear (*в письме*); ~а́ть respéct; ~е́ние respéct

уве́дом|ить см. уведомля́ть; ~ле́ние informátion; nótice; ~ля́ть infórm; nótify

увезти́ см. увози́ть

увеличе́ние íncrease; rise (*повышение*); exténsion (*расширение*)

увели́чивать 1) íncrease; raise (*повышать*); enlárge (*расширять*) 2) (*увеличительным стеклом*) mágnify;

~ся incréase; rise (*повышаться*); enlárge (*расширяться*)

увели́чить(ся) см. увели́чивать(ся)

уве́ренн|ость cónfidence; в по́лной ~ости in the firm belíef; ~ый cónfident (*в себе*); cértain, sure (*в чём-л.*)

уве́р|ить, ~я́ть assúre; make belíeve (that)

увести́ см. уводи́ть

увида́ть, уви́деть see

увлека́тельный fáscinating

увлека́ться be keen on

увлече́ние 1) pássion; craze (*мода*) 2) (*пыл*) enthúsiasm

увле́чься см. увлека́ться

уводи́ть lead awáy, take awáy

увози́ть take awáy

уво́лить см. увольня́ть

увольн|е́ние dismíssal, dischárge; ~я́ть dismíss, dischárge

увы́! alás!

увяда́|ние wíthering; ~ть fade, wíther, droop

увяза́ть, увя́зывать 1) tie up 2) (*согласовать*) coórdinate

увя́нуть см. увяда́ть

угада́ть, уга́дывать guess

уга́р gas-poisoning, chárcoal póisoning

угаса́ть, уга́снуть die awáy

углеко́п (cóal-)míner, cóllier

углеро́д cárbon

углуби́ть(ся) *см.* углубля́ть(ся)

углубл|е́ние hóllow; ~ённый deep, profóund; ~и́ть déepen; ~и́ться go deep ínto

угнет|а́ть oppréss; *перен.* depréss; ~е́ние oppréssion; *перен.* depréssion; ~ённый oppréssed; *перен.* depréssed; ~ённые наро́ды oppréssed péople

угова́ривать try to persuáde; ~ся arránge; agrée

угово́р agréement; ~и́ть persuáde; ~и́ться *см.* угова́ривать(ся); ~ы persuásion *(ед. ч.)*

угоди́ть *см.* угожда́ть

уго́дно: как вам ~ just as you like; что вам ~? what can I do for you?; что ~ ánything; куда́ ~ ánywhere

угожда́ть please

у́гол 1) córner 2) *мат.* ángle

уголо́вный críminal

уголо́к córner; nook

у́голь *(каменный)* coal; ~ный coal(-)

уго|сти́ть, ~ща́ть give; treat (to); ~ще́ние food (and drink); refréshments *(мн. ч.)*

угрожа́|ть thréaten; ~ющий thréatening

угро́за threat, ménace

угрызе́ния: ~ со́вести remórse *(ед. ч.)*

угрю́мый súllen, moróse; glóomy

удава́ться 1) be a succéss 2) *безл:* ему́ удало́сь he

succéeded (in); he mánaged (to)

удал|и́ть, ~я́ть remóve

уда́р blow, *перен. тж.* shock

ударе́ние áccent, stress

уда́р|ить strike; deal a blow; ~иться hit (against); ~я́ть(ся) *см.* уда́рить(ся)

уда́ться *см.* удава́ться

уда́ч|а succéss; good luck; ~ный succéssful

удва́ивать, удво́ить dóuble

уде́л lot, déstiny

удел|и́ть, ~я́ть spare, give

удержа́ть(ся) *см.* уде́рживать(ся)

уде́рживать 1) *(кого-л.)* hold back 2) *(подавлять)* suppréss 3) *(деньги)* dedúct; ~ся 1) *(на ногах)* keep one's feet 2) *(от чего-л.)* keep from, refráin from

удиви́тельный wónderful, extraórdinary, astónishing

удиви́ть(ся) *см.* удивля́ть(ся)

удивле́ние astónishment, surpríse

удивля́ть astónish, surpríse; ~ся be astónished, be surprísed

удила́ bit *(ед. ч.)*; закуси́ть ~ take the bit betwéen one's teeth

удира́ть run awáy

уди́ть fish

удлин|и́ть, ~я́ть léngthen; prolóng *(о времени)*

удо́бный cómfortable; convénient *(подходящий)*

удобрение manúre, fértilizer

удобр|ить, ~ять manúre, fértilize

удобств|а convéniences; ~о convénience, cómfort

удовлетвор|ение satisfáction; ~ительный satisfáctory; ~ить(ся) см. удовлетворять(ся); ~ять sátisfy; ~яться be sátisfied; be content with

удовольстви|е pléasure; с ~ем with pléasure

удостоверение certíficate

удостовер|ить, ~ять certífy; ~ подпись wítness a signature

удочка físhing-rod

удрать см. удирать

удручать depréss; demóralize

удушливый súffocating

уедин|ение sólitude, seclúsion; ~ённый sólitary; lónely (одинокий)

уезжать, уехать go awáy, leave

уж зоол. gráss-snake

ужас hórror; térror (страх); какой ~! how áwful!

ужасный térrible; áwful (разг.)

уже alréady; часто не переводится: вы ~ обедали? have you had lunch?

ужин súpper; ~ать have súpper

узакон|ивать, ~ить légalize

узбек Uzbék

узбекский Uzbék

узда brídle

узел 1) knot 2) (свёрток) búndle

узкий nárrow; tight (об одежде)

узн|авать, ~ать 1) (получать сведения) hear, learn; find out (выяснять) 2) (признавать) know, récognize

узор design, páttern, fígure, trácery

уйти см. уходить

указ decrée, édict

указание indicátion; instrúctions (мн. ч.)

указатель 1) index; guide 2) тех. índicator

указать, указывать point out, índicate, show

укладывать 1) lay; ~ в постель put smb. to bed 2) (вещи) pack (up); ~ся 1) (упаковываться) pack (up) 2) (в определённые пределы) confíne onesélf (to), keep (withín)

уклон inclinátion; перен. deviátion; ~яться см. уклоняться; ~чивый evásive; ~яться déviate (в сторону); avóid, eváde (избегать)

укол 1) prick 2) мед. injéction

укор repróach

укорен|ившийся déep-rooted; ~иться, ~яться take root

укорять repróach

украдкой fúrtively, surreptítiously; by stealth

украи́н|ец, **~ский**
Ukráinian

укра́|сить, **~ша́ть** adórn;
décorate; **~ше́ние** órnament

укреп|и́ть см. укрепля́ть;
~ле́ние stréngthening; fortificátion; **~ля́ть** stréngthen;
fórtify *(тж. воен.)*

укро́п dill, fénnel

укрыва́ть, **укры́ть** 1)
concéal *(скрывать);* shélter
(защищать) 2) *(укуты-
вать)* cóver

у́ксус vínegar

уку́с bite; **~и́ть** bite

ула́вливать catch

ула́|дить, **~живать** settle,
arránge

у́лей béehive, hive

уле|та́ть, **~те́ть** fly (awáy);
самолёт **~те́л** на се́вер the
áirplane went north; бума́жка
~те́ла со стола́ the páper was
blown off the táble

ули́ка évidence; clue

у́лиц|а street; на **~е** out
(of doors)

улич|а́ть, **~и́ть** catch,
convíct

уло́в catch, take

улови́ть см. ула́вливать

уло́вка trick, devíce

уложи́ть(ся) см. укла́ды-
вать(ся)

улучш|а́ть impróve; **~е́ние**
impróvement

улу́чшить см. улучша́ть

улыба́ться smile

улы́б|ка smile; **~ну́ться**
см. улыба́ться

ультима́тум ultimátum

ультразвуково́й supersónic

ум mind; íntellect

ума́лчивать fail to méntion,
suppréss

уме́|лый skílful, cómpetent;
~ние skill, abílity

уменьш|а́ть decréase,
dimínish; redúce; **~е́ние**
décrease

уме́ренный móderate;
témperate

умере́ть см. умира́ть

уме́стный apprópriate;
tímely *(своевременный)*

уме́ть can; be áble to; know
how (to)

умира́ть die

умнож|а́ть 1) incréase 2)
мат. múltiply; **~е́ние**
multiplicátion

умно́жить см. умножа́ть

у́мный cléver, intélligent

умоля́ть implóre, entréat

умори́|ть kill; **~** го́лодом
starve *smb.* to death; он **~л**
меня́ со́ смеху свои́м расска́-
зом his stóry was so fúnny I
néarly died of láughing

у́мственный intelléctual,
méntal

умыв|а́льник wáshstand;
~а́ние wáshing

умыва́ть wash; **~ся** wash
(onesélf)

у́мысел desígn, inténtion

умы́ть(ся) см. умы-
ва́ть(ся)

умы́шленный déliberate,
inténtional

унести́ см. уноси́ть

универма́г (универса́льный магазин) stores (*мн. ч.*), département store

универсáльный univérsal

университéт univérsity

униж|áть humíliate; ~éние humiliátion

унизи́тельный humíliating

уникáльный excéption; uníque

унитáз lávatory pan

унифици́ровать únify

уничт|ожáть, ~ожи́ть destróy; wipe out (*противника*)

уноси́ть cárry awáy, take awáy

унывáть lose heart, be cast down

уны́лый glóomy; dréary; in low spírits (*о человеке*)

упáдок decline, decáy

упáдочн|ый décadent (*об искусстве*); ~ое настроéние low spírits (*мн. ч.*)

упаковáть *см.* упакóвывать

упакóв|ка pácking; ~ывать pack up

упáсть fall

упла́|та páyment; ~ти́ть, ~чивать pay

уполномóч|енный representátive; ~ить áuthorize

упом|инáть, ~яну́ть méntion

упóр|ный persístent (*настойчивый*); ~ство persístence; ~ствовать persíst (*in*)

употреб|и́тельный órdinary; cómmon; in géneral use

~и́ть *см.* употребля́ть; ~лéние use; ~ля́ть use

управлéние 1) (*руководство*) mánagement; góvernment (*страной*) 2) (*учреждéние*) óffice, administrátion, board

управля́ть 1) (*руководи́ть*) mánage, contról; góvern (*страной*) 2) *тех.* óperate; drive (*автомоби́лем*); steer (*рулём*)

управля́ющий mánager

упражн|éние exercise; práctice; ~я́ться práctise

упраздня́ть abólish; annúl

упрёк repróach

упрек|áть, ~ну́ть repróach

упро|сти́ть, ~ща́ть símplify

упру́г|ий resílient, spríngy; ~ость resílience, elastícity

у́пряжь hárness

упря́м|ство óbstinacy; ~ый óbstinate

упус|кáть, ~ти́ть let escápe (*выпускáть*); miss (*прозевáть*); ~ти́ть из виду forgét; lose sight (*of*)

упущéние omíssion; negléct (*халáтность*)

урá! hurráh!

уравнéние 1) equalizátion 2) *мат.* equátion

урáвнивать, уравня́ть lével

урагáн húrricane

урáн uránium

урегули́ровать régulate; contról

у́рна urn

у́ровень lével

уро́д mónster; ~ливый

deformed; ugly; ~ство deformity; ugliness

урожай yield, harvest; ~ность productivity

уроженец native

урок lesson

урон losses *(мн. ч.)*

уронить drop, let fall

усадить *см.* усаживать

усаживать seat; ~ся take a seat, sit down

усваивать, усвоить assimilate; digest *(пищу)*; learn, master *(овладевать)*

усерд|ие zeal; ~ный zealous

усики *(насекомого)* антеннае

усиление reinforcement; intensification

усиленный intensive

усиливать intensify; strengthen

усилие effort

усилить *см.* усиливать

ускольз|ать, ~нуть slip (out of, away)

ускорение acceleration, speed-up

ускор|ить, ~ять speed up, accelerate

услаживаться agree upon; arrange

услов|ие condition; ~иться *см.* уславливаться; ~ный 1) conditional 2) *(принятый)* conventional

усложн|ить, ~ять complicate

услу|га service; ~жливый obliging

410

услыхать, услышать hear

усмех|аться, ~нуться sneer

усмешка ironic smile

усмир|ить, ~ять pacify; suppress; put down

усмотрени|е: на ~, по ~ю at one's discretion

уснуть fall asleep

усовершенствовать improve, perfect

успевать, успеть 1) have time; be in time 2) *(в науках)* make progress

успех success

успешный successful

успок|аивать, ~оить calm, soothe

устав charter; statutes *(мн. ч.)*; regulations *(мн. ч.)* *(военн.);* ~ партии Party statutes *(мн.ч.)*

уставать be tired

устал|ость fatigue, weariness; ~ый tired, weary

устан|авливать, ~овить 1) *(налаживать)* establish 2) *тех.* mount; ~овка 1) directions *(мн. ч.);* дать ~овку recommend a course of action 2) *тех.* mounting

устарелый out of date, obsolete

устать *см.* уставать

устный oral

устойчивый steady; stable

устоять *(против)* resist, withstand

устраива|ть arrange; organize; ~ет ли это вас? does that suit you?

устран|ение removal;

~и́ть, ~я́ть remóve; elíminate (*уничто́жить*)

устраше́ни|е: сре́дство ~я detérrent

устро́ить *см.* устра́ивать

устро́йство arrángement; organizátion

уступ|а́ть, ~и́ть yield; give in

усту́пка concéssion; ~ в цене́ abátement

у́стье mouth, éstuary

усы́ moustáche (*ед.ч.*); whiskers (*у живо́тных*)

усынов|ля́ть, ~и́ть adópt

усып|ля́ть, ~ля́ть lull to sleep; put to sleep

утверди́тельный affirmative

утвер|жда́ть, ~жда́ть 1) affirm, maintáin 2) *юр.* rátify, confírm; ~жде́ние 1) affirmátion; státement 2) *юр.* ratificátion; confirmátion

утека́ть flow awáy

утёс rock, cliff

утеш|а́ть cómfort, consóle; ~е́ние cómfort, consolátion

уте́шить *см.* утеша́ть

утильсырьё scrap; réfuse

утиха́ть, ути́хнуть quíet down, calm (*успока́ивать*); abáte, subsíde (*о бу́ре, бо́ли*); cease (*о шу́ме*)

у́тка duck

утол|я́ть, ~и́ть assuáge; quench, slake (*жа́жду*); sátisfy (*го́лод*)

утом|и́тельный tíring; ~и́ть *см.* утомля́ть; ~ле́ние fatígue; ~я́ть tire, fatígue

утону́ть be drowned; sink (*о предме́те*)

утончённый refíned; súbtle

утопа́ть 1) *см.* утону́ть 2): ~ в ро́скоши be rólling in lúxury; ~ в зе́лени be búried in vérdure

утопи́ть drown; sink (*предме́т*)

утопи́ческий Utópian

уточн|я́ть, ~и́ть spécify; make *smth.* precíse

утра́та loss

у́тро mórning; ~м in the mórning

утю́г íron

уха́ fish soup

уха́живать 1) (*за больны́м*) nurse, look áfter 2) (*за же́нщиной*) court, make love (to)

ухвати́ться catch hold (of); *перен.* catch at

ухитр|я́ться, ~и́ться contríve, mánage

ухмы́лка grin

у́хо ear

ухо́д I depárture

ухо́д II (*забо́та*) care; núrsing (*за больны́м*)

уходи́ть go awáy, leave, depárt; retíre (*со слу́жбы*)

ухудш|а́ть make *smth.* worse; ~а́ться detériorate; ~е́ние change for the worse

уху́дшить(ся) *см.* ухудша́ть(ся)

уцеле́ть survíve

уценённый (*о това́рах*) cút-price

уча́ствовать partícipate (in); take part (in)

уча́ст|ие 1) participátion 2) *(сочувствие)* sýmpathy (for); ínterest; **~ник** partícipant; mémber *(член)*

уча́сток 1) *(земли́)* plot 2) *(административный)* dístrict 3) *воен.* séctor

у́часть fate

уча́щийся púpil, schóolboy *(школьник)*; stúdent *(студент)*

учёба stúdies *(мн. ч.)*

уче́бн|ик téxtbook, mánual; **~ый** school(-); **~ый год** school year

уче́ние 1) téachings *(мн. ч.)*, dóctrine *(философское и т. п.)* 2) *(учёба)* stúdies *(мн. ч.)*

учени́к púpil; discíple *(последователь)*

учёность léarning

учёный 1. *прил.* léarned 2. *сущ.* schólar; scíentist

уче́сть *см.* учи́тывать

учёт calculátion; registrátion

учи́лище school

учи́тель téacher

учи́тывать take ínto accóunt

учи́ть 1) *(кого́-л.)* teach 2) *(изуча́ть)* learn; stúdy; **~ся** learn; stúdy

учре|ди́ть, ~жда́ть estáblish; found; set up; **~жде́ние** institútion; estáblishment

уши́б ínjury; bruise; **~а́ться, ~и́ться** hurt (onesélf)

ущѐлье ravíne, cányon

ущѐрб dámage, ínjury

ую́тный cósy, cómfortable

язви́мый vúlnerable

уясн|и́ть, ~я́ть understánd

Ф

фа́бр|ика fáctory; mill; plant; **~и́чный** fáctory; **~и́чная ма́рка** trade mark

фа́за phase

фа́кел torch

факт fact; **~и́чески** práctically, áctually; in fact *(в су́щности)*; **~и́ческий** áctual, real

фа́ктор fáctor

факту́ра 1) strúcture 2) *эк.* ínvoice

факульте́т fáculty, depártment

фальсифици́ровать fálsify

фальши́вый false; forged *(поддѐланный)*

фами́лия fámily name, súrname

фамилья́рный unceremónious, familiar

фана́т|ик fanátic; **~и́чный** fanátical

фане́ра plýwood

фантазёр dréamer

фанта́зия 1) imaginátion 2) *(причу́да)* whim, fáncy

фанта́стика: нау́чная **~** science fíction

фантасти́ческий fantástic

фа́ра *(автомоби́ля, парово́за)* héadlight

фармаце́вт pharmacéutist

фа́ртук ápron

фарфо́р chína, pórcelain

фарш stúffing

фарширо́ванный stúffed

фаса́д facáde, front

фасо́ль háricot (beans)

фасо́н style; cut *(покрой)*

фа́уна fáuna

фаш|и́зм fáscism; ~и́ст fáscist

фа́нис póttery

февра́ль Fébruary

федерати́вный féderative

федера́ция federátion

фейерве́рк fíreworks *(мн. ч.)*

фельето́н árticle

фен (háir-)drýer

феноме́н phenómenon

феодали́зм féudalism

ферзь queen

фе́рм|а farm; ~ер fármer

фестива́ль féstival

фе́тровый felt

фехтова́ние féncing

фехтова́ть fence

фиа́лка víolet

фигу́р|а fígure; ~и́ровать fígure (as), pass (for)

фигури́ст fígure-skáter

фигу́рн|ый: ~ое ката́ние fígure skáting

фи́зи|к phýsicist; ~ка phýsics

физио́|лог physiólogist; ~логи́ческий physiológical; ~ло́гия physíology

физи́ческий phýsical; ~ труд mánual lábour

физкульту́ра phýsical

cúlture; лече́бная ~ médical gymnástics

фикти́вный fictítious

филатели́ст stamp colléctor

филе́ sírloin

филиа́л branch

фи́лин éagle-owl

фило́|лог philólogist; ~логи́ческий philológical; ~ло́гия philólogy

фило́|соф philósopher; ~со́фия philósophy; ~со́фский philosóphical

фильм film

фильтр fílter

фина́л fínále; final *(спорт.)*

финанс|и́ровать fináncе; ~овый fináncial

фина́нсы fináncеs

фи́ник date

фи́ниш *спорт.* finish

финн Finn

фи́нский Fínnish

фиоле́товый víolet

фи́рма firm

фити́ль wick

флаг flag; подня́ть ~ hoist a flag

флако́н (scent) bóttle

фланг flank

фле́йта flute

фли́гель wing

флиртова́ть flirt

флома́стер felt pen

фло́ра flóra

флот fleet; вое́нно-морско́й ~ Návy; возду́шный ~ air force; морско́й ~ maríne; торго́вый ~ mércantile maríne

флюс *(опухоль)* swóllen cheek

фля́га, фля́жка flask

фойе́ fóyer, lóbby

фо́кус I *мед., физ.* fócus

фо́кус II *(трюк)* trick

фольга́ foil

фолькло́р fólklore

фон báckground

фона́рь lántern; у́личный ~ stréet lamp; карма́нный электри́ческий ~ flásh-light, eléctric torch

фонд fund

фоне́тика phonétics

фонта́н fóuntain

фо́рма 1) shape, form 2) *(одежда)* úniform

форма́льн|ость formálity; ~ый fórmal

форма́т size; formát

формирова́ть form

фо́рмула fórmula

формули́р|овать fórmulate; ~о́вка fórmula

форпо́ст óutpost

форси́ровать 1) *(ускорять)* speed up 2) *воен.* force; ~ ре́ку force a cróssing

фортепиа́но piáno

фортифика́ция fortificátion

фо́рточка ventilátion pane

фо́рум fórum

фо́сфор phósphorus

фо́то phóto; ~аппара́т cámera

фото́|граф photógrapher; ~графи́ровать (take a) phótofaph; ~гра́фия 1) photógraphy 2) *(снимок)* pícture 3) *(учреждение)*

photógrapher's; ~ко́пия phótocopy

фрагме́нт frágment

фра́за phrase, séntence

фрак évening dress

фра́кция fráction

франт dándy

францу́з Frénchman; ~ский French

фрахт freight

фре́ска frésco

фронт front; ~ови́к frónt-line sóldier

фрукт fruit; ~о́вый fruit; ~о́вый сад órchard

фужёр glass

фундáмент foundátion; ~а́льный fundaméntal

функциони́ровать fúnction

фунт pound

фура́ж fódder

фура́жка sérvice cap

фурго́н van

фуру́нкул boil

фут foot

футбо́л fóotball; sóccer; ~и́ст fóotball pláyer, fóotballer

футбо́лка T-shirt

футля́р case

фуфа́йка jérsey, swéater

фы́рк|ать, ~нуть snort; chúckle

фюзеля́ж fúselage

Х

ха́ки kháki

хала́т dréssing-gown *(домашний)*; báthrobe *(купаль-*

ный); overall (рабочий);
surgical coat (врача)

халáтн|ость négligence;
~ый cáreless, négligent

халтýра háckwork

хандр|á depréssion; ~ить
be depréssed

ханжá phárisee, hýpocrite,
prig

хáос cháos

хáос разг. mess

харáктер cháracter; témper
(человека); ~истика
characterístic; cháracter (от-
зыв)

харáктерный characterístic;
týpical (типичный)

хвалить praise; ~ся boast
(of)

хваст|ать, ~аться boast
(of); brag; ~овствó bóasting;
~ýн bóaster; brággart

хватáть I (схватывать)
seize; catch hold (of), grasp

хватáть II безл. (быть до-
статочным) suffice; be
enóugh; хвáтит! that will do!;
enóugh!

хватить см. хватáть II

хвóйный coníferous

хворáть be ill

хвост tail

хвоя píne-needles (мн. ч.)

хижина hut, cábin

хилый síckly, áiling

хим|ик chémist; ~ический
chémical; ~ический каран-
дáш indélible pencil

химия chémistry

химчистка (химическая

чистка) 1) drý-cléaning 2)
(мастерская) drý-cléaner's

хина quiníne

хиппи híppie, híppy

хирýрг súrgeon; ~ический
súrgical; ~ия súrgery

хитр|ость cúnning; slýness;
~ый cúnning, sly; ártful (коварный)

хихикать gíggle

хищник beast of prey (о
звере); bird of prey (о птице)

хладнокрóв|ие compósure,
présence of mind; ~ный cool,
compósed

хлам rúbbish, trash

хлеб 1) bread 2) (зерно)
corn, grain

хлебозаготóвки grain
colléction; corn stórage

хлебопечéние bread
báking; óutput of bread

хлев cáttle shed; перен.
pígsty

хлóп|ать, ~нуть bang, slam
(каким-л. предметом);
clap, slap, tap (рукой); flap
(крыльями)

хлóпок cótton

хлопотáть 1) bústle; fuss 2)
(о ком-л., о чём-л.)
intercéde (for)

хлóпоты éfforts; pains

хлопчатобумáжный cótton

хлóпья (снега) flakes

хлынуть gush out

хлыст (hórse) whip

хмелéть get drunk

хмель бот. hop

415

xму́рить: ~ бро́ви knit one's brows; ~ся frown

хму́рый gloomy, sullen; dull *(о погоде)*

хны́кать whimper

хо́бби hóbby

хо́бот trunk

ход 1) *(движение)* mótion, speed; course *(дела, событий)* 2) *(проход)* pássage; éntrance, éntry *(вход)* 3) *шахм.* move

ходи́ть go; walk *(пешком)*; ~ в чём-л. *(в какой-л. одежде)* go abóut (in)

ходьб|а́ wálking; в 10 мину́тах ~ы́ от ста́нции ten minutes walk from the station

хозя́ин máster; boss; ówner, propríetor *(владелец);* host *(по отношению к гостям)*

хозя́й|ничать mánage éverything; be the boss; ~ственный 1) *(экономический)* económic 2) *(расчётливый)* práctical, thrífty; ~ство ecónomy; дома́шнее ~ство hóusekeeping; фе́рмерское ~ство farm

хоккей (ice) hóckey

холе́ра *мед.* chólera

холм hill; ~и́стый hílly

хо́лод cold; ~á cold wéather *(ед. ч.)*

холоди́льник refrígerator; fridge

хо́лодно 1. *безл.* it is cold 2. *нареч.* cóldly

холо́дный cold

холост|о́й unmárried; ~ за-

ря́д blank cártridge; ~я́к báchelor

холст cánvas

хор chórus

хорони́ть búry

хоро́шенький prétty

хороше́ть impróve in looks

хоро́ший good

хорошо́ well; quite well *(о здоровье);* ~! all right!, véry well! *(ладно)*

хот|е́ть want; я ~е́л бы I would like

хоть, хотя́ (al)though; ~ бы if ónly

хо́хот láughter; burst of láughter; ~а́ть laugh; roar with láughter

храбр|ость cóurage; ~ый brave, courágeous

храм témple

хран|е́ние stórage *(товара);* сдать ве́щи на ~ régister one's lúggage; check one's bággage *(амер.);* ~и́ть keep

храпе́ть snore

хребе́т 1) *(спинной)* spine 2) *(горный)* móuntain range

хрен hórse-radish

хрестома́тия réader

хрип wheeze, whéezing

хрипе́ть be hoarse

хрип|лый hoarse; ~ота́ hóarseness

христи|ани́н Christian; ~а́нский Christian; ~а́нство Christiánity

хром|а́ть limp; ~о́й 1. *прил.* lame 2. *сущ.* lame man

хро́ника cúrrent evénts; néwsreel, news film *(кино)*

хрони́ческий chrónic

хронологи́ческий chronológical

хру́пкий frail, frágile; brittle (*ломкий*)

хруста́ль, ~ный cútglass, crýstal

хрусте́ть, хру́стнуть crunch; cráckle

хрю́кать grunt

хрящ cártilage

худе́ть grow thin; lose weight

ху́д|о: нет ~а без добра́ ≈ évery cloud has a sílver líning

худо́жественный artístic

худо́жник ártist

худо́й I thin, lean

худо́й II (*плохой*) bad; на ~ коне́ц if the worst comes to the worst

ху́дший worse; the worst

ху́же worse

хулига́н hóoligan, rúffian

ху́тор fárm(stead)

ца́пля héron

цара́п|ать scratch; ~ина scratch; ~нуть *см.* цара́пать

цари́ть reign

ца́рский tsárist

ца́рство kíngdom; ~вать reign, rule

царь tsar

цвести́ flówer

цвет (*окраска*) cólour

цвете́ние *бот.* flówering, floréscence

цветн|о́й cóloured; ~ фильм cólour film; ~а́я фотогра́фия cólour photógraphy ◇ ~а́я капу́ста cáuliflower

цвето́к flówer; blóssom (*на кустах, деревьях*)

цвету́щий flówering; *перен.* flóurishing

целе́бн|ый cúrative; medícinal; ~ые тра́вы medícinal herbs

целе|сообра́зный réasonable; expédient; ~устремлённый detérmined, púrposeful

целико́м whólly, entírely, complétely

целин|а́ vírgin soil, fállow; ~ный: ~ные зе́мли vírgin land (*ед. ч.*)

це́лить, ~ся aim (at)

целлофа́н céllophane

целова́ть kiss *smb.*; ~ся kiss

цел|ое the whole; ~ость: в ~ости и сохра́нности intáct; safe and sound; ~ый: 1) whole; ~ый день all day 2) (*нетронутый*) intáct, safe

цель 1) aim, púrpose; goal; óbject 2) (*мишень*) tárget

цеме́нт cemént

цена́ príce, cost

ценз qualifícation; right

цензу́ра cénsorship

цени́тель judge, connoisséur

цени́ть válue, appréciate; éstimate *(оценивать)*

це́нн|ость válue; ~ый váluable; ~ое письмо́ régistered létter with státement of válue

це́нтнер métric céntner *(100 кг)*; húndredweight *(в Англии = 50,8 кг, в США = 45,3 кг)*

центр céntre

центра́льный céntral

це́пкий tenácious

цепля́ться cling to; catch on *(зацепиться)*

цепь chain

церемо́н|иться stand (up)ón céremony; ~ия céremony; ~ный ceremónious

це́рковь church

цех shop; ~ово́й shop(-)

цивилиза́ция civilizátion

цикл cýcle

цикло́н cýclone

цили́ндр 1) *mex.* cýlinder 2) *(шляпа)* top hat

цини́чный cýnical

цинк zinc

цирк círcus

ци́ркуль cómpasses *(мн. ч.)*

цисте́рна tank

цит|а́та quotátion; ~и́ровать quote, cite

цифербла́т díal; face *(у часов)*

ци́фра fígure

цыга́н, ~ский Gípsy

цыплёнок chícken; chick, poult

цы́почк|и: на ~ax on típtoe

Ч

чад smell of cóoking; fumes *(мн.ч.)* *(угар)*; быть как в ~у́ be dazed

чаеви́е tip *(ед.ч.)*

чай tea

ча́йка *(séa)* gull

ча́йник *(для заварки чая)* téapot; *(для кипячения)* kéttle

чан vat, tub

чароде́й magícian; enchánter

ча́ры charms

час 1) *(60 минут)* hour 2) *(при обознач. времени)*: шесть ~о́в six o'clóck; кото́рый ~? what's the time? ◇ в до́брый ~! good luck!

часово́й I *сущ. воен.* séntinel; séntry

часово́й II *прил. (относя́щийся к часам)* watch(-), clock(-)

часовщи́к wátchmaker

части́ца párticle

части́чно pártly, in part

ча́стник *разг.* prívate tráder

ча́стнос|ть: в ~ти in particular

ча́стный 1) prívate; ~ая со́бственность prívate próperty 2): ~ слу́чай spécial case; an excéption (*исключе-ние*)

част|о óften; **~ый** fréquent

часть part; share (*доля*); **бо́льшей ~ю** móstly, for the most part

часы́ clock; watch (*карманные, ручные*)

чáх|лый síckly; stúnted (*о растительности*); **~нуть** fade awáy; wíther (*о растениях*)

чахо́тка consúmption

чáшка cup

чáща thícket

чáще more óften; **~ всего́** móstly

чáяния expectátions, hopes

чвáнство pompósity, snóbbishness

чего́ what

чей whose

чек cheque; check (*амер.*)

чекáнить mint, coin

челове́|к pérson, man; húman being; **он хоро́ший ~** he is a good man; **онá плохо́й ~** she is a bad wóman; **он не такóй ~** he's not such a pérson; **~ческий** húman; **~чество** humánity; mankínd

челове́чн|ость humánity; **~ый** humáne

чéлюсть jaw

чем I (*тв. п. от* что I) what

чем II *союз* than

чемодáн súitcase, bag

чемпио́н chámpion; **~ по шáхматам** chess chámpion

чемпионáт chámpionship

чему́ (to) what

чепухá nónsense

чéрвы *карт.* hearts

черв|ь, ~я́к worm

чердáк gárret; áttic

чередовáться álternate, interchánge

чéрез 1) acróss; óver; through (*сквозь*); **~ окно́** through the wíndow 2) (*о времени*) in; **~ два часá** in two hours

черёмуха bird chérry

чéреп skull

черепáха tórtoise, túrtle (*морская*)

черепи́ца tile

чересчу́р too much

черéшня 1) chérry 2) (*дерево*) chérry-tree

чернéть 1) (*вдали*) show; loom 2) turn black, blácken

черни́ка bílberry

черни́ла ink

черновик rough cópy

чернозём chérnozem, black earth

чернорабо́чий unskílled wórker

черносли́в *собир.* prunes (*мн. ч.*)

чёрный black; **~ хлеб** black (brown) bread

чéрпать draw

черствéть get stale

чёрствый stale; *перен.* cállous

чёрт dévil

черт|á 1) (*линия*) line 2) (*особенность*) féature; traite *(характера);* ~ы лица́ féatures

чертёж draught, draft, díagram; ~ник dráughtsman

черти́ть draw

черче́ние dráughting, dráwing

чеса́ть scratch; ~ся itch *(о чём-л.);* scratch onesélf *(о ком-л.)*

чесно́к gárlic

че́ствов|а́ние celebrátion; ~ать célebrate

че́стн|ость hónesty; ~ый hónest; ~ое *слово* word of hónour

често|люби́вый ambítious; ~лю́бие ambítion

честь hónour

четве́рг Thúrsday

четвере́ньк|и: на ~ах on all fours

че́тверо four

четвёртый fourth

че́тверть quárter

чёткий clear, precíse; légible *(о почерке)*

чётный éven

четы́р|е four; ~еста four húndred; ~надцатый fourtéenth; ~надцать fourtéen

чех Czech

чехо́л case; slíp-cover *(для мебели и т. п.)*

че́шский Czech

чешуя́ scales *(мн. ч.)*

чин rank, grade

чини́ть I mend, repáir

чини́ть II *(причинять)* cause

чино́вник offícial

чи́сленность númber

числи́тельное *грам.* númeral

число́ 1) númber 2) *(дата)* date

чи́стильщик cléaner; ~ *сапóг* bóotblack

чи́ст|ить 1) clean; brush *(щёткой)* 2) *(овощи, фрукты)* peel; ~ка cléaning

чистокро́вный thóroughbred

чистосерде́чный sincére, frank, cándid

чистота́ cléanliness, néatness; *перен.* púrity

чи́ст|ый 1) clean 2) *(без примеси)* pure *(тж. перен.);* ~ая прибыль clear prófit, net prófit

чита́ль|ный зал, ~ня réading room

чита́тель réader

чита́ть read; ~ *ле́кции* give léctures; lécture

чиха́ть, чихну́ть sneeze

член 1) mémber 2) *грам.* árticle; ~ский mémber's, mémbership; ~ство mémbership

чо́порн|ость stíffness, prímness; ~ый stiff, prim

чрезвыча́йный extraórdinary

чте́ние réading

что I *мест.* what; ~ *это такóе?* what's that?

что II *союз* that; *я так рад,* ~ *вы пришли́* I'm so glad (that) you came

что III *нареч. (почему)*

why; ~ он молчи́т? why is he sílent?

чтобы in órder to

что-ли́бо, что-нибудь sómething; ánything *(при вопросе)*

что-то 1. *мест.* sómething 2. *нареч.* sómehow

чувстви́тельн|ость sénsitiveness; ~ый sénsitive, sentiméntal; percéptible *(заметный)*

чу́вство sense; féeling *(ощущение)*; ~вать feel

чугу́н cast íron

чуда́к crank, eccéntric

чуде́сный wónderful, márvellous; *разг.* lóvely

чудно́й strange, queer

чу́дный márvellous

чу́до míracle

чудо́вище mónster

чужда́ться avóid, keep awáy (from)

чу́ждый álien (to)

чуж|о́й 1) *(принадлежащий другим)* sómebody élse's; ~и́е де́ньги óther people's móney 2) *(посторонний)* strange

чуло́к stócking

чума́ plague

чу́тк|ий sénsitive; keen *(о слухе)*; délicate, táctful *(деликатный)*; ~ость délicacy, tact

чу́точку just a bit

чуть scárcely; ~ ли не álmost, all but

чутьё ínstinct, flair; scent *(у животных)*

чу́чело 1) stuffed (ánimal) *(животного)*; stuffed (bird) *(птицы)* 2) *(пугало)* scáre-crow

чушь nónsense, rúbbish

чу́ять smell; *перен.* feel

чьё, чья whose

Ш

шабло́н mould, páttern; sténcil *(для рисунка)*

шаг step; ~и́ fóotsteps; ~а́ть stride, pace

ша́гом at a walk

ша́йка gang

шала́ш tent (of bránches)

шали́ть *(о детях)* be náughty; romp *(резвиться)*

шал|ость prank; ~у́н míschievous boy

шаль shawl

шампу́нь shampóo

шанс chance; име́ть все ~ы на успе́х stand to win

шанта́ж bláckmail

ша́пка cap

шар sphere; ball; возду́шный ~ ballóon

шарф scarf, múffler

шасси́ úndercarriage

шата́ться 1) *(о гвозде, зубе)* get loose 2) *(качаться)* reel, stágger 3) *разг. (слоняться)* loaf about

шате́н brown-háired

ша́ткий unstéady; sháky

шахмати́ст chéss-player

ша́хматы chess *(ед. ч.)*

шáхт|а mine; pit; ~ёр мíner

шáшки (*игра*) draughts; chéckers (*амер.*)

швед Swede; ~ский Swédish

швейн|ый: ~ая машúна séwing machíne

швейцáр pórter; dóor-keeper

швейцáрец Swiss

швейцáрский Swiss

швыр|нýть, ~ять throw, fling, hurl

шевелúть, ~ся move, stir

шевельнýть(ся) *см.* шевелúть(ся)

шедéвр másterpiece

шелестéть rústle

шёлк, ~овый silk

шелухá husk; péelings (*мн. ч.*) (*картофельная*)

шепелявить lisp

шепнýть *см.* шептáть

шёпот whísper; ~ом in a whísper, únder one's breath

шептáть, ~ся whísper

шерéнга rank

шерст|ь wool; ~янóй wóolen

шершáвый rough

шест pole

шестнáдца|тый sixtéenth; ~ть sixtéen

шестóй sixth

шесть six; ~десят síxty; ~сóт six húndred

шеф chief; ~ство pátronage

шéя neck

шúло awl

шúна tyre, tire

шинéль óvercoat, gréatcoat

шип thorn

шипé|ние híss(ing); ~ть hiss

шипóвник wild rose, dógrose

ширинá width, breadth

шúрма screen

шир|óкий broad; wide; ~окó wide, wídely

широкоэкрáнный: ~ фильм wide screen

широтá 1) breadth 2) *геогр.* látitude

шить sew

шифр code, cípher

шúшка 1) lump; bump (*от ушиба*) 2) *бот.* cone

шкалá scale

шкатýлка box, cásket

шкаф cúpboard; платянóй ~ wárdrobe; кнúжный ~ bóokcase; несгорáемый ~ safe

шкóла school

шкóльн|ик schóolboy; ~ый school(-)

шкýра hide, skin

шланг hose

шлем hélmet

шлифовáть pólish

шлюз lock, sluice

шлюпка boat

шляпа hat

шнур cord; ~овáть lace up; ~óк lace; ~óк для ботúнок shóe-lace; shóe-string

шов seam

шок shock; ~úровать shock

шоколáд, ~ный chócolate

шóрох rústle

шóрты shorts

шоссé híghway

шотла́ндец Scot, Scótsman

шотла́ндский Scóttish

шофёр driver

шпа́га sword

шпага́т twine, string

шпарга́лка *разг.* crib

шпи́лька háirpin

шпио́н spy; ~áж éspionage; ~ить spy

шприц sýringe; одноразо́вый ~ síngle-use sýringe

шпро́ты sprats in oil

шрам scar

шрифт type, print

штаб staff, héadquárters; генера́льный ~ Géneral Staff

штамп stamp

штаны́ tróusers

штат I state

штат II *(служащие)* staff, personnél

штéпсель switch, plug

штóп|ать darn; ~ка 1) dárning 2) *(нитки)* dárning cótton; dárning thread

штóпор 1) córkscrew 2) *ав.* spin

штóра blind

шторм storm

штраф fine; ~овáть fine

штрих stroke, touch

штýка 1) piece; пять штук яи́ц five eggs 2) *разг. (вещь)* thing, trick

штукатýрка pláster

штурм attáck, storm

штýрман *мор., ав.* návigator

штурмовáть storm, assáult

штык báyonet

шýба fur coat

шум noise

шумéть make a noise; be nóisy

шýмный nóisy

шуршáть rústle

шутить joke

шýт|ка joke; ~ли́вый jócular, pláyful; ~очный facétious, cómic

шушýкаться whisper

Щ

щавéль sórrel

щади́ть spare

щéдр|ость generósity; ~ый génerous; open-hánded

щекá cheek

щекотáть tíckle

щёлк|ать, ~нуть click; crack

щель chink, split

щенóк púppy

щепети́льный scrúpulous

щéпка chip

щети́на brístle

щётка brush; broom *(половáя)*

щи cábbage-soup

щип|áть 1) pinch 2) *(трáву)* níbble, crop, browse; ~нýть см. щипáть 1)

щипцы́ 1) tongs; nútcrackers *(для орехов)* 2) *тех.* píncers

щит 1) shield 2) *эл.* switchboard

щитови́дная железа́ *анат.* thýroid gland

щу́ка pike

щу́пать feel; touch; ~ пульс feel the pulse

щу́рить: ~ глаза́ screw up one's eyes; ~ся blink

Э

эваку|а́ция evacuation; ~и́ровать evácuate

ЭВМ compúter

эволю́ция evolútion

эго|и́зм sélfishness, égoism; ~и́ст égoist; ~исти́чный sélfish

эй! hi!

эква́тор equátor

эквивале́нт equívalent

экза́мен examinátion; вы́держать ~ pass an examinátion; ~ова́ть exámine

экземпля́р сору; spécimen (*образе́ц*)

экзоти́ческий exótic

экипа́ж 1) véhicle; cárriage 2) (*кома́нда*) crew

эколо́гия ecólogy

эконо́мика económics

эконо́м|ить economize; ~ия económy; ~ный económical

экра́н screen

экску́рсия excúrsion, trip

экскурсово́д guide

экспа́нсия expánsion

экспеди́ция 1) expedítion

2) (*в учрежде́нии*) dispátch óffice

экспериме́нт expériment

экспе́рт éxpert

эксплуат|а́ция exploitátion; ~и́ровать exploít

экспона́т exhíbit

э́кспорт éxport(s); ~и́ровать expórt; ~ный éxport, for éxport

экспре́сс *ж.-д.* expréss (train)

экстравага́нтный eccéntric

экстрасе́нс héaler

экстрема́льный extréme

экстреми́ст extrémist

э́кстренный spécial; ~ вы́пуск spécial edítion

эласти́чный elástic

элева́тор élevator

элега́нтный élegant

электр|ифика́ция electrificátion; ~и́ческий eléctric(al); ~и́чество electrícity

электри́чка *разг.* (eléctric) train

электробыто́в|о́й: ~ые прибо́ры eléctrical applíances

электрокардиогра́мма eléctric cárdiogram

электро́н *физ.* eléctron

электро́нно-вычисли́тельный: ~ая маши́на (ЭВМ) compúter

электроста́нция pówer státion

электроте́хник electrícian

элеме́нт élement; ~а́рный eleméntary

эма́ль enámel

эмалированн|ый: ~ая по-
су́да ена́melware

эмансипа́ция emancipátion

эмба́рго embárgo

эмбле́ма émblem

эмигра́нт émigrant; emigré

эмигра́ция emigrátion

эмигри́ровать émigrate

эмоциона́льный emótional

эму́льсия emúlsion

энерги́чный energétic

эне́ргия énergy

энтузиа́зм enthúsiasm

энциклопе́дия encyclo-
páedia

эпиде́мия epidémic

эпизо́д épisode; íncident

эпило́г epilógue

эпице́нтр épicentre

эпо́ха époch

э́ра éra

эруди́ция erudítion,
léarning

эска́др|а мор. squádron;
~и́лья ав. flýing squádron

эскала́тор éscalator, móving
stáircase

эски́з sketch

эстафе́та reláy(-race)

эсте́тика aesthétics

эсто́н|ец, ~ский Estónian

эстра́д|а 1) stage, plátform
2) (вид искусства) varíety
show

э́та this, that

эта́ж floor, stórey; пе́рвый
~ ground floor; второ́й ~ first
floor

этало́н stándard

эта́п stage

э́ти these, those

э́тика éthics

этике́тка lábel

этни́ческий éthnic

э́то this, that

э́тот this, that

этю́д 1) лит., иск. stúdy;
sketch 2) муз. stúdy, etúde

эфи́р éther

эффе́кт efféct; ~и́вность
éfficacy; ~и́вный efféctive;
~ный efféctive, stríking;
shówy

э́хо écho

эшело́н échelon; train

Ю

юбиле́й júbilee; ~ный
júbilee

ю́бка skirt

ювели́р jéweller

юг south

ю́го-восто́к south-éast

ю́го-за́пад south-wést

ю́жный south, sóuthern

ю́мор húmour; ~исти́че-
ский humorous, cómic

ю́ность youth

ю́нош|а youth, lad; ~ес-
кий yóuth(ful); ~ество youth,
young péople

ю́ный young, yóuthful

юриди́ческ|ий légal; ~ая
консульта́ция légal advíce

юри́ст láwyer

ю́ркий brisk, nímble

юсти́ция jústice

425

ютиться find shélter; be cooped up (*в тесноте*)

Я

я *мест.* I

ябло|ко ápple; глазнóе ~ éyeball; ~**ня** ápple-tree; ~**чный** ápple

яви́ться *см.* явля́ться

я́вка appéarance; présence

явл|éние 1) appéarance; phenómenon 2) *театр.* scene; ~**я́ться** 1) appéar 2) (*быть кем-л.*) be

я́вный évident, óbvious; ~ вздор dównright (sheer) nónsense

ягнёнок lamb

я́года bérry

я́годица *анат.* búttock

яд póison; ~**ови́тый** póisonous; vénomous

я́дерн|ый núclear; ~**ая** война́ núclear war; ~**ые** держа́вы núclear pówers

ядрó 1) kérnel 2) *физ.* núcleus

я́зва úlcer

язви́тельный cáustic, bíting

язы́к 1) tongue 2) (*речь*) lánguage

языкозна́ние linguístics

язы́ческий págan, héathen

яи́чница ómelet(te)

scrambled eggs (*мн. ч.*) (*болтунья*); **fríed eggs** (*мн.ч.*) (*глазунья*)

яйцó egg

я́кобы as if, as though; suppósedly

я́корь ánchor

я́ма pit; помóйная ~ dústheap

я́мочка (*на щеке*) dímple

янва́рь Jánuary

янта́рь ámber

япóнец Japanése

япóнский Japanése

я́ркий bright

ярлы́к lábel

я́рмарка fair

яров|óй spring; ~**ые** хлеба́ spring corn

я́рос|тный fúrious; ~**ть** rage, fúry

я́рус *театр.* círcle; tier

я́сли 1) (*детские*) crèche; núrsery (school) 2) (*для скота*) mánger

я́сн|о clear; ~**ый** clear; distínct

я́стреб hawk

я́хта yacht

яхтсмéн yáchtsman

ячéйка cell

ячмéнь I (*растение*) bárley

ячмéнь II (*на глазу*) sty

я́шма jásper

я́щерица lízard

я́щик 1) box 2) (*выдвижнóй*) dráwer

СПИСОК ГЕОГРАФИЧЕСКИХ НАЗВАНИЙ
GEOGRAPHICAL NAMES

Австра́лия Austrália
А́встрия Áustria
Адди́с-Абе́ба Ádis Ábaba
Азербайджа́н Azerbaiján
А́зия Ásia
Азо́вское мо́ре Sea of Azóv
Алба́ния Albánia
Алжи́р 1) Algéria 2) *(го́род)* Algiers
Алма́-Ата́ Álma-Atá
Алта́й Altái
А́льпы the Alps
Аме́рика América
Амударья́ Amú Daryá
Аму́р Amúr
Ангара́ Angará
А́нглия Éngland
Анго́ла Angóla
Анкара́ Ánkara
Антаркти́да the Antárctic Cóntinent
Анта́рктика the Antárctic
Ара́льское мо́ре Arál Sea
Аргенти́на Argentína
А́рктика Árctic
Арме́ния Arménia
Арха́нгельск Arkhángelsk
Атланти́ческий океа́н the Atlántic Ócean
Афганиста́н Afghánistan
Афи́ны Áthens
А́фрика África
Ашхаба́д Ashkhabád

Багда́д Bág(h)dad
Байка́л Baikál
Баку́ Bakú
Балка́ны Bálkans
Балти́йское мо́ре Báltic Sea
Бангладе́ш Bangladésh(i)
Ба́ренцево мо́ре Bárents Sea
Бату́ми Batúmi
Бахре́йн Bahráin
Белгра́д Belgráde
Бе́лое мо́ре White Sea
Белору́ссия Byelorússia
Бе́льгия Bélgium
Бени́н Benín
Бе́рингово мо́ре Béring Sea
Берли́н Berlín
Берн Bern(e)
Бишке́к Bishkék
Болга́рия Bulgária
Боли́вия Bolívia
Бонн Bonn
Ботни́ческий зали́в Gulf of Bóthnia
Ботсва́на Botswána
Браззави́ль Brázzaville
Брази́лиа *(го́род)* Brasília
Брази́лия *(страна́)* Brazíl
Брюссе́ль Brússels
Будапе́шт Búdapest

427

Бурки́на́ Фасо́ Burkiná Fasó

Бухаре́ст Búcharest

Варша́ва Wársaw
Ватика́н Vátican
Вашингто́н Wáshington
Великобрита́ния Great Brítain
Ве́на Viénna
Ве́нгрия Húngary
Венесуэ́ла Venezuéla
Ви́льнюс Vílnius
Владивосто́к Vladivostók
Во́лга the Vólga
Волгогра́д Vólgograd
Вьетна́м Vietnám

Гаа́га the Hague
Габо́н Gabón
Гава́на Gaváva
Гаи́ти Haíti
Гайа́на Guyána
Га́мбия Gámbia
Га́на Ghána
Гватема́ла Guatemála
Гвине́я Guínea
Гвине́я-Биса́у Guínea-Bissáu
Герма́ния Gérmany
Гибралта́р Gibráltar
Гимала́и Himaláya(s)
Голла́ндия Hólland
Гондура́с Hondúras
Гонко́нг Hong Kóng
Гренла́ндия Gréenland
Гре́ция Greece
Гру́зия Géorgia

Дама́ск Damáscus
Да́ния Dénmark
Де́ли Délhi
Днепр the Dníeper

Доминика́нская Респу́блика Domínican Repúblic
Дон the Don
Ду́блин Dúblin
Дуна́й Dánube
Душанбе́ Dyushánbe

Евро́па Éurope
Еги́пет Égypt
Енисе́й the Eniséi
Ерева́н Yereván

Жене́ва Genéva

Заи́р Zaire
За́мбия Zámbia
Зимба́бве Zimbábwe

Иерусали́м Jerúsalem
Изра́иль Ísrael
Инди́йский океа́н the Índian Ócean
Йндия Índia
Индоне́зия Indonésia
Иорда́ния Jórdan
Ира́к Iráq
Ира́н Irán
Ирла́ндия Íreland
Исла́ндия Íceland
Испа́ния Spain
Ита́лия Ítaly

Йе́мен Yémen

Ка́бо-Ве́рде Cábo Vérde
Кабу́л Kábul
Кавка́з the Cáucasus
Казахста́н Kazakhstán
Каи́р Cáiro
Ка́ма the Káma
Камбо́джа Cambódia
Камеру́н Cámeroon
Камча́тка Kamchátka

Кана́да Cánada
Ка́нберра Cánberra
Карпа́ты the Carpáthians
Ка́рское мо́ре Kára Sea
Каспи́йское мо́ре Cáspian Sea
Ке́ния Kénya
Ки́ев Kíev
Кинша́са Kinshása
Кита́й China
Кишинёв Kishinév
Колу́мбия Colómbia
Ко́нго Cóngo
Копенга́ген Copenhágen
Коре́я Koréa
Ко́ста-Ри́ка Cósta Ríca
Кот-д'Ивуа́р Côte d'Ivoíre
Крым the Criméa
Ку́ба Cúba
Куве́йт Kuwáit
Кури́льские о-ва Kuríl íslands; the Kuríls
Кыргызста́н Kirghistán

Ла́дожское о́зеро Lake Ládoga
Ла-Ма́нш Énglish Chánnel
Лао́с Láos
Ла́птевых мо́ре Láptev Sea
Ла́твия Látvia
Лати́нская Аме́рика Látin América
Ле́на the Léna
Лесо́то Lesóto
Либе́рия Libéria
Лива́н Lébanon
Ли́вия Líbya
Лис(с)або́н Lísbon
Литва́ Lithuánia
Лихтенште́йн Líechtenstein
Ло́ндон Lóndon

Льво́в Lvov
Люксембу́рг Lúxemburg

Маври́кий Maurítius
Маврита́ния Mauritánia
Мадагаска́р Madagáskar
Мадри́д Mádrid
Мала́ви Maláwi
Мала́йзия Maláysia
Мали́ Máli
Мальди́вы the Máldives
Ма́льта Málta
Маро́кко Morócco
Ме́ксика Méxiko
Минск Minsk
Мозамби́к Mozambíque
Молдо́ва Moldóva
Мона́ко Mónaco
Монго́лия Mongólia
Москва́ Móscow
Му́рманск Murmánsk
Мья́нма Myánma

Нами́бия Namíbia
Нева́ the Néva
Непа́л Nepál
Ни́гер Níger
Ниге́рия Nigéria
Нидерла́нды Nétherlands
Никара́гуа Nicarágua
Нил Nile
Новосиби́рск Novosibírsk
Норве́гия Nórway
Нью-Йо́рк New York

Объединённые Ара́бские Эмира́ты United Árab Emírates
Обь the Ob
Оде́сса Odéssa
Ока́ the Oká

Онѐжское о́зеро Lake Onéga

О́сло Óslo

Отта́ва Óttawa

Охо́тское мо́ре Sea of Okhótsk

Пакиста́н Pakistán

Палести́на Pálestine

Пами́р the Pamírs *(мн. ч.)*

Пана́ма Panamá

Парагва́й Páraguay

Пари́ж Páris

Пеки́н Pekíng

Перси́дский зали́в Pérsian Gulf

Пе́ру Perú

Пирене́и the Pyrenées

По́льша Póland

Португа́лия Pórtugal

Пра́га Prague

Прето́рия Pretória

Пхенья́н Pyóngyáng

Рейкья́вик Réykjavik

Рейн Rhine

Ри́га Ríga

Рим Rome

Росси́я Rússia

Румы́ния R(o)umánia

Сальвадо́р El Sálvador

Санкт-Петербу́рг Saint Pétersburg

Сантья́го Santiágo

Сау́довская Ара́вия Sáudi Arábia

Сахали́н Sakhalín

Caxа́pa Sahára

Сва́зиленд Swazíland

Севасто́поль Sevastópol

Се́верный Ледови́тый океа́н the Árctic Ócean

Сенега́л Senegál

Сеу́л Seóul

Сиби́рь Sibéria

Сингапу́р Singapóre

Си́рия Sýria

Скандина́вский полуо́стров Scandinávian Península

Соединённое Короле́вство Великобрита́нии и Се́верной Ирла́ндии United Kíngdom of Great Brítain and Nórthen Íreland

Соединённые Шта́ты Аме́рики (США) United States of América (USA)

Сомали́ Somália

Софи́я Sófia

Средизе́мное мо́ре Mediterránean (Sea)

Стамбу́л Istanbúl

Стокго́льм Stóckholm

Суда́н the Sudán

Сырдарья́ the Syr Daryá

Сье́рра-Лео́не Siérra Leóne

Таджикиста́н Tadjikistán

Таила́нд Tháiland

Тайва́нь Taiwán

Та́ллинн Tállinn

Танза́ния Tanzanía

Ташке́нт Tashként

Тбили́си Tbilísi

Тегера́н Teh(e)rán

Тель-Ави́в Tel Avív

Те́мза Thames

Тибе́т Tibét

Тира́на Tirána

Ти́хий океа́н the Pacífic Ócean

То́го Tógo

То́кио Tókyo

Туни́с Tunísia

Туркмениста́н Turkmenistán

Ту́рция Túrkey
Тянь-Ша́нь Tien Shán

Уга́нда Ugánda
Узбекиста́н Uzbekistán
Украи́на Ukráine
Ула́н-Ба́тор Ulán Bátor
Ура́л Úral
Уругва́й Úruguay

Филиппи́ны Philippines
Финля́ндия Fínland
Фи́нский зали́в Gulf of Fínland
Фра́нция France

Хано́й Hanói
Хе́льсинки Hélsinki
Хироси́ма Hiróshima

Чад Chad
Чёрное мо́ре Black Sea
Чика́го Chicágo

Чи́ли Chíle

Швейца́рия Switzerland
Шве́ция Swéden
Шотла́ндия Scótland
Шри-Ла́нка Sri Lánka

Эвере́ст Éverest
Эквадо́р Ecuadór
Экваториа́льная Гвине́я Equatórial Guínea
Эсто́ния Estónia
Эфио́пия Ethiópia

Югосла́вия Yugoslávia
Ю́жная Аме́рика South América
Ю́жно-Африка́нская Респу́блика Repúblic of South África
Яма́йка Jamáica
Япо́ния Japán
Япо́нское мо́ре Sea of Japán

**ТАБЛИЦЫ ПЕРЕВОДА
АНГЛО-АМЕРИКАНСКИХ ЕДИНИЦ
ИЗМЕРЕНИЙ В МЕТРИЧЕСКУЮ
СИСТЕМУ**
WEIGHTS AND MEASURES

Линейные меры
1 mile (ml) миля = 1,760 yards = 5,280 feet = 1.609 kilometres
   1 yard (yd) ярд = 3 feet = 91.44 centimetres
   1 foot (ft) фут = 12 inches = 30.48 centimetres
   1 inch (in.) дюйм = 2.54 centimetres

Меры веса (Avoirdupois Measure)
1 hundredweight (cwt) (gross, long) хандредвейт (большой, длинный) = 112 pounds = 50.8 kilogram(me)s
   1 hundredweight (cwt) (net, short) хандредвейт (малый, короткий) = 100 pounds = 45.36 kilogram(me)s
   1 stone стоун = 14 pounds = 6.35 kilogram(me)s
   1 pound (lb) фунт = 16 ounces = 453.59 gram(me)s
   1 ounce (oz) унция = 28.35 gram(me)s
   1 grain гран = 64.8 milligram(me)s

Меры жидкостей
1 barrel (bbl) баррель = 31-42 gallons = 140.6-190.9 litres
   1 barrel (for liquids) 1) British = 36 Imperial gallons = 163.6 litres; 2) U.S. = 31.5 gallons = 119.2 litres
   1 barrel (for crude oil) 1) British = 34.97 gallons = 158.988 litres; 2) U.S. = 42.2 gallons = 138.97 litres
   1 gallon (gal) галлон 1) British Imperial = 8 pints = 4.546 litres; 2) U.S. = 0.833 British gallon = 3.785 litres
   1 pint (pt) пинта 1) British = 0.57 litre; 2) U.S. = 0.47 litre

Соотношение температурной шкалы Фаренгейта и Цельсия

TEMPERATURE CONVERSION

	шкала Фаренгейта	шкала Цельсия
Точка кипения	212°	100°
	194°	90°
	176°	80°
	158°	70°
	140°	60°
	122°	50°
	104°	40°
	86°	30°
	68°	20°
	50°	10°
Точка замерзания	32°	0°
	14°	-10°
	0°	-17,8°
Температура абсолютного нуля	-459,67°	-273,5°

При переводе из шкалы Фаренгейта в шкалу Цельсия из исходной цифры вычитают 32 и умножают на 5/9.

При переводе из шкалы Цельсия в шкалу Фаренгейта исходную цифру умножают на 9/5 и прибавляют 32.

DICTIONARY STAFF

Managing Editor
L. P. Popova

Editors
L. K. Genina
N. A. Otsup
I. I. Samoylenko
S. M. Shkunayeva
L. B. Chaykina
L. S. Robaten

Art Director
N. I. Terekhov

Camera-ready copy produced by S. B. Barsovoy
with Microsoft WORD®

Production Editor
E. S. Sobolevskaya

Proofreader
G. N. Kuzmina